Kijk niet weg

Van Linwood Barclay zijn verschenen bij Boekerij

Zonder een woord
Dicht bij huis
Vrees het ergste
Kijk niet weg

www.boekerij.nl

Linwood Barclay

Kijk niet weg

BIBLIOTHEEK
HEERENVEEN

Eerste druk februari 2012

ISBN 978-90-225-5554-5
ISBN 978-94-6023-194-0 (e-boek)
NUR 302

Oorspronkelijke titel: *Never Look Away*
Oorspronkelijke uitgever: Delacorte Press, an imprint of Random House Publishing
Group, New York
Vertaling: Nienke van der Meulen
Omslagontwerp: Wil Immink
Omslagbeeld: Landschap: byllwill / Getty Images; buggy: Stockbyte / Getty Images
Zetwerk: Mat-Zet, Soest

© 2011 Linwood Barclay
© 2012 De Boekerij bv, Amsterdam

Voor Neetha

'Hij is helemaal van de wereld.'

'Er moet ergens een sleuteltje zijn, zoek het.'

'Ik heb z'n zakken al doorzocht, dat zei ik toch. Er is geen sleuteltje voor die handboei.'

'En een code? Misschien heeft hij hem ergens opgeschreven en het briefje in z'n portefeuille gestopt of zo.'

'Wat? Zo stom is hij echt niet, hoor. Denk je nou echt dat hij die code op een papiertje bij zich heeft?'

'Zaag die ketting dan door. We nemen het koffertje mee, en dan zoeken we later wel uit hoe we het open krijgen.'

'Hij ziet er behoorlijk sterk uit. Het kost me minstens een uur om 'm door te zagen.'

'En kun je die handboei niet over zijn hand schuiven?'

'Hoe vaak moet ik je dat nog zeggen! Ik moet hem eraf zagen.'

'Je zei toch net dat het tijden gaat duren om die handboei door te zagen?'

'Ik heb het niet over de handboei.'

Proloog

'Ik ben bang,' zei Ethan.

'Je hoeft helemaal niet bang te zijn,' zei ik. Ik draaide me in mijn stoel achter het stuur om en stak een arm naar achteren om hem uit zijn stoeltje te bevrijden. Ik tastte onder het blad waarop hij met zijn armen steunde en klikte de sluiting los.

'Ik wil er niet in,' zei hij. Vanaf de ingang van het park kon je het reuzenrad en het bovenste gedeelte van de vijf achtbanen duidelijk zien, als dreigende buizenbergen in de verte.

'We gaan er niet in,' zei ik voor de zoveelste keer tegen hem. Ik begon me af te vragen of dit uitje wel zo'n goed idee was.

Gisteravond, toen Jan en ik terug waren gekomen van ons ritje naar Lake George en ik Ethan bij mijn ouders had opgehaald, had het moeite gekost om hem rustig te krijgen. Het ene moment vond hij het spannend dat we naar een pretpark gingen, het volgende was hij bang dat het karretje van de achtbaan op het hoogste punt uit de bocht zou vliegen. Nadat ik hem had ondergestopt kroop ik naast Jan onder de dekens en overwoog te vragen of Ethan echt al groot genoeg was voor een dagje Five Mountains. Maar ze sliep, of ze deed alsof, dus ik liet het erbij zitten.

Vanmorgen was Ethan alleen maar opgewonden over ons dagje uit. Geen achtbaannachtmerries. Bij het ontbijt stelde hij voortdurend vragen over hoe die dingen werkten, waarom ze geen motor voorin hadden, zoals een trein. Hoe konden ze naar boven zonder motor?

Pas toen we even na elven de auto op de bijna volle parkeerplaats parkeerden, keerden zijn angsten terug.

'We gaan alleen in de kleinere attracties. De draaimolens en zo, dingen die jij leuk vindt,' zei ik tegen hem. 'Jij mag niet eens in zo'n grote. Je bent nog maar vier. Je moet acht of negen zijn. Je moet zó groot zijn.' Ik hield mijn hand zo'n honderdtwintig centimeter boven het asfalt van de parkeerplaats.

Ethan keek zorgelijk naar mijn hand; hij was niet overtuigd. Het was volgens mij niet alleen het idee om in een van die monsterlijke achtbanen te zitten. Gewoon om er in de buurt te zijn, om het geratel en gebrul te horen, was al beangstigend.

'Het komt allemaal in orde,' zei ik. 'Ik zorg ervoor dat jou niets overkomt.'

Ethan keek me recht aan, kwam tot de slotsom dat ik zijn vertrouwen verdiende en liet toe dat ik de klep van zijn stoeltje omhoog deed en over zijn hoofd wegklapte. Hij maakte zich los uit het tuigje, waarbij zijn fijne blonde haar in de war raakte. Ik pakte hem onder zijn armen beet om hem op te tillen, maar hij worstelde zich los, zei 'Ik kan het zelf', liet zich op de vloer van de auto glijden en stapte uit.

Jan stond achter onze Accord, haalde de buggy uit de kofferbak en klapte hem uit. Ethan probeerde er al in te kruipen voor hij helemaal uitgeklapt was.

'Hola,' riep Jan.

Ethan bleef staan, wachtte tot hij het beslissende klikje hoorde en ging toen zitten. Jan boog zich weer over de kofferbak.

'Laat mij maar even,' zei ik en reikte naar de rugzak.

Jan had de kleine canvas tas die ernaast stond open gemaakt. Het was een koeltas, met een koelelement erin en zes pakjes sap, waarvan de in cellofaan verpakte rietjes aan de zijkant geplakt zaten. Ze gaf me een van de pakjes en zei: 'Geef maar aan Ethan.'

Ik nam het pakje aan, Jan pakte wat ze verder nodig had en sloot de kofferbak. Ze ritste de koeltas dicht en stopte hem in het net achter op de buggy terwijl ik het rietje lostrok van het plakkerige pakje sap. Het pakje, of een van de andere pakjes in de koeltas, moest gelekt hebben. Ik haalde het rietje uit het cellofaan en stak het in het pakje.

Toen ik het aan Ethan gaf, zei ik: 'Niet in knijpen. Anders zit je meteen onder de appelsap.'

'Weet ik,' zei hij.

Jan legde haar hand op mijn blote arm. Het was een warme zaterdag in augustus en we droegen allebei een korte broek, een mouwloos T-shirt en, omdat we veel moesten lopen, sportschoenen. Jan had een honkbalpet met een grote klep op. Haar zwarte paardenstaart stak achter uit de opening. Een enorme zonnebril beschermde haar ogen.

'Hoi,' zei ze.

'Hoi,' zei ik.

Ze trok me achter de buggy naar zich toe, zodat Ethan het niet kon zien. 'Alles goed?' vroeg ze.

De vraag overviel me. Ik had op het punt gestaan haar hetzelfde te vragen. 'Ja, best.'

'Ik weet dat het een teleurstelling voor je was, gisteren.'

'Dat maakt niet uit,' zei ik. 'Soms leidt een tip tot niets. Dat gebeurt nu eenmaal. En jij? Voel jij je beter vandaag?'

Ze knikte zo subtiel dat alleen een kleine beweging van de klep van haar pet aangaf wat ze antwoordde.

'Echt?' drong ik aan. 'Wat je gisteren tegen me zei, over de brug...'

'Laten we niet...'

'Ik begon net te denken dat jij je weer wat beter voelde, maar toen je tegen me zei dat...'

Ze legde haar wijsvinger op mijn lippen. 'Ik weet dat ik de afgelopen tijd een lastpak ben geweest. En dat spijt me echt.'

Ik dwong mezelf tot een glimlach. 'Toe zeg, we voelen ons allemaal wel eens een tijdje rot. Soms is daar een duidelijke reden voor, maar soms ook niet. Je voelt je gewoon zoals je je voelt. Het gaat wel weer over.'

Er flitste iets in haar ogen, alsof ze daar niet zo zeker van was als ik. 'Ik wil dat je weet dat ik het waardeer dat je... dat je zo geduldig met me bent,' zei ze. Een gezin in een enorme suv reed langs, op zoek naar een plekje. Jan wendde zich af omdat de auto zo'n herrie maakte.

'Geen punt, hoor,' zei ik.

Ze haalde diep adem. 'We gaan er een fijne dag van maken,' zei ze.

'Meer verlang ik niet,' zei ik, en ik liet toe dat ze me naar zich toe trok. 'Maar ik vind nog steeds dat het geen kwaad zou kunnen als je af en toe naar iemand toe zou gaan om...'

Ethan draaide zich in zijn buggy om zodat hij ons kon zien. Hij stopte met drinken en zei: 'Gaan we nog?'

'Eventjes geduld,' zei ik.

Hij ging weer goed zitten en zwaaide met zijn benen.

Jan boog zich naar me toe en gaf me een vluchtig kusje op mijn wang. 'Laten we dat joch een mooie dag bezorgen.'

'Ja,' zei ik.

Ze kneep nog even in mijn arm en greep toen de handvatten van het wagentje beet. 'Oké, kerel,' zei ze tegen Ethan. 'Daar gaan we.'

Ethan stak zijn armen opzij, alsof hij vloog. Hij had zijn sap al op en het lege pakje aan mij gegeven om het in een vuilnisbak te gooien. Toen hij klaagde dat zijn vingers plakten, pakte Jan een vochtig doekje voor hem.

We moesten nog een paar honderd meter voor we bij de hoofdingang waren, maar we zagen al mensen in de rij voor het loket staan. Jan was zo verstandig geweest de kaartjes via internet te kopen en had ze twee dagen daarvoor al geprint. Ik nam de buggy van haar over terwijl zij in haar tas zocht.

We waren bijna bij de ingang, toen Jan opeens bleef staan. 'God, wat stom.'

'Wat?'

'De rugzak,' zei ze. 'Ik heb hem in de auto laten liggen.'

'Hebben we hem echt nodig?' vroeg ik. Het was een heel eind lopen naar onze parkeerplek.

'De boterhammen met pindakaas zitten erin, en de zonnebrandcrème.' Jan smeerde Ethan altijd zorgvuldig in zodat hij niet zou verbranden. 'Ik ren wel even terug. Ga jij maar naar binnen, dan haal ik je zo direct weer in.'

Ze gaf me twee strookjes papier – een toegangsbewijs voor een volwassene en een kinderkaartje – en hield het derde zelf.

Ze zei: 'Volgens mij staat er ongeveer honderd meter van de ingang aan de linkerkant een ijskraampje. Dan zie ik jullie daar.'

Jan deed haar huiswerk altijd zeer grondig en ze had de onlineplattegrond van Five Mountains kennelijk in haar geheugen geprent.

'Klinkt goed,' zei ik. Jan draaide zich om en liep op een sukkeldrafje terug naar de auto.

'Waar gaat mama naartoe?' vroeg Ethan.

'We zijn de rugzak vergeten,' zei ik.

'Met de boterhammen?' vroeg hij.

'Klopt.'

Hij knikte opgelucht. Hij wilde absoluut nergens heen zonder dat we iets te eten bij ons hadden. In het bijzonder boterhammen.

Ik liep langs de rijen voor de kassa's, liet onze kaartjes bij de controle bij het hek zien en ging het park in. We werden verwelkomd door een aantal patatkramen, een paar stalletjes waar je Five Moutains-petten en t-shirts kon kopen en stickers voor op je auto en folders. Ethan wilde een pet hebben, maar ik zei nee.

De dichtstbijzijnde twee achtbanen, die er vanaf de parkeerplaats al groot hadden uitgezien, hadden nu Mount Everest-achtige proporties aangenomen. Ik duwde de buggy niet langer, maar knielde neer bij Ethan en wees. Hij keek omhoog, naar het rijtje wagentjes dat langzaam de eerste helling besteeg en daarna op volle snelheid omlaag zoefde, terwijl de inzittenden gilden en met hun handen zwaaiden.

Hij keek ernaar, zijn ogen groot van verbazing en angst. Hij tastte naar mijn hand en kneep erin. 'Ik vind het niet leuk,' zei hij. 'Ik wil naar huis.'

'Ik heb toch tegen je gezegd dat je je geen zorgen hoeft te maken. De dingen waar wij in gaan zijn aan de andere kant van het park.'

Het was ontzettend druk. Honderden, nee, duizenden mensen om ons heen. Ouders met kleine kinderen, met grote kinderen. Grootouders. Sommigen sleurden hun kleinkinderen mee, anderen werden door hun kleinkinderen meegesleurd.

'Daar heb je het ijsstalletje,' zei ik toen ik het kraampje vlak voor ons zag.

Ik ging weer achter de buggy staan en begon te duwen. 'Zou het te vroeg zijn voor een ijsje?' vroeg ik.

Ethan reageerde niet.

'Kerel? Heb je trek in een ijsje?'

Toen hij nog steeds niet antwoordde, bleef ik staan om naar hem te kijken. Zijn hoofd lag opzij gezakt tegen de rugleuning, zijn ogen waren dicht.

Ons mannetje was in slaap gevallen.

'Niet te geloven,' zei ik zachtjes. We waren nog niet eens bij de eerste draaimolen en het joch was al in coma.

'Alles in orde?'

Ik draaide me om. Jan was er weer, het zweet liep in een straaltje in haar nek, de rugzak had ze over haar schouder gehangen.

'Hij is vertrokken,' zei ik.

'Dat meen je niet,' zei ze.

'Ik denk dat hij flauwgevallen is van angst toen hij dat ding van dichtbij zag,' zei ik terwijl ik op de achtbaan wees.

'Ik heb geloof ik iets in mijn schoen,' zei Jan. Ze duwde het wagentje naar een betonnen rand rond een perk met bloemen. Ze ging op de rand zitten en duwde Ethan met wagentje en al links van haar.

'Zullen we samen een ijsje delen?' vroeg ze. 'Ik ben uitgedroogd.'

Ik kon raden wat ze dacht. We konden nu, nu Ethan lag te slapen, samen iets lekkers nemen. Hij had de hele dag nog om rotzooi binnen te krijgen. Dit zou iets alleen voor ons tweetjes zijn.

'Met chocola?' vroeg ik.

'Zoek maar iets lekkers uit,' zei ze terwijl ze haar linkervoet op haar knie legde. 'Heb je geld?'

'Jawel.' Ik klopte op mijn achterzak. Ik draaide me om en liep naar het ijskraampje. Ze verkochten dat witte softijs uit een machine. Niet mijn favoriete ijs – ik hou meer van echt ijs – maar het meisje dat me hielp slaagde erin bovenop een kunstige draai te maken. Ik vroeg haar hem in de chocola te dopen, die zich als een huid om het ijs sloot toen ze het hoorntje aan me gaf.

Ik nam een klein hapje, waardoor ik de chocola brak, en had daar onmiddellijk spijt van. Ik had Jan het eerste hapje moeten laten nemen. Maar ik zou het de komende week goedmaken. Maandag zou ik bloemen voor haar meebrengen. Later in de week zou ik een oppas regelen en Jan mee uit eten nemen. Wat Jan nu meemaakte was misschien wel mijn schuld. Ik was niet lief genoeg voor haar geweest. Dat beetje extra had ik niet opgebracht. Als dat nodig was om Jan er weer bovenop te helpen, dan ging ik dat doen. Ik kon ons huwelijk redden.

Ik had niet verwacht dat ik Jan naar me toe zou zien lopen toen ik me omdraaide. Ik kon zien dat ze van slag was, ook al had ze een zonnebril op. Er biggelde een traan over haar wang en haar mond was gruwelijk vertrokken.

Waar had ze de buggy gelaten? Ik keek over haar schouder naar de plek waar ze volgens mij gezeten had.

Ze kwam snel op me af en pakte mijn schouders beet.

'Ik heb maar eventjes niet opgelet,' zei ze.

'Wat?'

'Mijn schoen,' zei ze hortend. 'Ik haalde… ik haalde dat steentje… ik haalde dat steentje uit mijn schoen en toen keek ik… toen keek ik op en…'

'Jan, waar heb je het over?'

'Iemand heeft hem meegenomen,' zei ze bijna fluisterend, alsof ze geen stem meer had. 'Ik keek op en hij…'

Ik liep al langs haar heen, rende naar de plek waar ik hen voor het laatst samen had gezien.

De buggy was weg.

Ik ging op de rand staan waarop Jan gezeten had en keek de menigte af.

Het is een vergissing. Dit is niet wat het lijkt. Hij is zo meteen weer terug. Iemand heeft gewoon de verkeerde buggy gepakt.

'Ethan!' riep ik. Voorbijgangers keken even naar me, maar liepen algauw door. 'Ethan!' riep ik weer.

Jan stond nu bij me en keek naar me op. 'Zie je hem ergens?'

'Wat is er gebeurd?' vroeg ik snel. 'Wat is er verdomme gebeurd?'

'Dat zei ik toch. Ik keek even niet en toen…'

'Hoe kon je? Hoe kon je hem uit het oog verliezen...?'

Jan probeerde iets te zeggen, maar er kwamen geen woorden. Ik wilde voor de derde keer vragen hoe ze dit had kunnen laten gebeuren, maar ik besefte dat het tijd verknoeien was.

Ik moest ogenblikkelijk denken aan dat broodjeaapverhaal waarmee we een paar keer per jaar op de redactie gebeld werden.

'Ik heb het gehoord van een vriend van een vriend van me,' zo begon zo'n telefoontje gewoonlijk, 'over een gezin uit Promise Falls. Ze gingen naar Florida, en ze waren in een van die grote pretparken in Orlando, en hun kind, een jongetje, of misschien was het wel een meisje, maar goed, dat kind is gestolen. De kidnappers hebben hem meegenomen naar de toiletten, en daar hebben ze zijn haar geknipt en hem iets anders aangetrokken en zo hebben ze hem uit het pretpark gesmokkeld. En het is nooit in de krant gekomen omdat de eigenaar van het park die negatieve publiciteit niet wil.'

Zo'n verhaal bleek nooit, maar dan ook nooit te kloppen.

Maar nu...

'Ga jij naar de hoofdingang,' zei ik tegen Jan; ik deed mijn best om rustig te klinken. 'Als iemand hem mee naar buiten wil nemen, dan moeten ze daarlangs. Er moet daar beveiliging staan. Vertel wat er gebeurd is.' Ik had het ijsje nog steeds in mijn hand, maar nu gooide ik het weg.

'En jij dan?' vroeg ze.

'Ik ga daar zoeken.' Ik wees voorbij het ijskraampje. Daarachter was een toiletgebouw. Misschien had iemand Ethan meegenomen naar het herentoilet.

Jan rende al weg. Ze keek nog even over haar schouder en maakte het telefoongebaar bij haar oor om me duidelijk te maken dat ik haar moest bellen als ik iets wist. Ik knikte en rende de andere kant op.

Ik bleef de mensenmenigte afzoeken terwijl ik naar de ingang van de herentoiletten rende. Toen ik daar buiten adem binnenkwam weergalmde het geluid van de stemmen van kinderen en volwassenen en van de blowers om je handen onder te drogen tegen de tegels. Er stond een man die een klein jongetje, kleiner dan Ethan, optilde voor een van de urinoirs. Een wat oudere man waste zijn handen bij de lange rij wasbakken. Een jongen van een jaar of zestien bewoog zijn handen onder een blower heen en weer.

Ik rende langs hem heen naar de toilethokjes. Er waren er zes. Bij allemaal stond de deur open, behalve bij de vierde. Ik sloeg erop, misschien zou hij wel opengaan.

'Wat?' riep een man vanuit het hokje. 'Momentje, hoor.'

'Wie is daar?' riep ik.

'Hoezo?'

Ik keek door de kier tussen de deur en de deurpost en zag dat er een zwaargebouwde man op de wc zat. Vrijwel direct zag ik dat hij alleen was.

'Rot op!' brulde de man.

Ik rende de toiletten weer uit en gleed bijna uit op de vochtige tegels. Toen ik weer in de heldere zonneschijn stond en al die mensen langs zag lopen, vloog het me opeens aan.

Ethan kon overal zijn.

Ik wist niet welke kant ik op moest gaan, maar alles was beter dan daar te blijven staan. Dus rende ik naar de entree van de dichtstbijzijnde achtbaan, de Humdinger, waar ruwweg honderd mensen stonden te wachten. Ik keek de rij langs, op zoek naar onze buggy, of naar een jongetje zonder buggy.

Ik bleef rennen. Voor me lag KidLand Adventure, het deel van Five Mountains dat speciaal ingericht was met attracties voor kinderen die te klein waren voor de grote achtbanen. Had iemand Ethan gepakt en hem hiernaartoe gebracht voor een ritje in een draaimolen? Was dat logisch? Nee, niet echt. Tenzij het, zoals ik eerder gedacht had, een vergissing was of zo. Iemand die de buggy had gepakt en ermee was weggelopen zonder de moeite te nemen om naar het kind dat erin zat te kijken. Ik had dat zelf in het winkelcentrum een keer bijna gedaan. Die buggy's lijken allemaal op elkaar, en ik liep aan iets anders te denken.

Voor me duwde een korte, brede vrouw, haar rug naar me toe, een buggy voort die verschrikkelijk veel op de onze leek. Ik zette nog een tandje bij, haalde haar in en sprong toen voor haar om het kind te kunnen bekijken.

Het was een meisje in een roze jurk. Ze was een jaar of drie en haar gezicht was geschminkt met rode en groene stippels.

'Wat moet dat?' vroeg de vrouw.

'Sorry,' zei ik. Halverwege het woord had ik me al omgedraaid en keek de menigte weer af. Ik keek en ik keek…

Ik zag een andere buggy. Een blauwe, met een kleine canvas tas in het netje achterop.

Er was niemand in de buurt van de buggy. Hij stond daar gewoon. Vanaf de plek waar ik stond kon ik niet zien of er een kind in zat.

Vanuit mijn ooghoek zag ik een man. Met een baard. Hij rende weg.

Maar die man interesseerde me niet. Ik sprintte in de richting van de eenzame buggy.

Alsjeblieft, alsjeblieft, alsjeblieft…

Ik rende eromheen en keek.

Hij was niet eens wakker geworden. Zijn hoofd lag nog opzij, zijn ogen waren dicht.

'Ethan!' zei ik. Ik bukte me, tilde hem uit de buggy en drukte hem tegen me aan. 'Ethan! O god, Ethan!'

Ik hield hem een eindje van me af zodat ik zijn gezicht kon zien. Hij fronste zijn wenkbrauwen, zoals hij altijd deed als hij op het punt stond in tranen uit te barsten. 'Alles is goed,' zei ik. 'Alles is goed, papa is bij je.'

Toen drong het tot me door dat hij niet van streek was omdat hij gekidnapt was. Hij was boos omdat hij gestoord was in zijn slaapje. Maar dat verhinderde me niet om hem nogmaals te vertellen dat alles in orde was. Ik drukte hem weer tegen me aan en streelde zijn hoofdje.

Toen ik hem weer een eindje van me af hield, had hij zijn trillende lipjes genoeg in bedwang om naar mijn mondhoek te wijzen en te vragen: 'Heb jij chocola gegeten?'

Ik lachte en huilde tegelijkertijd.

Ik had even tijd nodig om tot mezelf te komen en toen zei ik: 'We moeten naar mama toe. Haar laten weten dat alles in orde is.'

'Wat is er dan?' vroeg Ethan.

Ik pakte mijn mobiele telefoon en drukte op de sneltoets voor Jans mobieltje. Het ging vijf keer over en sprong toen op de voicemail. 'Ik heb hem,' zei ik. 'Ik kom naar de uitgang.'

Ethan was nog nooit zo snel ergens naartoe gereden in zijn buggy. Hij stak zijn handen opzij en lachte terwijl ik hem door de mensenmenigte heen duwde. De voorwielen begonnen te zwenken, dus liet ik de buggy achteroverhellen, waardoor Ethan nog harder moest lachen.

Bij de hoofdingang bleef ik staan en keek om me heen.

Ethan zei: 'Ik geloof dat ik toch die grote achtbaan wel wil proberen. Ik ben groot genoeg.'

'Wacht even, kerel,' zei ik terwijl ik om me heen bleef kijken. Ik pakte mijn telefoon weer. Ik liet opnieuw een bericht achter: 'Hé, we zijn hier. Bij het hek. Waar zit je?'

Ik ging midden op het pad staan, net binnen het hek, waar de mensen naar binnen stroomden op weg naar de attracties. Jan zou ons hier niet over het hoofd kunnen zien.

Ik stond voor de buggy zodat Ethan me kon zien. 'Ik heb honger,' zei hij. 'Waar is mama? Is mama naar huis? Heeft ze de rugzak met de boterhammen hier gelaten?'

'Wacht even.'

'Mag ik er een met alleen pindakaas? Ik wil niet met pindakaas en jam.'

'Hou nou eventjes je kwek, goed?' zei ik. Ik had mijn telefoon in mijn hand, klaar om het open te klappen zodra hij overging.

Misschien was Jan bij de beveiliging. Dat was uitstekend. Al was Ethan dan weer terecht, er liep hier iemand rond die het op andermans kinderen gemunt had. Geen prettig idee.

Ik wachtte tien minuten en belde toen weer naar Jan. Ze nam nog steeds niet op. Dit keer liet ik geen berichtje achter.

Ethan zei: 'Ik wil hier niet blijven. Ik wil ergens in.'

'Wacht nou even, kerel,' zei ik. 'We kunnen niet ergens in gaan zonder mama. Dan weet ze niet waar we zijn.'

'Ze kan toch bellen,' zei Ethan, en hij trappelde met zijn beentjes.

Een medewerker van het park, te herkennen aan zijn kaki broek en overhemd met het logo van Five Mountains erop, liep voorbij. Ik greep hem bij zijn arm.

'Bent u van de beveiliging?' vroeg ik.

Hij hield een kleine walkietalkie op. 'Ik kan ze voor u oproepen,' zei hij.

Op mijn verzoek belde hij om te informeren of Jan met iemand van de beveiliging in gesprek was. 'Iemand moet tegen haar zeggen dat ik onze zoon gevonden heb,' zei ik.

De stem uit de walkietalkie klonk geërgerd. 'Wie? Daar weet ik niets van.'

'Sorry,' zei de parkmedewerker en hij liep door.

Ik probeerde mijn opkomende paniek te onderdrukken. Het was mis. Grondig mis.

Iemand probeert je kind te stelen. Een man met een baard rent weg.

Je vrouw komt niet terug naar de plek die jullie afgesproken hebben.

'Geen paniek,' zei ik tegen Ethan terwijl ik de mensenmenigte weer af tuurde. 'Ze komt zo meteen terug. Echt. En dan gaan we pret maken.'

Maar Ethan zei niets. Hij was weer in slaap gevallen.

DEEL I

Twaalf dagen eerder

1

'Ja?'

'Meneer Reeves?' zei ik.

'Ja?'

'U spreekt met David Harwood van de *Standard*,' zei ik.

'Ha, David.' Dat had je met politici. Je zei 'meneer' en 'u' tegen hen, en ze noemden jou bij je voornaam. Of het nu de president was of een of andere onderknuppel bij de Dienst Openbare Werken. Je werd Bob genoemd, of Tom, of David. Nooit meneer Harwood.

'Hoe gaat het met u?' vroeg ik.

'Wat wil je weten?' vroeg hij.

Ik besloot het met de stroopkwast aan te pakken. 'Ik hoop dat mijn belletje gelegen komt. Ik begrijp dat u net terug bent. Sinds... sinds gisteren, toch?'

'Ja,' zei Stan Reeves.

'En dit reisje... Wat was het precies? Een studiereisje?'

'Klopt,' zei hij.

'Naar Engeland?'

'Ja.' Alsof je een kies trok, zo lastig was het om informatie van Reeves los te peuteren. Misschien had het ermee te maken dat hij niet bijzonder op mij gesteld was en dat hij mijn stukken niet apprecieerde, de stukken over wat wellicht een nieuwe bedrijfstak in Promise Falls kon worden.

'En wat hebt u ervan opgestoken?'

Hij zuchtte, alsof hij zich erbij neerlegde dat hij in elk geval een paar vragen moest beantwoorden.

'We hebben geleerd dat in het Verenigd Koninkrijk commercieel geëxploiteerde gevangenissen al enige tijd succesvol draaien. Wolds Prison is begin jaren negentig als particulier bedrijf opgericht.'

'Ging meneer Sebastian met u mee langs de gevangenissen in Engeland?' vroeg ik. Elmont Sebastian was de directeur van Star Spangled Corrections, het megaconcern dat even buiten Promise Falls een gevangenis wilde neerzetten.

'Hij was er een tijdje bij, ja, dacht ik,' zei Stan Reeves. 'Hij heeft geholpen het een en ander voor de delegatie te regelen.'

'En maakte nog iemand anders van de gemeenteraad van Promise Falls deel uit van deze delegatie?'

'Je weet ongetwijfeld, David, dat ík door de raad ben aangewezen om naar Engeland te gaan om te kijken hoe ze het daar doen. Er waren uiteraard ook mensen uit Albany bij, en een vertegenwoordiger van het staatsgevangeniswezen.'

'Oké,' zei ik. 'En, wat hebt u van dit reisje opgestoken? Kort samengevat?'

'Het bevestigde wat we eigenlijk al wisten. Dat privaat bestuurde penitentiaire inrichtingen efficiënter zijn dan door de overheid bestuurde penitentiaire inrichtingen.'

'Maar komt dat niet gewoon doordat ze hun personeel veel minder betalen dan de overheid haar bij een vakbond aangesloten personeel betaalt, en dat de arbeidsomstandigheden beduidend slechter zijn dan die van het overheidspersoneel?'

Een vermoeide zucht. 'Je bent net een kapotte grammofoonplaat, David.'

'Dit is niet zomaar een mening, meneer Reeves,' zei ik. 'Het is een goed onderbouwd feit.'

'Weet je wat ook een feit is? Het is een feit dat waar de vakbond voet aan de grond krijgt, de overheid wordt uitgekleed.'

'Het is ook een feit,' zei ik, 'dat in particuliere gevangenissen veel vaker bewakers mishandeld worden en geweld tussen gevangenen onderling veel meer voorkomt. Wat voornamelijk te wijten is aan het feit dat er gekort wordt op personeel. Was dat in Engeland ook het geval?'

'Jij bent net zo'n zacht ei als die van Thackeray, die ervan wakker liggen als de ene gevangene de andere te grazen neemt.' Docenten van Thackeray College verzetten zich tegen de komst van een private gevangenis in Promise Falls. Het werd zo langzamerhand een cause célèbre op het college. Reeves ging door: 'Kun jij me uitleggen hoe de samenleving geschaad wordt als de ene gevangene een mes in een andere steekt?'

Ik noteerde wat hij gezegd had. Als Reeves het zou ontkennen, stond het ook op mijn recordertje. Maar de moeilijkheid was dat als ik deze opmerking publiek maakte, hij er alleen maar populairder door zou worden.

'Nou, het schaadt de gevangenisdirectie,' zei ik. 'Want ze worden door de staat per gevangene betaald. Als die elkaar uitmoorden, zakt het budget. En wat vindt u van de agressieve lobby voor zwaardere straffen van Star Spangled Corrections in het Congres? En dan vooral voor lángere gevangenisstraffen? Is dat niet een beetje jezelf bevoordelen?'

'Ik moet naar een vergadering,' zei hij.

'Weet Star Spangled Corrections al waar ze willen gaan bouwen? Ik heb begrepen dat meneer Sebastian een aantal locaties overweegt.'

'Nee, er is nog geen beslissing genomen. Er zijn verschillende opties. Weet je, David, dit is geweldig voor de werkgelegenheid in Promise Falls, begrijp je dat? Niet alleen voor de mensen die er gaan werken, maar ook voor het bedrijfsleven hier. Bovendien is er grote kans dat er in een inrichting hier veroordeelde criminelen van buiten onze streek worden gehuisvest, en dat betekent dus dat hun familie hierheen komt om ze te bezoeken. Die mensen verblijven dan in plaatselijke hotels, doen hun inkopen bij de plaatselijke middenstand, eten in plaatselijke restaurants. Dat snap je toch wel?'

'Het wordt dus een soort toeristische attractie,' zei ik. 'Misschien moeten ze die gevangenis naast ons nieuwe pretpark bouwen.'

'Ben je nou altijd al zo'n lul geweest, of is je dat op de school voor journalistiek bijgebracht?' vroeg Reeves.

Ik besloot me bij m'n onderwerp te houden. 'Star Spangled moet eerst toestemming van de gemeenteraad krijgen, welke locatie ze ook kiezen. Hoe gaat u stemmen?'

'Ik moet de voors en tegens van het voorstel afwegen om tot een weloverwogen en objectieve beslissing te komen,' zei Reeves.

'En bent u niet bang dat de indruk is gewekt dat uw stem nu al vastligt?'

'Waarom zou iemand die indruk hebben?'

'Nou, Florence, bijvoorbeeld.'

'Florence? Welke Florence?'

'Uw tripje naar Florence. U hebt uw verblijf in Europa verlengd. In plaats van dat u direct uit Engeland terug bent gevlogen, bent u een paar dagen naar Italië geweest.'

'Dat... dat maakte allemaal deel uit van mijn studiereis.'

'O, dat had ik niet begrepen,' zei ik. 'Kunt u me zeggen welke penitentiaire inrichtingen u in Italië hebt bezocht?'

'Ik zal je een lijstje laten opsturen.'

'Kunt u me dat niet meteen vertellen? Kunt u me in elk geval vertellen hoeveel Italiaanse gevangenissen u bezocht hebt?'

'Dat weet ik zo uit m'n hoofd niet precies,' zei hij.

'Waren het er meer dan vijf?'

'Ik geloof van niet.'

'Minder dan vijf, dus,' zei ik. 'Waren het er meer dan twee?'

'Ik ben echt niet...'

'Hebt u zelfs maar één penitentiaire inrichting bezocht, meneer Reeves?'

'Soms kun je bereiken wat je moet bereiken zonder de instelling zelf te bezoeken. Je regelt gesprekken, je spreekt de mensen elders...'

'Welke Italiaanse gevangenisdirecteuren hebt u elders gesproken?'

'Ik heb hier werkelijk geen tijd voor.'

'Waar verbleef u in Florence?' vroeg ik, hoewel ik het al wist.

'In het Maggio,' zei Reeves aarzelend.

'Dan bent u daar ongetwijfeld Elmont Sebastian tegengekomen.'

'Ik heb hem inderdaad een paar keer in de lobby gezien,' zei hij.

'Was u daar niet gewoon als gast van meneer Sebastian?'

'Als gast? Ik was gast van het hotel, David. Je moet de feiten wel op een rijtje zien te krijgen.'

'Maar meneer Sebastian, of eigenlijk Star Spangled Inc, betaalde voor uw vlucht naar Florence en uw verblijf daar. Dat klopt toch? U bent vanaf Gatwick op...'

'Waar slaat dit verdomme op?' vroeg Reeves.

'Hebt u bonnetjes van uw verblijf in Florence?'

'Die kan ik ongetwijfeld produceren als dat moet, maar wie bewaart nu elk bonnetje?'

'U bent pas één dag thuis. Ik neem aan dat als u een bonnetje had, dat nog niet zoek geraakt kan zijn.'

'Hoor eens, mijn bonnetjes gaan jou geen reet aan.'

'Dus als ik een stuk schrijf waarin staat dat Star Spangled Corrections voor uw verblijf in Florence betaald heeft, dan kunt u een bonnetje overleggen om te bewijzen dat ik het bij het verkeerde eind heb.'

'Jij durft verdomme wel, zeg! Om dit soort beschuldigingen rond te strooien.'

'Volgens mijn bronnen heeft uw verblijf, inclusief de entreebewijzen voor de Galleria dell'Accademia en al uw consumpties uit de minibar, in totaal 3526 euro gekost. Klopt dat zo'n beetje?'

Het gemeenteraadslid zweeg.

'Meneer Reeves?'

'Ik weet het niet,' zei hij zacht. 'Dat bedrag kan wel ongeveer kloppen.

Maar dat moet ik nakijken. Maar je zit er helemaal naast met die suggestie dat Elmont Sebastian de rekening betaald heeft.'

'Toen ik het hotel belde om te vragen of meneer Sebastian uw rekening wel voldaan had, verzekerden ze me dat alles in orde was.'

'Dat moet een vergissing zijn.'

'Ik heb een kopie van de rekening. Die stond op naam van meneer Sebastian.'

'Hoe kom je daar verdomme aan?'

Ik was niet van plan hem dat te vertellen. Een vrouw die kennelijk niet erg op Reeves gesteld was had me eerder die dag gebeld en me ingelicht over de hotelrekening. Ik nam aan dat ze ofwel op het stadhuis werkte, ofwel voor Elmont Sebastian. Ze had me haar naam niet willen zeggen en belde met geblokkeerde nummerweergave.

'Wilt u nu beweren dat meneer Sebastian uw rekening níét heeft betaald?' vroeg ik. 'Ik heb het nummer van zijn Visa-card hier voor me liggen. Moet ik het even natrekken?'

'Klootzak.'

'Meneer Reeves, als het voorstel voor de bouw van een gevangenis voor de raad in stemming wordt gebracht, gaat u dan aangeven dat er bij u sprake is van belangenverstrengeling, omdat u in wezen een gift van het gevangenisbedrijf geaccepteerd hebt?'

'Jij bent een klootzakje, weet je dat?' zei Reeves. 'Een ongelofelijk klootzakje.'

'Betekent dat nee?'

'Een ongelofelijk miezerig klootzakje.'

'Ik neem aan dat dat ja betekent.'

'Wil jij weten waar ik echt een ongelofelijke hekel aan heb?'

'Nou, meneer Reeves?'

'Die arrogante, zelfvoldane houding van types zoals jij, die werken voor een krant die een lachertje is geworden. Jij en die intellectuelen van Thackeray en al die anderen die je voor je karretje hebt gespannen, die helemaal over de rooie gaan omdat het bestuur van een gevangenis wordt uitbesteed, terwijl jullie zelf je werk uitbesteden. Ik weet nog dat de *Standard* van Promise Falls een krant was waar de mensen respect voor hadden. Dat was natuurlijk voordat de oplage kelderde, toen nog echte journalisten het plaatselijke nieuws versloegen. Dat was voor de familie Russell ertoe overging een deel van het journalistieke takenpakket in het buitenland uit te besteden. Voordat ze verslaggevers in India commissievergaderingen via internet lieten bijwonen om een verslag te schrijven voor een fractie van het bedrag dat je hier aan een journalist kwijt bent. Een krant die dat soort dingen doet en zich toch een krant wil noemen, houdt zichzelf voor de gek, makker.'

Hij hing op.

Ik legde mijn pen neer, deed mijn headset af en drukte op de stopknop van mijn recorder. Ik was behoorlijk trots op mezelf, tot die laatste opmerking van hem in elk geval.

De telefoon had nog maar even in zijn houder gestaan toen hij weer overging.

Ik hield de headset bij mijn oor. 'Met de *Standard*. Met Harwood.'

'Hoi.' Het was Jan.

'Hoi,' zei ik. 'Hoe gaat het?'

'Oké.'

'Zit je op je werk?'

'Ja.'

'Wat is er?'

'Niets.' Jan zweeg even. 'Ik zat net te denken aan die film, weet je wel, met Jack Nicholson?'

'Dat kunnen er zo veel zijn,' zei ik.

'Als hij smetvrees heeft en de hele tijd plastic bestek meeneemt naar een restaurant?'

'Ja, die ken ik,' zei ik. 'Zat je daaraan te denken?'

'Weet je die scène nog waarin hij naar zijn psychiater gaat? Dat al die mensen in de wachtkamer zitten? En dat hij dan die zin uitspreekt, van de titel? Hij zegt: "Stel dat dit het nu is en beter wordt het niet?"'

'Ja,' zei ik rustig. 'Dat weet ik nog. Zat je daaraan te denken?'

Ze ging op iets anders over. 'En hoe gaat het met jou? Heb je al een scoop, Woodward?'

2

Misschien waren er al eerder dingen die erop wezen dat er iets mis was en was ik gewoon te stom geweest om ze op te merken. Ik zou niet de eerste journalist zijn die van zichzelf vindt dat hij een neus heeft voor alles wat er gaande is, maar die er geen idee van heeft wat er zich vlak onder die neus bij hem thuis afspeelt. Maar toch, het leek wel alsof Jans stemming van de ene op de andere dag veranderd was.

Ze was gespannen, humeurig. Kleine ergernissen waar ze vroeger niet van wakker had gelegen, leken nu onoverkomelijke problemen. Op een avond wilden we onze boterhamtrommeltjes voor de volgende dag klaarmaken en barstte ze in tranen uit toen ze zag dat er geen brood meer was.

'Het is me allemaal te veel,' zei ze die avond tegen me. 'Ik heb het gevoel alsof ik op de bodem van een put zit en er niet uit kan klimmen.'

Omdat ik een man ben en geen idee heb hoe het zit met de psychologie van vrouwen, en daar trouwens ook geen idee van wíl hebben, dacht ik eerst dat het misschien iets hormonaals was. Maar ik begreep al snel dat het niet zo eenvoudig lag. Jan was – ik weet heus wel dat dit niet wat je noemt een klinische diagnose is – neerslachtig. Depri. Maar depri betekende niet noodzakelijkerwijs dat ze echt een depressie had.

'Komt het door je werk?' vroeg ik haar op een avond in bed terwijl ik haar rug streelde. Jan bemande samen met een collega het kantoor van Bertram's Heating and Cooling. 'Is er iets op je werk gebeurd?' Door de economische crisis waren er minder mensen die nieuwe airconditioners kochten of een nieuwe verwarmingsketel, maar Ernie Bertram had daardoor wel weer meer reparatiewerkzaamheden. En soms had Jan een meningsverschil met Leanne Kowalski, de andere vrouw op kantoor.

'Het gaat prima op m'n werk,' zei ze.

'Heb ik iets verkeerds gedaan?' vroeg ik. 'Als dat zo is, dan moet je dat tegen me zeggen.'

'Je hebt niets verkeerds gedaan,' zei ze. 'Het is gewoon... Ik weet het niet.

Soms wilde ik dat ik kon maken dat het allemaal wegging.'

'Wat moet er weggaan?'

'Niets,' zei ze. 'Ga maar slapen.'

Een paar dagen later opperde ik dat ze misschien met iemand moest praten. Om te beginnen met onze huisarts. 'Misschien kun je iets slikken of zo,' zei ik.

'Ik wil geen medicijnen,' zei Jan, en ze voegde er snel aan toe: 'Ik wil niet iemand zijn die ik helemaal niet ben.'

Op de dag dat ze me op de krant belde, gingen Jan en ik na mijn werk samen Ethan bij zijn grootouders ophalen.

Mijn vader en moeder, Don en Arlene Harwood, woonden in een van de oude buurten van Promise Falls in een jarenveertighuis van rode baksteen. Ze hadden het in de herfst van 1971 gekocht, toen mijn moeder zwanger van mij was, en ze waren er nooit meer weggegaan. Toen mijn vader vier jaar geleden met pensioen ging bij de afdeling Bouw- en Woningtoezicht van de stad had ma het er wel even over gehad het te verkopen, omdat ze al die ruimte niet nodig hadden, het grasveld en de tuin te veel werk werden en het prima zou gaan in een flat of een appartement. Maar mijn vader wilde er niets van weten. Hij zou gek worden als hij opgesloten zat op een flatje. In zijn werkplaats in de vrijstaande grote garage zat hij vaker dan in huis, als je de uren dat hij sliep niet meerekende. Hij was een rabiate knutselaar, altijd op zoek naar iets om te repareren of uit elkaar te halen en weer in elkaar te zetten. De scharnieren van een deur of van een kastje kregen maar één keer de kans om te piepen. Pa had altijd een blikje grafiet bij de hand. Een vastzittend raam, een druppende kraan, een wc die bleef doorlopen, een losse deurknop... ze hadden in ons huis geen kans. Pa wist altijd precies welk stuk gereedschap hij nodig had en hij kon het blindelings vinden in zijn garage.

'Ik word gek van hem,' zei ma, 'maar ik geloof niet dat er in de tweeënveertig jaar van ons huwelijk ooit een mug door een gaatje in een hor binnengekomen is.'

Het probleem was dat pa niet kon begrijpen waarom niet alle andere mensen net zo ijverig en plichtsgetrouw waren als hij. Hij kon fouten van anderen niet verdragen. Als inspecteur bij Bouw- en Woningtoezicht was hij een enorme lastpak geweest voor alle aannemers en projectontwikkelaars in Promise Falls. Achter zijn rug noemden ze hem Don Hardass. Toen hij dat toevallig een keer hoorde, liet hij kaartjes drukken met zijn nieuwe bijnaam.

Hij vond het heel moeilijk om zijn gedachten over hoe we de wereld konden verbeteren – in welk opzicht dan ook – voor zich te houden.

'Als je de lepels zo laat liggen opdrogen, zonder ze om te draaien, dan laat het water een vlek achter,' zei hij bijvoorbeeld tegen mijn moeder terwijl hij een van de gewraakte bestekonderdelen omhooghield.

'Rot op,' zei Arlene dan, en Don liep mopperend naar zijn garage.

Onder hun gekibbel ging een diepe liefde voor elkaar schuil. Pa vergat nooit ma's verjaardag, of hun huwelijksdag of Valentijnsdag.

Jan en ik wisten dat Ethan niets kon overkomen als we hem door de week, als we werkten, naar zijn grootouders brachten. Geen blootliggende elektrische bedrading, geen giftige schoonmaakmiddelen die op een plekje stonden waar hij erbij kon, geen omgekrulde tapijtranden waar hij over kon struikelen. En ze waren toevallig ook nog eens een stuk goedkoper dan de crèches in de buurt.

'Ma heeft me na jou nog gebeld,' zei ik tegen Jan terwijl we in haar Jetta Wagon zaten. Het was bijna half zes. We hadden bij ons thuis afgesproken zodat we Ethan samen in één auto konden ophalen.

Jan keek opzij en zei niets, omdat ze aannam dat ik wel verder zou gaan. 'Ze zei dat pa dit keer echt te ver is gegaan.'

'Zei ze nog wat hij heeft gedaan?'

'Nee. Ik denk dat ze het spannend wil houden. Ik heb Reeves vandaag te pakken gekregen. Ik heb hem naar zijn hotelrekening in Florence gevraagd.'

Jan zei, niet echt geïnteresseerd: 'Hoe gaat het met dat stuk?'

'Ik heb een anoniem telefoontje gekregen, van een vrouw. Daar had ik echt wat aan. Ik moet alleen nog weten hoeveel andere gemeenteraadsleden zich door deze particuliere gevangenisorganisatie laten omkopen of zich laten fêteren met reisjes en geschenken of zo, zodat ze straks vóór zullen stemmen.'

'En jij dacht nog wel dat het uit zou zijn met de pret toen Finley uit de politiek ging.' Dat sloeg op onze vorige burgemeester, wiens avontuurtje met een tienerhoertje niet goed was gevallen bij de kiezers. Als je Roman Polanski was, kon je misschien iemand neuken die drie keer zo jong was als jij en toch nog een Oscar winnen. Maar als je Randall Finley heette, dan kon je je Congreszetel na zoiets wel vergeten.

'Ja, zo gaat het nu eenmaal in de politiek,' zei ik. 'Als de ene eikel opstapt, dan komen er een stuk of vijf toesnellen om de lege plek in te nemen.'

'Stel dat je het verhaal rond krijgt,' zei Jan. 'Publiceren ze het dan?'

Ik keek uit mijn zijraampje. Ik maakte een vuist en tikte er zachtjes mee op mijn knie. 'Weet ik niet,' zei ik.

Bij de *Standard* waren dingen veranderd. De krant was nog steeds eigendom van de familie Russell, een Russell was nog steeds uitgever, en er werkten verschillende Russells op de redactie en andere afdelingen. Maar de betrokkenheid van de familie en de wil om een echte krant te blijven maken, waren de afgelopen vijf jaar verwaterd.

Nu de lezersaantallen en de inkomsten terugliepen was de grootste zorg hoe te overleven. Vroeger had de krant in Albany een correspondent gehad voor het regionale nieuws, maar nu waren we afhankelijk van een persbureau. De wekelijkse boekenbijlage was opgeofferd en teruggebracht tot één bladzijde achter in het lifestylekatern. Onze vaste cartoonist op de redactiepagina – met een groot talent voor het hekelen en neersabelen van plaatselijke functionarissen – was aan de dijk gezet. We plaatsten nu via een nationaal perssyndicaat tekeningen van cartoonisten die waarschijnlijk nog nooit van Promise Falls gehoord hadden, laat staan dat ze er ooit waren geweest. En wat het redactionele commentaar betrof, vroeger schreven we er twee per dag. Nu hadden we een rubriek 'Dit vinden anderen ervan', een keur aan redactiecommentaren uit het hele land. Zelf denken deden we bijna niet meer.

We hadden geen eigen filmcriticus meer. Theaterrecensies werden uitbesteed aan freelancers. De afdeling Rechtbankverslaggeving was opgeheven en we brachten alleen nog maar verslag uit van grote processen, als we tenminste wisten dat die gehouden werden.

Maar de meest alarmerende aanwijzing dat het bergafwaarts ging met de krant was wel dat we de verslaggeving in het buitenland uitbesteedden. Ik had het niet voor mogelijk gehouden, maar toen de Russells hoorden dat het een krant in Pasadena gelukt was, stonden ze te trappelen om het ook te proberen. Ze begonnen eenvoudig, de filmladder en zo. Waarom zou je iemand vijftien tot twintig dollar per uur betalen om op te schrijven wat er in de stad gaande was als je de informatie naar iemand in India kon mailen die er voor zeven dollar per uur een stukje van maakte?

Toen de Russells zagen dat dat prima ging, deden ze er een schepje bovenop. Veel bestuurslichamen in de stad hadden een live videoverbinding via internet. Waarom zou je nog een verslaggever naar een vergadering sturen? Of waarom zou je er een betalen om het van achter zijn bureau te volgen? Waarom laat je het niet allemaal door ene Patel in Mumbai volgen en opschrijven, die het verhaal vervolgens naar Promise Falls, New York, kan mailen?

De krant bezuinigde waar die maar kon. De advertentie-inkomsten duikelden omlaag. De rubrieksadvertenties waren bijna verdwenen – die markt was overgenomen door onlinediensten zoals Craigslist. En veel vaste adverteerders werden steeds selectiever en verkozen de weliswaar duurdere, maar wat minder frequente radio- en tv-spotjes boven steeds een pagina of een halve pagina in de krant. Wat maakte het dan verder uit dat je voor het plaatselijke nieuws journalisten inhuurde die nog nooit voet in onze gemeenschap hadden gezet? Als het geld scheelde, dan moest je het doen.

Dat je die mentaliteit aantrof bij de boekhouders van de krant, was niet verrassend. Op de redactie hadden we die buiten de deur weten te houden. Tenminste, tot nu toe. Zoals Brian Donnelly, redacteur Stadsnieuws, en, relevanter, neef van de uitgever, nog maar een dag geleden tegen me had gezegd: 'Hoe moeilijk is het om op te schrijven wat mensen bij een vergadering zeggen? Doen we dat nou echt beter als we erbij zijn? Een paar van die gasten in India doen het heel goed.'

'Hangt het je nou nooit de keel uit?' vroeg Jan terwijl ze de ruitenwissers op interval zette om wat regendruppels weg te wissen.

'Ja, natuurlijk, maar Brian luistert toch niet.'

'Ik heb het niet over je werk,' zei Jan. 'Ik heb het over je ouders. We zien ze elke dag. Je ouders zijn natuurlijk heel aardig, maar er zijn grenzen. Het is verstikkend.'

'Waar komt dit opeens vandaan?'

'Weet je wat het is? Je kunt Ethan nooit eens gewoon afzetten of ophalen aan het eind van de dag. Je moet altijd dat gevraag doorstaan. "Hoe was het?", "Is er nog iets gebeurd op je werk?", "Wat eten jullie vanavond?" Als we hem gewoon op een crèche doen, dan interesseert niemand dat ene moer, je haalt hem op en klaar.'

'Ja, dat klinkt geweldig. Een plek waar niemand geïnteresseerd is in je kind.'

'Je snapt best wat ik bedoel.'

'Hoor eens,' zei ik rustig. Ik wilde geen ruzie maken, en ik wist niet wat hier achter stak. 'Ik weet wel dat jij meestal eerder uit je werk bent dan ik, dus dat jij hem meestal haalt, maar over een maand doet het er allemaal niet meer toe. Dan gaat Ethan naar de kleuterschool en dan hoeven we hem niet meer elke dag weg te brengen naar mijn ouders. Dan hoef jij die dagelijkse ondervraging niet meer te ondergaan waar je ineens zo veel bezwaren tegen hebt.' Ik schudde mijn hoofd. 'Het zou heel wat anders zijn als we hem elke dag naar jóúw ouders moesten brengen.'

Jan keek me kwaad aan. Ik had direct spijt van mijn opmerking en ik wilde dat ik het niet gezegd had.

'Sorry,' zei ik. 'Dat was erg goedkoop.'

Jan zei niets.

'Het spijt me.'

Jan deed de richtingaanwijzer aan en draaide de auto de oprit van mijn ouders op. 'Ben benieuwd wat je vader vandaag weer heeft uitgehaald.'

Ethan zat in de huiskamer naar *Family Guy* te kijken. Ik liep naar de tv, zette hem uit en riep naar mijn moeder, die in de keuken was: 'Daar moet je hem niet naar laten kijken.'

'Het is gewoon een tekenfilm,' zei ze, hard genoeg om verstaanbaar te zijn boven de lopende kraan uit.

'Pak je tas in,' zei ik tegen Ethan, en ik liep door naar de keuken, waar mijn moeder met haar rug naar me toe aan het aanrecht stond. 'In de ene aflevering probeert de hond de moeder te neuken en in een andere richt het kind een machinegeweer op haar.'

'Schei uit, zeg,' zei ze. 'Wie maakt er nou zo'n tekenfilm? Dat bestaat toch niet? Je begint steeds meer op je vader te lijken.' Ik kuste haar op haar wang. 'Je maakt je veel te druk.'

'Het zijn *The Flintstones* niet meer,' zei ik. 'Eigenlijk zijn de tekenfilms tegenwoordig een stuk beter. Maar een heleboel zijn níét geschikt voor een vierjarige.'

Ethan kwam de keuken binnen geschuifeld. Hij zag er moe en een beetje verbaasd uit. Het verbaasde me dat hij niet om eten vroeg. Mijn moeder had hem zeker al iets gegeven.

Jan, die een paar seconden achter mij was binnengekomen, knielde neer bij Ethan. 'Hoi, mannetje,' zei ze terwijl ze in zijn rugzak keek. 'Weet je zeker dat je alles ingepakt hebt?'

Hij knikte.

'Waar is je Transformer?'

Ethan dacht even na en rende toen terug naar de woonkamer. 'In de kussens!' riep hij.

'Waar is pa vandaag mee bezig?' vroeg ik.

'Het wordt z'n dood,' zei ma. Ze haalde een schaal uit de gootsteen en zette hem in het afdruiprek.

'Wat?'

'Hij is in de garage. Vraag maar of je z'n nieuwste project mag zien. Zo, Jan, hoe was het op het werk? Alles goed?'

Ik liep door de motregen naar de garage. De dubbele deur stond open, mijn vaders blauwe Crown Victoria, een van de laatste grote personenwagens die in Detroit waren gemaakt, stond binnen. Mijn moeders vijftien jaar oude Taurus was op de oprit geparkeerd. In allebei de auto's zat een kinderzitje achterin, voor als ze Ethan bij zich hadden.

Pa was zijn werkbank aan het opruimen toen ik binnenkwam. Als hij rechtop staat is hij langer dan ik, maar hij heeft het grootste deel van zijn leven omlaag gekeken – bij inspecties of als hij een stuk gereedschap zocht – dus hij heeft nu permanent een kromme rug. Hij heeft al zijn haar nog, wat voor mij heel troostrijk is, ook al begon het op zijn veertigste al te grijzen.

'Hallo,' zei hij.

'Ma zei dat je me iets moest laten zien.'

'Ze moet zich met haar eigen zaken bemoeien.'

'Wat is het?'

Hij maakte een wuifgebaar; ik wist niet zeker of hij me wilde wegwuiven of dat hij zich erbij neerlegde. Maar toen hij het portier aan de passagierskant van de Victoria openmaakte, begreep ik dat hij me zijn nieuwste project ging tonen.

Het waren een aantal stukken wit karton, ongeveer even groot als een A4'tje. Ze zagen eruit als die stukken karton die ze in nieuwe overhemden stoppen. Pa bewaarde altijd alles.

Hij gaf me het stapeltje aan en zei: 'Kijk maar.'

Op elk karton stond met dikke zwarte viltstift in hoofdletters iets geschreven, steeds een ander zinnetje. Onder andere: RICHTINGAANWIJZER KAPOT?, BUMPERKLEVER, ACHTERLICHTEN UIT, KOPLAMPEN UIT, TE HARD RIJDEN IS MOORD, EEN STOPTEKEN BETEKENT STOPPEN en TELEFONEREN IS VERBODEN.

Pa zei: 'Die met de bumperklever heb ik met grotere letters gedaan, omdat ze het door mijn achterruit moeten kunnen lezen terwijl ik voorin zit. Hoewel, als ze zo dicht achter me zitten, kunnen ze het sowieso wel lezen.'

Ik keek hem sprakeloos aan.

'Hoe vaak zie je niet een of andere sukkel iets stoms uithalen en wil je hem dat zeggen? Ik leg ze in de auto, ik zoek de goeie eruit en hou hem voor het raam. Misschien beseffen de mensen dan dat ze iets fout doen.'

Eindelijk kon ik iets uitbrengen. 'Neem je kogelvrij glas in je auto?'

'Hoezo?'

'Als je met die bordjes gaat zwaaien, dan schieten ze op je.'

'Welnee.'

'Oké. Laten we stellen dat het om jou gaat. Jij rijdt ergens en dan laat iemand jou zo'n bordje zien.'

Pa keek me strak aan. 'Dat zal niet gebeuren want ik ben een goede chauffeur.'

'Denk nou even met me mee.'

Hij trok zijn lippen even in en tuitte ze toen. 'Ik zou die klootzak waarschijnlijk de berm in rijden.'

Ik pakte de kaarten en scheurde ze een voor een doormidden en gooide ze toen in de metalen vuilnisbak. Pa zuchtte.

Jan kwam door de achterdeur met Ethan naar buiten. Ze liepen langs het huis naar de Jetta en Jan begon Ethan in zijn autostoeltje vast te maken.

'We gaan kennelijk,' zei ik.

'Jouw probleem,' zei pa, 'is dat je bang bent voor nieuwe dingen. Bijvoorbeeld die nieuwe gevangenis die ze willen bouwen. Dat zou een enorme opsteker voor de stad zijn.'

'Vast. En misschien kunnen we tegelijk een kernafvalopslagplaats laten bouwen.'

Ik ging naast Jan in de Jetta zitten. Ze reed achteruit de oprit af en draaide in de richting van ons huis. Ze had haar kaken op elkaar geklemd en ze wilde me niet aankijken.

'Alles goed?' vroeg ik.

Jan bleef de hele weg terug zwijgen, en tijdens het eten zei ze ook heel weinig. Daarna zei ze dat zij Ethan naar bed zou brengen, iets wat we vaak samen deden.

Ik ging naar boven toen ze onze zoon onderstopte.

'Weet jij wie meer dan wie ook ter wereld van je houdt?' hoorde ik haar tegen hem zeggen.

'Jij?' zei Ethan met zijn zachte stemmetje.

'Precies,' fluisterde Jan. 'Dat moet je nooit vergeten.'

Ethan zei niets, maar ik dacht dat ik zijn hoofd heen en weer kon horen bewegen op het kussen.

'Als iemand ooit tegen jou zegt dat ik niet van je hou, dan is dat niet waar. Begrijp je dat?'

'Ja,' zei Ethan.

'Slaap maar lekker. Tot morgen, goed?'

'Mag ik een beetje water?' vroeg Ethan.

'Nee, nou moet je niet meer zeuren. Ga maar gauw slapen.'

Ik liep snel de slaapkamer binnen, zodat ik er niet meer zou staan als Jan Ethans kamertje uit kwam.

3

'Kom eens kijken,' zei Samantha Henry van de algemene verslaggeving, die naast me zat op de redactie van de *Standard*.

Ik rolde met mijn stoel naar haar toe en keek naar haar beeldscherm. Ik was dichtbij genoeg om de tekst te kunnen lezen, maar niet zo dichtbij dat ze zou kunnen denken dat ik de geur van haar haren opsnoof.

'Dit is net binnengekomen van een van de jongens in India. Over een commissievergadering over een woningbouwproject.' De commissie onderwierp de projectontwikkelaar aan een kruisverhoor over de afmetingen van de slaapkamers, die erg klein leken op de plattegrond. 'Oké, lees deze alinea nou eens,' zei Samantha terwijl ze op een stukje tekst wees.

'Het raadslid Richard Hemmings toonde zich ontdaan omdat er in de kamers niet voldoende ruimte was voor het kontkeren.'

Ik keek ernaar en grijnsde. 'Ik zou mijn vader even moeten bellen om te vragen of het inderdaad zo in de bouwvoorschriften staat. Een slaapkamer moet groot genoeg zijn om je kont te kunnen keren.'

'Zo gaat het nu elke dag,' zei Samantha. 'Waar zijn ze in godsnaam mee bezig? Heb je dat erratum gezien, gisteren?'

'Ja,' zei ik. De stad had niet echt een put in eigendom en er was geen ambtenaar geweest die die put had dichtgegooid nadat er een kalf verdronken was. Het was erg genoeg dat onze verslaggevers in India de vaste uitdrukkingen en spreekwoorden niet kenden, maar als zo'n zinnetje ongemerkt door de tekstredactie kwam, was er iets heel erg mis.

'Kan het hun niet schelen?' vroeg Samantha.

Ik duwde me weg van de monitor, leunde in mijn stoel naar achteren en vlocht mijn vingers achter mijn hoofd. Ik voelde me altijd wat meer ontspannen als ik niet al te dicht in de buurt van Sam was. Het was al heel lang geleden dat we samen iets hadden gehad, maar als je te vaak samen voor een monitor zit, dan beginnen de mensen te kletsen.

Ik merkte dat de rugleuning van mijn stoel te ver doorboog, dus schoof ik naar voren en legde mijn handen op de armleuningen. 'Moet je dat nog vragen?'

'Ik heb nog nooit zoiets meegemaakt,' zei ze. 'Ik zit hier nu vijftien jaar en ik vroeg de redactieassistente om een nieuwe pen en zij wilde eerst de lege oude zien, echt waar. En de helft van de tijd is er geen pleepapier op de wc.'

'Ik heb gehoord dat de Russells op zoek zijn naar een koper,' zei ik. Dat was hét gerucht van de dag. 'Als ze winst maken door kosten te besparen, wordt het gemakkelijker de zaak van de hand te doen.'

Samantha Henry sloeg haar ogen ten hemel. 'Toe zeg, wie wil er nu in deze tijd een krant kopen?'

'Ik zeg ook niet dat het gaat lukken. Ik zeg alleen wat ik gehoord heb.'

'Ik kan me niet voorstellen dat ze willen verkopen. Het bedrijf is al generaties lang in de familie.'

'Ja, maar er staat nu een heel andere generatie aan het roer dan tien jaar geleden. Niemand van de directie heeft nog inkt in de aderen.'

'Madeline was vroeger verslaggever,' zei Samantha. Madeline was onze uitgever. Ze hoefde mij er niet aan te herinneren hoe Madeline op de krant begonnen was.

'Ja, vroeger,' zei ik.

Nu er in het hele land kranten opgeheven werden, was iedereen gespannen. Maar vooral Sam maakte zich zorgen om de toekomst. Ze had een dochtertje van acht en geen man. Ze waren jaren geleden uit elkaar gegaan en ze had nog geen stuiver alimentatie van hem ontvangen. Hij had vroeger ook voor de *Standard* gewerkt, maar hij was naar Dubai vertrokken en werkte nu daar voor een dagblad. Het is behoorlijk moeilijk om een vent te laten betalen wat jou toekomt als hij aan de andere kant van de aardbol zit.

Toen ze net gescheiden was, met een baby om voor te zorgen, had Sam zich dapper voorgedaan. Ze kón dit. Ze kon werken en een kind opvoeden. We zaten toen nog niet naast elkaar, maar we kwamen elkaar vaak genoeg tegen. In de kantine, en in het café na het werk. We wisselden de gebruikelijke klachten van journalisten uit over redacteuren die onze verhalen niet plaatsten of ze inkortten, en soms toonde ze zich kwetsbaar en vertelde ze hoe zwaar het was voor Gillian en haar.

Ik denk dat ik dacht dat ik haar kon redden.

Ik vond Sam aardig. Ze was sexy, geestig en intellectueel uitdagend. Ik vond Gillian aardig. Sam en ik gingen steeds meer met elkaar om. Ik bracht regelmatig de nacht bij haar door. Ik dacht dat ik meer was dan een vriendje. Ik was haar ridder op het witte paard. Ik was de man die haar leven weer goed ging maken.

Ik vond het dus niet leuk toen ze me aan de dijk zette.

'Het gaat veel te snel,' zei ze tegen me. 'Daardoor is het de vorige keer ook misgegaan. Ik heb te snel gehandeld en te weinig nagedacht. Je bent geweldig, maar…'

Ik zakte weg in een depressie en daar kwam ik pas weer uit toen ik Jan leerde kennen. En nu, zo veel jaar later, was alles prima tussen Sam en mij. Maar ze was nog steeds een alleenstaande moeder en het leven was nog steeds zwaar voor haar.

Ze leefde van salarisstrookje naar salarisstrookje. Af en toe kon ze een week niet rondkomen. Jarenlang was werkgelegenheid haar onderwerp, maar de krant kon zich niet langer gespecialiseerde journalisten permitteren. Ze moest nu van alles verslaan, en ze wist van tevoren niet meer wanneer ze moest werken of niet. Dat was een ramp voor de kinderopvang. Ze was steeds wanhopig op zoek naar een oppas voor haar dochter als ze op het laatste moment weer een opdracht op haar bureau kreeg.

Ik had niet die financiële zorgen van Sam over hoe we de maand door moesten komen, maar Jan en ik praatten vaak over wat ik kon gaan doen als ik mijn baan kwijtraakte. De werkloosheidsuitkering was eindig. Ik – en Jan trouwens ook – was dood meer geld waard, want we hadden een paar weken geleden een levensverzekering op elkaar afgesloten. Als de krant ermee ophield, zou ik misschien het beste voor de trein kunnen springen, dan kreeg Jan driehonderdduizend dollar.

'David, heb je even?'

Ik draaide me om. Het was Brian Donnelly, van de stadsredactie. 'Ja, wat is er?'

Hij knikte in de richting van zijn kantoor, dus ik stond op en liep achter hem aan. De manier waarop hij me voorging, zonder zich om te draaien of iets te zeggen, gaf me het gevoel dat ik een hondje was dat aan een onzichtbare riem werd voortgetrokken. Ik was nog geen veertig, maar ik zag Brian als een vertegenwoordiger van het nieuwe slag mensen op de krant. Hij was zesentwintig en een manager die de directie niet had geïmponeerd met zijn journalistieke kwaliteiten maar met zijn zakeninstinct. Het was een en al 'marketing' en 'trends' en 'presentatie' en 'synergie' wat de klok sloeg. Om de zo veel zinnen liet hij het woord 'zeitgeist' vallen, waarop mijn onveranderlijke reactie 'gezondheid' was. De redacteuren Sport en Ontspanning waren allebei onder de dertig, en er heerste een gevoel, in elk geval onder degenen die al tien jaar of langer voor de krant werkten, dat de zaak langzaam maar zeker werd overgenomen door kinderen.

Brian ging achter zijn bureau zitten en vroeg me de deur dicht te doen voor ik ging zitten.

'Over die gevangenis,' zei hij. 'Wat heb je nu werkelijk?'

'Het bedrijf heeft Reeves een gratis vakantie in Italië aangeboden na het snoepreisje naar het Verenigd Koninkrijk,' zei ik. 'We kunnen aannemen dat als het voorstel van Star Spangled ter stemming komt in de gemeenteraad, hij vóór zal stemmen.'

'We kunnen aannemen… Dus tot nu toe is er geen sprake van belangenverstrengeling, toch? Zolang er nog niet gestemd is. Stel dat hij zich onthoudt van stemming of zo. Wat hebben we dan echt?'

'Wat wil je nou zeggen, Brian? Als een agent zich door een bende bankovervallers laat betalen om de andere kant op te kijken, mag dat dan zolang de bank nog niet daadwerkelijk overvallen is?'

'Hè?' zei Brian. 'We hebben het helemaal niet over banken, David.'

Brian was niet zo goed in metaforen. 'Ik probeer iets duidelijk te maken.'

Brian schudde zijn hoofd, alsof hij de laatste tien seconden van ons gesprek uit zijn geest wilde verwijderen. 'Met name die hotelrekening,' zei hij. 'Weten we honderd procent zeker dat Reeves die niet betaald heeft? Of dat hij Elmont Sebastian niet gaat terugbetalen? Want in jouw verhaal,' – hij keek nu op zijn monitor en scrolde – 'ontkent hij het niet echt.'

'Nee, hij heeft me voor klootzak uitgescholden.'

'We moeten hem namelijk echt de gelegenheid bieden om het uit te leggen voor we dit artikel plaatsen. Hoor en wederhoor, hè,' zei Brian. 'Als we dat niet doen krijgen we wellicht een proces aan onze broek.'

'Ik heb hem de gelegenheid geboden,' zei ik. 'Waar komt dit opeens vandaan?'

'Hoe bedoel je, waar komt wat opeens vandaan?'

Ik glimlachte. 'Hindert niet, ik snap het al. Je hebt Zij Die Gehoorzaamd Moet Worden in je nek.'

'Zo mag je de uitgever niet noemen,' zei Brian. 'Dat kun je niet maken.'

'Omdat ze je tante is?'

Hij was zo fatsoenlijk om te blozen. 'Dat heeft er niets mee te maken.'

'Maar het klopt toch dat het daarvandaan komt? Mevrouw Plimpton heeft ingegrepen.'

Haar meisjesnaam was Russell, maar Madeline was getrouwd geweest met Geoffrey Plimpton, een bekende makelaar in onroerend goed in Promise Falls, die twee jaar geleden op zijn achtendertigste aan een aneurysma was overleden.

Madeline Plimpton was met haar negenendertig jaar de jongste uitgever in de geschiedenis van de krant. Brian was de zoon van haar veel oudere zus Margaret, die zich nooit geïnteresseerd had voor journalistiek en in plaats daarvan haar droom najoeg om een huis te bezitten dat het waard was om opgenomen te worden in de jaarlijkse Home and Garden-tour van Promise Falls. Ze slaagde daar elk jaar in, en je hoort mij niet zeggen dat dat ook maar iets te maken heeft met het feit dat ze de voorzitster van de tourcommissie is.

Brian had nooit als verslaggever gewerkt, dus je kon het hem eigenlijk niet kwalijk nemen dat hij niets snapte van het heerlijke gevoel dat je kreeg als je een rat als Reeves in het nauw dreef. Maar Madeline, die toch een echte Russell was, was meer dan tien jaar geleden als algemeen verslaggeefster mijn collega geweest. Natuurlijk niet zo lang. Het was onderdeel van haar spoedcursus in het familiebedrijf en binnen de kortste keren was ze bevorderd. Eerst redacteur Ontspanning, vervolgens adjunct-hoofdredacteur, toen hoofdredacteur, alles erop gericht om haar klaar te stomen voor het uitgeverschap zodra haar vader, Arnett Russell, de handdoek in de ring gooide, wat hij vier jaar geleden had gedaan. Het feit dat Madeline, hoe kort dan ook, met haar poten in de modder had gestaan, maakte het des te treuriger dat ze nu bereid was haar journalistieke geweten de nek om te draaien en met een grote boog om het Reeves-verhaal heen te lopen.

Toen Brian niet ontkende dat zijn tante er achter zat, zei ik: 'Misschien moet ik even met haar gaan praten.'

Brian hield zijn handen op. 'Lijkt me geen goed plan.'

'Waarom niet? Misschien kan ik dit artikel beter verdedigen dan jij.'

'David, geloof mij nou maar, het is een slecht idee. Ze staat op het punt om...'

'Om wat?'

'Laat maar.'

'Nee, ze staat op het punt om wat?'

'Kijk eens, er zijn nieuwe tijden aangebroken, hè. Een dagblad is meer dan een vehikel om het nieuws te brengen. We zijn een... een... entiteit.'

'Een entiteit. Zoals in *Star Trek*?'

Dat negeerde hij. 'En entiteiten moeten overleven. Het gaat er niet alleen om de wereld te redden, David. We proberen een krant uit te brengen. Een krant waarmee geld verdiend wordt, een krant die er volgend jaar ook nog wil zijn, of het jaar erop. Want als we geen geld verdienen, dan kun jij je verhalen nergens meer kwijt, hoe belangrijk ze ook zijn. We kunnen ons niet permitteren iets te publiceren dat niet waterdicht is. Vandaag de dag niet meer. We moeten absoluut zeker van de feiten zijn voor we het plaatsen, meer is het niet.'

'Ze staat op het punt om wat te doen, Brian? Me ontslaan?'

Hij schudde zijn hoofd. 'O nee, dat kan ze niet doen. Daar heeft ze toch een reden voor nodig.' Hij zuchtte. 'Hoe zou je het vinden om over te stappen naar Lifestyle?'

Ik leunde in mijn stoel naar achteren en probeerde de implicaties van deze opmerking tot me door te laten dringen. Voor ik iets kon zeggen ging Brian verder: 'Dat is geen degradatie. Je bent nog steeds verslaggever, maar dan van de laatste trends, gezondheid, het belang van flossen, dat soort gedoe. Niet een overplaatsing die je voor de rechter kunt aanvechten.'

Ik haalde een paar keer diep adem. 'Waarom is Madeline zo opgefokt over dat gevangenisverhaal? Als ik nou vervelend over de Walmart schreef, dan kan ik snappen dat ze over de rooie gaat omdat ze bang is dat we er inkomsten mee mislopen. Maar ik betwijfel toch ten zeerste of Star Spangled Corrections van plan is paginagrote advertenties te plaatsen over hun aanbieding van de week. "Geplakte zakjes voor de helft van de prijs!" Of: "Wilt u uw hersens ingeslagen? Bel de bak van Promise Falls." Kom op, Brian, waar maakt ze zich druk over? Gelooft zij werkelijk dat dit werkgelegenheid betekent? En dat meer werkgelegenheid in de stad betekent dat we meer abonnees krijgen?'

'Ja, dat ook,' zei Brian.

'Wat dan nog meer?'

Nu haalde Brian een paar keer diep adem. Er was iets en hij wist niet of hij me dat moest vertellen of niet.

'David, hoor eens, dit heb je niet van mij, hoor, maar waar het om gaat is dat als die gevangenis hier komt, de Standard al z'n schulden kan voldoen en een frisse start kan maken. We kunnen ons dan allemaal een stuk veiliger voelen wat onze banen betreft.'

'Hoe dan? Laten ze de bajesklanten de stukjes schrijven? Het plaatselijke nieuws verslaan als onderdeel van hun resocialisatieprogramma?' Terwijl ik het zei dacht ik: niet te hard, straks breng je de directie nog op een idee…

'Nee, natuurlijk niet,' zei Brian. 'Maar als de krant aan Star Spangled Corrections het stuk grond verkoopt waarop de gevangenis gebouwd wordt, dan ziet het financiële plaatje er een stuk gunstiger uit.'

Mijn mond stond wel tien seconden open. Wat een blinde sukkel was ik geweest. Waarom had ik hier nooit aan gedacht? De acht hectare grond van de Russells aan de zuidkant van Promise Falls was jarenlang volgens de berichten de beoogde locatie voor het nieuwe gebouw van de *Standard* geweest. Maar sinds de inkomsten vijf jaar geleden begonnen te dalen, werd daar nooit meer over gesproken.

'Jezus christus,' zei ik.

'Dit heb je niet van mij,' zei Brian. 'En als je dit aan iemand doorvertelt, dan zitten we allebei in de problemen. Dat begrijp je toch wel? Begrijp je nu dat alles wat wij publiceren precies moet kloppen, en dan bedoel ik tot in de details? Als je iets hebt wat deugt, écht deugt, dan moet ze het wel publiceren, want als ze dat niet doet, dan komt de lokale tv erachter en gaat ermee aan de haal, of de *Times Union* in Albany.'

Ik stond op.

'Wat ga je doen, David? Je gaat toch geen domme dingen doen?'

Ik keek zijn kantoor rond, alsof ik een schilder was die een offerte moest uitbrengen. 'Ik weet niet zeker of deze kamer aan de kontkeerstandaard voldoet, Brian. Daar moet je misschien eens iets aan doen.'

Ik zat een half uur achter mijn bureau te broeien. Samantha Henry vroeg me vijf keer wat er in Brians kantoor was voorgevallen, maar ik wuifde haar weg. Ik was te boos om iets te zeggen. Ondanks Brians waarschuwing overwoog ik serieus om naar het kantoor van de uitgever te stappen en haar te vragen of dit nu was wat ze werkelijk wilde. Of als we onze principes moesten verzaken om de krant te redden, de krant dan wel de moeite van het redden waard was.

Uiteindelijk deed ik niets.

Misschien was dat de toekomst. Je kwam op je werk, je perste er genoeg kopij uit om de krant te vullen, maakte niet uit wat, je nam je salaris in ontvangst en je ging weer naar huis. Ik had bij zo'n soort krant gewerkt – in Pennsylvania – voor ik terugkwam en voor de krant in mijn geboortestadje ging werken. Er waren altijd zulk soort kranten geweest. Ik was zo naïef geweest om te denken dat de *Standard* nooit zo'n krant zou worden.

Maar we waren de enige niet. Wat ons nu overkwam, overkwam talloze andere kranten in het land. We zouden misschien wat uitstel van executie krijgen door de troefkaart van de Russells, een groot stuk grond dat ze hoopten te verkopen aan een van de grootste private gevangenisondernemingen in het land.

Als het hier niet meer ging, kon ik misschien nog een baantje krijgen als cipier.

Ik pakte de telefoon en drukte de sneltoets voor Bertram's Heating and Cooling in. Als ik het journalistendom niet kon redden, dan kon ik me misschien inspannen voor mijn huwelijk, dat de laatste tijd toch tekenen van verval begon te vertonen.

Een andere stem dan die van Jan zei: 'Met Bertram.' Het was Leanne Kowalski. Ze had de volmaakte stem voor iemand die bij een aircobedrijf werkte. Zeer koel.

'Hoi, Leanne,' zei ik. 'Met David. Is Jan er ook?'

'Moment.' Leanne was niet goed in een praatje maken.

Het leek even of de verbinding verbroken werd, toen nam Jan op. 'Hoi.'

'Leanne leek me erg vrolijk vandaag.'

'Je meent het.'

'Zullen we mijn ouders vragen of ze nog een paar uur langer op Ethan willen passen? Dan gaan we een hapje eten. Met z'n tweetjes. En dan huren we daarna een film.' Ik zweeg even. '*Body Heat*, bijvoorbeeld.' Jans lievelingsfilm. En ik kreeg ook nooit genoeg van de sensuele liefdesscènes van William Hurt en Kathleen Turner.

'Ach ja,' zei ze.

'Je klinkt niet erg enthousiast.'

'Oké, goed,' zei Jan. Ze zag het opeens wat meer zitten. 'Waar zullen we gaan eten?'

'Ik weet het niet. Preston?' Een steakhouse. 'Of de Clover?' Aan de dure kant, maar als de krant failliet ging moesten we misschien gaan nu we het ons nog konden permitteren.

'Wat dacht je van Gina?' vroeg Jan.

Dat was ons favoriete Italiaanse restaurantje. 'Prima. Als we tegen zessen komen hoeven we waarschijnlijk niet te reserveren, maar ik zal voor de zekerheid toch even bellen.'

'Oké.'

'Ik kan je komen ophalen op je werk. Dan halen we je auto later wel op.'

'Maar als je me nu dronken voert om me te verleiden?'

Dat klonk een beetje als de oude, vertrouwde Jan.

'Dan breng ik je morgenochtend naar je werk.'

Toen ik via de drukkerij de kortste weg naar de parkeerplaats nam, zag ik Madeline Plimpton staan.

De drukkerij gaf je het meest het gevoel dat je op een krant werkte. Het was de machinekamer van een oorlogsschip. En als de *Standard* ooit geen krant meer zou zijn, dan zouden die enorme persen – die ongeveer anderhalve meter nieuws per seconde verwerkten en zestigduizend kranten in een uur konden uitspuwen – het laatste zijn wat er nog van over was, het allerlaatste wat hier weggehaald moest worden. We waren de afdeling Vormgeving, waar de pagina's van de krant opgemaakt werden, al kwijt. Die was verdwenen toen de redacteuren hun eigen pagina's op de computer gingen opmaken.

Ik zag Madeline boven op de brug staan, het stelsel van smalle metalen looppaden langs en tussen de rotatiepersen door. Die persen bestonden niet uit enorme cilinders, maar uit tientallen kleinere cilinders die de nooit eindigende vellen krantenpapier op een circuit op en neer en eroverheen en eronderdoor voerden tot ze aan het eind van de rit op wonderbaarlijke wijze als een perfect geordende krant naar buiten kwamen. De machinerie kreeg een onderhoudsbeurt en een in overall gestoken drukker vroeg Madelines aandacht voor het binnenste van een van de grote drukpersen.

Ik wilde me deze gelegenheid om haar te spreken niet laten ontgaan, maar ik liet het wel uit mijn hoofd om de metalen trap naar boven op te gaan. De drukkers konden daar erg gevoelig op reageren. Ze waren niet zo keihard als vroeger, maar de mannen – en een handjevol vrouwen – die de persen bedienden waren loyale vakbondsleden. Als iemand van een andere afdeling van het bedrijf op de brug klom zonder hun toestemming – vooral iemand van het management – dan werd het plotseling een stuk gemakkelijker om een gesprek te voeren. De persen kwamen direct tot stilstand. En ze gingen pas weer aan de gang als de indringers vertrokken waren.

Je moest nog steeds rekening houden met de drukkers, maar in de loop der tijd waren ze wel iets soepeler geworden. Ze wisten dat de krant het moeilijk had en er misschien wel nooit meer bovenop zou komen. En de mensen die hier werkten vonden het lastig om een hekel aan Madeline Plimpton te hebben. Ze had altijd goed kunnen opschieten met de gemiddelde werknemer hier en ze kende alle namen.

Madeline droeg haar uitgeverspakje: een donkerblauwe rok tot de knie en een bijpassend jasje, dat niet alleen ongevoelig was voor drukinkt, maar ook haar zilverblonde haar geweldig deed uitkomen. Ze was op een bepaalde manier een curiositeit. Een designerpakje, maar ik vroeg me af of ze hier op de brug niet diep in haar hart liever de strakke spijkerbroek aanhad die ze als verslaggeefster gedragen had. Ze zou er nu nog net zo goed in uitzien als toen. Ik had Madeline alleen maar ouder zien worden toen haar man overleed en zelfs na zijn dood was ze erin geslaagd de rimpels in haar gezicht tot een minimum te beperken.

Ik slaagde erin haar blik te vangen toen ze naar beneden keek.

'David,' zei ze. De herrie was hier gewoonlijk oorverdovend, maar omdat de persen op dit moment niet draaiden, kon ik haar horen.

'Madeline,' zei ik. Omdat we jaren geleden collega's van elkaar op de redactie waren geweest.was het nooit bij me opgekomen om haar niet bij haar voornaam te noemen. 'Heb je even?'

Ze knikte, zei iets tegen de drukker en liep de metalen trap af. Ze wist dat ze me niet moest vragen om naar boven te komen. De brug was geen plek voor een gesprek.

Toen ze beneden was zei ik: 'Dat Reeves-verhaal staat als een huis.'

'Wat zeg je?' zei ze.

'Toe zeg,' zei ik. 'Ik snap wat er gaande is. We zijn blij met deze nieuwe gevangenis. We willen geen problemen veroorzaken. We doen aardig, bagatelliseren de plaatselijke weerstand ertegen en we verkopen hun de grond die ze nodig hebben om hun gebouw neer te zetten.'

Er flikkerde iets in Madelines ogen. Misschien bedacht ze dat Brian het me verteld moest hebben. Eigen schuld.

'Maar uiteindelijk gaat dit zich tegen ons keren, Madeline. De lezers zullen het misschien niet meteen snappen, maar na verloop van tijd zullen ze er toch achter komen dat het nieuws ons niets meer kan schelen en dat we alleen een systeem zijn dat persberichten doorgeeft, iets om het meegevouwen reclamefoldertje in droog te houden, een plekje waar de burgemeester een foto kan aantreffen van zichzelf als hij een cheque aan de padvinders uitreikt. We zullen nog steeds stukjes schrijven over auto-ongelukken en uitslaande branden en het jaarlijkse artikel over de populairste Halloween-kostuums en de goede voornemens van plaatselijke notabelen voor het nieuwe jaar, maar we zijn geen krant meer. Wat heeft het voor zin om dit allemaal te doen als het ons niet meer kan schelen wat we zijn?'

Madeline keek me recht aan en produceerde een treurig glimlachje. 'Hoe gaat het met je, David? Hoe gaat het met Jan?'

Dat was typisch iets voor haar. Je kon tegen haar tekeergaan en dan reageerde ze met een vraag over het weer.

'Madeline, laat ons gewoon ons werk doen,' zei ik.

De glimlach verdween. 'Wat heb je, David?'

'Ik denk dat we ons beter kunnen afvragen wat jij hebt, Madeline,' zei ik. 'Weet je nog dat we samen verslag deden van die gijzelingszaak, toen die man zijn vrouw en kind vasthield en zei dat hij ze ging doodschieten als de politie niet wegging?'

Ze zei niets, maar ik wist dat ze eraan terugdacht.

'Wij kwamen tussen de politie en het huis in te zitten, en we zagen alles wat er gebeurde. Hoe de politie het huis bestormde en die vent volkomen in elkaar sloeg, ook toen ze erachter waren dat hij helemaal geen geweer had. Ze hebben hem bijna vermoord. En daarna hebben we samen dat stuk gemaakt, precies zoals het gebeurd was, ook al wisten we dat we moeilijkheden zouden krijgen met de politie. Wat inderdaad gebeurde toen we het publiceerden. Weet je nog hoe dat voelde?'

Haar ogen werden zacht bij de herinnering. 'Dat weet ik nog,' zei ze. 'Ik mis het.'

'Sommigen van ons geven nog om dat gevoel. We willen het niet kwijt.'

'En ik wil deze krant niet kwijt,' zei Madeline Plimpton. 'Jij ligt 's nachts wakker omdat je je zorgen maakt dat je verhaal niet gepubliceerd wordt, ik kan niet slapen omdat ik me zorgen maak of er wel een krant is om het in te publiceren. Ik zit dan wel niet meer op de redactie, ik zit nog elke dag in de vuurlinie.'

Daar had ik niets op te zeggen.

Ik parkeerde even na half zes voor Bertram's. Leanne Kowalski stond op de parkeerplaats alsof ze op iemand wachtte.

Ik knikte naar haar toen ik uit de Accord stapte en liep naar de deur. 'Hoe gaat het, Leanne?' zei ik. Ik had haar vaak genoeg meegemaakt om te weten dat ik dat beter niet had kunnen vragen.

'Het zal een stuk beter gaan als Lyall eindelijk op komt dagen,' zei ze. Leanne was een van die mensen die maar twee gemoedstoestanden kennen. Humeurig en geïrriteerd. Ze was mager, met smalle heupen en kleine borsten, mijn moeder zou haar vel over been noemen. Ze had kort zwart haar met lichte plukjes erin, maar haar pony was zo lang dat ze hem steeds uit haar ogen moest vegen.

'Ben je niet met de auto?' vroeg ik. Gewoonlijk stond er een oude blauwe Ford Explorer naast Jans Jetta als ik er voorbijreed.

'Die roestbak van Lyall is naar de garage, dus hij heeft mijn auto geleend,' zei ze. 'En ik weet niet waar hij uithangt. Hij had hier verdomme al een half uur geleden moeten zijn.' Ze schudde haar hoofd en sloeg haar ogen ten hemel. 'Ongelofelijk.'

Ik glimlachte ongemakkelijk, trok toen de deur naar het kantoor open en ging naar binnen, waar ik begroet werd door een koele golf airconditioned lucht.

Jan zette net haar computer uit en hing haar tas over haar schouder.

'Leanne is weer haar gewone opgewekte zelf,' zei ik.

Jan zei: 'Ik weet er alles van.'

We keken toevallig tegelijkertijd uit het raam. Leannes Explorer was net de parkeerplaats op gedenderd. Ik zag Lyalls ronde gezicht achter de voorruit, zijn dikke vingers waren om het stuur geklemd. In de auto bewoog iets op en neer; het duurde even voor ik besefte dat het een grote hond was.

Leanne liep niet om naar de passagierskant van de auto maar ging naar het portier aan de bestuurderskant en rukte het open. Ze was behoorlijk opgewonden, zwaaide met haar handen en schreeuwde tegen Lyall. We konden niet horen wat ze zei en hoewel we nieuwsgierig waren, wilden we toch niet naar buiten gaan en het risico lopen erin betrokken te worden.

Lyall gleed achter het stuur vandaan. Hij was bijna kaal en zwaar gebouwd, en zijn singletje bood ons ruim zicht op zijn oksels. Hij liep met gebogen schouders om de voorkant van de Explorer heen terwijl Leanne over de motorkap tegen hem bleef schreeuwen.

'Heerlijk leven heeft die jongen,' zei ik toen Lyall het rechterportier opendeed en instapte.

'Ik begrijp niet waarom ze bij hem blijft,' zei Jan. 'Ze zit alleen maar op hem te vitten. Maar ik denk dat ze gewoon van die sukkel houdt.'

Leanne ging achter het stuur zitten, zette de Explorer in zijn achteruit en reed in een stofwolk weg. Net voor ze weg waren zag ik hoe Lyall naar haar keek. Hij deed me aan een geslagen hond denken, net voordat het beest besluit om het een en ander recht te zetten.

Gina bracht Jan en mij naar ons tafeltje. Er waren zo'n twintig tafels in het restaurant, maar het was nog vroeg en er waren er maar drie bezet.

'Meneer Harwood, mevrouw Harwood, wat fijn dat u er weer bent,' zei ze. Gina was een mollige vrouw van in de zestig wier eethuis legendarisch was in Promise Falls en omstreken. Zij, en zij alleen, had het recept voor de wonderbaarlijke tomatensaus die de meeste gerechten vergezelde. Ik hoopte dat ze het ergens opgeschreven had, voor het geval dat.

'Hoe laat heb je met je ouders afgesproken dat we Ethan komen halen?' vroeg Jan toen de minestrone gebracht was.

'Tussen acht en negen.'

Ze had haar lepel in haar rechterhand en toen ze met haar linker het zout wilde pakken gleed haar mouw een paar centimeter terug en zag ik dat er iets wits om haar linkerpols gewikkeld zat.

'Ze zijn heel lief voor hem,' zei ze.

Dat leek toch een soort concessie, gezien de manier waarop ze de dag daarvoor nog over mijn ouders had gesproken.

'Inderdaad,' zei ik. Het leek of er een verband om haar pols zat.

'Je moeder is heel fit. Ze heeft nog steeds veel energie,' zei Jan. 'Ze is, ja, nogal jong voor haar leeftijd.'

'Mijn vader is ook nog heel goed, behalve dat hij, nou ja, je weet wel, een beetje gestoord is.'

Jan zei even niets. Toen: 'Het is prettig om te weten dat als er iets... iets met mij gebeurt, of met jou, dat ze dan kunnen helpen.'

'Waar heb je het over, Jan?'

'Het is gewoon goed om alles geregeld te hebben, meer niet.'

'Er gaat niets gebeuren met jou of mij,' zei ik. 'Wat heb je aan je pols?'

Ze liet haar lepel in de soep staan en trok haar mouw omlaag. 'Niets,' zei ze.

'Het ziet eruit als verband.'

'Ik heb me gesneden.'

'Laat eens zien.'

'Er valt niets te zien,' zei ze. Maar ik had haar hand gegrepen en de mouw zelf omhooggeschoven. Het verband was ongeveer tweeënhalve centimeter breed en zat om haar hele pols.

'Jezus, Jan, wat heb je gedaan?'

Ze trok haar arm terug. 'Laat me los!' zei ze zo hard dat de mensen aan andere tafeltjes en Gina bij de deur naar ons keken.

'Oké,' zei ik rustig, en ik trok mijn hand terug. Met gedempte stem vroeg ik: 'Vertel me nou gewoon wat er gebeurd is.'

'Ik sneed Ethans groente en toen schoot ik uit met het mes,' zei ze. 'Meer niet.'

Ik kon me voorstellen dat je je in je vinger sneed als je wortels schoonmaakte, maar hoe kon het mes in je pols terechtkomen?

'Hou erover op,' zei Jan. 'Het is niet... niet wat het lijkt. Ik zweer het, het was een ongelukje.'

'Jezus, Jan,' zei ik hoofdschuddend. 'De laatste tijd... ik weet niet... ik maak me enorme zorgen om je.'

'Je hoeft je niet druk te maken,' zei ze kortaf terwijl ze naar haar soep tuurde.

'Maar dat doe ik wel.' Ik slikte. 'Ik hou van je.'

Ze probeerde twee keer iets te zeggen en zweeg toen weer. Uiteindelijk zei ze: 'Ik denk soms wel eens dat het gemakkelijker voor je zou zijn als je je niet om ons allebei zorgen hoefde te maken. Als je alleen met Ethan was.'

'Waar heb je het in godsnaam over?'

Jan zei niets.

Ik maakte me ontzettende zorgen, maar er kroop ook iets van woede in mijn stem. 'Jan, geef me nu eens eerlijk antwoord. Wat voor gedachten spoken er de laatste tijd door je hoofd? Heb je... Hoe moet ik dat nou zeggen? Heb je zelfdestructieve gedachten?'

Ze bleef naar haar soep kijken, ook al nam ze geen hap. 'Ik weet het niet.'

Ik had het gevoel dat we een moment bereikt hadden. Zo'n moment in je leven dat je het gevoel hebt dat de grond onder je voeten wegzakt. Wanneer iemand belt om te vertellen dat een geliefde van je in allerijl naar het ziekenhuis is gebracht. Wanneer je door de baas op zijn kamer geroepen bent en te horen krijgt dat hij niet langer van je diensten gebruik zal maken. Of wanneer je in de spreekkamer van de dokter staat en hij je dossier bestudeert en zegt dat je even moet gaan zitten.

Je krijgt iets te horen waardoor alles wat vanaf nu gebeurt anders zal zijn dan vroeger.

Mijn vrouw is ziek, dacht ik. Er is iets met haar gebeurd. Er is iets geknapt. Er is kortsluiting opgetreden.

'Je weet het niet,' zei ik. 'Dus je denkt misschíén dat je jezelf wel iets aan wilt doen.'

Haar ogen leken te knikken.

'Hoe lang heb je al dit soort gedachten?'

Jan tuitte haar lippen en zoog ze toen weer naar binnen, alsof ze over de vraag nadacht. 'Een week of zo. Die gedachten komen gewoon opzetten, en ik weet niet waarom ze er zijn en ik kan er niet van afkomen. Maar ik heb het gevoel dat ik jou enorm tot last ben.'

'Maar dat slaat nergens op. Jij betekent alles voor mij.'

'Ik weet dat ik een blok aan je been ben.'

'Krankzinnig.' Ik had meteen spijt van mijn woordkeuze. 'Hoor eens, als je je al een week of zo zo voelt, hoe is dat dan gekomen? Is er iets gebeurd? Iets wat je me niet verteld hebt?'

'Nee, niets,' zei ze zonder veel overtuiging.

'Is er iets op je werk gebeurd?' Nu ik Leanne tekeer had zien gaan tegen Lyall, vroeg ik me af of ze Jan op de een of andere manier deprimeerde.

'Gaat het om Leanne? Maakt ze ook jouw leven tot een hel?'

'Het is altijd lastig geweest om met haar om te gaan, maar dat heb ik inmiddels wel onder de knie gekregen,' zei Jan. 'Ik heb er echt geen verklaring voor. Ik ben me gewoon opeens zo gaan voelen. Het gevoel dat ik iedereen tot last ben en dat ik geen doel in mijn leven heb.'

'Maar dat is belachelijk,' zei ik. 'Weet je wat ik vind? Ik vind dat je misschien eens moet praten met een...'

'Ik pieker er niet over,' zei Jan.

'Gewoon een keer praten, meer niet...'

'Waarom? Zodat ze me op kunnen bergen? Me kunnen opsluiten in een gekkengesticht?'

'Maar jezus nog aan toe, Jan, dat is paranoïde.' Weer had ik een woord uitgekozen dat ik beter had kunnen vermijden.

'Paranoïde? Vind je dat ik paranoïde ben?'

Ik voelde dat Gina er aankwam.

'Dat zou je wel willen, hè?' zei Jan met stemverheffing. 'Dat je voorgoed van me af was.'

Gina bleef staan en we keken beiden naar haar.

'Sorry,' zei Gina. 'Ik wilde alleen...' Ze wees naar de soepkommen. 'Ik wilde ze meenemen, als jullie tenminste uitgegeten zijn.'

Ik knikte en Gina haalde de kommen weg.

Tegen Jan zei ik: 'Misschien kunnen we beter naar huis gaan en...'

Maar Jan schoof haar stoel al naar achteren.

4

Ik sliep die nacht weinig. Ik had onderweg naar huis geprobeerd met Jan te praten, en voor we naar bed gingen, maar ze had geen trek in nog een gesprek met mij, vooral niet toen ik er weer over begon dat ze professionele hulp moest zoeken.

Dus was ik de volgende ochtend behoorlijk moe. Ik liep met gebogen hoofd naar de ingang van de *Standard*. Ik hield mijn ogen op de grond gericht en zag de man die mij de doorgang belette pas toen ik ongeveer op zijn tenen stond.

Het was een grote vent, en het leek of hij elk moment uit zijn zwarte pak, witte overhemd en zwarte das kon barsten. Hij was meer dan een meter vijfentachtig lang, had een kaalgeschoren hoofd en er stak een stukje tattoo boven de kraag van zijn overhemd uit, maar te weinig om te kunnen zien wat het voorstelde. Ik schatte hem rond de dertig, en zijn houding gaf aan dat er met hem niet te spotten viel. Het pak paste net zo goed bij hem als een dik gouden horloge bij Obama.

'Meneer Harwood?' zei hij op scherpe toon.

'Jawel?'

'Het zou meneer Sebastian een genoegen doen als u een kopje koffie met hem komt drinken. Hij wil graag even met u praten. Hij wacht in het park op u. Ik rij u er met alle plezier heen.'

'Elmont Sebastian?' vroeg ik. Ik had al weken geprobeerd een interview met de directeur van Star Spangled Corrections te regelen. Hij belde nooit terug.

'Ja,' zei de man. 'Trouwens, ik heet Welland. Ik ben de chauffeur van meneer Sebastian.'

'Tuurlijk,' zei ik. 'Waarom ook niet.'

Welland ging me voor de hoek om en deed het portier van een zwarte Lincoln-limousine voor me open. Ik stapte achter in, maakte het mezelf gemakkelijk op de grijze leren bank en wachtte terwijl hij instapte. Als deze auto al een glazen scheidingswand had, dan was die nu neergelaten, dus ik vroeg aan Welland: 'Werk je al lang voor meneer Sebastian?'

'Nog maar drie maanden,' zei hij terwijl hij de weg op stuurde.

'En wat deed je daarvoor?'

'Ik zat in de bak,' zei Welland zonder aarzelen.

'O,' zei ik. 'Lang?'

'Zeven jaar, drie maanden en twee dagen,' zei Welland. 'Ik heb mijn straf uitgezeten in een van de vestigingen van meneer Sebastian bij Atlanta.'

'Zo,' zei ik terwijl Welland de richting van het centrum insloeg.

'Ik ben een product van het uitstekende reclasseringsprogramma van de Star Spangled-vestigingen,' zei hij. 'Toen ik weer vrijkwam, heeft meneer Sebastian het aangedurfd om mij in dienst te nemen. Hij gelooft dus echt, denk ik zo, dat mensen opnieuw kunnen beginnen.'

'Mag ik vragen waarvoor je gezeten hebt?'

'Ik heb een man in zijn nek gestoken,' zei Welland met een blik in het achteruitkijkspiegeltje.

Ik slikte. 'Heeft hij het overleefd?'

'Een tijdje wel,' zei Welland terwijl hij links afsloeg.

Hij parkeerde de auto bij een park vlak bij de waterval waaraan de stad zijn naam ontleent. Welland liep om de wagen heen, opende het portier en wees in de richting van een picknicktafel bij de oever van de rivier. Een gedistingeerde heer van in de zestig met zilvergrijs haar zat op de bank met zijn rug naar de tafel en gooide popcorn naar een stelletje eenden. Toen hij me zag en opstond, zag ik dat hij net zo lang was als Welland, maar slanker. Hij glimlachte breed en stak een grote, zweterige hand uit.

Ik moest me bedwingen om mijn hand niet aan mijn broek af te vegen.

'Meneer Harwood, fijn dat u wilde komen. Het is me een genoegen om eindelijk met u te kunnen praten.'

'Ik was de hele tijd al beschikbaar, meneer Sebastian,' zei ik. 'U was degene die de boot afhield.'

Hij lachte. 'Zeg maar Elmont. Mag ik David zeggen?'

'Natuurlijk,' zei ik.

'Ik vind het heerlijk om de eendjes te voeren,' zei hij. 'Ik vind het leuk om te zien hoe ze hun eten naar binnen schrokken.'

'Ja,' zei ik.

'Als jongen had ik een zomerbaantje op een boerderij,' zei hij terwijl hij nog wat gepofte mais gooide en toekeek hoe de eenden naar voren doken en elkaar in de veren vlogen. 'Toen heb ik geleerd om van al Gods schepselen te houden.'

Hij draaide zich om en wees naar de tafel, waar twee kartonnen bekers met koffie stonden in een doosje dat verder melkcupjes, suiker en houten roerstaafjes bevatte. 'Ik wist niet hoe je je koffie drinkt, dus ik heb een zwarte meegenomen. Ga je gang.'

Hij stak zijn benen onder de tafel terwijl ik tegenover hem ging zitten. Ik pakte mijn koffie niet op maar haalde een blocnote en een pen tevoorschijn. 'Ik heb al een paar keer gebeld en een boodschap achtergelaten.'

Sebastian keek naar de overkant van het grasveld naar Welland, die naast de limousine stond. 'Wat vind je van hem?' vroeg hij.

Ik haalde mijn schouders op. 'Modelburger.'

Weer een lachje. 'Ja, vind je niet? Ik ben heel trots op hem.'

'Waarom hebben jullie Stan Reeves' tripje naar Florence betaald?' vroeg ik. 'Is dat jullie standaardtactiek? Om mensen van tevoren al te belonen als ze voor je plannen gaan stemmen?'

'Mooi.' Hij knikte. 'Je komt direct ter zake. Dat kan ik waarderen. Ik hou van mensen die meteen op hun doel afgaan, die niet om de hete brij heen draaien.'

'Kunt u nog iets verzinnen om hetzelfde te zeggen? Dan kunt u uw antwoord nog iets langer uitstellen.'

Elmont Sebastian lachte, haalde het dekseltje van een van de koffiebekers en schonk er drie melkcupjes in leeg. 'Weet je, dat is precies waarom ik hoopte je te kunnen spreken. Om die vraag te beantwoorden. Ik heb je hiernaartoe gehaald om je iets te laten zien.'

Hij tastte in de binnenzak van zijn jasje en haalde er een envelop uit met zijn naam erop. De flap was naar binnen gestoken, niet dicht geplakt. Hij trok de flap eruit, haalde een cheque tevoorschijn en gaf die aan mij.

Ging Elmont Sebastian zo te werk? Deelde hij cheques uit aan journalisten om hem met rust te laten?

Ik pakte de cheque aan en zag dat hij niet op mijn naam was gesteld, maar op naam van hemzelf. En het bedrag – 4763,09 dollar – zou worden afgeschreven van de persoonlijke rekening van Stan Reeves. De datum in de rechterbovenhoek was die van twee dagen geleden.

'Ik weet dat jij dacht dat je iets ontdekt had over raadslid Reeves,' zei hij, 'dat hij een snoepreisje naar Italië van mij had aangenomen. Maar niets is meer bezijden de waarheid. Ik had al een suite in Florence besproken, voor vrienden van me, maar die hebben op het laatste moment afgezegd, dus zei ik tegen meneer Reeves, toen we nog in Engeland zaten, dat hij die kamer kon krijgen. Dat vond hij bijzonder prettig, maar hij was er heel duidelijk in dat hij geen geschenken of zo van mij kon aannemen. Dan zou zijn positie onhoudbaar zijn. Natuurlijk begreep ik dat volkomen. Maar ik had de kamer al betaald, dus we hebben afgesproken dat hij het bij zijn terugkomst met mij zou regelen. En hier heb je de cheque als bewijs.'

'Tjee,' zei ik terwijl ik hem teruggaf, 'wie had dat gedacht!'

Elmont Sebastian glimlachte, waarbij hij een rij onregelmatige boventanden onthulde. 'Ik had het verschrikkelijk gevonden als jij een stuk had geschreven waarin de reputatie van meneer Reeves te grabbel werd gegooid. En die van mij natuurlijk ook, maar ik ben eraan gewend dat mijn naam door het slijk wordt gehaald. Maar als meneer Reeves' reputatie beschadigd zou worden, dan zou dat helemaal mijn fout zijn.'

'Wat mooi dat het nu allemaal opgehelderd is,' zei ik.

Hij deed de cheque weer in de envelop en stopte hem terug in zijn binnenzak. 'David, ik vrees dat jij niet helemaal begrijpt wat mijn bedrijf wil bereiken. Ik krijg uit jouw stukken de indruk dat jij denkt dat er iets inherent slecht is aan een particuliere gevangenis.'

'Een gevangenis die erop gericht is winst te maken,' zei ik.

'Dat ontken ik niet,' zei Sebastian, en hij nam een slok koffie. 'Winst is geen vies woord, weet je. Er is niets immoreels aan om mensen financieel te belonen als ze hun werk goed doen. En als dat nu toevallig werk is waarmee de gemeenschap gediend wordt, waarmee dit land een betere plek wordt, tja, wat is er dan eigenlijk mis mee?'

'Dit is geen eenmansactie, meneer Sebastian.' Hij keek gekwetst omdat ik hem niet met zijn voornaam aansprak. 'Er zijn een heleboel mensen hier die niet willen dat uw gevangenis in Promise Falls gevestigd wordt. En dat om een hele hoop redenen. Niet in het minst omdat u iets dat traditioneel de verantwoordelijkheid van de overheid is, overneemt en er iets van maakt om geld mee te verdienen. Hoe meer criminelen veroordeeld worden, hoe beter dat is voor uw bankrekening. Iedere veroordeelde die naar uw inrichting wordt gestuurd, is net zoiets als een geslaagde verkoop.'

Hij glimlachte alsof ik een kind was. 'En wat denk je dan van een directeur van een begrafenisonderneming, David? Is het verkeerd wat hij doet? Hij verdient aan de dood. Maar hij is een dienstverlener, en je mag geld verdienen als je diensten verleent. Dat geldt eveneens voor de notaris, de bloemist die je belt om een krans voor je dierbaren, en de man die het gras op de begraafplaats maait. Wat ik doe, David, is van Amerika een mooier land maken. De brave burgers in dit land hebben er recht op om zich veilig te voelen als ze 's avonds gaan slapen. Ze hebben recht op dat gevoel en ze hebben er ook recht op tegelijkertijd te weten dat ze waar voor hun belastingcenten krijgen. Dat doe ik. Met al die inrichtingen van mij in een groot aantal staten van ons prachtige land. Door mijn bijdrage kunnen de mensen 's nachts rustiger slapen en blijven hun belastingen binnen de perken.'

'En het enige wat u daaraan overhoudt is – als het afgelopen jaar maar enigszins representatief is – zo'n 1,3 miljard.'

Hij schudde zogenaamd droevig zijn hoofd. 'Werk jij voor niks bij de *Standard*?' vroeg hij.

'Uw bedrijf is actief betrokken bij de campagne om de minimumstraffen te verhogen. Wilt u nu echt beweren dat u dat alleen maar doet opdat de Amerikanen rustig kunnen slapen?'

Sebastian keek op zijn horloge. Ik dacht dat het misschien een Rolex was, maar om de waarheid te vertellen had ik nog nooit een Rolex gezien. Het ding zag er in elk geval duur uit.

'Ik moet er nu echt vandoor,' zei hij. 'Moet ik een kopietje van die cheque maken voor je verhaal?'

'Dat is niet nodig,' zei ik.

'Goed, dan ga ik maar eens.' Sebastian stond op en begon aan zijn tocht over het gras naar de limousine. Hij had zijn kartonnen beker meegenomen, maar het kwam niet in zijn hoofd op om even langs de vuilnisbak te lopen. Hij gaf de beker aan Welland om weg te gooien. Welland deed het portier voor hem open, sloot het weer, gooide de beker weg en voor hij weer achter het stuur ging zitten keek hij naar mij. Hij maakte een pistooltje van zijn hand, grijnsde naar me en richtte het op mij.

De limousine reed weg. Het leek er verdraaid veel op dat ze me geen lift terug naar de krant zouden geven.

5

Negen dagen na ons etentje bij Gina bestelde Jan kaartjes voor ons voor Five Mountains, het pretpark met z'n achtbanen. Dat leek de volmaakte metafoor voor haar stemming sinds dat etentje. Op en neer, op en neer, op en neer.

Ze had haar best gedaan gewoon te doen waar Ethan bij was sinds ze gezegd had dat ik blij zou zijn als ik van haar af was, en sinds mijn tactvolle suggestie dat ze paranoïde was. Als Ethan al gemerkt had dat het niet goed ging met zijn moeder, dan was hij niet nieuwsgierig genoeg geweest om haar te vragen wat er aan de hand was. Hij vroeg gewoonlijk alles wat er in zijn hoofd opkwam, dus ik begreep dat hij er echt niets van gemerkt had. Jan had de afgelopen week een paar dagen vrij genomen van haar werk, maar ik had Ethan toch steeds naar mijn ouders gebracht, met de gedachte dat ze tijd voor zichzelf nodig had, dat dat het misschien was. Ze had nooit ronduit gezegd dat ze zichzelf van kant wilde maken, maar ik voelde me toch erg ongemakkelijk als ik aan haar dacht, zo alleen thuis.

De dag na ons etentje bij Gina ging ik er 's middags even tussenuit op kantoor voor een inderhaast gemaakte afspraak met onze huisarts, Andrew Samuels. Toen ik belde had ik tegen de nieuwsgierige receptioniste die altijd wilde weten waarom je naar de dokter wilde gezegd dat ik keelpijn had.

'Dat heerst,' zei ze.

Maar toen ik alleen met dokter Samuels in zijn kamer was zei ik: 'Het gaat om Jan. Ze is de laatste tijd zichzelf niet meer. Ze is down, depressief. Ze zei dat ze het gevoel heeft dat Ethan en ik beter af zouden zijn als zij er niet meer was.'

'Dat is zorgelijk,' zei hij. Hij had een paar vragen. Was er onlangs iets gebeurd? Een sterfgeval in de familie? Financiële problemen? Moeilijkheden op het werk? Iets met haar gezondheid waar ze mij misschien niets over verteld had?

Ik kon niets verzinnen.

Dokter Samuels zei dat het beste wat ik kon doen was haar voorstellen naar hem toe te gaan. Hij kon geen diagnose stellen over een patiënt die er niet was.

Ik begon er bij haar op aan te dringen een afspraak met hem te maken. Op een gegeven moment zei ik dat als ze bleef weigeren om te gaan, ik zonder haar naar hem toe zou gaan. Ik keek wel uit om te zeggen dat ik dat al gedaan had. Ze reageerde woedend. Maar even daarna kwam ze de keuken binnen en zei tegen me dat ze een afspraak voor de volgende dag had gemaakt, en dat ze die dag vrij zou nemen.

De volgende avond vroeg ik hoe het gegaan was. Ik zorgde ervoor dat het niet het eerste was wat ik haar vroeg toen ik haar zag.

'Het ging goed,' zei Jan meteen.

'Heb je tegen hem gezegd hoe je je voelt?'

Jan knikte.

'En wat zei hij?'

'Hij heeft vooral gewoon naar me geluisterd,' zei ze. 'Hij heeft me laten praten. Een hele tijd. Ik weet zeker dat ik zijn volgende afspraak in de war heb gestuurd, maar hij gaf me helemaal niet het gevoel dat ik op moest schieten.'

'Die man deugt,' zei ik.

'Dus ik heb hem verteld hoe ik me de laatste tijd voelde. Meer niet.'

Er moest toch meer gebeurd zijn. 'Had hij nog goede raad? Heeft hij je medicijnen of zo voorgeschreven?'

'Hij zei dat ik wel wat medicijnen zou kunnen proberen, maar ik heb gezegd dat ik dat niet wilde. Dat heb ik ook al tegen jou gezegd. Ik wil niet verslaafd raken aan de pillen.'

'Maar heeft hij dan níéts gedaan?'

'Hij zei dat ik de eerste positieve stap al had genomen door naar hem toe te komen. En hij zei dat er mensen waren die hier beter in waren…'

'Een psychiater of zo…?'

Jan knikte. 'Hij zei dat hij me door kon verwijzen als ik dat wilde.'

'En toen heb je ja gezegd?'

Jan keek me scherp aan. 'Ik heb nee gezegd. Wat denk je, dat ik gek ben?'

'Nee, ik denk niet dat je gek bent. Je hoeft niet gek te zijn om naar de psychiater te gaan.' Ik had bijna 'gekkendokter' gezegd.

'Ik wil dit in m'n eentje opknappen.'

'Maar die gedachten van je,' zei ik. 'Over dat je jezelf iets wilt aandoen.'

Ik kon het woord 'zelfmoord' niet over mijn lippen krijgen.

'Ja, wat is daarmee?'

'Heb je die gedachten nog steeds?'

'Mensen hebben allerlei gedachten,' zei ze, en ze liep de keuken uit.

Diezelfde dag bestelde Jan de kaartjes en kreeg ik een mailtje in mijn inbox op mijn werk: 'Ik heb een tijdje geleden met je gebeld. Ik weet dat je bezig bent met de Star Spangled Corrections. Met hoe ze proberen de stemmen in de gemeenteraad te kopen. Reeves is niet de enige die ze op reisjes of geschenken getrakteerd hebben. Ze hebben vrijwel iedereen benaderd, dus de vestiging gaat zonder meer door. Ik heb een lijst van wat er uitgedeeld is en aan wie. Ik durf je niet te bellen of in deze e-mail te vertellen wie ik ben, maar ik ben bereid je persoonlijk te spreken en je al het bewijsmateriaal te geven dat je in deze zaak nodig hebt. Kom morgen om vijf uur 's middags naar de parkeerplaats van Ted's Lakeview General Store. Neem de 87 in noordelijke richting naar Lake George, bij het natuurreservaat Adirondack. Neem dan de 9 in noordelijke richting, die een tijdje de 87 volgt. Je komt langs een open plek in het bos, en daar is Ted's. Kom niet te vroeg, en blijf niet lang op me wachten. Als ik er om tien over vijf nog niet ben, dan is er iets gebeurd en dan kom ik niet. Ik kan je het volgende wel vertellen: ik ben een vrouw, dat had je natuurlijk al gehoord toen ik je belde, en ik rij in een witte pick-up.'

Ik las de e-mail een paar keer door, aan mijn bureau op de redactie. Verward meldde ik me af op mijn computer, ging naar de kantine om een kop koffie te drinken, nam een paar slokken, stond weer op en ging terug naar mijn bureau.

'Alles goed?' vroeg Samantha aan het bureau naast het mijne. 'Ik heb al twee keer hoi gezegd, maar je negeert me.'

Het Hotmail-adres vanwaar de mail gestuurd was, was een willekeurige reeks letters en cijfers, die niets zei over de identiteit van de auteur. Ik maakte wat aantekeningen en wiste de mail. Toen klikte ik door naar de prullenbak en zorgde ervoor dat hij van de harde schijf verwijderd werd. Misschien was ik paranoïde, maar sinds ik erachter was gekomen dat de eigenaar van de krant van plan was een stuk grond aan Star Spangled Corrections te verkopen, was ik wat voorzichtiger geworden.

Ik vertrouwde niemand hier.

'Holy shit,' fluisterde ik zachtjes voor me uit.

Iemand had informatie over gemeenteraadsleden van Promise Falls die steekpenningen aannamen, cadeautjes, smeergeld, hoe je het ook maar wilde noemen, van het gevangenisbedrijf van Elmont Sebastian.

Mijn artikel over Reeves' vakantie in Florence had de krant niet gehaald. Zijn cheque aan Sebastian was duidelijk uitgeschreven nadat hij erachter was gekomen dat ik van dat reisje wist, maar het was genoeg voor Brian om het artikel niet te plaatsen, en ergens kon ik hem dat niet kwalijk nemen. Ik had iets nodig waarmee ik Reeves en mogelijk andere raadsleden aan de schandpaal kon nagelen.

Deze anonieme e-mail kon dat 'iets' zijn.

Ik had er geen enkel vertrouwen in dat Brian mijn stukken over dit onderwerp zou steunen. Nog geen twee dagen daarvoor, in een redactioneel commentaar dat nu eens niet in een of andere uithoek van het land was geschreven en naar ons toe was gemaild, verkondigde de *Standard* van Promise Falls dat een private gevangenis niet alleen op de korte termijn werkgelegenheid zou bieden aan aannemers in een stad die genoeg had van de recessie, maar ook op de lange termijn. Als de burgers van Promise Falls beschermd wilden worden tegen diegenen die de wet overtraden, dan konden ze zich toch moeilijk een houding aanmeten van 'als het maar niet bij ons is', als het erom ging onderdak te bieden aan een inrichting waarin die wetsovertreders opgesloten werden. Tegenover het feit dat het om een privaat bedrijf ging nam de krant een 'laten we maar even afwachten'-houding aan. 'Dit concept, wat in andere districten wisselende resultaten heeft opgeleverd, verdient de kans zich hier te bewijzen.'

Het stuk ademde de geest van Madeline Plimpton in elke lettergreep.

Ik werd er kotsmisselijk van toen ik het las.

Ik ging naar Google Maps om de plek van de afspraak op te zoeken. Ook al twijfelde ik er geen moment aan dat ik inderdaad naar Lake George zou gaan, ik moest wel toegeven dat de e-mail erg vaag was. Ik wist nog steeds niet wie deze vrouw was, of voor wie ze werkte. Was het iemand op het stadhuis? Een ambtenaar? Iemand van de administratie misschien? Iemand die voor de burgemeester werkte en iedereen in de gaten kon houden? Of een kwaaie werknemer van een van Sebastians gevangenissen? Wie ze ook was, ze wist van Reeves en zijn gratis hotelverblijf in Florence. Misschien was het iemand van zijn eigen afdeling. De kerel werd over het algemeen een enorme hufter gevonden, je kon je best voorstellen dat iemand van zijn eigen staf hem een mes in de rug stak.

Ik moest gewoon wachten tot ik naar Lake George kon om erachter te komen. Er zat niets anders op.

'Ik heb kaartjes voor Five Mountains gekocht,' zei Jan toen ze die middag opbelde.

'Wat?'

'Dat park ten noorden van de stad? Waar we altijd langs rijden, met al die achtbanen?'

'Ik weet wel wat Five Mountains is.' Iedereen wist dat. Het was in het voorjaar met een hoop toeters en bellen geopend.

'Wil je er niet heen?' vroeg ze. 'Ik heb de kaartjes al via internet gekocht. Ik geloof niet dat we er nog vanaf kunnen.'

'Nee, nee, het is prima,' zei ik. 'Ik ben gewoon verbaasd.' Het ene moment praatte ze als iemand die zichzelf van kant wilde maken, het volgende moment bestelde ze kaartjes voor een pretpark. 'Heb je kaartjes voor ons alle drie geboekt?'

'Natuurlijk,' zei ze.

'Die achtbanen zijn enorm groot! Ze laten Ethan er niet in.'

'Ze hebben ook een gedeelte voor kleine kinderen, met draaimolens en zo.'

'Oké.' Toen, benauwd: 'Je hebt ze toch niet voor morgen geboekt?' Ethan zat nog niet op school, hij kon elke dag, en voor hetzelfde geld was Jan van plan om de volgende dag vrij te nemen, in de veronderstelling dat ik dat ook wel zou doen.

'Nee, voor zaterdag,' zei ze. 'Kan dat wel?'

'Ja, prima. Morgen was lastig geworden.'

'Wat heb je morgen dan?'

Ik liet mijn stem dalen, zodat Sam, die achter haar computer zat te tikken, het niet kon horen. 'Ik heb een afspraak met iemand.'

'Met wie?'

'Dat weet ik niet. Ik heb een anonieme e-mail gekregen van een vrouw die beweert dat ze info heeft over Reeves en een aantal andere raadsleden.'

'O, mijn god, daar zat je op te hopen.'

'Ja, nou ja, ik weet niet of het wat wordt.'

'Je hebt toch geen afspraakje in een donker steegje of zo?'

'Ik ga naar Lake George.'

Jan zweeg even.

'Wat is er, liefje?'

'Niets. Ik zat er alleen over te denken om morgen nog een dagje vrij te nemen voor mijn geestelijke gezondheid. Er is weinig te doen op kantoor. Als we een hittegolf zouden hebben, dan zou de telefoon roodgloeiend staan met belletjes voor een airco, maar het weer is goed, dus is het stil.'

Ik aarzelde maar even. 'Waarom kom je niet met mij mee?' Ik zou het prettig vinden om gezelschap te hebben, en ik zou haar op die manier de hele dag in de gaten kunnen houden, wel veilig in verband met haar duistere gedachten van de laatste tijd. Niet dat ik dat tegen haar als reden aanvoerde.

'Nee, dat moet ik niet doen,' zei Jan. 'Zou je contact niet de benen nemen als je niet alleen komt?'

Daar had ik al over nagedacht. 'Als ze het vraagt, dan vertel ik het haar gewoon. Jij bent mijn vrouw. We hebben er samen een dagje van gemaakt. Een gecombineerd afspraakje met een bron en een tochtje naar buiten. Het zal haar juist op haar gemak stellen.'

Jan klonk nog niet helemaal overtuigd. 'Misschien. Maar als dit zo'n geheime afspraak is, is het dan wel veilig voor ons?'

Ik lachte zachtjes. 'O, dit gaat heel gevaarlijk worden.'

Het zou niet veel meer dan een uur kosten om naar Lake George te rijden, maar ook al had ik een afspraak voor vijf uur, ik vond het verstandig om al om drie uur op pad te gaan. De vrouw in de mail had duidelijk aangegeven dat er maar ongeveer tien minuten gelegenheid was om elkaar te treffen. Ik moest er om vijf uur zijn, en als ze binnen tien minuten niet kwam opdagen, dan moest ik weer rechtsomkeert maken en naar huis gaan.

Jan besloot Ethan die ochtend thuis te houden en hem rond tweeën bij mijn ouders af te zetten. Het leek niet uit te maken hoe vaak we beslag op hun tijd legden, ze vonden het prima. Ma was dol op Ethan en ze vond het voor de afwisseling wel prettig om iemand van het mannelijk geslacht in huis te hebben die gewoon deed wat ze zei. Pa had het erover om een treinbaan in het souterrain te bouwen waar Ethan mee kon spelen, maar ik vermoedde dat hij Ethan slechts als voorwendsel gebruikte. Pa had kennelijk behoefte aan een nieuw project, en hij was altijd al gek geweest op modeltreinen, die grote Lionel-locomotieven die enorm veel lawaai maakten en grote wolken stoom uitspuwden. Ik dacht niet dat mijn moeder erg blij zou zijn met het idee, maar zolang het pa ervan weerhield nieuwe bordjes voor zijn medeweggebruikers te maken, zou ze het waarschijnlijk wel goedvinden.

Ik kwam om kwart voor drie thuis, in de veronderstelling dat Jan op de veranda op me zou wachten – we wonen in het oude gedeelte van de stad, waar de huizen nog veranda's hebben – maar ze was er niet. Ik rende het trappetje op, deed de hordeur open en riep haar naam.

'Ben je klaar?' riep ik.

'Boven!' zei ze.

Ik rende de trap op terwijl ik ondertussen aan één stuk door praatte. 'Als we nu meteen weggaan, dan zijn we op tijd in Lake George om een hapje te eten of koffie te drinken voor die afspraak met...'

Ik liep onze slaapkamer in. Jan lag in bed, onder het dekbed, met haar hoofd op haar gebogen arm.

'Wat... ben je ziek?' vroeg ik.

Ze gooide het dekbed af om te laten zien dat ze naakt was. 'Zie ik eruit als een ziek iemand?' vroeg ze.

'Tja,' zei ik glimlachend. 'Zelfs in augustus zul je kouvatten als je in deze toestand naar Lake George rijdt.'

'Als je er echt op tijd wilt zijn voor een kop koffie, kan ik natuurlijk mijn kleren aantrekken en dan kunnen we meteen weg.'

'Eerlijk gezegd heb ik vanochtend al koffie gedronken,' zei ik.

Vijftien minuten later zaten we op de weg.

De eerste dertig kilometer begon ik in mijn gedachten een gesprek dat nergens op uitliep.

Het lijkt erop dat het beter met je gaat, wilde ik tegen Jan zeggen.

Je bent volgens mij de laatste dagen wat minder depri, zei ik bijna.

Fijn om je zo weer mee te maken, overwoog ik tegen mijn vrouw te zeggen.

Maar ik zei niets, uit angst het allemaal te verpesten. Als Jan weer uit deze put krabbelde, wilde ik het niet verprutsen door er een hele toestand van te maken. Ik was bang dat ze in de verdediging zou schieten, dat ze me ervan zou beschuldigen dat ik elk gebaartje van haar in de gaten hield, dat ik elk woord van haar tegen het licht hield. Wat ik natuurlijk de afgelopen weken inderdaad gedaan had.

Dus besloot ik net te doen alsof er niets bijzonders aan de hand was. Dat Jan geen dag had vrijgenomen omdat ze zo in de war was. Ze spijbelde gewoon een dagje. Om me gezelschap te houden op weg naar een interview.

Ik had mijn pen, blocnote en recordertje meegenomen. Als het kon, wilde ik de onthullingen van deze vrouw opnemen, maar ik betwijfelde of ze dat zou toestaan. Toch had ik de recorder in mijn jas gestoken voor het geval dat.

'De drukte op de weg valt wel mee,' zei ik.

Jan draaide zich opzij in haar stoel, wat niet zo gemakkelijk gaat in een Jetta. Ze keek afwisselend naar mij, naar het landschap en naar de weg achter ons.

'Ik moet je iets vertellen,' zei ze.

Ik kreeg opeens dat gevoel weer dat ik in het restaurant had gehad. 'Wat?' zei ik.

'Iets… wat ik gedaan heb,' zei ze.

'Wat heb je gedaan?'

'Eigenlijk is het meer iets wat ik niet gedaan heb,' zei ze terwijl ze uit het achterraampje keek en toen weer door de voorruit.

'Jan, wat is er aan de hand?' zei ik.

'Weet je nog die dag dat we naar buiten gingen, een eindje rijden?'

Ik schudde mijn hoofd. 'Dat doen we zo vaak.'

'Ik weet niet meer hoe die weg heette, maar ik zou het plekje wel terug kunnen vinden. Zoals: rechts afslaan bij het witte huis en doorrijden tot je een rode schuur gepasseerd bent, zoiets.'

'Jij bent altijd in staat geweest om de weg te vinden,' zei ik. 'Je hebt alleen geen geheugen voor straatnamen of wegnummers.'

'Inderdaad,' zei ze. 'Dus ik weet niet of ik je kan vertellen waar ik was, de weg of zo. Maar weet je nog dat kleine weggetje? Het is wel verhard, maar het is ergens buiten en er komt weinig verkeer. Op weg naar het tuincentrum?'

Dat beperkte de mogelijkheden enigszins.

'En dan kom je bij die brug? Weet je wel, waar de weg een beetje smaller wordt voor hij over de brug gaat, en zelfs al is er een streep in het midden, als er een vrachtwagen van de andere kant komt, dan minder je vaart en dan laat je hem eerst gaan?'

Nou wist ik waar ze het over had.

'En dan gaat de weg over de rivier, daar waar het water snel over de rotsen stroomt?'

Ik knikte.

Jan keek nogmaals door de achterruit, en toen naar mij. 'Daar ben ik toen weer naartoe gereden; ik heb de auto geparkeerd en ben naar het midden van de brug gelopen.'

Ik wil dit niet horen.

'Ik heb daar heel lang gestaan,' zei Jan. 'Ik dacht eraan hoe het zou zijn als ik zou springen, ik vroeg me af of je zo'n val zou kunnen overleven. Het is helemaal niet zo hoog, maar de rotsen zijn daar behoorlijk scherp. En toen dacht ik: als ik dan toch van een brug af ga springen, dan moet ik de brug over Promise Falls nemen. Weet je nog dat je me verteld hebt over die student die dat een paar jaar geleden heeft gedaan?'

'Jan,' zei ik.

'Ik ging op de rand staan, die van beton is en behoorlijk breed. Ik stond daar geloof ik een halve minuut, en toen stapte ik er weer af.'

Ik slikte. Mijn mond was kurkdroog. 'Wat was het?' zei ik. 'Waarom heb je het niet gedaan?'

Omdat ze van ons houdt. Omdat ze zich niet kon voorstellen dat ze Ethan en mij zonder haar zou achterlaten.

Ze glimlachte. 'Er kwam een auto aan. Nee, een open vrachtwagen. Ik wilde het niet doen waar iemand bij was, en toen ik eraf was gestapt, was het moment voorbij.'

Ik moet haar naar het ziekenhuis brengen. Ik moet nu omdraaien en haar naar het ziekenhuis brengen en laten opnemen. Dat moet ik doen.

'Nou,' zei ik, en ik probeerde mijn schrik te verbergen. 'Dan is het maar goed dat die vrachtwagen voorbijkwam.'

'Ja,' zei ze, en ze glimlachte, alsof wat ze me net verteld had niet zo veel voorstelde. Gewoon iets waar ze over nagedacht had, maar toen was het moment voorbij.

Ik vroeg: 'Wat zei de dokter toen je hem dit vertelde?'

'O, dit was nadat ik bij hem ben geweest,' zei ze achteloos. Ze legde haar hand even op mijn arm. 'Maar je hoeft je geen zorgen te maken. Vandaag voel ik me goed. En ik voel me ook goed over morgen, over dat we naar Five Mountains gaan.'

Moest dat nu een geruststelling zijn? Wat maakte het uit dat ze zich nu goed voelde? Hoe zou het over een uur zijn? En morgen?

'Er is nog iets,' zei Jan.

Ik keek haar vragend aan.

'Misschien verbeeld ik het me,' zei ze met weer een blik door de achterruit, 'maar ik geloof dat die blauwe auto daar ons vanaf ons huis al volgt.'

6

Hij reed zo'n vierhonderd meter achter ons, te ver om te kunnen zien wat voor merk het was en absoluut te ver om het nummerbord te kunnen lezen. Maar het was een Amerikaanse personenwagen, een GM of een Ford, donkerblauw met getinte ramen.

'Rijdt hij al vanaf ons huis achter ons aan?' vroeg ik.

'Ik weet het niet absoluut zeker,' zei Jan. 'Er zijn miljoenen auto's die er zo uitzien. Misschien reed er een andere blauwe auto achter ons toen we uit Promise Falls wegreden.'

Ik reed ongeveer honderdtien kilometer per uur, en ik liet het gaspedaal iets omhoogkomen tot ik zo'n vijfennegentig reed. Ik wilde zien of de andere auto de andere rijstrook zou nemen om ons in te halen.

Een zilverkleurig busje dat achter de blauwe auto reed passeerde hem en ging toen in het grote gat tussen hem en ons in rijden.

'Ik kan hem niet goed zien,' zei ik na een blik in mijn zijspiegel en in mijn achteruitkijkspiegeltje, terwijl ik ook de weg voor me in de gaten hield. Zelfs nu we vaart geminderd hadden, liepen we in op een vrachtwagen.

Jan wilde zich weer omdraaien, maar ik zei dat ze dat niet moest doen. 'Als iemand ons volgt, wil ik niet dat hij weet dat wij dat in de gaten hebben.'

'Weet hij dat toch al niet omdat je vaart geminderd hebt?'

'Dat was maar een beetje. Als hij op de cruisecontrol rijdt, dan zal hij ons al gauw inhalen.'

Het busje was weer op de inhaalstrook gaan rijden en reed ons en de vrachtwagen voor ons voorbij. Ik keek in het spiegeltje. De blauwe auto was dichterbij gekomen. Hij was nu groter en ik kon zien dat het een Buick was, met zo op het oog een New Yorks nummerbord, hoewel je de cijfers niet goed kon lezen omdat het nummerbord vuil was. 'Hij haalt ons in,' zei ik.

'Dan is het misschien niets,' zei Jan; ze klonk enigszins opgelucht. 'En er zijn weinig afritten op deze weg, je kunt er niet zo vaak af.'

Ik knipte de richtingaanwijzer aan. Langzaam haalden we de vrachtwagen in.

'Dat is zo,' zei ik, maar ik voelde me geen spat minder gespannen. Ik vroeg me af wat het betekende als die blauwe auto ons echt volgde.

Dat betekende dat iemand wist van mijn afspraak met mijn anonieme bron. Ik kon geen andere reden verzinnen waarom iemand mij zou willen volgen.

En als iemand mij volgde, dan betekende dat waarschijnlijk dat de e-mail van die vrouw onderschept was, of ontdekt of zo. Misschien was hij op haar computer gevonden. Of had ze tegen iemand gezegd dat ze een afspraak met een journalist had.

Kon dit een valstrik zijn? Maar als dat zo was, wie zat erachter? Reeves? Sebastian? Wat had het voor zin?

Ik was de vrachtwagen gepasseerd en ging terug naar de rechterrijstrook. Nu kon ik de blauwe auto niet meer zien, en ik moest mijn snelheid handhaven, want anders zou de vrachtwagen mij weer moeten inhalen. Geleidelijk zorgde ik ervoor dat er wat meer afstand tussen de vrachtwagen en ons kwam.

Jan keek in haar zijspiegel. 'Ik zie hem niet,' zei ze. 'Weet je? Ik denk – hou je vast – dat ik vandaag misschien gewoon een beetje paranoïde ben. Jezus, dat is toch niet zo gek na al die rare gevoelens van mij.'

Wat was erger? Om erachter te komen dat we gevolgd werden of dat Jan, die al last had van een knipperlichtdepressie, begon te denken dat mensen haar volgden?

De blauwe auto haalde de vrachtwagen in en ging ervoor rijden.

'Hij is er weer,' zei ik.

'Waarom ga je niet een beetje harder rijden?' stelde Jan voor. 'Kijken of hij hetzelfde doet?'

Ik liet de teller langzaam oplopen naar honderdtien. Geleidelijk aan werd de blauwe auto in mijn achteruitkijkspiegeltje steeds kleiner.

'Hij gaat niet harder rijden,' zei Jan. 'Zie je wel? Het zijn gewoon mijn overspannen fantasieën. Ontspan maar.'

Tegen de tijd dat we de afslag Lake George namen, keek ik niet meer elke vijf seconden in mijn spiegeltje. De auto volgde ons waarschijnlijk wel, maar we konden hem niet meer zien. Jan was zichtbaar opgelucht.

Het was kwart voor vijf, en volgens het kaartje van Google dat ik voor we weggingen had geprint, zaten we nog maar vijf minuten van Ted's Lakeview General Store af. We reden over de 9 in noordelijke richting. Ik deed het rustig aan. Ik wilde niet te vroeg aankomen en ik wilde Ted's niet missen en er voorbij rijden.

Maar je zag het niet snel over het hoofd, zo bleek al gauw. Ted's was het enige gebouw in de bossen langs dat stuk weg. Een wit gebouw, ongeveer vijftien meter van de weg, met een aantal zelfbedieningspompen ervoor. Ik deed mijn richtingaanwijzer aan en reed voorzichtig de weg af, waarbij de banden van de auto knerpten op de losse steentjes.

'Dus hier zijn we dan,' zei Jan. 'En nu gewoon maar wachten?'

Ik keek op het klokje op het dashboard. Vijf minuten voor vijf. 'Lijkt me wel.' Aan de ene kant van het gebouw waren een paar parkeerplaatsen, waar een oude Plymouth Volare geparkeerd stond. Ik reed er langs en parkeerde achterwaarts naast de Volare zodat ik in beide richtingen goed zicht had op de weg. Toen liet ik de raampjes zakken en zette de motor uit.

Er was weinig verkeer. We zouden een witte pick-up lang voordat hij het terrein op reed kunnen zien.

'Wat voor materiaal zou ze hebben, denk je?' vroeg Jan.

Ik haalde mijn schouders op. 'Ik weet het niet. Privémemo's? Geprinte e-mails? Opgenomen telefoongesprekken? Misschien niets. Misschien wil ze me alleen het een en ander vertellen. Maar het zou een stuk beter zijn als ze echt bewijsmateriaal heeft. De *Standard* gaat geen letter publiceren als het verhaal niet helemaal waterdicht is.'

Jan wreef over haar voorhoofd.

'Alles goed?'

'Hoofdpijn, meer niet. Al een tijdje. Ik heb eerlijk gezegd het gevoel dat ik elk moment in slaap kan vallen.'

'Heb je aspirine of paracetamol of zo bij je?'

'Ja, in mijn tas. Ik ga wel even wat halen. Een flesje water of iets anders om te drinken. Wil jij wat?'

'IJsthee,' zei ik.

Jan knikte, stapte uit en ging de winkel in. Ik hield mijn ogen op de weg gericht. Een rode Ford pick-up reed langs. Toen een groene Dodge suv. Een man op een motor.

Het was precies vijf uur op mijn dashboardklokje. Ze had dus nog tien minuten.

Wie het ook was.

Een vrachtwagen vol openhaardhout denderde langs. Een blauwe Corvette Convertible met het dak neer reed gierend langs, op weg naar Lake George.

Toen, uit noordelijke richting, een pick-up.

Hij was nog een paar honderd meter van ons verwijderd, een lichte kleur. In het gefilterde licht van de zon door de bladeren kon ik niet goed zien of hij wit was of lichtgeel, of zilverkleurig.

Maar toen de pick-up dichterbij kwam zag ik dat het een Ford was, en dat hij wit was.

De richtingaanwijzer ging uit. De auto wachtte tot een Toyota Corolla uit zuidelijke richting voorbij was en reed toen de parkeerplaats op. Hij reed door naar de zelfbedieningspomp.

Mijn hart bonsde.

Het linkerportier ging open en een man van in de zestig stapte uit. Hij was lang, mager, ongeschoren, droeg een geruit houthakkershemd en een spijkerbroek. Hij schoof zijn creditcard in de pomp en begon te tanken. Hij sloeg totaal geen acht op mij.

'Shit,' zei ik.

Ik keek weer naar de weg, net op tijd om een blauwe Buick Sedan langs te zien rijden.

'Hallo,' zei ik zachtjes.

De auto reed onder de maximumsnelheid. Langzaam genoeg voor de chauffeur om te kunnen zien wat er gebeurde bij Ted's Lakeview General Store, maar snel genoeg om niet de indruk te wekken dat hij daar ging stoppen.

Ik wist echter niet of het een 'hij' was. De ramen waren getint. Het kon best dat er meer dan één 'hij' in de auto zat. Het kon ook een 'zij' zijn.

De auto reed verder naar het noorden en verdween uiteindelijk uit het zicht.

Het was vijf over vijf.

Jan kwam uit de winkel, een blikje Snapple-ijsthee in haar ene hand, een flesje water in de andere. Ze praatte al voor ze het rechterportier opendeed.

'Ik sta daar in die winkel en ik bedenk opeens: stel dat hij zijn contact ziet en wegrijdt en mij hier alleen achterlaat.'

'Ze is in geen velden of wegen te bekennen,' zei ik. De witte pick-up bij de pomp was al weggereden voor Jan terugkwam. 'Maar er was wel iets interessants.'

'Ja?' zei ze. Ze gaf me mijn ijsthee aan en draaide het plastic dopje van het water.

'Ik zag onze blauwe Buick langsrijden.'

Jan zei: 'Dat meen je niet.'

'Jawel. Hij reed naar het noorden, hij reed door.'

'Weet je zeker dat het dezelfde auto was?'

Ik schudde mijn hoofd. 'Maar er was iets mee toen hij langsreed. Alsof degene die erin zat deze zaak in zich op zat te nemen.'

Jan had twee paracetamolletjes uit haar tas gehaald, stopte ze in haar mond en spoelde ze weg met het water. Ze keek op de klok. 'Nog vier minuten,' zei ze. 'Loopt die klok op tijd?'

Ik knikte. 'Maar haar klokje misschien niet, dus ik blijf nog een paar minuten langer wachten. Ze kan nog steeds komen.'

Ik sloeg bijna de helft van mijn ijsthee in één slok achterover. Tot de koude vloeistof mijn tong raakte, had ik me niet gerealiseerd hoe uitgedroogd ik was. We zaten nog eens vijf minuten zwijgend in de auto, luisterend naar de passerende wagens.

'Daar heb je een pick-up,' zei Jan. Maar hij was grijs en reed door.

'Vanuit het noorden,' zei ik, en Jan keek.

Het was de blauwe Buick. Misschien tweehonderd meter van ons af.

Ik deed mijn portier open.

'Wat doe je nou?' zei Jan. 'Kom terug.'

Maar ik liep al over de parkeerplaats. Ik wilde deze auto beter kunnen bekijken. Ik wilde het nummerbord zien. Ik haalde mijn recordertje uit mijn zak. Ik hoefde het nummer niet op te schrijven, ik kon het inspreken.

'David!' riep Jan. 'Niet doen!'

Ik rende naar de berm van de weg, met mijn recordertje in mijn hand. Ik zette het aan. De Buick was nu honderd meter van me verwijderd en ik kon horen dat de chauffeur gas gaf.

'Kom op, klootzak,' zei ik terwijl de auto snel dichterbij kwam.

Hij was nu dichtbij genoeg om het nummerbord te kunnen lezen. Ik was vergeten dat het onder de opgedroogde modder zat. Toen de auto langsvloog, wachtte ik om de achterbumper te kunnen zien, maar ook dat nummerbord zat onder de modder, afgezien van de laatste twee cijfers, een 7 en een 5, die ik ademloos dicteerde in mijn recordertje. De auto reed op topsnelheid langs en verdween om de bocht.

Ik zette de recorder uit, stopte hem in mijn zak en liep op een sukkeldrafje terug naar de auto.

'Wat moest dat nou voorstellen?' vroeg Jan.

'Ik wilde het nummer,' zei ik. 'Maar het nummerbord zat onder de modder.'

Ik stapte weer in en schudde mijn hoofd. 'Shit,' zei ik. 'Het was dezelfde auto, dat weet ik zeker. Iemand weet ervan. Iemand is erachter gekomen dat ik deze afspraak heb.'

En daarom was ik ook helemaal niet verbaasd dat er om twintig over vijf nog steeds geen vrouw in een witte pick-up bij Ted's Lakeview General Store was komen opdagen met belastend bewijsmateriaal over Reeves en de rest van de gemeenteraad van Promise Falls.

'Het gaat niet meer gebeuren,' zei ik.

'Jammer,' zei Jan. 'Ik weet hoe belangrijk dit voor je is. Wil je niet nog even wachten?'

Ik gaf het nog vijf minuten en toen startte ik de auto.

Op weg naar huis werd Jans hoofdpijn niet beter. Ze zette haar stoel achterover en sliep het grootste deel van de rit. Toen we bijna in Promise Falls waren, werd ze lang genoeg wakker om te zeggen dat ze zich niet lekker voelde. Ze vroeg of ik haar eerst naar huis wilde brengen voor ik Ethan ging halen.

Tegen de tijd dat ik met onze zoon terug was, lag Jan in bed. Ze sliep. Ik bracht hem zelf naar zijn bedje.

'Is mama ziek?' vroeg hij.

'Ze is moe,' zei ik.

'Is ze morgen weer beter?' vroeg hij.

'Morgen?'

'Dan gaan we naar de achtbanen,' zei hij. 'Was je dat vergeten?'

'Ja, ik was het even kwijt,' zei ik. Ik was zelf ook behoorlijk moe.

'Moet ik in zo'n grote? Die vind ik eng.'

'Nee,' zei ik. 'We gaan alleen in leuke, niet in enge.' Ik drukte mijn lippen op zijn voorhoofd. 'We willen er een fijne dag van maken.'

Ik kuste hem welterusten en liep naar onze slaapkamer. Ik wilde Jan vragen of een tripje naar Five Mountains echt wel zo'n goed idee was, maar ze sliep. Ik kleedde me zachtjes uit, knipte het licht uit en kroop in bed.

Ik liet mijn hand tussen de lakens glijden tot ik die van Jan gevonden had. Ik haakte mijn vingers in de hare en zelfs nu ze sliep drukte ze instinctief terug.

Ik voelde me getroost door die warme handdruk. Ik wilde haar niet loslaten.

'Ik hou van je,' fluisterde ik terwijl ik voor het laatst naast mijn vrouw in slaap viel.

DEEL II

7

'Waar is mijn zoon?' vroeg ik.

Ik zat in de koele receptie van het kantoor van Five Mountains, dat schuilging achter een straatfront in koloniale stijl vlak bij de hoofdingang. Er was een aantal mensen aanwezig. De manager van het pretpark, een vrouw van in de dertig met kort blond haar die Gloria Fenwick heette, een man van in de twintig die zich had voorgesteld als haar assistent maar wiens naam ik niet verstond en een vrouw van amper twintig die het hoofd Publiciteit van Five Mountains was. Ze waren allemaal verzorgd casual gekleed, in tegenstelling tot de andere aanwezige werknemers, die identieke lichtbruine broeken en shirts droegen, met hun naam op het borstzakje geborduurd.

Maar ik stelde hun de vraag niet. Ik vroeg het aan een dikke man die Barry Duckworth heette, een rechercheur bij de politie van Promise Falls. Zijn buik hing over zijn broekriem en hij had moeite zijn met zweetvlekken overdekte witte overhemd binnenboord te houden.

'Hij is bij een van mijn agenten,' zei Duckworth. 'Didi. Ze is heel aardig. Ze is even een ijsje met hem halen. Dat is toch goed, hoop ik?'

'Ja, natuurlijk,' zei ik. 'Hoe is het met hem?'

'Prima,' zei Duckworth. 'Niets aan de hand, lijkt me. Maar het leek me beter om even zonder uw zoontje met u te spreken.'

Ik knikte. Ik voelde me verdoofd, verbijsterd. Er waren al een paar uur verstreken sinds ik Jan voor het laatst gezien had.

'Vertel me nog maar een keer wat er gebeurd is nadat u naar de auto bent gegaan,' zei Duckworth. Gloria Fenwick, haar assistent en de pr-vrouw van het park stonden vlakbij. 'Zou ik meneer Harwood even onder vier ogen kunnen spreken?' vroeg hij hun.

'O ja. Natuurlijk,' zei Gloria Fenwick. 'Is er nog iets wat ik kan doen?'

'U hebt toch opdracht gegeven de beelden van de bewakingscamera's constant in de gaten te houden?' vroeg hij.

'Uiteraard. Hoewel we niet bepaald weten naar wie of wat we moeten uitkijken,' zei ze. 'Het zou wel handig zijn als we een foto van mevrouw hadden.'

'U hebt een beschrijving,' zei hij. 'Halverwege de dertig, een meter vijfenzeventig, zwart haar in een paardenstaart, een honkbalpetje van de… Red Sox?' Hij keek me vragend aan en ik knikte. 'Rood truitje, witte korte broek. Daar moeten jullie naar uitkijken. En naar alles wat vreemd overkomt.'

'Dat doen we uiteraard. Maar u moet weten dat niet overal bewakingscamera's zijn opgehangen. Wel bij alle attracties, zodat we technische problemen meteen in de gaten hebben.'

'Dat weet ik,' zei Duckworth. 'Dat hebt u me al verteld.' Hij keek haar glimlachend aan en wachtte tot zij en haar collega's zouden vertrekken. Toen ze weg waren pakte hij er een stoel bij zodat hij kon gaan zitten en me recht in de ogen kon kijken.

'Oké,' zei hij. 'U ging naar de auto. Wat voor auto is het?'

Ik slikte. Mijn mond was droog. 'Een Accord. Jans Jetta staat nog thuis.'

'Oké. Vertel.'

'Ethan en ik hebben ongeveer een half uur bij het hek gewacht. Ik heb geprobeerd mijn vrouw op haar mobieltje te bellen, maar ze nam niet op. Uiteindelijk vroeg ik me af of ze misschien terug was gegaan naar de auto. Misschien wachtte ze daar op ons. Dus nam ik Ethan mee het park uit en we liepen naar de auto. Maar daar was ze niet.'

'Was er iets wat erop wees dat ze er geweest was? Dat ze iets naar de auto had gebracht?'

Ik schudde mijn hoofd. 'Ze had een rugzak met eten en waarschijnlijk een verschoning voor Ethan bij zich. En die lag niet in de auto.'

'Oké. Wat deed u toen?'

'We zijn teruggegaan naar het park. Ik dacht dat ze misschien was komen opdagen terwijl wij naar de parkeerplaats waren. We lieten onze kaartjes weer zien zodat we naar binnen konden en toen hebben we bij het hek gewacht. Maar ze kwam niet.'

'En daarna hebt u de medewerkers van het park benaderd.'

'Ik had al eerder iemand aangesproken. En die had aan de beveiliging gevraagd of Jan contact had opgenomen. Dat had ze niet. Maar nadat we terug waren van de auto, heb ik aan een andere medewerker gevraagd of ze een melding of zo hadden. Misschien was Jan onwel geworden, of gevallen of zo. En hij dacht van niet, maar hij heeft het via z'n walkietalkie gevraagd en toen er geen melding was, heb ik gezegd dat we de politie moesten bellen.'

Barry Duckworth knikte alsof hij dat een goed idee vond.

'Ik moet wat drinken,' zei ik. 'Weet u zeker dat Ethan oké is?'

'Het gaat prima met 'm.' In de receptie stond een waterautomaat. Rechercheur Duckworth kwam overeind, vulde een papieren bekertje met water en gaf het aan mij voor hij weer ging zitten.

'Dank u wel.' Ik dronk het bekertje in één keer leeg. 'Zijn jullie op zoek naar die man?'

'Welke man?'

'Over wie ik u vertelde.'

'Die vent die u zag wegrennen?'

'Precies. Hij had geloof ik een baard.'

'En kunt u nog meer over hem vertellen?'

'Ik heb hem maar heel even gezien. Ik kon hem niet goed bekijken.'

'En u denkt dat die man wegrende van de buggy van uw zoontje?'

'Precies.'

'Hebt u gezien dat die man de buggy meenam?'

'Nee.'

'U hebt niet gezien dat hij hem wegduwde?'

'Nee.'

'En toen u de buggy weer zag, had hij hem toen vast, of stond hij erbij of zo?'

'Nee, dat zei ik toch. Ik ving alleen een glimp van hem op terwijl hij door de menigte rende nadat ik Ethan gevonden had,' zei ik.

'Dus het kan net zo goed een man zijn geweest die gewoon door de menigte rende,' zei de politieman.

Ik aarzelde even, maar toen knikte ik. 'Ik had gewoon een gevoel.'

'Meneer Harwood,' begon Duckworth, maar toen zweeg hij weer. 'Uw naam, David Harwood. Die komt me zo bekend voor.'

'Misschien hebt u hem in de krant onder een artikel zien staan. Ik ben verslaggever bij de *Standard*. Maar ik doe geen politiezaken, dus we hebben elkaar volgens mij nooit gesproken.'

'Ja,' zei Duckworth. 'Ik wist dat ik die naam ergens van kende. We zijn geabonneerd op de *Standard*.'

Plotseling viel me iets in. 'Misschien is ze naar huis gegaan. Kan dat? Misschien heeft ze een taxi genomen of zo.'

Ik verwachtte dat Duckworth zou opspringen en het iemand zou laten natrekken, maar hij zei: 'We hebben al een mannetje naar uw huis gestuurd, en het ziet ernaar uit dat er niemand thuis is. Hij heeft aangebeld, opgebeld, door de ramen gekeken. Het zag er allemaal doodnormaal uit.'

Ik keek naar de vloer en schudde mijn hoofd. Toen: 'Ik bel m'n ouders. Misschien is ze naar hen toe.'

Duckworth keek toe hoe ik mijn telefoon tevoorschijn haalde en het nummer intoetste.

'Ja?' Mijn moeder.

'Ma, met mij. Hoor eens, is Jan bij jullie?'

'Wat? Nee. Waarom zou ze?'

'Ik… we zijn elkaar kwijtgeraakt. Als ze bij jullie komt opdagen, wil je me dan meteen bellen?'

'Natuurlijk. Maar wat bedoel je daarmee, kwijtgeraakt…'

'Ik moet ophangen, ma. Ik bel je nog wel.'

Ik klapte mijn mobieltje dicht en stak hem weer in mijn zak. Duckworth keek naar me met bedroefde ogen die van alles leken te weten.

'En haar eigen familie?' vroeg hij.

Ik schudde mijn hoofd. 'Er is niemand. Ik bedoel, er is niemand naar wie ze toe kan zijn gegaan. Ze is enig kind en ze heeft geen contact meer met haar familie. Ze heeft ze in geen jaren gezien. Voor hetzelfde geld zijn haar ouders al dood.'

'Vriendinnen?'

Weer schudde ik mijn hoofd. 'Niet echt. Niet iemand met wie ze echt veel optrekt.'

'Bekenden van haar werk?'

'Er werkt nog een vrouw bij haar op kantoor bij Bertram's Heating and Cooling. Leanne Kowalski. Maar ze zijn niet echt bevriend. Leanne en Jan hebben weinig met elkaar.'

'Hoezo niet?'

'Leanne is een beetje stug. Ik bedoel, ze kunnen het best met elkaar vinden, maar ze gaan niet met z'n tweetjes een avondje uit of zo.'

Duckworth noteerde toch Leannes naam.

'Goed. Sommige vragen zullen wat ongevoelig overkomen,' zei hij, 'maar ik moet ze toch stellen.'

'Gaat uw gang.'

'Is het vaker voorgekomen dat uw vrouw perioden had waarin ze wegliep, of zich vreemd gedroeg, zulk soort dingen?'

Ik nam waarschijnlijk een seconde langer de tijd om hierop te antwoorden dan had gemoeten. 'Nee.'

Duckworth had het meteen in de gaten. 'Weet u dat zeker?'

'Ja,' zei ik.

'En – sorry dat ik dit moet vragen – een relatie met een ander? Zou dat kunnen?'

Ik schudde mijn hoofd. 'Nee.'

'Hebben jullie onlangs nog ruzie gehad? Onenigheid?'

'Nee,' zei ik. 'Hoor eens, we zouden nu naar haar moeten zoeken, niet hier maar wat zitten praten.'

'Er zijn mensen naar haar op zoek, meneer Harwood. Weet u zeker dat u geen foto van haar bij u hebt? Een fotootje in uw portemonnee, misschien? Of een foto op uw mobiele telefoon?'

Ik gebruikte mijn telefoon zelden om een foto mee te maken. 'Ik heb thuis foto's van haar.'

'Tegen de tijd dat u thuis bent, hebben we haar misschien al gevonden,' zei hij geruststellend. 'Maar zo niet, zou u me er dan een paar kunnen mailen?'

'Ja.'

'Mooi. Laten we ondertussen samen bekijken of we iets gerichter naar haar kunnen zoeken.'

Ik knikte.

Duckworth zei: 'Ik wil nog even terugkomen op mijn vraag van zonet. Of uw vrouw perioden heeft gehad waarin ze zich vreemd gedroeg.'

'Ja?'

'Ik kon aan uw ogen zien dat u iets achterhield. Wat was het?'

'Oké. Ik heb niet echt tegen u gelogen. Ze is nooit weggelopen, ze heeft nooit zoiets gedaan. Maar er is iets… dit is heel moeilijk voor mij om onder ogen te zien, laat staan erover te praten.'

Duckworth wachtte.

'Zijn er bruggen hier in de buurt?' vroeg ik.

'Wat zegt u?'

'Geen grote, zoals bij de snelweg, maar kleintjes, over een beek of zo.'

'Vast wel, meneer Harwood. Waarom vraagt u dat?'

'De afgelopen weken is mijn vrouw… ze was niet helemaal zichzelf.'

'Oké,' zei hij geduldig.

'Ze voelde zich… depressief. Ze zei dingen…'

Ik voelde dat ik volschoot.

'Meneer Harwood?'

'Sorry, wacht even…' Ik klemde mijn hand over mijn mond. Ik moest me vermannen. Ik nam even de tijd om me te concentreren. 'De laatste weken heeft ze van die gedachten.'

'Gedachten?'

'Om… zichzelf iets aan te doen. Zelfmoordgedachten. Ik bedoel, ik geloof niet dat ze echt geprobeerd heeft zelfmoord te plegen. Nou ja, ze had een verband om haar pols, maar ze zegt dat het gewoon een ongelukje was toen ze groente schoonmaakte, en ze is naar die brug gegaan, maar…'

'Wilde ze van een brug af springen?' vroeg Duckworth op de man af.

'Ze is naar een brug gereden, maar ze is niet gesprongen. Er kwam een vrachtwagen langs.' Ik hoorde zelf hoe vaag het klonk. 'Jan voelde zich… ja, alles was haar te veel. Ze heeft een keer tegen me gezegd dat ze dacht dat Ethan en ik beter af zouden zijn zonder haar.'

'Waarom zou ze zoiets zeggen, volgens u?'

'Ik weet het niet. Het lijkt wel alsof er kortsluiting in haar hersens is opgetreden. Gisteren vertelde ze dat over die brug, dat ze ernaartoe is gereden, dat ze op de rand stond tot de vrachtwagen langskwam.'

'Dat moet erg moeilijk voor u zijn geweest, om zoiets te horen.'

Ik knikte. 'Inderdaad.' Ik moest mijn tranen bedwingen. 'Heel moeilijk.'

'Hebt u haar aangeraden met iemand te gaan praten?'

'Dat had ik al eerder gedaan. Ik ben naar onze huisarts geweest, dokter Samuels.' Duckworth leek die naam te kennen en knikte. 'Ik heb hem verteld over de veranderingen in Jans gedrag en hij zei toen dat ze bij hem langs moest komen. Dus daar heb ik haar toe overgehaald, en ze is daarna naar hem toe gegaan, maar dat was voor het incident met de brug. Ze zegt dat dat na haar bezoek aan de dokter was.'

'Slikte ze medicijnen?'

'Nee. Daar heb ik haar ronduit naar gevraagd. Ik hoopte dat onze huisarts haar iets zou voorschrijven, maar ze zei dat ze geen pillen wilde slikken die haar karakter zouden veranderen. Ze zei dat ze dit zelf kon opknappen.'

'Wilt u me even excuseren?' zei Duckworth. Hij haalde zijn mobiel telefoon uit zijn jasje. Hij liep naar buiten voordat hij belde. Ik kon niet alles horen wat hij zei, maar ik ving de woorden 'beek' en 'zelfmoord' op.

Ik zat daar maar, handenwringend, terwijl ik wilde opstaan en weglopen, iets wilde doen en geen tijd wilde verspillen terwijl…

Duckworth kwam weer binnen en ging zitten.

'Denkt u dat het mogelijk is dat ze dat inderdaad gedaan heeft?' vroeg hij. 'Dat ze zich van het leven heeft beroofd?'

'Ik weet het niet,' zei ik. 'Ik hoop bij god dat het niet zo is.'

'We zoeken het hele park grondig af,' zei hij, 'en we zoeken ook daarbuiten, we controleren auto's, we praten met mensen.'

'Dank u,' zei ik. 'Maar één ding begrijp ik niet.' Ik schudde mijn hoofd. 'Nee, ik begrijp een heleboel dingen niet.'

'Wat begrijpt u niet?'

'Mijn zoon. Waarom is er iemand met mijn zoon vandoor gegaan?'

'Dat weet ik niet,' zei Duckworth. 'Het is een geluk dat hem niets overkomen is.'

Ik voelde me even een klein beetje opgelucht. Hij had gelijk. Ethan was in elk geval veilig. Er was geen aanwijzing dat hem iets was aangedaan.

'Maar is het niet ongelofelijk toevallig dat iemand Ethan wilde meenemen en dat tegelijkertijd mijn vrouw verdwijnt?' vroeg ik.

De politieman knikte bedachtzaam. 'Inderdaad,' zei hij.

Gloria Fenwick, de manager van Five Mountains, kwam de kamer binnen. 'Meneer Duckworth?' zei ze.

'Ja?'

'We hebben iets gevonden dat u misschien wilt zien.'

'Wat?' zei ik. Ik sprong overeind. 'Hebben jullie haar gevonden?' Maar ze keek mij niet aan, ze keek alleen naar Duckworth.

'Wat?' vroeg ik weer.

Ze bracht Duckworth naar een bureau achter een stoffen scheidingswand. Ik volgde in hun kielzog. Het meisje van de publiciteit zat achter een computer met een korrelig zwart-witbeeld op het scherm.

Ze zei: 'Onze mensen van de beveiliging hebben de beelden bekeken van de ingang rond de tijd dat de Harwoods arriveerden.'

Ik keek naar het scherm. De camera was kennelijk net voorbij de ingang van het park opgesteld, met zicht op het hek. Ik herinnerde me dat er zes kassa's waren, waar de bezoekers kaartjes kochten of waar ze de kaartjes lieten zien die ze online besteld hadden. Het beeldscherm liet één kassa zien, en daar, te midden van al die mensen die een dagje uit waren, waren Ethan en ik.

'Het was niet zo moeilijk,' zei de jonge vrouw achter het toetsenbord. 'We hebben de naam Harwood ingevoerd, en dat leverde ons het tijdstip op waarop ze Five Mountains binnen zijn gekomen.'

'Ja,' zei ik wijzend, 'dat zijn wij.'

'Waar is uw vrouw?' vroeg Duckworth aan mij.

Ik wilde weer wijzen, maar toen bedacht ik me: 'Ze was toen niet bij ons.

Ethan en ik zijn zonder haar het park binnen gegaan.'

Duckworths ogen leken te versmallen. 'Waarom was dat, meneer Harwood?'

'Ze had de rugzak vergeten. We waren al bijna bij de ingang, en toen dacht ze eraan en zei ze dat wij alvast naar binnen moesten gaan en dat we elkaar bij de ijskraam zouden treffen.'

'En dat hebt u ook gedaan? U bent samen met u zoon zonder haar naar binnen gegaan?'

'Klopt.'

'Maar dat was niet de laatste keer dat u uw vrouw zag?'

'Nee, ze is even later gekomen.'

Duckworth knikte en zei tegen het meisje van de publiciteit: 'Hebben jullie beelden van het gebied bij de ijskraam?'

Ze draaide zich half om in haar stoel. 'Nee,' zei ze. 'We hebben daar geen camera's. Alleen bij de ingang en bij de attracties. We zijn van plan om meer camera's op te hangen, maar we zijn nog maar net open, dus moesten we prioriteiten stellen wat de bewakingscamera's betreft.'

Duckworth bleef stil. Hij keek me strak aan en zei toen dat hij even bij zijn mensen langsging. Hij liep al naar de deur.

'Ik wil Ethan halen,' zei ik.

'Natuurlijk,' zei hij met een knikje. Toen liep hij de gang in en sloot de deur achter zich.

8

Barry Duckworth liep de gang door en ging een kantoortuin binnen. De rechercheur van Promise Falls nam aan dat op een doordeweekse dag de bureaus vol zouden zitten met mensen die de zakelijke rompslomp rond het pretpark afhandelden, maar zij hadden in tegenstelling tot de medewerkers die de attracties bestuurden, de kaartjes verkochten of de vuilnisbakken leegden, het weekend vrij.

De manager was sowieso de hele zaterdag al aanwezig. Five Mountains was een vrij nieuwe attractie hier in de buurt en zaterdagen waren de drukste dagen. Gloria Fenwick had haar pr-vrouw opgetrommeld zodra ze vermoedde dat deze zaak op een publicitaire nachtmerrie voor het park kon uitdraaien. Als Jan Harwood op de een of andere manier in de machinerie van een achtbaan terecht was gekomen, of was verdronken in een van de ondiepe beken die door het park liepen, of gestikt was in een Five Mountains-hotdog, dan moesten ze er direct bovenop zitten.

En alsof het allemaal nog niet erg genoeg was, was er ook nog een jongetje in zijn buggy bij zijn ouders weggerold. Als dat nieuwtje eenmaal naar buiten kwam, dan konden ze het wel schudden. Voor je het wist zouden ouders aan elkaar vertellen dat een peuter bij het schminkstalletje omwille van z'n organen aan stukken was gezaagd.

Er waren maar twee mensen in dit kantoor aanwezig. Didi Campion, een agent in uniform van halverwege de dertig, en Ethan Harwood. Ze zaten tegenover elkaar op kantoorstoelen. Didi boog naar voren met haar armen op haar knieën, Ethan zat met bungelende beentjes op het randje van zijn stoel.

'Hoi,' zei Duckworth.

Het enige wat er nog over was van het ijsje waarop Ethan getrakteerd was, was een stukje van het hoorntje. Zijn vermoeide oogjes zochten die van Duckworth. Het kind zag er verward en heel klein uit. Hij zei niets.

'Ethan en ik hadden het net over treinen,' zei Didi Campion.

'Hou je van treinen, Ethan?' vroeg Duckworth.

Ethan knikte. Hij zoog zijn lippen naar binnen, alsof hij er alles aan deed om maar niets te hoeven zeggen.

'We brengen je zo meteen terug naar papa,' zei Duckworth. 'Vind je dat goed?'

Weer een knikje.

'Mag ik even met mevrouw Campion praten? We blijven in de buurt.'

Ethan keek met een zorgelijke blik van Duckworth naar Didi Campion. Duckworth zag dat het jongetje al een band met de politievrouw had opgebouwd.

'Ik ben zo weer terug,' zei Campion met een geruststellend tikje op Ethans knie.

Ze stond op en ging bij Duckworth staan, op een paar meter afstand van de jongen.

'En?' vroeg hij aan haar.

'Hij wil zijn ouders zien. Allebei. Hij vraagt waar ze zijn.'

'Wat heeft hij nog meer tegen je gezegd? Heeft hij iets gezegd over degene die hem in de buggy heeft meegenomen?'

'Daar weet hij niets van. Ik denk dat hij sliep toen het gebeurde. En hij zei dat zijn vader en hij een hele tijd op zijn moeder hadden gewacht, maar dat ze niet kwam.'

Duckworth boog naar haar toe. 'Heeft hij gezegd wanneer hij haar voor het laatst gezien heeft?'

Campion zuchtte. 'Ik weet niet of hij begreep wat ik hem probeerde te vragen. Hij zegt alleen maar steeds dat hij naar huis wil, dat hij niet in een achtbaan wil, en ook niet in een draaimolen. Hij wil zijn papa en mama, meer niet.'

Duckworth knikte. 'Oké. Ik breng hem zo meteen naar zijn vader.' Didi Campion vatte dat op als teken dat ze waren uitgepraat, en ging weer bij Ethan zitten.

De deur ging op een kier open. Het was Gloria Fenwick. 'Meneer Duckworth?'

'Ja?'

'Ik weet dat u het terrein door uw eigen mensen laat afzoeken. Maar het personeel van Five Mountains heeft al elke vierkante centimeter uitgekamd en zij zeggen dat ze geen spoor van deze vrouw gevonden hebben. Ik bedoel, van een vrouw in moeilijkheden of zo. Er is geen vrouw flauwgevallen op de wc's. Er is niemand aangetroffen op plekken waar gasten niet mogen komen, er is geen enkele aanwijzing dat ze gevallen is of dat haar iets anders is overkomen. Ik denk echt dat het nu beter is de politieaanwezigheid in het park terug te schroeven. De mensen worden er zenuwachtig van.'

'Welke mensen?' vroeg Duckworth.

'Onze gasten,' zei Fenwick. 'Ze moeten wel denken dat er iets aan de hand is, met al die politie. Straks denken ze nog dat terroristen bommen hebben geplaatst in een achtbaan of zo.'

'En hoe staat het met de parkeerplaats?' vroeg Duckworth.

'Daar is ook grondig gezocht,' zei ze zelfverzekerd.

Duckworth hield zijn hand op, pakte zijn mobiele telefoon en toetste een nummer in. 'Ja, Smithy, hoe gaat het? Ik wil dat iemand bij de uitgang elke auto bekijkt die vertrekt. Kijk of er een vrouw in zit die voldoet aan het signalement van deze vrouw. Als je iemand ziet die er zo uitziet, of die zich raar gedraagt, dan hou je die auto vast tot ik er ben.'

Fenwick keek alsof ze in een citroen gebeten had. 'U wilt toch niet beweren dat u elke auto die hier wegrijdt gaat doorzoeken?'

'Nee,' zei hij. Duckworth wilde dat dat wel kon. Hij wilde dat hij de bevoegdheid had om iedere automobilist zijn achterbak te laten openen voor hij naar huis reed. Duckworth had het gevoel dat alles wat hij met de auto's op de parkeerplaats deed, te weinig en te laat was. Als Jan Harwood in moeilijkheden was gekomen, als iemand haar in zijn achterbak had gestopt, dan konden ze al uren weg zijn. Maar je deed wat binnen je mogelijkheden lag.

'Dit is verschrikkelijk, ronduit verschrikkelijk,' zei Gloria Fenwick. 'Wat moet ik met dit soort publiciteit! Als die vrouw verdwenen is omdat ze psychische problemen heeft of zo, dan kunnen wij daar toch niets aan doen? Wil die man ons een proces aandoen? Is dit een of ander opzetje om ons een poot uit te draaien?'

'Zal ik uw zorgen aan meneer Harwood overbrengen?' vroeg Duckworth. 'Ik weet zeker dat hij als journalist bij de *Standard* graag een stukje schrijft over uw blijk van medeleven met hem en zijn problemen.'

Ze verbleekte. 'Werkt hij voor de krant?'

Duckworth knikte.

Gloria Fenwick liep om de politieman heen en liet zich voor Ethan op haar knieën zakken. 'Hoe gaat het, ventje? Jij wilt vast nog wel een ijsje.'

Duckworths telefoon, die hij nog steeds in zijn hand hield, ging over. Hij hield hem bij zijn oor. 'Ja?'

'Met Gunner. Ik zit nu bij de beveiliging hier. We hebben die video van die vent met z'n kind zonet doorgestuurd naar het hoofdkantoor.'

'Ja, ik heb hem gezien.'

'Zijn vrouw stond daar niet op, toch?'

'Klopt. Meneer Harwood zegt dat zijn vrouw was teruggegaan naar de auto om iets op te halen en dat ze gezegd had dat zij vooruit moesten gaan.'

'Ja, oké. Dus dan moet zij een paar minuten later naar binnen zijn gekomen, toch?'

'Ja,' zei Duckworth.

'Kijk, omdat de Harwoods hun kaartjes online besteld hadden, konden we vaststellen op welk moment de kaartjes gescand waren bij de kassa.'

'Dat had ik al begrepen.'

'Dus dachten wij: laten we nagaan wanneer het derde kaartje, van zijn vrouw, door de kassa was gegaan, dan konden we de beelden van de bewakingscamera daarbij zoeken.'

'Ja. Wat is het probleem?'

'Er is niets uit gekomen.'

'Wat bedoel je? Wil je zeggen dat ze het park helemaal niet in gegaan is?'

'Ik weet het niet. Maar dit weet ik wel: ik heb ze de online verkochte kaartjes laten natrekken en daar is uit gekomen dat er maar twee kaartjes gekocht zijn met Harwoods creditcard. Een voor volwassenen en een kinderkaartje.'

9

De deur ging open en Ethan kwam binnenrennen. Ik tilde hem op en drukte hem tegen me aan terwijl ik hem zachtjes op zijn achterhoofd klopte.

'Alles goed met je?' vroeg ik. Hij knikte. 'Waren ze lief voor je?'

'Ik heb een ijsje gekregen. Een mevrouw wilde er nog een voor me halen. Maar dat had mama nooit goedgevonden, twee ijsjes.'

'We hebben ook niks gegeten vanmiddag,' zei ik.

'Waar is mama?' vroeg Ethan, maar het klonk niet bezorgd.

'We gaan nu naar huis,' zei ik.

'Is ze thuis?'

Ik keek even naar Duckworth, die achter Ethan aan de kamer binnen was gekomen. Zijn gezicht verried niets.

'Laten we gewoon naar huis gaan,' zei ik. 'En misschien gaan we daarna naar opa en oma.'

Ik hield Ethan nog steeds in mijn armen en vroeg zachtjes aan Duckworth: 'Wat doen we nu?'

Hij haalde diep adem en liet toen de lucht ontsnappen: zijn buik ging naar binnen en naar buiten. 'Gaat u maar naar huis. U stuurt me direct een foto. Als u iets van haar hoort, dan neemt u contact met me op.' Hij had me zijn kaartje al gegeven. 'En wij bellen u als er ontwikkelingen zijn.'

'Natuurlijk.'

'Misschien kunt u een lijstje maken. Van mensen die uw vrouw gebeld kan hebben, met wie ze contact opgenomen kan hebben.'

'Natuurlijk,' zei ik.

'Nog even: hoe hadden jullie de kaartjes voor vandaag ook alweer gekocht?'

'Dat heb ik toch al gezegd. Via de website.'

'Hebt u ze besteld?'

'Nee, Jan,' zei ik.

'Dus u hebt niet achter de computer gezeten, maar uw vrouw.'

Ik begreep niet waar hij heen wilde. 'Dat zei ik toch.'

Duckworth leek dit te overdenken.

'Klopt er iets niet?' vroeg ik.

'Er zijn maar twee kaartjes online gekocht,' zei hij. 'Een volwassenen-kaartje en een kinderkaartje.'

Ik knipperde met mijn ogen. 'Nou, daar begrijp ik niets van. Dan moet er een vergissing in het spel zijn. Ze was in het park. Ze hadden haar heus niet binnengelaten zonder kaartje. Het moet een vergissing zijn.'

'Ik heb al gevraagd het na te trekken. Maar als nu blijkt dat er inderdaad maar één volwassenenkaartje gekocht is, kan dat?'

Nee. Maar als dat inderdaad gebeurd was, kon ik in elk geval één verklaring bedenken.

'Misschien heeft Jan iets fout gedaan,' opperde ik. 'Soms gebeurt dat als je online iets bestelt. Ik heb een keer via internet een hotelkamer geboekt, de website zat even vast, en toen ik de bevestiging binnenkreeg bleek dat ik twee kamers geboekt had, terwijl ik er maar één wilde.'

Duckworth knikte langzaam. 'Dat zou kunnen.'

De enige moeilijkheid aan deze theorie was dat Jan voor het hek van Five Mountains drie kaartjes uit haar tas had gehaald. Ze had mij die van me-zelf en die van Ethan gegeven, en gezegd dat ze de hare hield om het park in te komen nadat ze de rugzak had gehaald.

Ze had niet gezegd dat ze problemen met haar kaartje had gehad toen ze ons bij de ijskraam trof.

Ik wilde dit tegen Duckworth zeggen, maar ik zweeg omdat me opeens een nieuwe verklaring te binnen schoot, een verklaring die zo verontrustend was dat ik die niet hardop wilde bespreken, en zeker niet waar Ethan bij was.

Misschien had Jan geen kaartje voor zichzelf gekocht omdat ze dacht dat ze er niet meer zou zijn om het te gebruiken. Misschien was dat stukje pa-pier dat ze mij voor het park had laten zien helemaal geen kaartje.

Het heeft geen zin om een kaartje te kopen als je weet dat je zelfmoord gaat plegen.

Maar kon Jan serieus hebben gedacht dat als zij zelfmoord had gepleegd, wij naar Five Mountains zouden gaan om dat te vieren?

'Is er iets?' vroeg Duckworth.

'Nee,' zei ik. 'Ik weet gewoon niet wat ik moet zeggen. Ik moet Ethan naar huis brengen en die foto voor u opzoeken.'

'Absoluut,' zei hij, en hij deed een stap opzij om me er langs te laten.

Het was een surrealistische ervaring om bij Five Mountains weg te gaan.

Ik zette Ethan in de buggy, we verlieten het kantoorgebouw en stonden opeens weer in het park, niet ver van de hoofdingang. Om ons heen klonk het gelach van volwassenen en kinderen. Ballonnen deinden op en neer of vlogen de lucht in als de kinderen die ze vasthielden het touwtje lieten schieten. Vrolijke muziek schetterde uit de luidsprekers bij etenskraampjes en giftshops. Boven ons hoofd gilden de passagiers in de achtbaan het uit van angst en verrukking.

Overal waar ik keek pret en spektakel.

Ik hield de handvatten van de buggy stevig vast en duwde door. We liepen langs een stel agenten in het uniform van de Promise Falls-politie, maar die slenterden meer rond dan dat ze doelgericht zochten. Misschien hadden ze alle plekken al gehad.

Alle plekken hier, tenminste.

Ethan draaide zich om en probeerde me vanuit zijn zitje aan te kijken. 'Is mama thuis?' Het was de vijfde keer dat hij me dat vroeg.

Ik gaf geen antwoord. Ten eerste omdat ik geen antwoord op zijn vraag had. En ten tweede omdat ik weinig hoopvol gestemd was. Ik kon het gevoel niet van me afzetten dat er iets ergs was gebeurd met Jan. Dat Jan zichzelf iets ergs had aangedaan.

Laat het niet waar zijn.

Toen we bij de auto waren zette ik Ethan in zijn stoeltje, gespte hem vast en legde wat speeltjes bij hem neer. 'Ik heb honger,' zei hij. 'Mag ik een boterham?'

'Een boterham?'

'Mama had toch boterhammen in haar rugzak?'

Er was geen rugzak. Nu niet.

'We eten wel wat als we thuis zijn,' zei ik. 'Hou het nog even vol, we zijn er zo.'

'Waar is Batman?'

'Wat?'

Ethan zocht tussen zijn poppetjes. Spider-Man, Robin, Joker, Wolverine. Een vermenging van de werelden van Marvel en DC Comics. 'Batman!'

'Hij moet er zijn,' zei ik.

'Hij is weg!'

Ik zocht rond zijn autostoeltje en in de diepten van de bekleding van de auto.

'Misschien is-ie eruit gevallen,' zei Ethan.

'Waaruit gevallen?' vroeg ik.

Hij keek me aan alsof ik het zou moeten weten.

Ik zocht onder de stoelen voorin, met het idee dat Batman misschien was gevallen en eronder was gerold.

Ethan huilde.

'Godver, Ethan,' brulde ik. 'We hebben al genoeg problemen aan ons hoofd, hoor!'

Ik schoof mijn hand nog een centimeter verder door en kreeg iets te pakken. Een beentje. Ik trok Batman tevoorschijn en gaf hem aan Ethan, die de strijder in zijn cape verrukt vastgreep en hem toen op de bank naast hem gooide om met iets anders te gaan spelen.

Er stond een enorme file voor de uitgang van het parkeerterrein van Five Mountains. Iedereen op weg naar buiten werd door de politie gemaand te stoppen. Een agent tuurde door de raampjes en liep om elke auto heen alsof het een grensovergang betrof. Het kostte twintig minuten om bij de uitgang te komen, en ik liet mijn raampje zakken toen de agent zich vooroverboog om iets tegen me te zeggen.

'Sorry, meneer, we controleren alle auto's voor ze vertrekken. Zo gebeurd.' Verder werd er geen verklaring gegeven.

'Ik ben haar man,' zei ik.

'Wat zegt u?'

'Mijn vrouw is degene naar wie jullie op zoek zijn. Jan Harwood. Ik moet naar huis zodat ik een foto van haar aan rechercheur Duckworth kan sturen.'

Hij knikte en gebaarde dat ik door kon rijden.

Vanaf de achterbank zei Ethan. 'Die politiemevrouw heeft me een grap verteld.'

'Wat?'

'Ze zei dat jij hem leuk zou vinden, omdat je bij de krant werkt.'

'Oké. Vertel maar.'

'Wat is er zwart en wit en helemaal rood?'

'Zeg het maar,' zei ik.

'Een krant,' zei Ethan met een giechellachje. Hij wachtte even en zei toen: 'Ik snap hem niet.' Weer een stilte. 'Is mama aan het koken?'

Toen we de deur door gingen riep Ethan: 'Mama!'

Ik wilde meedoen en Jans naam roepen, maar ik besloot te wachten om te horen of Ethan antwoord zou krijgen.

'Mama?' riep hij nogmaals.

'Ik denk dat ze niet thuis is,' zei ik. 'Ga jij maar in de kamer tv-kijken, dan kijk ik voor de zekerheid even boven.'

Hij dribbelde gehoorzaam de huiskamer in terwijl ik een rondje door het huis maakte. Ik rende de trap op naar onze slaapkamer, de badkamer, Ethans kamer. Daarna ging ik naar beneden, naar ons souterrain. Het was een open ruimte en ik had maar een seconde nodig om te zien dat ze daar niet was. De enige plek waar ze nog kon zijn was de garage.

Er was een verbindingsdeur tussen de keuken en de garage en toen ik mijn hand op de deurkruk legde aarzelde ik.

Jans Jetta stond op de oprit toen we aankwamen, dus haar auto was niet in de garage.

Ze had dus in elk geval niet…

Doe die stomme deur dan open, zei ik tegen mezelf. Ik duwde de kruk neer en ging de garage in. Het was er net zo'n rommel als altijd.

Er was niemand.

Er stonden twee grote plastic vuilnisbakken in een hoek. Het was me nooit opgevallen dat ze allebei groot genoeg waren om iemand in te verstoppen, maar mijn verbeelding betrad paden die ze nooit betreden had. Ik liep naar de vuilnisbakken toe en legde mijn hand op een van de deksels. Ik wachtte even en tilde toen het deksel op.

Er zat een volle vuilniszak in.

De tweede bak was leeg.

Terug in de keuken zag ik onze laptop dichtgeklapt naast de telefoon staan, half begraven onder de post van de afgelopen dagen en wat folders.

Ik nam de laptop mee naar de keukentafel, zette hem aan en wachtte met trommelende vingers tot hij opgestart was. Toen opende ik het fotoprogramma. We waren afgelopen herfst naar Chicago geweest en dat was de laatste keer dat ik foto's van mijn digitale camera had overgezet op de computer.

Ik bladerde door de foto's. Jan en Ethan onder de passagiersjet in het Museum van Wetenschap en Industrie. Een foto van hen tweeën voor de Burlington Zephyr Streamliner. Hen samen in het Millennium Park terwijl ze kaaspopcorn aten, hun handen en monden oranje van het kaaspoeder.

De meeste foto's waren van Jan en Ethan, omdat ik meestal degene was die de foto's nam. Maar er was één foto bij van Ethan en mij, bij het water, met zeilboten op de achtergrond, terwijl hij bij mij op schoot zat.

Ik zoomde in op een foto van Jan die bijzonder goed was. Haar zwarte haar, afgelopen herfst langer dan nu, bedekte deels de linkerkant van haar gezicht, maar je kon haar trekken nog goed onderscheiden. Haar bruine ogen, ronde wangen, kleine neus, het bijna onzichtbare L-vormige littekentje op haar kin, wat ze had gekregen toen ze als tiener van haar fiets was gevallen. Om haar hals droeg ze een fijn kettinkje met een hangertje in de vorm van een cakeje, een gouden cakeje met glazuur van namaakdiamantjes, een kettinkje dat Jan al sinds haar kindertijd had.

Ik diepte het kaartje van rechercheur Duckworth op uit mijn zak en stuurde de foto naar het e-mailadres dat erop stond. Ik deed er nog twee foto's bij – niet zo goed als de eerste, maar vanuit een andere invalshoek, voor de zekerheid.

Ik deed er een briefje bij. 'Ik denk dat ze op de eerste foto het best staat zoals ze is. Maar ik heb er twee extra bij gedaan. Ik kijk nog of ik er nog meer heb, en die stuur ik u dan op. Alstublieft, bel me als u iets hoort.' Ik maakte ook een stuk of dertig prints van de eerste foto.

Ik pakte de telefoon en zette hem op de keukentafel. Ik wilde niet wachten tot Duckworth zijn e-mail zou checken. Ik wilde dat hij wist dat de foto's er waren, dus belde ik hem mobiel.

'Met Duckworth,' zei hij.

'Met David Harwood,' zei ik. 'Ik heb u net de foto's gestuurd.'

'Bent u thuis?'

'Ja.'

'Enig teken van leven? Heeft ze een bericht achtergelaten op de voicemail?'

Het lampje brandde niet en er waren ook geen nieuwe e-mailberichten. 'Niets,' zei ik.

'Oké. Goed. We laten die foto's van uw vrouw meteen uitgaan.'

'Ik zal contact opnemen met de *Standard*,' zei ik. Ik wilde meteen hierna bellen met de stadsredactie. Er was nog tijd om Jans foto in de zondagskrant op te nemen.

'Waarom laat u dat niet aan ons over?' zei Duckworth. 'Het lijkt me beter dat alles wat hierover naar buiten komt, door één kanaal gaat, snapt u?'

'Maar...'

'Meneer Harwood, ze is nog maar een paar uur weg. Meestal handelen we niet zo snel als het om een vermissingszaak gaat. Maar gezien de omstandigheden, het feit dat het in Five Mountains gebeurd is, gaf het een ietwat hogere prioriteit, begrijpt u?'

Ik zweeg.

'Het is nu eenmaal zo dat uw vrouw voor hetzelfde geld vanavond weer bij u thuis komt binnenwandelen. Dat gebeurt vaker.'

'Denkt u dat dat dit keer ook gaat gebeuren?'

'Meneer Harwood, dat weten we niet. Ik zeg alleen dat we het nog een paar uur moeten aanzien voor we een persbericht doen uitgaan. Ik zeg niet dat we dat niet gaan doen, ik zeg alleen dat we het over een uur of zo zullen heroverwegen.'

'Over een uur of zo,' herhaalde ik.

'We houden contact,' zei hij. 'En nog bedankt voor de foto's. Daar hebben we echt wat aan. Absoluut.'

Ik trof Ethan op zijn hurken op de vloer aan. Hij zat naar *Family Guy* te kijken.

'Ethan, daar mag je niet naar kijken.' Ik pakte de afstandsbediening en zette de tv uit. 'Dat weet je best!'

Hij fluisterde: 'Het spijt me.' Zijn onderlip stak vooruit.

Het was nu al de tweede keer dat ik tegen hem had gebruld sinds het allemaal begonnen was. Ik nam hem in mijn armen en drukte hem tegen me aan. 'Ik wilde niet tegen je schreeuwen. Sorry.'

Ik keek hem aan en probeerde naar hem te glimlachen. 'Gaat het?'

Hij knikte en snufte even. 'Wanneer komt mama thuis?' vroeg hij. Hij dacht waarschijnlijk dat zij veel liever tegen hem was dan ik.

'Ik heb net wat foto's van mama naar de politie gestuurd, dus als ze haar zien dan kunnen ze tegen haar zeggen dat wij op haar zitten te wachten.'

'Waarom zoekt de politie haar? Heeft ze iets gestolen?' Zijn gezichtje stond bedrukt.

'Nee, natuurlijk niet. De politie zoekt haar niet omdat ze iets slechts heeft gedaan. Ze zoeken haar omdat ze haar willen helpen.'

'Waarmee?'

'Met de weg naar huis terugvinden,' zei ik.

'Ze had de auto moeten nemen,' zei Ethan.

'Wat?'

'Daar heeft ze de tv-kaart in.'

De TomTom.

'Ik weet niet of ze op zo'n manier verdwaald is,' zei ik. 'Weet je wat wij moeten doen? We moeten naar opa en oma gaan, om te kijken wat zij aan het doen zijn.'

'Ik wil hier blijven voor als mama thuiskomt.'

'Weet je wat,' zei ik. 'We schrijven een briefje zodat ze weet waar we zijn. Wil je me daarmee helpen?'

Ethan rende naar boven naar zijn kamer en kwam terug met wat vellen tekenpapier en zijn doos met kleurpotloden.

'Mag ik het briefje schrijven?' vroeg hij.

'Natuurlijk,' zei ik.

Ik zette hem aan de keukentafel. Hij boog zich diep over het papier en keek hoe het potlood eroverheen gleed. Hij was al bezig met letters schrijven, hoewel hij nog niet op school zat.

Hij tekende kriskras een paar hoofdletters, sommige achterstevoren.

'Geweldig,' zei ik. 'Kom op, we gaan.' Toen Ethan even niet keek schreef ik onder aan het papier: 'Jan, ben met Ethan naar mijn ouders. ALSJE-BLIEFT, bel me.'

Ik moest wachten tot hij een nieuwe verzameling poppetjes en autootjes bij elkaar had. Ik wilde weg, maar ik kon het niet over mijn hart verkrijgen om hem nogmaals streng toe te spreken.

Ik zette hem vast in zijn stoeltje en we reden de stad door naar het huis van mijn ouders. Gewoonlijk kwam ik niet onaangekondigd bij ze binnenvallen, maar ik wist dat ik hierover niet met hen zou kunnen praten over de telefoon.

'Als we er zijn, dan kun jij een tijdje tv-kijken. Ik moet even met opa en oma praten.'

'Maar niet naar *Family Guy*,' zei Ethan.

'Inderdaad,' zei ik.

Mijn moeder stond toevallig voor het raam in de voorkamer toen we op hun oprit parkeerden. Pa hield de deur open tegen de tijd dat Ethan het trappetje van de veranda op huppelde. Hij glipte langs mijn vader en rende het huis in.

Pa kwam naar buiten, ma kwam achter hem aan. Pa keek naar de auto.

'Waar is Jan?' vroeg hij.

Ik stortte me in mijn vaders armen en barstte in tranen uit.

10

Dokter Andrew Samuels vond het verschrikkelijk om zichzelf als een cliché te zien, maar hij kon het gevoel niet van zich afzetten dat hij een levensgroot cliché was. Hij was arts, en hij speelde golf. Agenten eten donuts, postbezorgers schieten elkaar dood en artsen spelen golf.

Hij had een hekel aan golf. Hij had een hekel aan alles wat ermee te maken had. Hij had een hekel aan het geloop, aan het feit dat hij een sunblock op moest doen als het stervensheet was. Hij vond het verschrikkelijk om te wachten op die stomme klootzakken die op de volgende green rondlummelden en de tijd namen terwijl hij klaar was om af te slaan. Hij had een godsgruwelijke hekel aan de ordinaire kleding die je geacht werd te dragen. Maar het meest had hij nog een hekel aan het hele concept, dat er duizenden hectaren land verspild werden opdat mannen en vrouwen achter kleine balletjes aan konden lopen om ze in kleine holletjes in de grond te krijgen. Het was een krankzinnig concept!

Maar ondanks zijn gevoelens voor het spelletje had Samuels een dure set clubs en schoenen met spikes en hij was zelfs lid van de Promise Falls Golf and Country Club, omdat dat in deze stad min of meer van je verwacht werd. Als je de burgemeester of een arts of advocaat of een belangrijk zakenman was, dan werd je lid. Als je in die hoedanigheid geen lid was, dan kon men niet anders dan aannemen dat je onvermijdelijk aan het afzakken was naar de onderste regionen van Promise Falls.

Dus hier was hij, op een schitterende zaterdagmiddag bij de vijftiende hole met de broer van zijn vrouw, Stan Reeves, lid van de gemeenteraad van Promise Falls, eersteklas kletsmeier en een absolute klootzak. Reeves had al maanden gezeurd dat ze samen achttien holes moesten spelen, en Samuels had tot dan toe de boot weten af te houden, maar uiteindelijk had hij geen smoes meer kunnen verzinnen. Geen dagjes de stad uit, geen bruiloften, en helaas ook geen begrafenis waar hij niet onderuit kon.

'Je wijkt een beetje te veel naar rechts af,' zei Reeves nadat Samuels zijn bal had geslagen. 'Kijk maar naar mij.'

Samuels stopte zijn driver terug in zijn tas en deed net of hij keek hoe zijn zwager het deed.

'Zie je wel dat het midden van mijn lichaam niet beweegt als ik een swing maak? Laat me het eventjes in slow motion voor je demonstreren.'

Nog maar drie holes na deze, dacht Samuels. Hij kon het clubhuis vanaf de plek waar hij stond zien. Hij kon in zijn karretje stappen, de kortste weg nemen tussen de zeventiende en de achttiende fairway door, en binnen vier minuten in dat heerlijk koele restaurant zitten met een ijskoud biertje voor zich. Dat was, dat moest hij toegeven, het enige wat hij wel leuk vond aan golf.

'Zag je dat?' zei Reeves. 'Volmaakte drive. Ik heb geen idee waar jouw bal terecht is gekomen.'

'Ergens,' zei Samuels.

'Dit is het ware genieten, hè?' zei Reeves. 'We moeten dit vaker doen.'

'Ja, het is alweer een tijdje geleden,' zei Samuels.

'Het verzet de zinnen. Jij zult als arts je portie stress ook wel krijgen, maar neem van mij aan dat het besturen van een stad een vierentwintig-uursklus is.'

Reeves was zo'n zak, Samuels moest onwillekeurig aan oud-burgemeester Finley denken, ook zo'n lul. Wat zou er van hem geworden zijn?

'Ik snap niet hoe je het volhoudt,' zei Samuels.

En toen ging zijn mobieltje.

'Nee toch, je hebt dat ding toch niet aan laten staan?' mopperde Reeves.

'Wacht even,' zei Samuels. Hij tastte dankbaar in zijn zak naar zijn telefoon. Laat het een spoedgeval zijn, dacht hij. Binnen het kwartier kon hij in het ziekenhuis zijn.

'Ja?' zei hij.

'Met dokter Samuels?'

'Daar spreekt u mee.'

'U spreekt met Barry Duckworth, rechercheur bij de politie van Promise Falls.'

'Rechercheur Duckworth. Hoe gaat het?'

Reeves oren spitsten zich bij het woord 'rechercheur'.

'Prima. Ik heb begrepen dat u op de golfbaan zit. Ik heb de doktersdienst gebeld en de assistente daar vertelde me dat en heeft me na enig aandringen uw mobiele nummer gegeven.'

'Geen probleem. Wat is er aan de hand?'

'Ik zou u graag onder vier ogen spreken. Nu.'

'Ik ben op de Promise Falls Golf and Country Club, bij de vijftiende hole.'

'Ik zit al in het clubhuis.'

'Ik kom eraan.' Hij stak het mobieltje weer in zijn zak. 'Je zult het in je eentje moeten afmaken, Stan.'

'Wat is er aan de hand?'

Samuels stak zijn handen zogenaamd verbijsterd omhoog. 'Ik vrees dat ik ga meemaken wat jij altijd al meemaakt, dat je dag en nacht beschikbaar moet zijn.'

'Hé, als jij de golfkar neemt, dan moet ik…'

Maar Samuels reed al weg.

Barry Duckworth stond buiten te wachten bij de golfshop, waar de golfers hun karretjes inleverden. Hij schudde dokter Samuels de hand, die zei: 'Wilt u iets van me drinken?'

'Daar heb ik geen tijd voor,' zei Duckworth. 'Ik moet u een paar vragen stellen over een patiënte van u.'

Samuels dikke grijze wenkbrauwen schoten even omhoog. 'Wie?'

'Jan Harwood.'

'Wat is er gebeurd?'

'Ze is verdwenen. Zij en haar echtgenoot David Harwood en hun zoontje gingen vandaag naar het pretpark Five Mountains, en ze is verdwenen.'

'Lieve god,' zei Samuels.

'Er is grondig gezocht op het terrein, hoewel ik dat nog graag een keer zou willen doen.' Duckworth nam Samuels mee naar een plek in de schaduw van het gebouw, niet alleen vanwege de hitte, maar om een afstand te creëren tussen hen en andere golfers die misschien meeluisterden.

'Meneer Harwood denkt dat het mogelijk is dat zijn vrouw zelfmoord heeft gepleegd.'

Samuels knikte en schudde toen zijn hoofd. 'Ach, wat verschrikkelijk is dit. Het is een heel aardige vrouw, moet u weten.'

'Ongetwijfeld,' zei Duckworth. 'Meneer Harwood zei dat ze de afgelopen weken depressief was. Stemmingswisselingen. Ze had het erover dat haar gezin beter af zou zijn zonder haar.'

'Wanneer zei ze dat?' vroeg Samuels.

'Een dag of twee geleden, als ik meneer Harwood goed begrepen heb.'

'Maar het kan toch nog dat ze gewoon verdwenen is, dat ze geen zelfmoord heeft gepleegd of zo,' zei de arts. 'U hebt haar nog niet gevonden.'

'Correct. Maar daarom is het wel een dringende zaak.'

'Wat kan ik voor u doen, meneer Duckworth?'

'Ik wil het beroepsgeheim niet schenden, maar als u enig idee hebt van waar ze naartoe kan zijn, wat ze zou kunnen doen, hoe serieus het dreigement is dat ze zelfmoord wil plegen, dan zou ik het werkelijk zeer waarderen als u me dat vertelt.'

'Ik geloof niet dat ik u veel verder kan helpen.'

'Alstublieft, meneer Samuels, ik vraag u niet naar persoonlijke bijzonderheden, alleen iets wat ons kan helpen deze vrouw te vinden voor ze zichzelf iets aandoet.'

'Meneer Duckworth, als ik iets wist zou ik het u vertellen. Echt. Ik zou me niet verschuilen achter het beroepsgeheim. Ik wil net zo goed als wie dan ook dat u haar gezond en wel vindt.'

'Heeft ze iets, wat dan ook, gezegd waaruit u kunt afleiden dat ze zich echt van het leven wil beroven of dat het alleen een schreeuw om aandacht is?'

'Ze heeft niets tegen me gezegd.'

'Niets? Ook niet over een plek waar ze naartoe wilde gaan om over dingen na te denken?'

'Ze heeft niets tegen me gezegd omdat ze niet bij me op spreekuur is geweest.'

De politieman knipperde met zijn ogen. 'Wat zegt u nou?'

'Ik heb haar… ik denk zo'n acht maanden geleden voor het laatst gezien. Een routineconsult. Maar ze is niet geweest om over haar depressieve of suïcidale gevoelens te praten. Was ze maar wél gekomen.'

'Maar meneer Harwood zegt dat hij met u over haar gesproken heeft. Dat u tegen hem gezegd had dat hij zijn vrouw ervan moest overtuigen dat ze een afspraak met u moest maken.'

'Dat klopt. David kwam vorige week. Hij maakte zich ernstige zorgen. En ik zei dat ik met haarzelf moest praten om een diagnose te kunnen stellen en haar eventueel door te verwijzen.'

'Maar ze is niet gekomen?'

De arts schudde zijn hoofd.

'Maar meneer Harwood,' zei Duckworth, 'heeft tegen me gezegd dat ze bij u is geweest.'

Samuels schudde weer zijn hoofd. 'Ik hoopte dat ze een afspraak zou maken, maar dat heeft ze niet gedaan. Dit is verschrikkelijk. Ik had haar zelf moeten bellen, maar dan had ze geweten dat haar man bij mij langs was geweest. God, als ik haar gebeld had, dan hadden we misschien nu niet dit gesprek hoeven voeren.'

11

Toen ik weer een beetje tot bedaren was gekomen, ging ik met mijn ouders aan de keukentafel zitten om de zaak te bespreken. Ethan zat in de woonkamer, verwikkeld in een verhitte discussie met verschillende autootjes van de *Cars*-tekenfilm.

'Misschien heeft ze even tijd voor zichzelf nodig,' zei pa. 'Je weet hoe vrouwen soms zijn. Ze hebben een of andere obsessie, en dan willen ze alles op een rijtje zetten. Ze kan je elk moment bellen. Vast.'

Ma legde haar hand op de mijne. 'Als we met z'n drieën goed nadenken, kunnen we misschien bedenken waar ze naartoe kan zijn gegaan.'

'Dat heb ik al geprobeerd,' zei ik. 'Ze was niet thuis, ze is niet hiernaartoe gegaan. Ik weet niet waar ik moet beginnen.'

'En haar vriendinnen?' vroeg ma, maar toen ze het vroeg wist ze eigenlijk al wat mijn antwoord zou zijn.

'Ze heeft geen echt goede vriendinnen,' zei ik. 'Ze is altijd erg op zichzelf geweest. Ze praat waarschijnlijk meer met Leanne op haar werk dan met iemand anders, en op haar is ze niet erg gesteld.'

Ethan kwam binnen en liet een autootje over het tafelblad rijden. 'Wroem... wroem...'

'Ethan,' zei ik, 'smeer 'm.' Hij maakte wroem-wroemend twee rondjes in de keuken en ging toen terug naar de huiskamer.

'We moeten Leanne in elk geval bellen,' zei ma, en ik was het met haar eens. Maar ik wist het nummer niet, dus ma pakte het telefoonboek en zocht bij de K.

Ze vond een L. Kowalski en ik toetste het nummer in terwijl zij de cijfers hardop voorlas.

De telefoon ging twee keer over en toen: 'Ja, met wie?'

'Lyall?'

'Yep.'

'Je spreekt met Dave Harwood, de man van Jan.'

'Ja, natuurlijk. Dave. Hoe is het?'

Ik ging niet op de vraag in. 'Is Leanne thuis?'

'Waarschijnlijk winkelen,' zei hij. Hij klonk alsof hij een kater had. 'Ze houdt het al een hele tijd uit. Kan ik je ergens mee helpen?'

Wilde ik Jans verdwijning met hem bespreken? Niets in Lyalls stem gaf aan dat hij er een idee van had dat er iets aan de hand was, maar hij moest het toch wel raar vinden dat ik zijn vrouw belde.

'Oké,' zei ik. 'Ik probeer het later nog wel.'

'Waar gaat het om?'

'Ik wilde weten of zij me aan een cadeau-idee kan helpen. Iets voor Jan.'

Lyall vond dit kennelijk heel normaal. 'Oké,' zei hij. 'Ik zeg wel dat je gebeld hebt.'

Iedereen was even stil nadat ik opgehangen had. Toen zei pa, nuchter en iets te luid: 'Ik kan gewoon niet geloven dat ze zelfmoord heeft gepleegd.'

'Jezus, Don, niet zo hard,' siste ma hem toe. 'Ethan zit hiernaast.'

Het was onwaarschijnlijk dat Ethan hem had gehoord, gezien alle autogeluiden die hij produceerde.

'Sorry,' zei pa toch. Hij had de gewoonte om harder te praten dan nodig was, en dat had niets met gehoorverlies of zo te maken. Hij hoorde alles prima, maar ging ervan uit dat niemand ooit echt naar hem luisterde. Wat ma betrof klopte dat inderdaad vaak wel. 'Maar toch, ze lijkt me niet het type om zoiets te doen.'

'De afgelopen weken is ze erg veranderd,' zei ik.

Ma veegde een traan weg die over haar wang liep. 'Ik snap wat je vader bedoelt. Ik heb geen tekenen gezien.'

'Tot een paar weken geleden ik ook niet,' zei ik. 'Maar nu denk ik dat ze er misschien wel waren maar dat ik ze niet opgemerkt heb.'

'Vertel nog eens wat ze in dat restaurant tegen je gezegd heeft,' zei ma.

Ik wachtte even. Het was moeilijk om dit soort dingen hardop te zeggen zonder overstuur te raken. 'Ze zei iets in de geest van dat ik wel blij zou zijn als zij er niet meer was. Dat Ethan en ik dan beter af zouden zijn. Waarom zou ze zoiets zeggen?'

'Ze was zichzelf niet,' zei pa. 'Dat lijkt me overduidelijk. Ik kan me met geen mogelijkheid voorstellen waarover zij nu ongelukkig kan zijn. Ze heeft een goeie man, een prachtig kind, jullie hebben een leuk huis, allebei een goede baan. Wat is het probleem? Echt, ik snap er niets van.'

Ma zuchtte en keek me aan. Op haar gezicht stond te lezen: let maar niet op hem. Ze wendde zich tot pa en zei: 'Als je een man hebt en een dak boven je hoofd, hoeft dat nog niet te betekenen dat je leven volmaakt is.'

Hij trok een gezicht. 'Wat wil je daar nu weer mee zeggen?'

Ma schudde haar hoofd en keek mij aan. 'Ik had niet gedacht dat het zo snel zou landen bij hem.' Dat was haar poging om de spanning een beetje te breken.

'Ik probeerde alleen het een en ander duidelijk tc krijgen,' zei pa. Hij fronste zijn wenkbrauwen en staarde naar het tafelblad. Toen zag ik dat de tranen in zijn ogen stonden.

'Pa,' zei ik, en ik greep zijn hand beet.

Hij trok hem weg, stond op en liep de keuken uit.

'Hij wil niet laten merken hoe van streek hij is,' zei ma. 'Hij kan er helemaal niet tegen als jij problemen hebt.'

Ik wilde opstaan en achter hem aan gaan, maar ma hield me tegen. 'Hij is zo weer terug. Gun hem even de tijd om tot zichzelf te komen.'

In de huiskamer hoorde ik hem tegen Ethan zeggen: 'Hé, mannetje, heb ik je die treinencatalogus die ik heb gevonden al laten zien?'

Ethan zei: 'Ik zit tv te kijken.'

'Wat weet Ethan?' vroeg mijn moeder.

'Niet veel. Hij weet dat zijn moeder niet thuisgekomen is, en hij weet dat de politie haar zoekt. Hij dacht dat dat betekende dat ze iets gestolen had of zo, maar ik heb tegen hem gezegd dat ze niks fout gedaan heeft.'

Ma moest ondanks alles even glimlachen, maar dat duurde niet lang.

Er was iets dat me al een tijd dwarszat. 'Ik moet even ergens heen,' zei ik.

'Wat? Waarheen?'

'Die brug.'

'Brug?'

'Waarover Jan het had. Waar ze vanaf wilde springen. Ik heb tegen de politie gezegd dat ze de bruggen in de buurt van het park moeten controleren, en dat hebben ze geloof ik gedaan, maar de brug waar zij me over verteld heeft is aan de weg naar het tuincentrum van Miller, in het westen van de stad.'

'Ik weet welke brug je bedoelt.'

'Daar is de politie vast niet geweest, want ik heb niet gezegd dat het om die brug ging.'

'David,' zei mijn moeder, 'bel de politie en laat hen gaan kijken.'

'Ik weet niet hoe gauw ze dat doen. Ik moet iets doen. Passen jullie op Ethan?'

'Natuurlijk. Maar neem je vader mee.'

'Nee, ik kan het wel alleen.'

'Neem hem mee,' zei ze. 'Dat geeft hem ook het gevoel dat hij iets doet.'

Ik knikte. 'Hé, pa,' riep ik de zitkamer in. Hij kwam naar de keuken, hij had zich weer herpakt. 'Rij even met me mee.'

'Waar gaan we heen?'

'Dat vertel ik je onderweg wel.'

We gingen met mijn auto, wat pa de kriebels gaf. Hij was nooit een goede bijrijder geweest. Als hij niet achter het stuur zat, dacht hij dat we gerede kans liepen de rit niet te overleven.

'Een rood stoplicht,' zei hij.

'Ik zie het, pa,' zei ik. Ik haalde mijn voet van het gaspedaal toen we het stoplicht naderden; het sprong op groen voor we er waren en ik trapte het gaspedaal weer in.

'Dat kost je sloten benzine,' zei mijn vader, 'als je het gaspedaal zo hard intrapt en dan weer remt in plaats van gelijkmatig vaart te minderen.'

'Dat weet ik zo langzamerhand wel, pa.'

Hij keek even opzij. 'Sorry.'

Ik glimlachte. 'Hindert niet.'

'Hoe voel je je nu?'

'Niet best.'

'Je moet blijven hopen,' zei hij. 'Het is veel te vroeg om de moed op te geven.'

'Weet ik,' zei ik.

'Weet je waar die brug precies is?'

'Ongeveer, ja,' zei ik. We hadden Promise Falls verlaten en reden in westelijke richting. Na een paar kilometer vond ik het weggetje waarnaar ik op zoek was. Breed genoeg voor twee auto's en verhard. De weg slingerde zich door een gevarieerd landschap. Open boerenland, dichte bossen, gevolgd door opnieuw akkerland. De brug overspande een beek die door een dichtbebost gebied stroomde.

'Daar!' zei ik.

Het was geen indrukwekkende brug. Hij was zo'n vijftien meter lang, asfalt over cement, met aan weerszijden een betonnen reling van ongeveer negentig centimeter hoog. Ik parkeerde de auto zo dicht mogelijk bij de brug in de berm en zette de motor uit.

Het was er stil, afgezien van het geluid van het water dat onder de brug door stroomde. We stapten uit en liepen naar het midden van de brug. Pa bleef vlak bij me.

Ik liep eerst naar de rand aan de westkant en keek naar beneden. De beek stroomde zo'n zes meter onder ons. De beek was ondiep, hier en daar staken rotsblokken boven het oppervlak uit. Onder de brug was de beek waarschijnlijk nergens meer dan dertig centimeter diep. Een zomer of twee geleden, toen het wekenlang niet geregend had, had deze beek een tijdje droog gestaan.

Ik keek bijna gehypnotiseerd naar het water, naar hoe het rond de rotsen spoelde. Alles was rustig.

'Laten we ook nog even aan de andere kant kijken.' Pa tikte me aan. We staken de weg over en leunden tegen de reling aan de overkant.

Er lag geen lichaam in de beek. En als iemand inderdaad van deze brug was gesprongen, dan was het water niet diep genoeg en het had ook niet de kracht om het lichaam stroomafwaarts mee te voeren. Als iemand zich van het leven had beroofd door van de brug te springen, dan zou hij gevonden worden.

'Ik wil nog even goed rondkijken onder de brug,' zei ik. Vanaf de plek waar we stonden, konden we niet het hele stuk onder de brug zien.

'Zal ik meegaan?' vroeg pa.

'Blijf jij maar hier.'

Ik rende naar het einde van de brug, draaide me om en gleed voorzichtig van de oever naar beneden. Ik was er in een ommezien en trof er niet meer aan dan een paar lege bierblikjes en wat verpakkingen van de McDonald's.

'Zie je iets?' riep pa.

'Nee,' zei ik, en ik klom weer omhoog naar de weg.

Waar het op neerkwam was dat iedereen een sprong van deze brug zou overleven, tenzij je met je hoofd naar beneden sprong.

'Dit is toch een opsteker?' zei pa. 'Ja toch?'

Ik zei niets.

'Weet je wat ik ook nog zat te denken,' zei pa. 'Ze heeft geen briefje achtergelaten. Als ze zelfmoord wilde plegen, had ze toch een briefje achtergelaten, denk je niet?'

Ik wist niet wat ik moest denken.

'Als ik mezelf van kant zou willen maken, dan liet ik een briefje achter,' zei hij. 'Dat doe je. Je wilt op de een of andere manier afscheid nemen.'

'Ik geloof niet dat mensen dat altijd doen,' zei ik. 'Alleen in de film.'

Pa haalde zijn schouders op. 'Misschien wilde ze nog iemand spreken voor ze een onbezonnen stap nam.'

'Wie dan?' vroeg ik.

'Ik weet het niet. Haar eigen familie, misschien.'

'Ze heeft geen familie. Tenminste geen familie met wie ze nog contact heeft.'

Pa wist dat Jan vervreemd was van haar ouders, maar dat was hem kennelijk ontschoten. Als hij er even over had nagedacht, had hij zich herinnerd dat het nooit een punt was waar en met wie we de kerstdagen doorbrachten.

'Misschien is ze naar haar ouders,' zei pa. 'Zou het kunnen dat ze het gevoel had dat ze hen na al die jaren moest opzoeken en op de een of andere manier weer vrede met hen moest sluiten? Hun vertellen wat ze voor hen voelt, zoiets.'

Ik stond op de brug en keek in de verte naar het bos.

'Zeg dat nog eens?'

'Misschien is ze op zoek gegaan naar haar familie. Ze wil misschien na al die jaren de lucht tussen hen zuiveren, zoiets. Hun vertellen wat ze van hen vindt.'

Ik liep naar hem toe en verraste hem met een schouderklopje. 'Helemaal geen slecht idee,' zei ik.

'Ik ben niet alleen maar een knappe vent om te zien,' zei pa.

12

Ernie Bertram zat met een flesje bier in zijn hand op de veranda voor zijn woning aan Stonywood Drive, toen er een zwarte auto aan de stoeprand parkeerde. De eigenaar van Bertram's Heating and Cooling wist meteen dat het om een burgerpolitieauto ging. Die kleine wieldoppen, de afwezigheid van glimmend chroom. Een dikke man in een wit overhemd en met zijn das scheef stapte uit de auto. Hij bleef even staan en pakte toen zijn jasje uit de auto, dat hij aantrok terwijl hij de oprit op liep. De man wierp een blik op het busje van Bertram en keek toen op naar de veranda.

'Meneer Bertram?' zei hij.

Bertram kwam overeind en zette zijn flesje op de brede balustrade van de veranda. 'Wat kan ik voor u doen?' Hij had er 'agent' aan toe willen voegen, maar aangezien deze man geen uniform droeg, wist hij niet of dat wel gepast was.

'Rechercheur Duckworth, van de politie van Promise Falls,' zei de man terwijl hij de treden van de veranda beklom. 'Ik hoop dat ik niet ongelegen kom.'

Bertram wees op een rieten stoel. 'Ik ben net klaar met eten. Ga zitten.'

Dat deed Duckworth. 'Hebt u trek in een biertje?' vroeg Bertram terwijl hij zijn eigen flesje van de balustrade pakte en ook weer ging zitten. Duckworth zag dat de man de knoop van zijn broek had losgemaakt en de rits van zijn gulp een klein beetje open had getrokken: even wat minder spanning op de buik na het eten.

'Nee, dank u wel,' zei hij. 'Ik moet u een paar vragen stellen.'

Bertrams wenkbrauwen gingen omhoog. 'Gaat uw gang.'

'Jan Harwood werkt voor u, klopt dat?'

'Jazeker,' zei hij.

'Ik neem aan dat u vandaag niets van haar gehoord hebt?'

'Nee. Het is zaterdag. Ik zie haar pas weer op maandagochtend.'

De voordeur ging een eindje open. Een korte, dikke vrouw in een blauwe stretchbroek zei: 'Heb je gezelschap, Ern?'

'Dit is meneer...'

'Duckworth,' zei hij.

'Meneer Duckworth is van de politie, Irene. Hij mag geen biertje nemen, maar misschien wilt u een glas limonade of zo?'

'Ik heb nog een stukje appeltaart over,' zei Irene Bertram.

Rechercheur Duckworth dacht even na. 'Daar kunt u me wel toe overhalen,' zei hij.

'Met ijs? Gewoon vanille?' zei ze.

'Doe maar, lijkt me heerlijk.'

Irene trok zich terug en de deur ging weer dicht. Bertram zei: 'Het is gewoon diepvriesappeltaart die je opwarmt in de oven, maar hij smaakt alsof hij zelf gebakken is.'

'Klinkt goed,' zei Duckworth.

'Maar wat is er nu met Jan?'

'Ze wordt vermist,' zei de politieman.

'Vermist? Wat bedoelt u?'

'Ze is sinds een uur of twaalf niet meer gezien, toen ze met haar man en zoontje in Five Mountains was.'

'Jezus nog aan toe,' zei Ernie. 'Wat is er met haar gebeurd?'

'Tja,' zei Duckworth, 'als we dat wisten, dan hadden we meer kans haar te vinden.'

'Vermist,' herhaalde Ernie, meer tegen zichzelf dan tegen Duckworth. 'Wat verschrikkelijk.'

'Wanneer hebt u haar voor het laatst gezien?' vroeg Duckworth.

'Dat moet donderdag zijn geweest,' zei hij.

'Gisteren niet?'

'Nee, ze heeft vrijdag vrij genomen. De afgelopen weken heeft ze af en toe een paar dagen vrij genomen.'

'Waarom was dat?'

Ernie Bertram haalde zijn schouders op. 'Omdat het kon. Ze had heel wat vrije dagen gespaard, dus ze vroeg of ze af en toe een dagje op kon nemen, in plaats van alles achter elkaar.'

'Dus ze heeft zich niet ziek gemeld?'

'Nee. En ik vond het prima zo, omdat het deze zomer behoorlijk rustig is. Wat natuurlijk helemaal niet zo prima is. Ik heb de afgelopen veertien dagen geen airconditioner verkocht. Het is natuurlijk ook wel laat in het seizoen. De meeste airco's verkoop je in de lente of de vroege zomer, wanneer het heet gaat worden. Maar nu met de recessie zijn huiseigenaren niet bereid om een paar duizend uit te geven voor een nieuw apparaat. Het is al moeilijk genoeg om de hypotheek te betalen, dus doen ze zo lang mogelijk met hun oude apparaatje. En de afgelopen dagen is het ook niet snikheet geweest, dus valt er ook weinig te repareren.'

'Ja, ja,' zei Duckworth.

De deur ging open. Irene gaf Barry Duckworth een flink stuk taart met een bol ijs zo groot als een softbal ernaast.

'Lieve help,' zei hij.

'Jan wordt vermist,' zei Ernie tegen zijn vrouw.

'Vermist?' zei ze terwijl ze neerplofte in een andere rieten stoel.

'Yep,' zei Ernie. 'Weg.'

'Weg? Waarheen?'

'Ze was in het nieuwe pretpark en daar is ze verdwenen.' Hij richtte zich weer tot Duckworth. 'Is ze uit zo'n achtbaan gevlogen?'

'Nee, nee.'

'Want die krengen zijn niet veilig,' zei Ernie.

Duckworth stak een vork vol appeltaart in zijn mond, snel gevolgd door een hap ijs zodat de smaken zich konden vermengen. 'Heerlijk,' zei hij.

'Ik heb hem zelf gebakken,' zei Irene.

'Ik heb hem al gezegd dat het uit de diepvries is,' zei Ernie.

'Rotzak,' zei ze.

'Hoe zou u mevrouw Harwoods stemming van de afgelopen weken beschrijven?' vroeg de politieman aan Ernie Bertram.

'Haar stemming?'

Duckworth, met volle mond van zijn tweede hap taart, knikte.

'Goed, dacht ik. Wat bedoelt u met haar stemming?'

'Was ze anders dan anders? Misschien een beetje depri, of in de war?'

Bertram nam nog een slok bier. 'Ik dacht het niet. Maar ik ben natuurlijk vaak onderweg. Ik kom niet zo veel op kantoor. De dames zouden er kunnen ontvangen zonder dat ik er iets van zou merken.'

'Ernie!' zei Irene terwijl ze hem tegen zijn schouder stompte.

Grapje,' zei hij tegen Duckworth. 'Het zijn twee prima meiden.'

Zulk soort grappen moet je niet maken,' zei Irene.

'Dus als Jan Harwood de laatste tijd depressief was, dan kan het heel goed zijn dat u dat niet gemerkt hebt?' vroeg Duckworth tussen twee happen door.

'De enige op kantoor die depressief is, is Leanne,' zei hij. 'Dat is ze al sinds ze vijf jaar geleden bij me begon.'

'Maar mevrouw Harwood niet?'

'Als ze iets was,' zei Bertram opeens bedachtzaam, 'dan zou ik zeggen dat ze opgewonden was.'

'Opgewonden?'

'Tja, dat is misschien niet het goede woord. Gespannen? Nee, dat is ook niet goed. Maar ze gedroeg zich alsof er iets op de loer lag.'

Duckworth legde zijn vork neer en zette het bordje op de brede leuning van zijn rieten stoel. Hij zag dat het ijs smolt en dat als hij er niet snel iets aan zou doen, het over de rand van het bordje zou druppen.

'Wat lag er op de loer?'

'Geen flauw idee. Maar toen ze me vroeg of ze af en toe een dagje vrij kon nemen, of anders een halve dag, toen had ze iets... ik weet niet hoe ik het moet omschrijven... alsof ze ergens naar uitzag, alsof ze iets verwachtte.'

Irene zei: 'Ernie is heel goed in het doorgronden van karakters. Als je bij de mensen thuis komt en hun verwarming en airco repareert, dan weet je hoe ze echt zijn.'

Duckworth glimlachte naar haar, alsof hij haar bijdrage op prijs stelde.

'Hoe vaak heeft ze de laatste tijd vrijaf genomen?' vroeg Duckworth.

'Even nadenken... Leanne, het andere meisje op kantoor...'

'Je mag ze tegenwoordig geen meisjes meer noemen, Ernie,' zei Irene. 'Het zijn jonge vrouwen. En als u niet oppast, morst u straks ijs.'

Duckworth schoof met zijn vork het smeltende ijs weg van de rand van zijn bordje, drukte er weer een stuk appeltaart in en stak het in zijn mond.

'Hoe dan ook,' zei Ernie, 'Leanne weet misschien hoeveel dagen ze heeft opgenomen. Gisteren, en nog een dag afgelopen week. En een paar dagen de week daarvoor.'

Duckworth had zijn blocnote tevoorschijn gehaald en maakte aantekeningen. Toen hij klaar was, keek hij op en zei: 'Ik wil nog even terugkomen op wat u zojuist zei.'

'Ja?'

'Over dat Jan opgewonden was. Kunt u me daar wat meer over vertellen?'

Ernie dacht even na. 'Het was een beetje zoals wanneer een vrouw zich op iets voorbereidt. Een reisje, of als er familie komt logeren.'

'Maar u zou haar geen moment als suïcidaal omschrijven?'

Irene legde haar hand op haar hart. 'O, god. Zit u daaraan te denken?'

'Ik denk niets, ik vraag het alleen maar,' zei Duckworth.

Ernie zei: 'Ik geloof het niet. Maar je weet nooit wat er in mensen omgaat, wat ze allemaal opkroppen.'

Duckworth knikte. In drie happen at hij de rest van zijn appeltaart met ijs op.

'Waar gingen ze gisteren naartoe?' vroeg Ernie.

'Waar ging wie gisteren naartoe?' vroeg Duckworth.

'Jan en David. Ze hadden een uitje, gisteren. Jan zei het voor ze donderdag naar huis ging.'

'Weet u zeker dat ze het niet had over hun tripje naar Five Mountains vandaag?'

Hij schudde zijn hoofd. 'Ze zei dat David haar vrijdag ergens mee naartoe zou nemen. Het was nogal geheimzinnig, ze zei dat ze er niet over kon praten. Ik kreeg de indruk dat het een verrassing was of zo.'

Duckworth krabbelde weer een notitie op zijn blocnote, en stak hem weg in zijn jasje. Hij wilde net Ernie bedanken voor de moeite en Irene voor de taart, toen binnen de telefoon overging.

Irene sprong op en ging naar binnen.

Toen Duckworth opstond uit zijn stoel, deed Ernie hetzelfde. 'David zal wel in alle staten zijn,' zei Ernie. 'Nu hij niet weet wat er met zijn vrouw is gebeurd.'

Duckworth knikte. 'Uiteraard.'

'Ik hoop echt dat jullie haar gauw vinden,' zei hij.

Irene kwam de deur uit. 'Het is Lyall,' zei ze.

Ernie schudde zijn hoofd. 'Wat moet-ie?'

'Hij heeft Leanne de hele dag niet gezien.'

Er ging een schok door Duckworth heen. 'Leanne Kowalski?'

Ernie ging het huis binnen en nam de telefoon van het haltafeltje op. Duckworth was achter hem aan naar binnen gelopen.

'Lyall?' Ernie luisterde even en zei toen: 'Nee... ik ben niet... Sinds wanneer? Dat is lang voor winkelen, zelfs voor een vrouw. Heb je het al van Jan gehoord? De politie is hier en...'

'Mag ik het gesprek even overnemen?' vroeg Duckworth. Hij nam de telefoon aan van Ernie. 'Meneer Kowalski, u spreekt met Barry Duckworth van de politie van Promise Falls.'

'Ja?'

'Wat is er met uw vrouw?'

'Ze is er niet.'

'Wanneer had ze thuis moeten komen?'

'Uren geleden al. Ze is gaan winkelen. Tenminste, dat dacht ik. Dat doet ze altijd op zaterdag. Ze is waarschijnlijk naar het winkelcentrum, en daarna naar de supermarkt.'

'Uw vrouw is een collega van Jan Harwood?'

'Ja, ze werkt bij Ernie. Wilt u hem weer geven? Ik wil vragen of hij haar voor een spoedgeval heeft laten opdraven.'

'Dat heeft hij niet gedaan,' zei Duckworth.

'En wat is er met Jan? Haar man belde me een tijdje geleden op, hij was op zoek naar haar. En wat doet u eigenlijk bij Ernie thuis? Alles goed met hem?'

Duckworth haalde zijn blocnote weer tevoorschijn. 'Meneer Kowalski, waar woont u?'

13

Er was iets waarover ik tegenover Jan niet helemaal eerlijk was geweest.

Niet dat ik tegen haar had gelogen. Maar ik had iets gedaan waarover ik haar nooit iets verteld had. Als ze het me op de man af had gevraagd, dan had ik er misschien over gelogen. Dat had ik volgens mij wel moeten doen, anders was ze razend op me geworden.

Niet dat ik haar bedroog. Zoiets had ik nog nooit gedaan, het kwam niet in mijn hoofd op. Dit ging niet over een andere vrouw.

Ik was een keer, ongeveer een jaar geleden, bij Jans ouderlijk huis langsgereden.

Dit was het huis waar ze opgegroeid was, het huis van haar ouders, bijna drie uur rijden van Promise Falls. Het stond in Zuidoost-Rochester, aan Lincoln Avenue. Een lang, smal huis met één verdieping. De witte verf bladderde van de muren en een paar van de zwarte luiken – een op de begane grond en een op de eerste verdieping – hingen scheef. De hor in de metalen hordeur was gerafeld en er ontbraken wat stukken baksteen in de schoorsteen. Het huis had duidelijk een opknapbeurt nodig, maar het was niet echt vervallen.

Ik was op weg terug uit Buffalo, waar ik een stadsontwikkelaar had geïnterviewd die van mening was dat de conventionele ideeën om het verkeer in woonwijken langzamer te laten rijden – verkeersdrempels en zo – niets uithaalden, behalve dat automobilisten er zo kwaad van werden dat ze in wegmisbruikers veranderden. Hij vond dat rotonden en een begroeide middenberm een betere oplossing vormden. Op de terugweg op de 90 besloot ik om de 490 in noordelijke richting te nemen en in Rochester naar de buurt te rijden waar Jan was opgegroeid.

Ik denk dat ik al voor ik naar Buffalo vertrok wist dat ik op de terugweg deze omweg zou maken.

Ik had het nooit kunnen doen als we een paar dagen daarvoor niet het lek in de badkamer hadden gehad.

Jan was op haar werk en ik had een dag vrij genomen ter compensatie van een paar avondlijke raadsvergaderingen waarvan ik verslag had gedaan. Dat was nog voor we die klussen overdroegen aan Rajiv of Amal of zo in Mumbai. Ik was naar het souterrain gegaan, naar de kant waar de stookketel en de boiler zich bevinden, en ik hoorde een gestaag gedrup van water langs de muur. Daar maakten de koperen leidingen een bocht omhoog om de badkamer boven te bedienen.

Ik deed wat ik altijd deed in een huishoudelijk noodgeval: ik belde mijn vader.

'Zo te horen zit er een klein gaatje in een van de leidingen,' zei hij. 'Ik kom er meteen aan.' Hij kon de blijdschap in zijn stem niet verhullen.

Een half uur later stond hij met zijn gereedschapskist op de stoep, en een kleine soldeerlamp om mee te lassen.

'Het lek zit ergens in de muur,' zei hij. 'De moeilijkheid is het te vinden.'

We dachten een sissend geluid te horen achter de wastafel in de badkamer, ongeveer dertig centimeter boven de vloer. Het was een vrijhangende wasbak, dus kon je makkelijk vlak bij de muur luisteren.

Pa haalde een zaag tevoorschijn met een punt aan het blad waarmee hij direct in de muur kon prikken om te beginnen met zagen.

'Pa,' zei ik met een blik op het gebloemde behang. Ik zag het niet zitten om dat kapot te zagen. 'Zouden we het vanaf de andere kant kunnen proberen?'

'Wat zit er aan de andere kant?' vroeg hij.

'Wacht even,' zei ik. Ik liep naar de gang. Aan de andere kant van de muur zat een vaste kast. Onze linnenkast. Ik deed de kast open en begon alles wat onder de onderste plank stond weg te halen – een wasmand, een voorraadje toiletpapier en dozen tissues – tot de muur vrijgekomen was. Als we de leiding vanaf deze kant konden bereiken, was dat veel handiger, omdat je er hier niets van zou zien.

Toen ik alles eruit gehaald had, kroop ik op handen en knieën in de kast en luisterde waar het lek zat.

De plint die in de kast liep leek los te zitten. Ik tikte ertegenaan en zag dat hij op zijn plek gedrukt zat maar niet vastgespijkerd was. Ik stak mijn vinger erachter en voelde iets.

Het was het bovenste randje van een gewone envelop, net smal genoeg om verborgen te zijn achter de plint. Ik werkte hem naar boven. Er stond niets op de envelop geschreven en hij was ook niet dichtgeplakt, de flap was naar binnen gestopt. Ik deed de envelop open en trof er één enkel vel papier en een sleutel in aan.

Ik liet de sleutel erin zitten en haalde het papier eruit, een officieel document dat een keer was dubbelgevouwen.

Het was een geboortebewijs.

Jans geboortebewijs. Alle bijzonderheden die ze mij nooit had willen vertellen stonden op dat stuk papier. Ik wist natuurlijk wel dat haar achternaam Richler was, maar ze had altijd weten te vermijden de namen van haar ouders te noemen, of te vertellen waar ze woonden.

Nu kon ik in één oogopslag zien dat haar moeder Gretchen heette en haar vader Horace. Dat ze in het Monroe Community Hospital in Rochester geboren was. Er stond een adres van een huis aan Lincoln Avenue.

Ik prentte de gegevens op het papier in mijn geheugen, vouwde het op en deed het weer terug in de envelop. De sleutel was me niet erg duidelijk. Het was een type dat ik niet kende. Het leek me geen huissleutel. Ik liet hem in de envelop zitten, stopte de envelop terug op z'n plek en drukte de plint weer aan.

Tegen de tijd dat ik de badkamer weer in kwam had pa al een gat gemaakt. 'Ik ben er,' zei hij. 'En daar is je lek! Zet de hoofdkraan even uit, wil je.'

Voor ik mijn tochtje naar Buffalo maakte zocht ik in de telefoongids op internet naar Richlers in Rochester. Er hadden maar vijf Richlers een telefoonaansluiting, en maar één was een H. Richler.

Zijn adres was nog steeds Lincoln Avenue.

Nu wist ik dat in elk geval één van Jans ouders nog leefde, en misschien wel allebei. Het kon natuurlijk dat Horace Richler overleden was en dat zijn vrouw Gretchen de naamsvermelding in de telefoongids niet gewijzigd had.

Ik belde vanaf mijn bureau op de *Standard* om dit uit te zoeken. Ik toetste het nummer van H. Richler in en kreeg een vrouw, zo te horen in de zestig of zeventig, aan de lijn. Gretchen, nam ik aan.

'Kan ik meneer Richler spreken?' vroeg ik.

'Momentje,' zei ze.

Een halve minuut later klonk een vermoeide mannenstem. 'Met Richler.'

'Spreek ik met Han Richler?'

'Wat? Nee, u spreekt met Horace Richler.'

'Sorry, dan heb ik het verkeerde nummer.'

Ik bood nogmaals mijn verontschuldigingen aan en hing op.

Het was moeilijk om niet nieuwsgierig naar hen te zijn: Jan had nooit iets over hen willen vertellen.

'Ik wil niks meer met ze te maken hebben,' had ze altijd gezegd. 'Ik wil ze nooit meer zien en ik kan me niet voorstellen dat zij het erg vinden dat ze mij nooit meer zien.'

Zelfs toen Ethan geboren was, wilde Jan absoluut niet dat haar ouders op de hoogte werden gebracht.

'Het zal hun geen zak kunnen schelen,' zei ze.

'Misschien,' zei ik, 'zal de wetenschap dat ze een kleinkind hebben alles veranderen. Misschien vinden ze het wel tijd voor een soort verzoening.'

Ze schudde haar hoofd. 'Kansloos. En ik wil er niet meer over praten.'

Wat ik te weten was gekomen sinds ik Jan voor het eerst had ontmoet – zes jaar geleden bij een arbeidsbemiddelingsbureau, waar ik een paar werklozen interviewde voor een artikel – was dat haar vader, wiens naam ze nooit noemde, een ellendige klootzak was en dat haar moeder voornamelijk dronken en depressief was.

Jan praatte er niet graag over. Het verhaal over haar ouders en haar leven bij hen kwam er in de loop der jaren stukje bij beetje uit.

'Ze gaven me altijd van alles de schuld,' zei Jan op een zaterdagavond twee jaar geleden toen de in die tijd nog heel jonge Ethan een nachtje bij mijn ouders logeerde. We hadden drie flessen wijn op – wat zelden voorkwam want Jan dronk heel weinig – en alles wees erop dat we straks naar boven zouden gaan voor een orgie waar we al een hele tijd niet aan toegekomen waren. Onverwachts begon Jan te praten over dat deel van haar leven waar ze het nooit met mij over had.

'Wat bedoel je, dat ze jou de schuld gaven?' vroeg ik.

'Hij vooral,' zei Jan. 'Dat ik hun leven verpest had.'

'Hoezo? Omdat je hun kind was? Omdat je bestond?'

Ze keek me met glazige ogen aan. 'Ja, daar kwam het wel op neer. Pa had een bijnaampje voor me, Hindy.'

'Hildy?'

'Nee, Hindy.'

'Zoals de taal?'

Ze schudde haar hoofd, nam nog een slok wijn en zei: 'Nee, met een y. Een afkorting van "Hindenburg". Niet alleen omdat ik toen een beetje mollig was, maar omdat hij mij zag als zijn eigen persoonlijke ramp.'

'Dat is verschrikkelijk.'

'Ja, ach ja, het was nog heel lief vergeleken met wat er op mijn tiende verjaardag gebeurde.'

Ik wilde doorvragen, maar besloot te wachten.

'Hij had beloofd me mee naar New York te nemen, naar een musical op Broadway. Daar had ik altijd van gedroomd. Ik keek naar de Tony's, de Musical Awards, als ze op tv waren, ik bewaarde de zondagkunstbijlage van *The New York Times* als ik er een te pakken kon krijgen, ik keek naar al die advertenties voor shows, ik leerde de namen van sterren en de recensies uit mijn hoofd. Hij zei dat hij kaartjes voor *Grease* had. Dat we met de bus gingen. Dat we een nachtje in een hotel zouden logeren. Ik kon het niet geloven. Mijn vader, die altijd zo onverschillig tegenover me was geweest. Maar ik dacht dat misschien, omdat ik tien werd…'

Ze nam nog een slok wijn.

'Toen brak de dag aan waarop we zouden gaan. Ik had mijn koffertje gepakt. Ik had uitgezocht wat ik in het theater zou dragen. Een rode jurk en zwarte schoentjes. En mijn vader deed niets, hij pakte niets in. Ik zei dat we moesten opschieten en toen glimlachte hij en zei: "We gaan niet. We gaan niet met de bus. We gaan niet naar een hotel en er zijn geen kaartjes voor *Grease*. Die zijn er nooit geweest. Lullig, hè, om teleurgesteld te worden? Nu weet je hoe dat voelt."'

Ik was sprakeloos. Jan glimlachte en zei: 'Jij vindt vast dat ik van geluk mocht spreken. Jij doet alles liever dan een voorstelling van *Grease* uitzitten.'

Ik kon eindelijk iets uitbrengen. 'Wat heb je toen gedaan?'

Ze zei: 'Ik ben ergens anders heen gegaan.'

'Waarheen? Naar familie?'

'Nee, nee, je snapt het niet,' zei ze. Ze legde haar hand voor haar mond. 'Ik geloof dat ik moet overgeven.'

De volgende ochtend wilde ze er niets meer over zeggen.

In de loop der jaren vertelde ze me dat ze op haar zeventiende uit huis was gegaan en al bijna twintig jaar geen contact meer had met haar ouders. Ze had geen broers of zussen die haar, of ze dat nu wilde of niet, konden laten weten hoe het met haar ouders was.

Voor hetzelfde geld waren ze alle twee dood.

Maar ik wist nu dat dat niet zo was, vanwege dat telefoontje.

Ik had nooit aan Jan verteld wat ik achter die plint had gevonden. Ik wilde niet dat zij wist dat ik haar privacy geschonden had. Ik vond het zorgelijk dat ze zover ging om haar achtergrond voor mij verborgen te houden, maar misschien had ze gelijk dat ze me niet vertrouwde. Nu ik dat geboortebewijs gevonden had, ging ik precies datgene doen wat zij altijd had willen voorkomen.

Op de terugrit uit Buffalo nam ik een omweg naar het noorden en vond het huis aan Lincoln Avenue en staarde naar de afbladderende verf en de scheefhangende luiken alsof die me iets konden vertellen. Ik vroeg me af of een van de twee ramen op de bovenverdieping van Jans kamer was geweest, of dat haar kamer aan de achterkant van het huis was.

Ik stelde me haar voor als kind, hoe ze die voordeur in en uit ging, misschien in de voortuin speelde. Hoe ze touwtje sprong op de stoep, of hinkelde op de oprit. Misschien waren die beelden te idyllisch. Misschien hadden dat soort simpele pleziertjes niet bestaan in een huis waar de liefde vervangen was door woede en wrok. Misschien was het voor Jan elke keer als ze die deur uit ging alsof ze bevrijd werd uit een gevangenis. Ik kon me voorstellen hoe ze naar het huis van een vriendinnetje rende en alleen maar naar huis kwam als dat moest.

Maar naar het huis staren vertelde me niets. Ik weet niet wat ik me ervan had voorgesteld.

Toen kwamen haar ouders.

Ik had aan de overkant van de straat geparkeerd, twee huizen verderop, dus ik trok niet de aandacht van Horace en Gretchen Richler toen ze uit hun twintig jaar oude Oldsmobile stapten.

Horace deed langzaam zijn portier open en zette een voet op de grond. Het kostte hem enige moeite om zich opzij te draaien in zijn stoel en uit te stappen. Hij werd in zijn bewegingen gehinderd door artritis of iets dergelijks. Hij was achter in de zestig of voor in de zeventig, had nog een paar plukjes haar en levervlekken in zijn gezicht. Hij was kort en stevig, maar niet dik. Zelfs op zijn leeftijd zag hij eruit alsof je hem niet snel omver zou kunnen duwen.

Hij zag er niet uit als een monster. Maar monsters zien er meestal ook niet zo uit.

Horace liep naar de achterkant van de auto terwijl Gretchen uitstapte. Zij bewoog ook langzaam, hoewel ze niet zo moeilijk liep als haar man. Hoewel hij eerder was uitgestapt, was zij eerder bij de kofferbak, en ze wachtte tot hij het autosleuteltje in het slot stak en hem opendeed.

Het was maar een heel klein vrouwtje. Een meter vijftig, meer niet. En ze woog waarschijnlijk niet meer dan veertig kilo. Pezig en taai. Ze greep in de achterbak en haakte haar vingers achter een stuk of vijf plastic tassen met boodschappen, tilde ze eruit en liep naar de deur. Haar man sloot de achterklep en liep achter haar aan zonder iets te dragen.

Ze gingen het huis binnen en toen waren ze verdwenen.

Ze hadden zo te zien geen woord met elkaar gewisseld. Ze hadden boodschappen gedaan en ze waren thuisgekomen.

Kon ik iets afleiden uit wat ik gezien had? Nee. En toch hield ik er de indruk aan over dat dit twee mensen waren die hun dagen uitzaten, zonder doel, zonder zin. Ik had geen vijandige lichaamstaal van Horace jegens Gretchen gezien, maar ik voelde dat er iets droevigs om hen heen hing.

Ik hoop dat jullie bedroefd zijn, dacht ik. Ik hoop dat jullie diep ellendig zijn om wat jullie gedaan hebben.

Toen de Oldsmobile op de oprit tot stilstand kwam had ik even de aanvechting gehad om uit te stappen, erop af te gaan en op Horace Richler af te stormen. Ik wilde hem zeggen dat hij een verschrikkelijke man was. Ik wilde hem vertellen dat een man die zijn dochter mishandelt – ook al was het alleen geestelijke mishandeling – de titel 'vader' niet verdiende. Ik wilde hem vertellen dat zijn dochter een geweldige vrouw was geworden, ondanks zijn pogingen haar te ondermijnen. Ik wilde hem vertellen dat hij een schitterende kleinzoon had, maar dat hij die nooit zou mogen zien omdat hij zo'n ellendige klootzak was.

Maar ik vertelde hem niets.

Ik keek toe hoe Horace Richler met zijn vrouw Gretchen het huis binnen ging. Ik keek toe hoe de deur achter hen sloot.

Toen reed ik naar huis, en ik heb Jan nooit verteld over mijn omweg toen ik uit Buffalo kwam.

14

Ik dacht na over mijn bezoek aan het huis van de Richlers toen ik met mijn vader terugreed van de brug.

Stel dat Jan al jaren tegen haar ouders wilde zeggen wat ik had willen zeggen toen ik voor hun huis geparkeerd stond? Stel dat de manier waarop haar vader haar behandeld had al jaren aan haar vrat, hoewel ze dat nooit had laten merken? Misschien had ze zich kwetsbaar gevoeld als ze liet blijken hoezeer haar vaders houding haar nog steeds pijn deed. En toch had Jan me de afgelopen twee weken verteld hoe breekbaar ze was en hoe zelfdestructief ze zich gevoeld had.

Ik wist het gewoon helemaal niet meer.

Ik probeerde me in Jans positie in te leven. *Ik voel me niet goed, ik overweeg me van het leven te beroven. Voor ik dat doe, wil ik dan de confrontatie aangaan met mijn vader? Tegen hem zeggen hoe ik over hem denk? Tegen mijn moeder zeggen dat ze voor me op had moeten komen? Hun beiden vertellen dat ze mijn leven hebben kapotgemaakt voor ik er een einde aan maak?*

Ik huiverde.

'Alles goed?' vroeg mijn vader.

'Ja,' zei ik.

'Het is een geluk,' zei hij, 'dat we haar daar niet gevonden hebben. Onder die brug. Dat is een groot geluk. Want als dat de plek was waar ze zich van kant wilde maken, dan is het dus logisch dat ze dat niet gedaan heeft.'

Pa deed echt zijn best. Maar de kans dat we haar bij die brug zouden vinden, was klein geweest. En het feit dat Jan er niet was, betekende niet meer dan dat Jan daar niet was. We wisten gewoon niet waar ze was. Maar ik wilde mijn vader niet ongelukkig maken door het zonnestraaltje dat hij achter de wolken meende te zien meteen van tafel te vegen.

'Dat kan,' zei ik. 'Dat kan.' Jan had het ook over een veel hogere brug gehad, in het centrum van Promise Falls, maar als ze daar iets geprobeerd had, hield ik mezelf voor, dan zouden er getuigen zijn geweest. De politie zou er vrijwel direct van gehoord hebben.

Pa wees voor ons op de weg. 'Zag je dat? Die vent gebruikte zijn richting-aanwijzer niet. En hoe moeilijk is dat nou eigenlijk! Jezus christus.'

Niet lang daarna reden we achter een automobilist die op de rijbaan van de tegenligger ging staan om links af te slaan, zodat wij er aan de rechter-kant langs konden.

'Wat moet dat nou weer?' zei pa. 'Dat doen die boeren hier de hele tijd. Wat als iemand ons inhaalt? Of als er opeens een tegenligger aan komt? Ik zweer je, ik begrijp niet hoe die lui aan een rijbewijs komen.'

Toen ik niet reageerde op zijn opmerkingen besloot pa te zwijgen. Uit-eindelijk zei hij: 'Heb je nog nagedacht over mijn idee? Dat Jan naar haar ouders toe is?'

'Jawel.'

'Kun je hen op de een of andere manier bereiken? Je moeder heeft me verteld dat Jan niet over ze praat, dat ze je zelfs nooit verteld heeft wie ze zijn en waar ze wonen.'

'Ik denk dat ik ze wel kan bereiken,' zei ik.

'Ja? Hoe dan?'

'Ze wonen in Rochester,' zei ik. 'Ik heb het adres.'

'Dus ze heeft het je wél verteld?'

'Nee, dat weer niet,' zei ik.

'Als ik jou was, dan zou ik ze bellen, vragen of ze contact met hen heeft opgenomen. Als ze in Rochester wonen, heeft Jan ruimschoots de tijd ge-had erheen te rijden.'

'Waarmee dan? Ik heb mijn auto en die van Jan staat nog op de oprit.'

'Hoe lang is het rijden? Drie uur, vier uur?'

'Minder dan drie uur,' zei ik.

'Als we terug zijn, dan bellen we ze. Het is interlokaal, maar dat kan me niet schelen.'

Pa deed hiermee een enorme concessie, hij vond het verschrikkelijk als er interlokaal gebeld werd met zijn telefoon.

Ik keek naar hem en glimlachte. 'Bedankt, pa. Maar ik denk dat ze zullen ophangen zodra ze Jans naam horen.'

Hij schudde zijn hoofd terwijl hij dit verwerkte. 'Hoe kunnen ouders zo zijn?'

'Ik weet het niet.'

'Ik bedoel, jij hebt ook niet altijd gedaan wat wij wilden, maar wij hebben je nooit verstoten,' zei pa met een gedwongen lachje. 'Jij was af en toe een enorme lastpak, hoor.'

'Daar twijfel ik niet aan.'

'Je moet je kinderen hun eigen beslissingen laten nemen, of die nu goed of slecht zijn.'

'Daarom ben je zeker zo zuinig met je goede raad,' zei ik.

Pa keek me even aan. 'Geestig, hoor.'

We waren weer in Promise Falls, nog maar een paar blokken van het huis van mijn ouders. Het was bijna donker en de straatlantaarns brandden al. Ik had een gevoel van dreigend onheil toen we de hoek om gingen, ik verwachtte dat er een of meer politieauto's voor ons huis zouden staan. Maar er stond geen onbekende auto langs de stoeprand.

Mijn moeder stond in de deuropening. Ze kwam naar buiten toen we de oprit op reden. Haar gezicht stond hoopvol, maar ik schudde mijn hoofd.

'Niets,' zei ik. 'We hebben Jan niet gevonden.'

'Dus ze is niet... ze heeft geen...'

'Nee,' zei ik. 'Hier nog nieuws? Heeft de politie gebeld?'

Ze schudde haar hoofd. We gingen naar binnen, waar ik Ethan op de derde tree van de trap zag staan, op het punt naar beneden te springen.

'Ethan, niet...'

Hij sprong en kwam met een dreun neer. 'Moet je kijken!' riep hij. Hij rende weer naar de derde tree en deed het nog eens.

'Hij is helemaal gek geworden,' zei ma. 'Hij mocht een half glaasje cola van me bij de macaroni.'

Ma vond het prettig om de schuld voor Ethans wilde gedrag op iets wat hij had gegeten of gedronken te schuiven. Mijn ervaring was dat het niets uitmaakte.

Ik gaf haar een zoen en liep naar de keuken om te telefoneren. Ik had het kaartje van Duckworth in mijn hand en toetste zijn mobiele nummer in.

'Met Duckworth.'

'Met David Harwood,' zei ik. 'Ik weet dat u wel gebeld zou hebben als u nieuws had, maar ik wilde toch even contact met u hebben.'

'Ik heb geen nieuws,' zei Duckworth. Hij klonk op zijn hoede.

'Maar er wordt toch nog wel naar haar gezocht?'

'Zeker, meneer Harwood.' Hij zweeg even. 'Ik denk dat als er vannacht geen nieuwe ontwikkelingen zijn, als mevrouw Harwood niet thuiskomt, we morgen een persbericht doen uitgaan.'

Ik stelde me voor dat ze binnen zou komen wandelen, hier in het huis van mijn ouders. Er klonk een harde bons toen Ethan weer op de vloer terechtkwam.

'Dat is goed,' zei ik. 'En een persconferentie?'

'We zijn nog niet zover,' zei hij. 'Een foto en het signalement van uw vrouw, en een beschrijving van de omstandigheden waaronder ze verdwenen is, zijn voorlopig genoeg.'

'Ik vind dat we een persconferentie moeten houden,' zei ik.

'We kijken morgenochtend wel waar we staan,' zei hij. Er was iets in zijn stem. Die klonk beheerst, gereserveerd.

'Misschien ben ik er morgenochtend niet,' zei ik.

'Waar gaat u heen?'

'Jans ouders wonen in Rochester.'

Ma's ogen werden groot toen ik dit zei. Ik had haar nooit verteld over mijn rit om het huis uit Jans jeugd te zien.

Tegen Duckworth zei ik: 'Ze heeft in geen twintig jaar contact met ze gehad. Ze zijn niet op onze bruiloft geweest en ze hebben hun kleinzoon nog nooit gezien. Maar ik zat te denken, stel dat Jan naar hen toe is gegaan? Stel dat ze na al die jaren een reden had om ze op te zoeken, die ze niet aan mij verteld heeft? Misschien wilde ze hun eindelijk vertellen wat ze van hen vindt.'

Duckworth zei alleen maar heel rustig: 'Dat kan.'

'Ik zou ze wel kunnen bellen, maar het lijkt me beter ze persoonlijk te spreken. Ik bedoel, ze hebben mij nog nooit gezien. Wat zullen ze wel niet denken als een of andere vent opbelt die beweert dat hij hun schoonzoon is en dat trouwens hun dochter vermist wordt en of ze bij hen langs is geweest? En ik ben bang dat als Jan daar is en niet wil dat ik dat weet, ze de benen neemt als ik bel.'

'Zou kunnen,' zei Duckworth, maar het klonk weinig overtuigd.

Vanuit de huiskamer riep ma: 'Ethan, nu is het welletjes.'

Ik zei: 'Ik stap over een paar minuten in de auto, ik neem een hotel in Rochester en dan ga ik morgenvroeg meteen naar Jans ouders.'

Duckworth ging hier niet verder op in. In plaats daarvan zei hij: 'Vertel me nog eens over uw vrouw en Leanne Kowalski.'

De vraag bracht me van mijn stuk. 'Dat heb ik toch al gezegd? Ze zijn collega's. Dat is het wel zo'n beetje.'

'Hoe laat kwamen u en uw zoontje aan in Five Mountains, meneer Harwood?'

Waarom stelde hij die vraag op die manier? Waarom vroeg hij niet hoe laat Ethan en ik en Ján in Five Mountains aankwamen?

'Dat zal om een uur of elf zijn geweest, misschien iets later. Hebben ze het tijdstip niet op de minuut af van toen ze onze kaartjes bij de ingang scanden?'

'Dat klopt wel, denk ik,' zei Duckworth.

'Is er iets?' vroeg ik. 'Alstublieft, vertelt u het mij als er iets gaande is.'

'Als ik nieuws heb, meneer Harwood, dan neem ik contact met u op. Ik heb het nummer van uw mobiele telefoon.'

Ik hing op. Pa en ma stonden daar en staarden me aan.

'Heeft Jan je over haar ouders verteld?' vroeg ma.

'Ik ben er zelf achter gekomen.'

'Wie zijn het?'

'Horace en Gretchen Richler,' zei ik.

'Weet Jan dat jij het weet?'

Ik schudde mijn hoofd. Ik wilde hier niet verder op doorgaan. Ik leunde tegen het aanrecht, ik was uitgeput.

'Je moet naar bed,' zei ma.

'Ik ga naar Rochester,' zei ik.

'Morgenochtend?'

'Nee, nu.' Ik besefte opeens dat het stil was. 'Waar is Ethan?'

'Hij is op de bank in slaap gevallen,' zei ma. 'Godzijdank.'

'Mag hij vannacht hier blijven?'

'Natuurlijk.'

Mijn moeder maakte bezwaren. 'Maar je kunt nu niet rijden,' zei ze. 'Je krijgt een ongeluk.'

'Maak maar een thermosfles koffie voor me, dan zeg ik Ethan welterusten,' zei ik.

Zonder haar verdere bezwaren af te wachten liep ik de woonkamer in. Ethan lag met zijn hoofd op de armleuning van de bank. Hij had een sprei over zich heen getrokken.

'Ik moet ervandoor, kerel,' zei ik. 'Jij logeert vannacht hier.'

Hij reageerde niet. Toen sloeg hij zijn ogen op. 'Mama is vast in het winkelcentrum.'

'Misschien wel,' zei ik.

'Oké,' zei hij. Zijn oogleden zakten dicht als de blaadjes van een bloem die zich sluiten voor de nacht.

15

Barry Duckworth klapte zijn telefoon dicht. 'Sorry,' zei hij tegen Lyall Kowalski, 'maar ik moest dit gesprek even aannemen.'

'Was dat de man van Jan?' vroeg Lyall. Hij en de politieman zaten in de woonkamer. Lyall droeg een zwart T-shirt en een vuile kniebroek met een hele hoop zakken. Duckworth vroeg zich af of Lyall op zijn vijfendertigste voortijdig kaal was of dat hij zijn hoofd schoor. Sommige jongens die begonnen te kalen besloten nu eenmaal het dan maar goed aan te pakken en een modestatement te maken.

Zelfs voor hij de pitbull uit de keuken zag komen wist Duckworth dat er een hond in huis was. Het stonk er.

'Ja, inderdaad,' zei Duckworth.

'Heeft hij mijn vrouw gezien?'

'Nee,' zei Duckworth, maar hij dacht: hij zegt in elk geval niet dat hij haar wel gezien heeft. Er zat hem een aantal dingetjes niet lekker in deze zaak, ook al voor hij gehoord had dat Jans collega eveneens verdwenen was.

'Hoe laat was uw vrouw ook alweer van huis gegaan?' vroeg Duckworth.

Lyall Kowalski zat voorovergebogen op de bank, zijn ellebogen op zijn knieën. 'Tja, ze was al weg voor ik opstond. Ik had het nogal laat gemaakt, gisteravond, en ik sliep uit.'

'Waar was u geweest?'

'In de Trenton.' Een café in de stad. 'Met vrienden. We hebben het een en ander gedronken en Mick heeft me thuisgebracht.'

'Mick?'

'Mick Angus. Een collega van me op Thackeray.'

'Wat doet u voor werk op het college, meneer Kowalski?'

'Mick en ik zitten allebei bij de technische dienst.'

'En hoe laat kwam u thuis?'

Lyall vertrok zijn gezicht terwijl hij zijn geheugen raadpleegde. 'Om drie uur? Het kan ook wel vijf uur zijn geweest.'

'En uw vrouw was hier toen u thuiskwam?'

'Voor zover ik weet wel,' zei hij met een knikje.

'Wat bedoelt u daarmee, voor zover u weet?'

'Nou, ik heb geen reden om aan te nemen dat ze er niet was.'

'Ik begrijp het niet.'

'Ik heb haar niet gesproken. Ik heb de slaapkamer niet gehaald. Ik heb op de bank geslapen.'

'Waarom was dat?'

'Leanne doet nogal moeilijk als ik dronken thuiskom. Ze doet trouwens ook moeilijk als ik nuchter ben. Bovendien was ik vergeten dat ik haar mee uit eten zou nemen, gisteravond. Ik had geen zin om daar problemen over te krijgen, dus ben ik niet bij haar in bed gestapt.'

'Was u de hele avond in de Trenton?'

'Ja. Tot ze sloten. Daarna heb ik met Mick nog een paar biertjes gedronken op de parkeerplaats.'

'En die Mick heeft u thuisgebracht?' zei Duckworth op afkeurende toon.

Lyall maakte een wuifgebaar alsof het weinig voorstelde. 'Mick kan een hele hoop op en dan rijdt hij nog beter dan de meeste mensen als ze nuchter zijn.'

'Waar zou u met uw vrouw uit eten gaan?'

'Kelly's?' zei hij op vragende toon, alsof hij bevestiging van Duckworth nodig had. 'Ik weet dat ik donderdag iets heb gezegd over samen uit eten gaan, maar het is me compleet ontschoten.'

'Hebt u uw vrouw gisteravond nog gesproken, toen u in de Trenton zat?'

'Ik had m'n mobiele telefoon niet opgeladen.'

'Dus u bent op de bank in slaap gevallen. Hebt u uw vrouw vanochtend nog gezien?'

'Oké, daar gaat het om, hè. Ik geloof dat ik haar iets heb horen zeggen terwijl ik mijn roes uit lag te slapen, maar ik kan het niet zweren.'

'Wat doet uw vrouw gewoonlijk op zaterdag?'

'Ze heeft haar vaste gewoonten. Ze gaat rond half negen de deur uit. Meestal gaat ze in haar eentje, ook als ik de avond daarvoor niet uit ben geweest met m'n kameraden. Ik bied wel eens aan om met haar mee te gaan, maar alleen omdat ik wel weet dat ze toch nee zal zeggen. Ze vindt het prettig in haar eentje. En ik vind het prima zo.'

'Waar gaat ze heen?'

'Naar de winkelcentra. Ze vind het leuk om naar allemaal te gaan. Elk centrum tussen Albany en hier. Ze vindt de Crossgates en Colonie Center de beste. Hoeveel kleren en schoenen en sieraden en make-up heeft één vrouw nodig?'

'Geeft ze veel geld uit op die zaterdagen?'

'Ik snap niet waar ze het van doet. We zitten best krap,' zei Lyall. 'En ik begrijp niet wat het voor nut heeft om naar al die centra te gaan terwijl ze allemaal dezelfde winkels hebben.'

'Daar begrijp ik ook niets van,' zei Duckworth. Hij dacht dat dit voor het eerst was dat Lyall Kowalski iets verstandigs zei.

'En als ze klaar is met winkelen dan doet ze de gewone boodschappen, want ze wil natuurlijk niet dat haar diepvriesmaaltijden ontdooien terwijl ze door de JCPenney loopt.'

'Maar u weet dus niet precies waar ze geweest kan zijn?'

'Nee.'

'En waar doet ze de dagelijkse boodschappen?'

Lyall haalde zijn schouders op. 'De supermarkt?'

De hond, die eruitzag als een boksbal op pootjes, liep door de kamer. Zijn nagels tikten op de kale houten planken. Hij plofte neer op een vierkant kleedje voor een lege stoel.

'En hoe laat had u haar normaal gesproken terugverwacht?'

'Om een uur of drie, vier. Vijf uur uiterlijk.'

'Hoe laat bent u opgestaan?'

'Rond enen,' zei Lyall.

'En hebt u nog geprobeerd uw vrouw te bellen?'

'Ik heb haar teruggebeld, maar ik kwam direct op de voicemail terecht. En ze heeft mij niet gebeld om te zeggen dat ze wat later thuiskwam of zo.'

Duckworth knikte langzaam. Hij vroeg: 'Wanneer precies hebt u uw vrouw voor het laatst gesproken of gezien, meneer Kowalski?'

Hij dacht even na. 'Dat moet dan gistermiddag geweest zijn. Ze belde me vanaf haar werk om te vragen hoe laat we uit eten gingen.' Hij vertrok zijn gezicht alsof iemand een speld in zijn arm stak.

'Dus u hebt haar gisteren verder niet meer gesproken?'

Lyall schudde zijn hoofd.

'En vanochtend hebt u haar ook niet echt gesproken?'

Weer schudde hij zijn hoofd.

'Toen Mick u vannacht hier afzette, hebt u toen gezien of Leannes auto er stond of niet?'

'Ik was toen niet erg opmerkzaam.'

'Dus voor hetzelfde geld,' zei Duckworth, 'was ze hier vannacht ook al niet.'

'Waar had ze moeten zitten als ze hier niet was?'

'Dat weet ik niet. Ik vraag u alleen of u met zekerheid kunt zeggen dat uw vrouw thuis was toen u midden in de nacht thuiskwam, of dat ze hier vanochtend was.'

Hij keek verbaasd. 'Ik ging er gewoon van uit dat ze hier was. Het zou raar zijn als ze er niet was geweest.'

'Hebt u een overzicht van de betaalpasjes en creditcards die uw vrouw gebruikt?'

'Waar is dat voor nodig?' vroeg hij.

'Dan kunnen we nagaan waar ze die gebruikt heeft, en dan weten we waar ze geweest is.'

Lyall krabde op zijn hoofd. 'Als Leanne iets koopt, dan betaalt ze meestal contant.'

'Waarom?'

'Omdat onze pasjes geblokkeerd zijn.'

Duckworth zuchtte. 'Heeft Leanne dit al eens eerder gedaan? Weggaan en pas laat terugkomen, of bij een vriendin blijven slapen? Is het mogelijk – sorry dat ik dit moet vragen – dat ze een vriend heeft?'

Lyall schudde zijn hoofd, balde zijn vuisten en drukte zijn vlezige lippen op elkaar. 'Shit, nee. Ik bedoel, dat zou ze nooit doen.'

Duckworth had het gevoel dat er iets was. 'Meneer Kowalski?'

'Ze is van mij. Ze gaat mij niet bedriegen. Never nooit niet.'

'Heeft ze het ooit wel gedaan?'

Hij wachtte net iets te lang voor hij antwoordde. 'Nee.'

'U moet eerlijk tegen me zijn,' zei Duckworth. 'Dit soort dingen kan de beste overkomen.'

Lyalls lippen gingen naar binnen en naar buiten. Uiteindelijk vertelde hij: 'Het was jaren geleden. We maakten een moeilijke periode door. Niet zoals nu. Het gaat nu wel goed tussen ons. Ze heeft iets gehad met een kerel die ze in het café had ontmoet. Gewoon een onenightstand, meer niet.'

'Wie was die man?'

'Dat heb ik nooit geweten. Maar ze heeft me verteld dat ze het gedaan had. Niet om iets op te biechten, maar om me te pesten, snapt u. Ze zei dingen in de trant van dat als ik het haar niet naar de zin wilde maken, er zat kerels waren die dat wel wilden doen. Ik ben me daarna beter gaan gedragen.'

Duckworth keek de kamer rond en liet zijn blik toen weer op Lyall rusten.

De man stond op het punt in tranen uit te barsten. 'Ik ben echt bang dat haar iets overkomen is. Misschien heeft ze een auto-ongeluk gehad of zo. Hebt u dat al nagetrokken? Ze heeft een Ford Explorer. Een blauwe. En hij is uit 1990 of zo, dus hij zit onder de roest.'

'Ik heb geen melding van een ongeluk waarbij dat type auto betrokken is,' zei Duckworth. 'Meneer Kowalski, hoe is de verhouding tussen uw vrouw en Jan Harwood?'

Hij knipperde met zijn ogen. 'Het zijn collega's van elkaar.'

'Maar zijn ze vriendinnen? Doen ze samen wel eens wat na het werk? Zijn ze samen wel eens op stap geweest, een weekendje weg of zo?'

'Shit, nee,' zei hij. 'Tussen ons gezegd en gezwegen, Leanne vindt Jan een beetje verwaand, hè. Ze denkt dat ze beter is dan de rest van de wereld.'

Tot slot stelde Duckworth Lyall Kowalski nog wat standaardvragen en noteerde de antwoorden op zijn blocnote.

'Wat is de geboortedatum van uw vrouw?'

'Eh, 9 februari. Ze is in 1973 geboren.'

'Haar naam voluit?'

Lyall snufte en zei toen: 'Leanne Katherine Kowalski. Voor haar huwelijk met mij heette ze Bothwick.'

Duckworth schreef door. 'Hoeveel weegt ze?'

'Jezus. Vijfenzestig kilo? Nee, vijfenvijftig. Ze is nogal mager. En ze is een meter acht- of negenenzestig lang.'

'Haar haar?'

'Zwart. Nogal kort, met wat geverfde plukjes.'

Duckworth vroeg om een foto. Het beste wat Lyall had was een trouwfoto van hen tweeën, een foto van ongeveer tien jaar geleden waarop ze een stuk bruidstaart in elkaars mond propten.

Voor hij wegreed van het huis van de Kowalski's pakte Duckworth zijn telefoon, wachtte tot er iemand opnam en zei toen: 'Gunner?'

'Spreek je mee.'

'Zit je nog steeds in Five Mountains?'

'Ik ben niet weggeweest,' zei hij. 'We zijn aan het afronden.'

'Hoe is het gegaan?'

'Nou, we hebben eerst geprobeerd of we dat derde kaartje dat online gekocht is konden vinden.'

'Ja?'

'Misschien zat er een glitch in het computersysteem, maar dat hebben we zo goed als zeker kunnen uitsluiten. Als ze het park binnen is gekomen, dan was dat niet met een kaartje dat ze via internet gekocht heeft.'

'Oké,' zei Duckworth.

'Toen hebben we de rest van de dag die foto's van haar man vergeleken met wie er allemaal naar binnen en naar buiten zijn gegaan, in de hoop z'n vrouw te vinden. We hebben ons in eerste instantie beperkt tot het tijdsbestek vanaf het moment waarop de man en het kind arriveerden tot hij de politie belde.'

'Snap ik.'

'Het is niet gemakkelijk. Het zijn zo veel mensen. Soms kun je ze niet goed zien, ze hebben een hoed of een pet op waardoor de helft van hun gezicht bedekt is. Het kan dus dat ze er wel geweest is maar dat we haar gemist hebben. Maar we hebben gezocht naar een vrouw die eruitzag zoals zij, en in de kleding die haar man beschreven heeft.'

'Zonder resultaat.'

'Inderdaad. Als ze er geweest is, dan hebben we haar niet kunnen vinden.'

'Oké, hoor eens, goed gedaan. Kap er maar mee.'

'Dat laat ik me geen twee keer zeggen.'

'Is Didi Campion nog in de buurt?'

'Ja, die is er ook al de hele dag. Ze staat hier vlakbij.'

'Geef haar even, wil je.'

Duckworth hoorde hoe Gunner de telefoon neerlegde en Didi Campion riep. Twintig seconden later werd de telefoon weer opgepakt.

'Met Didi Campion.'

'Met Barry, Didi. Een zware dag, hè?'

'Ja, zeg dat wel.'

'Ik wil je nog wat vragen over vanmiddag, toen dat jochie bij je was.'

'Ga je gang.'

'Heeft hij echt gezegd dat zijn moeder bij hen was in het park?'

'Wat bedoel je?'

'Heeft de jongen mevrouw Harwood die ochtend gezien?'

'Hij vroeg naar haar. Hij vroeg wat er met haar gebeurd was. Ik had echt de indruk dat hij haar in het park gezien had.'

'Wat denk je, zou hij... Hoe moet ik dit nu formuleren? Zou het kunnen dat men hem heeft doen geloven dat zijn moeder er was terwijl dat niet zo was?'

'Bedoel je dat de vader iets heeft gezegd als "je moeder komt zo" of "je moeder is even naar de toiletten" of zo?'

'Precies,' zei Duckworth.

'Hmm,' zei Didi Campion.

'Kijk, dat joch is niet meer dan een jaar of vier. Als je een vierjarige maar vaak genoeg zegt dat hij onzichtbaar is, dan gelooft hij het. Misschien heeft de vader hem laten geloven dat zijn moeder er was, ook al was ze er niet.'

'Het jochie was nogal dommelig,' zei Campion. 'Slaperig, bedoel ik, niet dom.'

'Harwood zegt dat ze met z'n drieën een dagje naar Five Mountains gingen, maar er waren maar twee kaartjes. Hij zegt dat z'n vrouw het over zelfmoord had, hij zegt dat zijn vrouw naar de dokter geweest is, maar ze blijkt helemaal niet gegaan te zijn.'

'O nee?'

'Nee. Ik heb dokter Samuels gesproken. En haar baas, de man van het verwarmings- en aircobedrijf, zegt dat hij de afgelopen weken niet gemerkt heeft dat ze depressief was. Ze was eerder opgewonden. Alsof ze op iets zat te wachten.'

'Wat raar.'

'Tot nu toe is de enige die zegt dat z'n vrouw suïcidaal was, de echtgenoot. De huisarts heeft haar niet gesproken, haar baas zegt dat het prima met haar ging.'

'Dus de echtgenoot is de boel aan het voorbereiden.'

'Die Bertram, de baas van z'n vrouw, zegt dat Harwood haar op vrijdag mee uit rijden heeft genomen. Toen Bertram vroeg waar ze heen gingen, zei ze dat dat een geheimpje was of zo, een verrassing.'

'Wat gaat je nu doen?'

'Heb jij nog dienst?'

Didi Campion zuchtte. 'Ik draai al overuren. Maar ik kan nog wel doorgaan, hoor. Vrije tijd wordt schromelijk overschat.'

'Je hebt al eens eerder een persverklaring gedaan, toch?'

'Jawel'

'Ik heb tegen Harwood gezegd dat we morgen een persbericht uitbrengen, maar ik wil dat vanavond al doen. De boel een beetje opschudden, hè? We kunnen het nieuws van elf uur nog halen. Hou het simpel. Een foto van Jan Harwood, mogelijk voor het laatst gezien in de buurt van Five Mountains. De politie wil weten wat de verblijfplaats is van deze vrouw. Neem contact op enzovoort. Het bekende werk.'

'Doe ik,' zei Didi.

Duckworth bedankte haar en klapte zijn telefoon dicht. Hij vroeg zich zo langzamerhand af of Jan Harwood überhaupt in Five Mountains was geweest. Hij vroeg zich zo langzamerhand af wat haar echtgenoot met haar gedaan had.

En hoe dat te verenigen was met de zaak-Leanne Kowalski, was hem een raadsel. Maar twee vrouwen, collega's van elkaar, die tegelijkertijd verdwenen waren... dat was wel erg toevallig. Hij besloot zich voorlopig op Jan Harwood te richten. Misschien kwam hij dan Leanne Kowalski vanzelf wel tegen.

16

Ik was ongeveer een half uur van Rochester verwijderd toen mijn mobiele telefoon overging.

'Het was op het nieuws,' zei ma. 'Op tv.'

'Wat?' zei ik. 'Wat hadden ze?'

'Ze hadden een foto van Jan, en ze zeiden dat de politie haar zocht en tips kon gebruiken. Dat is goed, toch, dat ze dat hebben gedaan?'

'Ja,' zei ik langzaam. 'Maar die rechercheur zei dat ze daar morgen over zouden beslissen. Ik vraag me af waarom hij van gedachten veranderd is. Wat zeiden ze precies?'

'Niet veel,' zei mijn moeder. 'Ze zeiden hoe ze heette en hoe oud ze was en hoe lang ze was en wat ze aanhad.'

Vanuit de kamer riep mijn vader: 'Kleur ogen!'

'Inderdaad, ze zeiden wat voor kleur ogen ze had en wat voor haar en dat soort dingen.'

'En vertelden ze nog waar het gebeurd was?'

'Ja, zijdelings,' zei mijn moeder. 'Ze zeiden dat ze het laatst in de omgeving van Five Mountains was gezien. Maar ze hadden het niet over die man die geprobeerd heeft Ethan mee te nemen. Hadden ze daar niet iets over moeten zeggen?'

Ik zei: 'Ik vraag me af waarom rechercheur Duckworth me niet gebeld heeft. Je zou toch zeggen dat hij het me had moeten laten weten dat hij de timing van het persbericht heeft gewijzigd.'

Ik vroeg me af hoe lang het zou duren voor iemand van mijn eigen krant zou opbellen en vragen wat er in godsnaam aan de hand was en waarom de *Standard* de scoop moest mislopen over de vermiste levenspartner van een van zijn verslaggevers. Ook al kwam de krant de volgende dag pas uit, het bericht had alvast op de website gekund.

Maar ik had geen tijd om me daar nu zorgen om te maken.

'Ben je er bijna?' vroeg mijn moeder. Pa riep: 'Zeg hem dat hij koffie moet blijven drinken.'

'Ja, ik ben er bijna,' zei ik. 'Ik wilde een hotel nemen en morgen Jans ouders opzoeken, maar nu zit ik te denken om gewoon vanavond al aan te kloppen. Ik kan niet de hele nacht in mijn hotelkamer aan haar liggen denken. Ik moet nu meteen iets doen.'

Het bleef stil aan de andere kant van de lijn.

'Ma?'

'Sorry, ik knikte alleen maar. Ik dacht kennelijk dat je me kon zien.' Ze lachte vermoeid.

'Hoe is het met Ethan?'

'Ik heb hem op de bank laten liggen. Ik was bang dat als we hem opnamen, hij wakker zou worden en niet meer in slaap zou kunnen komen. Je vader en ik gaan nu naar bed. Maar als er iets gebeurt, als je nieuws hebt, dan bel je ons, goed?'

'Doe ik. Jullie ook.'

Voor ik mijn telefoon weer in m'n jasje stopte, overwoog ik even rechercheur Duckworth te bellen en hem te vragen waarom hij Jans foto nu al vrijgegeven had. Maar ik was bijna in Rochester en ik moest me concentreren op de komende ontmoeting met Jans ouders.

Ik verheugde me er niet bepaald op, niet na alle dingen die Jan over hen verteld had. Maar ik ging er niet naartoe om hen te bekritiseren over de manier waarop ze Jan grootgebracht hadden. Het was mijn taak niet om iemand de schuld te geven of uit te maken wie het goed en wie het fout had gedaan.

Ik wilde weten of ze Jan gezien hadden. Helder. Was ze daar geweest? Had ze hen gebeld? Hadden ze enig idee waar ze kon zijn?

Vlak na middernacht verliet ik de 90 en reed in noordelijke richting over de 490. Niet lang daarna nam ik de afrit Palmyra Road en was al snel op Lincoln Avenue.

De straatlantaarns waren de enige bron van licht om tien over twaalf 's nachts. Je zou denken dat er op een zaterdagavond hier en daar nog licht in een huis zou hebben gebrand, of dat er ergens een feestje was. Maar misschien was dit een straat met voornamelijk bejaarde bewoners. Geen licht na tienen op een zaterdagavond.

Ik reed de straat door en stopte voor het huis dat ik maar één keer eerder gezien had. De Oldsmobile stond op de oprit. Het huis was donker, op een lamp boven de voordeur na.

Ik draaide het contactsleuteltje om en bleef even in de auto zitten luisteren naar het getik van de afkoelende motor.

Ik vroeg me af of Jan in dat huis zou zijn.

Het was moeilijk voor te stellen dat als Jan hiernaartoe teruggegaan was en de confrontatie was aangegaan, dat was geëindigd met een uitnodiging om te blijven slapen.

'Kom op,' zei ik zachtjes.

Ik stapte uit en deed het portier zo zachtjes mogelijk achter me dicht. Het had geen zin om meer mensen dan strikt noodzakelijk wakker te maken in Lincoln Avenue. Ik stak de verlaten straat over en liep de oprit op en de treden naar de veranda voor het huis van Horace en Gretchen Richler.

Ik stond daar in het schijnsel van dat ene peertje en zocht naar de bel. Ik vond hem rechts van de deurpost en drukte er hard op, met mijn duim.

Er ging geen bel over in het huis, tenminste niet voor zover ik kon horen. Ik keek even naar de metalen brievenbus die aan de muur hing, zag de 'geen reclame'-sticker. Misschien wilden de Richlers niet lastiggevallen worden met ongewenste post en bezoek. Een manier om dat te regelen was de deurbel uitzetten.

Of misschien was hij gewoon stuk. Voor de zekerheid drukte ik nog een keer op de bel, maar ik hoorde nog steeds niets vanuit het huis.

Ik deed de metalen hordeur open en zag dat er een doffe koperen klopper op de voordeur zat. Ik liet hem vijf keer vallen. Ik wist niet of het geluid de Richlers wakker zou maken, maar hier buiten op de veranda klonk het als vijf geweerschoten.

Toen ik na vijftien seconden nog geen licht zag aangaan, klopte ik nog eens. Ik wilde net een derde keer aankloppen, toen ik door het raampje zag dat er een lichtje van de trap af naar beneden kwam.

Er was iemand wakker geworden.

Ik klopte nog twee keer licht aan, zodat ze niet zouden denken dat degene aan de voordeur weggegaan was voor zij besloten hadden naar beneden te komen. Een seconde later verscheen Horace Richler. In een badjas en pyjama. Het haar wat hem nog restte stak alle kanten uit.

Voor hij bij de deur was riep hij al: 'Wie is daar?'

'Meneer Richler?' riep ik zachtjes, maar hopelijk hard genoeg om door de deur heen gehoord te worden. 'Ik moet met u praten.'

'Wie bent u, verdomme? Weet u wel hoe laat het is? Ik heb een geweer, hoor!' Als dat zo was, dan had hij het niet in zijn handen.

'Ik ben David Harwood. Alstublieft, ik moet u dringend spreken. Het is heel belangrijk.'

Er kwam nog iemand de trap af. Het was Gretchen Richler, in een nachtpon en ochtendjas, ook met verwarde haren. Ik kon horen dat ze aan haar man vroeg wie er aan de deur was en wat er aan de hand was.

'Het gaat over Jan!' zei ik.

Ik dacht dat ik Horace Richler even zag aarzelen toen hij zijn hand naar de deurknop uitstak, alsof hij zich afvroeg of hij het goed gehoord had. Ik hoorde een nachtslot dat omgedraaid werd, een ketting die eraf werd gehaald, en toen ging de deur ongeveer vijftien centimeter open.

'Waar gaat dit in godsnaam over?' vroeg Horace Richler. Zijn vrouw stond vlak achter hem. Ik wist niet of ze haar man als schild gebruikte of dat ze niet wilde dat ik haar in nachtkledij zag. Waarschijnlijk allebei.

'Het spijt me ontzettend dat ik u wakker heb gemaakt, meneer en mevrouw Richler. Echt. Ik zou het niet gedaan hebben als het geen noodgeval was.'

'Wie bent u?' vroeg Gretchen Richler. Haar stem was hoog en krakerig, als een oude grammofoonplaat die te snel gedraaid werd.

'Ik ben David Harwood. De man van Jan.'

Ze staarden me allebei aan.

'Ik had u liever op een andere manier ontmoet, geloof me. Ik ben hier vanavond vanuit Promise Falls naartoe gereden. Jan wordt vermist en ik probeer haar te vinden. Ik dacht dat ze misschien, heel misschien, bij u is langsgegaan.'

Ze stonden me nog steeds allebei aan te staren. Het gezicht van Horace Richler, dat eerst verstijfd was geweest, vertrok nu tot een woedende grimas.

'Je vergist je, man,' zei hij. 'Opgerot, en snel een beetje.'

'Alstublieft,' zei ik. 'Ik weet dat er het een en ander is voorgevallen tussen u en uw dochter, dat u haar heel lang niet gesproken hebt, maar ik ben bang dat haar iets overkomen is. Ik dacht dat als ze hier niet naartoe is gegaan, ze misschien gebeld heeft. Of misschien hebt u een idee waar ze naartoe gegaan kan zijn. Oude vriendinnen met wie ze misschien contact heeft gezocht.'

Horace Richlers gezicht werd rood van woede. Hij balde zijn vuisten langs zijn heupen. 'Ik weet niet wie je bent en wat je hier denkt te doen, maar ik zweer je dat ik je, al ben ik een oude man, de hele Lincoln Avenue af schop als dat nodig is.'

Ik wilde het nog niet opgeven.

'Ik ben toch aan het juiste adres?' vroeg ik. 'U bent Horace en Gretchen Richler en uw dochter heet Jan.'

Gretchen kwam van achter haar man vandaan en sprak me voor het eerst aan.

'Dat klopt,' fluisterde ze.

'Mijn dochter is dood,' zei Horace met opeengeklemde kaken.

De opmerking trof me als een mokerslag. Er was iets verschrikkelijks gebeurd. Ik was te laat gekomen.

'Mijn god,' zei ik. 'Wanneer? Wat is er gebeurd?'

'Ze is lang geleden gestorven,' zei hij.

Ik liet mijn adem ontsnappen. Ik had gedacht dat hij bedoelde dat er onlangs iets gebeurd was met Jan. Nu nam ik aan dat hij bedoelde dat het was alsof Jan voor hem dood was omdat zijn dochter en hij van elkaar vervreemd waren. 'Ik snap dat het voor u zo kan voelen, meneer Richler. Maar als u ooit van uw dochter gehouden hebt, dan moet u me nu helpen.'

Gretchen zei: 'U begrijpt het niet. Ze is echt dood.'

Ik voelde weer die klap. Ik was te laat gekomen. Was Jan al bij haar ouders langs geweest? Had ze zich hier van het leven beroofd? Was dat haar laatste wraakneming op hen? Om naar Rochester te komen en voor hun ogen zelfmoord te plegen?

Ik bracht met moeite uit: 'Waar hebt u het over?'

'Ze is gestorven toen ze een klein meisje was,' zei Gretchen. 'Toen ze nog maar vijf jaar was. Het was iets verschrikkelijks.'

DEEL III

17

De vrouw deed haar ogen open. Ze knipperde er een paar keer mee om aan het donker te wennen.

Ze lag op haar rug in bed en staarde naar het plafond. Het was warm in de kamer – ergens zoemde en ratelde er een airco, maar die slaagde er niet in koelte te verspreiden – en in haar slaap had ze het dekbed tot haar middel afgegooid.

Ze legde haar hand op haar buik om te voelen of ze gezweet had. Haar huid was koel, maar enigszins vochtig. Het bracht haar even van haar stuk toen ze erachter kwam dat ze naakt was. Ze sliep al heel lang niet meer naakt. De eerste paar maanden van haar huwelijk, inderdaad, maar daarna wilde je gewoon iets aanhebben.

Door de verbogen luxaflex viel het lichtschijnsel van de hoge lantaarnpalen langs de autoweg naar binnen. Ze luisterde naar het onophoudelijke geraas van langsrijdend verkeer: grote opleggers die door de nacht denderden.

Ze probeerde zich te herinneren waar ze precies was.

Ze liet haar benen onder het dekbed uit glijden, ging rechtop zitten en zette haar voeten op de vloer. Het goedkope tapijt prikte onder haar tenen. Ze bleef even op de rand van het bed zitten, voorovergebogen, met haar hoofd in haar handen, waardoor haar haar voor haar ogen viel.

Ze had hoofdpijn. Ze keek naar het nachtkastje, alsof daar bij toverslag een glas water met wat aspirientjes zou verschijnen, maar het enige wat ze bij het spaarzame licht zag waren wat verfrommelde bankbiljetten en wat kleingeld, een digitale klok waarop 00:10 uur stond en een blonde pruik.

Nu wist ze dat ze hooguit een uur geslapen had. Ze was rond half elf naar bed gegaan, had tot over elven liggen woelen en naar de gevlekte plafondtegels liggen kijken. Kennelijk was ze op een gegeven moment toch weggedommeld, maar van dat uurtje slaap was ze niet uitgerust.

Ze stond langzaam op, was in twee stappen bij het raam en gluurde door de luxaflex. Het uitzicht was niet geweldig. Een parkeerplaats waar ongeveer een kwart van de plekken bezet was. Een reclamezuil met BEST WESTERN die hoog genoeg was om van de weg af te worden gezien. In de verte stonden meer reclamezuilen. Eentje voor Mobil, eentje voor de McDonald's.

De vrouw liep naar de deur en controleerde of die nog steeds op slot zat.

Ze liep zachtjes door de kamer en duwde de deur naar de badkamer open. Ze ging naar binnen, tastte naar het lichtknopje en wachtte tot ze de deur had gesloten voor ze het licht aanknipte.

Het felle licht deed pijn aan haar ogen. Ze kneep ze dicht tot ze eraan gewend was en keek toen naar haar naakte spiegelbeeld in de enorme spiegel boven de wastafel.

'Gadver,' fluisterde ze. Haar zwarte haar piekte, haar ogen waren donker, haar lippen droog.

Er stond een kleine canvas toilettas op het blad van de wastafel. Een paar spulletjes lagen eruit, onder andere een tandenborstel, wat make-up, een borstel. Ze deed de tas wat verder open en rommelde erin.

'Ja,' zei ze toen ze gevonden had wat ze zocht. Een klein buisje aspirine. Ze draaide de dop eraf en tikte twee tabletten in de palm van haar hand. Ze stopte ze in haar mond en boog zich over de lopende kraan om wat water met haar hand op te scheppen. Ze kreeg genoeg in haar mond om de pillen door te kunnen slikken. Ze hield haar hoofd achterover om ze makkelijker door haar keel te laten glijden en dronk toen nog wat water uit haar hand. Ze pakte een handdoek om haar hand en kin af te drogen.

Ze keek naar beneden, naar het verband om haar rechterenkel, en vertrok haar gezicht. Die snee zou nu nog niet geheeld zijn. Maar over een paar dagen zou het wel weer in orde zijn.

Op dat moment rommelde haar maag, zo hard dat het geluid tegen de tegels van de kleine badkamer leek te weerkaatsen. Misschien had ze daarom hoofdpijn. Ze had honger. Ze had de hele dag bijna niets gegeten. Ze was te gespannen geweest. Ze was bang geweest dat ze het er meteen weer uit zou braken.

De McDonald's was waarschijnlijk vierentwintig uur per etmaal geopend. Vrachtwagenchauffeurs moeten midden in de nacht ergens kunnen eten. Een Big Mac, dat was voldoende. Ze stelde zich de heerlijke flauwe smaak van zo'n ding voor. Er was niets meer te eten in de motelkamer, nog geen handjevol Dorito's of een halve Mars. Ze hadden onderweg wat fastfood gehaald, maar daar had ze amper iets van gegeten.

Ook al had ze honger, ze ging deze motelkamer niet uit. Het was het beste binnen te blijven, althans voorlopig. Ze zou 's nachts als vrouw alleen meer de aandacht trekken dan overdag.

Ze legde haar hand op de deurkruk van de badkamer en deed het licht uit voor ze hem omlaag drukte. Nu moest ze haar ogen weer aan het donker laten wennen zodat ze niet over iets zou struikelen op weg terug naar het bed.

Ze liep terug naar het raam, zo half en half in de verwachting dat ze de blauwe Ford Explorer daar buiten zou zien staan. Maar die was al lang geleden en hier ver vandaan achtergelaten. Uiteindelijk zou hij natuurlijk gevonden worden, en het was niet uit te maken of dat goed of juist niet goed zou blijken te zijn. Lyall zou de politie inmiddels wel gebeld hebben. Ook al was het nog zo'n waardeloze sukkel, hij zou er uiteindelijk toch achter zijn gekomen dat zijn vrouw niet thuisgekomen was. Altijd maar zuipen, tot laat uit met z'n vrienden, nooit eens een handje helpen in het huishouden, en dan die rothond. De stank van het beest had in de Explorer gehangen. Lyall had in elk geval geen kwaaie dronk gehad. Af en toe had hij iets over zich gehad alsof hij het niet langer pikte. Maar dat duurde nooit lang. De man had het niet in zich om terug te vechten.

Iemand bewoog in het bed waarin zij zonet nog had liggen slapen.

Ze wendde zich van het raam af. Er bleef weinig over dan weer proberen in slaap te komen. Misschien zou ze weer in kunnen dommelen als de aspirine zijn werk ging doen. Ze keek op de wekker: 00:21 uur.

Er was geen reden om morgen vroeg op te staan. Geen werk meer waar ze naartoe moest. Niemand om het ontbijt voor klaar te maken.

Ze ging zachtjes op de rand van het bed zitten, hief haar benen heel langzaam op en stak ze onder het dekbed, liet haar hoofd op het kussen zakken en probeerde haar adem in te houden. Als er iets goed was aan motelbedden, dan was dit het wel. De matrassen leken op beton te rusten, niet op een boxspring, en je kon in en uit het bed stappen zonder je partner in zijn slaap te storen.

Maar dit keer niet.

Degene aan de andere kant van het bed draaide zich om en zei: 'Wat is er, schatje?'

'Sst, ga weer slapen,' zei ze.

'Wat is er?'

'Ik had hoofdpijn. Ik zocht een aspirientje.'

'Ze zitten in dat kleine toilettasje.'

'Ik heb ze al gevonden.'

Een hand werd naar haar uitgestoken. Hij vond haar borst en begon de tepel tussen duim en wijsvinger te kneden.

'Jezus, Dwayne. Ik zeg toch dat ik hoofdpijn heb en dan begin jij handtastelijk te worden?'

Hij trok zijn hand terug. 'Je bent gewoon gestrest. Het zal nog wel even duren voor je over dat hele Jan-gedoe heen bent.'

De vrouw zei: 'Er is niks om overheen te komen. Ze is dood.'

18

'Dus rot maar op, en gauw een beetje,' zei Horace Richler tegen me.

'Ik… ik begrijp er niets van,' zei ik. Ik stond nog steeds in de deurope-ning en keek Horace en zijn vrouw Gretchen aan.

'Jammer dan,' zei hij. Hij zette zijn gewicht tegen de deur om hem dicht te duwen.

'Wacht!' zei ik. 'Alstublieft. Dit slaat nergens op.'

'Nee toch!' zei Horace sarcastisch. 'Je maakt ons midden in de nacht wakker en vraagt naar onze gestorven dochter. Inderdaad, dat slaat nergens op.'

Hij had de deur bijna dichtgeduwd, toen Gretchen zei: 'Horace.'

'Wat?'

'Wacht nog even.' De deur ging niet verder open, maar hij ging ook niet dicht. Gretchen zei tegen mij: 'Wie was u ook alweer?'

'David Harwood,' zei ik. 'Ik woon in Promise Falls.'

'En uw vrouw heet Jan?'

Horace onderbrak haar. 'Jezus christus, Gretchen. De man is gestoord. Moedig hem nu niet aan.'

Ik zei: 'Inderdaad. Jan, of Janice. Ze heet nu Janice Harwood, maar voor we trouwden heette ze Jan Richler.'

'Er zijn ongetwijfeld een heleboel Jan Richlers,' zei Gretchen. 'U bent aan het verkeerde adres.'

Ik had mijn handpalm tegen de deur gelegd en hoopte dat hij niet ver-der dichtgedaan zou worden. 'Maar op haar geboortebewijs staat dat haar ouders Horace en Gretchen heten, en dat ze hier in Rochester geboren is.'

De twee staarden me aan, alsof ze niet wisten of ze het moesten geloven.

Verrassend genoeg was het Horace die vroeg: 'Wat is haar geboordeda-tum?' Hij zei het uitdagend, alsof hij verwachtte dat ik het antwoord niet zou weten.

Ik zei: '14 augustus 1975.'

Het was alsof ze allebei verschrompelden. Horace reageerde alsof hij een stomp in zijn maag had gekregen. Hij klapte dubbel en liet zijn hoofd hangen. Hij liet de deur los, wendde zich af en deed een stap het huis in.

Gretchens gezicht was betrokken, maar ze was bij de deur blijven staan. 'Het spijt me,' zei ik. 'Dit is voor mij net zo'n schok als voor u.'

Gretchen schudde droevig haar hoofd. 'Dit is heel erg moeilijk voor hem.'

'Ik weet niet hoe ik dit uit moet leggen,' zei ik. Mijn knieën knikten en ik besefte dat ik stond te trillen. 'Mijn vrouw wordt sinds vandaag vermist. Sinds zaterdag om een uur of twaalf. Ze is gewoon verdwenen. Ik heb proberen te verzinnen met wie ze contact kan hebben opgenomen, en daarom ben ik naar u toe gekomen.'

'Hoe kan het dat uw vrouw het geboortebewijs van onze dochter heeft?' vroeg Gretchen. 'Hoe kan dat?'

Voor ik zelfs maar een poging wilde doen om een verklaring te bedenken, vroeg ik: 'Mag ik binnenkomen?'

Gretchen wendde zich tot haar man, die zonder naar ons te kijken had staan luisteren. 'Horace?' zei ze. Het enige wat hij deed was zijn hand berustend opheffen, een gebaar van overgave, alsof hij wilde zeggen dat het aan zijn vrouw was of ik binnen mocht komen of niet.

'Vooruit dan maar,' zei ze terwijl ze de deur wijder openhield.

Ze ging me voor, een huiskamer in die vol stond met meubilair dat ze waarschijnlijk van hun ouders hadden gekregen. Alleen de vaalbruine bank zag eruit alsof hij minder dan twintig jaar oud was. De enige kleur die er was kwam van kussens in gehaakte hoezen die een beetje op bloemen leken. Ze lagen verspreid over de bank en de stoelen, als postzegels op een oude bruine envelop. Goedkope landschapjes hingen zo hoog aan de muren dat ze bijna het plafond raakten.

Ik ging als eerste zitten op een van de stoelen. Gretchen ging op de bank zitten terwijl ze haar ochtendjas strak om zich heen trok. 'Horace, lieverd, ga zitten.'

Er stonden een paar familiefoto's in lijstjes in de kamer. Op de meeste stonden de Richlers, alleen of samen, vaak met een jongen erbij. Als de foto's in chronologische volgorde zouden zijn neergezet, dan had ik de ontwikkeling kunnen zien van een jongetje van een jaar of drie tot een volwassen man van begin twintig. Er was een foto van hem als volwassene in uniform.

Gretchen ving mijn blik op. 'Dat is Bradley,' zei ze.

Ik knikte. Normaal gesproken had ik een opmerking gemaakt dat het een knappe, aantrekkelijke jongen was of zo, wat ook zo was. Maar ik was te verbijsterd om gewone beleefdheden uit te wisselen.

Schoorvoetend kwam Horace Richler naar de bank. Hij ging naast zijn vrouw zitten. Gretchen legde haar hand op zijn in pyjama gestoken knie.

'Hij is dood,' zei Horace toen hij zag dat ik naar een foto van de jonge man keek.

'Afghanistan,' zei Gretchen. 'Een bermbom.'

'Wat erg.'

'Hij is samen met twee Canadezen gesneuveld,' zei ze. 'Bijna twee jaar geleden. Even buiten Kabul.'

Het bleef even stil in de kamer.

'Dus allebei onze kinderen zijn dood,' zei Gretchen.

Aarzelend zei ik: 'Ik zie geen foto's van uw dochter.' Ik wilde heel graag zien hoe ze eruit had gezien, ook als vijfjarige. Ik wist zeker dat als het Jan was, ik haar zou herkennen.

'Die hebben we niet in de kamer,' zei Gretchen.

Ik zei niets, wachtte op uitleg.

'Het is... het is heel moeilijk,' zei ze. 'Zelfs na al die jaren. Om eraan herinnerd te worden.'

Weer viel er een ongemakkelijke stilte. Tot Horace, wiens lippen al bewogen hadden als voorbereiding op wat hij ging zeggen, eruit gooide: 'Ik heb haar vermoord.'

Ik was amper tot spreken in staat. 'Wat?'

Hij keek neer op zijn schoot, kennelijk beschaamd. Gretchen verstevigde haar greep op zijn knie en legde haar andere hand op zijn schouder. 'Horace, dat moet je niet zeggen.'

'Het is de waarheid,' zei hij. 'Het is al zo lang geleden, het heeft geen zin er langer omheen te draaien.'

Gretchen zei: 'Het was iets verschrikkelijks. Het was Horace' schuld niet.' Haar hele gezicht kneep samen, alsof ze vocht tegen haar tranen. 'Ik ben die dag mijn dochter en mijn man kwijtgeraakt. Hij is nooit meer de oude geworden. Zelfs na dertig jaar niet. En hij is een goede man, hij deugt. Geloof het maar niet als ze iets anders zeggen.'

Ik vroeg: 'Wat is er gebeurd?'

Gretchen wilde iets zeggen, maar Horace was haar voor. 'Laat mij het maar vertellen,' zei hij, alsof het een onderdeel van zijn straf was om te biechten. 'Ik ben een dochter kwijtgeraakt, en een zoon. Wat maakt het verder in godsnaam nog uit?'

Hij leek naar kracht te zoeken om verder te gaan.

'Het was op 3 september 1980. Nadat ik thuis was gekomen van mijn werk en nadat Gretchen het eten gemaakt had. Jan en een vriendinnetje, Constance, speelden in de voortuin.'

'Ze maakten meer ruzie dan dat ze speelden,' merkte Gretchen op, en ik keek haar aan. 'Ik hield ze door het raam in de gaten. U weet wel hoe kleine meisjes soms zijn.'

Horace ging door. 'Ik had een afspraak met een stel vrienden voor na het eten. We gingen bowlen. Ik bowlde toen in clubverband. Waar het om gaat: ik was laat thuisgekomen en had zo snel mogelijk gegeten, omdat ik om zes uur had afgesproken en het al tien over zes was toen ik klaar was. Dus ik rende naar mijn auto, sprong erin en reed zo snel mogelijk achteruit de oprit af.'

Ik wachtte. Ik voelde me misselijk.

'Hij kon er niets aan doen,' zei Gretchen weer. 'Jan… ze kreeg een duw.'

'Wat?' zei ik.

'Als ik niet zo'n haast had gehad,' zei Horace, 'dan was er niets gebeurd. Je moet de schuld niet op dat kleine meisje schuiven.'

'Maar zo is het gebeurd,' zei Gretchen. 'De meisjes hadden ruzie, ze stonden bij de oprit en Constance duwde Jan voor de auto, net toen Horace achteruitreed.'

'O mijn god,' zei ik.

Horace zei: 'Ik wist meteen dat ik iets geraakt had. Ik trapte op de rem en stapte uit, maar…'

Hij zweeg, balde zijn handen tot vuisten alsof hij daarmee de tranen die in zijn ogen opwelden kon tegenhouden. Bij hem lukte dat, maar niet bij Gretchen.

Ik probeerde te slikken.

'Het andere meisje begon te gillen,' zei Gretchen. 'Het was haar schuld, maar je kunt een kind niet echt iets kwalijk nemen. Kinderen weten niet wat voor gevolgen hun daden kunnen hebben. Ze kunnen niet anticiperen.'

'Zij bestuurde die auto niet,' zei Horace. 'Ik zat achter het stuur. Ik had moeten kijken. Ik was degene die had moeten anticiperen, en dat heb ik niet gedaan. Ik maakte me te druk of ik wel op tijd zou zijn voor dat stomme bowlen.' Hij schudde zijn hoofd. 'En het erge is dat ik geen straf heb gekregen. Ze zeiden allemaal dat het mijn schuld niet was, dat het een ongeluk was, gewoon een van de verschrikkelijke dingen die kunnen gebeuren.

Hadden ze me maar wel gestraft, maar misschien had het niets uitgemaakt. Geen straf, afgezien van de doodstraf dan, had mij ervan weerhouden om mezelf nog meer te willen straffen.'

'Horace heeft zich een paar keer van het leven proberen te beroven,' zei Gretchen.

Hij keek opzij, meer gegeneerd door die onthulling dan door wat hijzelf verteld had. Toen hij verder niets meer zei, was het duidelijk dat het verhaal ten einde was.

'Het leven van het meisje dat Jan geduwd heeft, is die dag ook kapotge- maakt. Ik weet dat ze medelijden verdient,' zei Gretchen, 'maar dat heb ik nooit voor haar kunnen voelen. En ook niet voor haar ouders. Ze zijn daar- na verhuisd, dat is niet verwonderlijk. Soms denk ik wel eens dat wij ook hadden moeten verhuizen.'

'Elke keer wanneer ik in de auto stap, denk ik aan wat ik gedaan heb,' zei Horace. 'Elke keer, al die jaren.'

Dit was de verdrietigste kamer waar ik ooit geweest was.

Ik was volkomen van streek. Het was al verschrikkelijk genoeg om te luisteren naar het verhaal van Horace Richler over hoe hij zijn eigen doch- tertje had overreden. Maar de implicaties ervan verpletterden me.

Hij had het over Jan. De Jan op het geboortebewijs van mijn vrouw.

Maar de Jan van Horace was al tientallen jaren dood. En mijn Jan leefde nog, althans tot vandaag.

Mijn vrouw had de naam van het kind van Horace en Gretchen Richler. Ze had haar geboortebewijs. Maar het was glashelder dat het niet dezelfde persoon kon zijn.

Ik was met stomheid geslagen. Ik was zo verdoofd door dit verhaal dat ik zelfs niet wist wat ik verder moest vragen.

'Meneer Harwood?' zei Gretchen. 'Alles goed?'

'Het spijt me. Ik…'

'U ziet er slecht uit. U hebt kringen onder uw ogen. U ziet eruit alsof u al heel lang niet geslapen hebt.'

'Ik… ik begrijp hier helemaal niets van.'

'Tja,' zei Horace, die zijn best deed zijn stem weer wat normaler te laten klinken. 'Wij begrijpen ook helemaal niets van wat u hier komt doen.'

Ik probeerde mijn gedachten te ordenen. 'Een foto. Mag ik alstublieft een foto van Jan zien?'

Gretchen wisselde een blik met haar echtgenoot en kwam toen tot de conclusie dat dit een redelijk verzoek was. Ze stond op en liep naar een ouderwets cilinderbureau dat in de hoek van de kamer stond. Ze ging op de stoel ervoor zitten, rolde de klep omhoog en stak haar hand erin.

Ze had kennelijk af en toe tersluiks de foto bekeken, want ze had hem meteen te pakken. Ik begreep wel, vanuit Horace geredeneerd, waarom de foto niet in de kamer stond. Niemand wilde toch elke dag aangekeken worden door de dochter die je gedood had.

Het was een zwart-witte portretfoto, zo'n foto die je bij een groot warenhuis kon laten maken, ongeveer acht bij dertien centimeter. Hij was enigszins verschoten en een hoekje was omgekruld.

Ze gaf de foto aan mij. 'Deze is genomen ongeveer twee maanden voor ze…' zei ze.

Jan Richler was een heel mooi kind geweest. Een engelachtig gezichtje, kuiltjes in haar wangen, heldere ogen, blond krullend haar.

Ik bestudeerde de foto aandachtig, op zoek naar iets wat me aan mijn vrouw deed denken. Misschien iets in de ogen, de manier waarop ze haar mondhoek optrok, de lijn van de neus.

Ik probeerde me voor te stellen dat deze foto op een tafel zou liggen vol foto's van andere kinderen. Ik keek of er iets was waardoor ik hem eruit zou pikken en zou zeggen: dat is ze. Dat is het meisje met wie ik getrouwd ben.

Er was niets.

Ik gaf de foto terug aan Gretchen Richler. 'Dank u wel,' zei ik zachtjes.

'En?' vroeg ze.

'Ik weet dat ik een open deur intrap als ik zeg dat dat mijn vrouw niet is,' zei ik. 'Maar inderdaad, dit is mijn vrouw niet.'

Horace maakte een brommerig geluid.

'Mag ik u een foto laten zien?' vroeg ik terwijl ik in mijn binnenzak tastte. Ik haalde een van de kopietjes tevoorschijn die ik geprint had van de foto die ik naar rechercheur Duckworth had gemaild. De foto uit Chicago.

Horace nam hem aan, wierp er een vluchtige blik op en gaf hem toen aan Gretchen.

Zij schonk de foto de aandacht die hij volgens mij verdiende, gezien het feit dat dit de vrouw was die haar dochters naam droeg. Ze hield hem eerst op armlengte van zich af, bracht hem toen dichterbij, nam hem als het ware onder de loep en legde hem toen op tafel.

'Herkent u iets?' vroeg ik.

'Ik zie alleen… hoe mooi uw vrouw is,' zei ze bijna dromerig. 'Ik vind het prettig om te bedenken dat als Jan geleefd zou hebben, ze net zo mooi zou zijn geweest als uw vrouw hier.' Ze pakte de foto op om hem aan mij terug te geven, maar bedacht zich toen. 'Als deze vrouw, uw vrouw, de naam van onze dochter gebruikt, heeft ze misschien banden in deze buurt. Mag ik deze foto houden, voor het geval dat ik haar tegenkom?'

Ik had een heleboel kopietjes geprint. Het kon natuurlijk dat Jan hier zou opdagen, hoewel ik me nu niet meer kon voorstellen waarom, en het zou dus goed zijn als haar beeltenis vers in het geheugen van de Richlers lag. 'Natuurlijk,' zei ik.

Ze pakte de foto op en legde hem in het bureau met die van haar dochter en bleef daar toen staan, met haar rug naar ons toe.

Horace zei: 'En deze vrouw beweert dat wij haar ouders zijn?'

'Ze heeft u nooit bij name genoemd,' zei ik. 'Ik heb dat van haar geboortebewijs.'

Gretchen draaide zich langzaam om en vroeg: 'Vond u het niet raar dat ze u nooit aan haar ouders heeft voorgesteld?'

'Ze zei altijd dat ze van haar familie vervreemd was. Daarom ben ik hiernaartoe gekomen. Ik dacht dat ze het contact misschien had willen herstellen. Dat ze haar hart wilde luchten. Zoiets. Want de afgelopen weken was ze erg in de war. Depressief. Ik vroeg me af of ze misschien de schimmen uit het verleden wilde verjagen. Dat ze dingen die haar al jaren dwarszaten eindelijk onder ogen wilde zien.'

'Willen jullie me even excuseren,' zei Gretchen met trillende stem.

Het was niet nodig iets te zeggen. Nadat ze de trap op was gegaan en we een deur hoorden dichtvallen, zei Horace tegen me: 'Je denkt dat je eroverheen bent, en dan gebeurt er iets en wordt de wond weer helemaal opengereten.'

'Het spijt me,' zei ik.

'Ach ja, dat zal inderdaad wel,' zei Horace.

Ik knikte nogmaals en wilde opstaan. Ik stond te trillen op mijn benen.

'Ik hoop dat u niet van plan bent om nu achter het stuur te kruipen,' zei Horace.

'Het zal wel gaan,' zei ik. 'Ik zal onderweg wel ergens koffie gaan drinken.'

'U ziet er zo moe uit, een kopje koffie zal dat niet verhelpen,' zei hij. Het was voor het eerst dat er iets verzoenends in zijn stem doorklonk.

'Ik moet naar huis, naar mijn zoontje,' zei ik. 'Als het nodig is, zet ik de auto wel even aan de kant en doe ik een hazenslaapje.'

Van boven aan de trap zei Gretchen: 'Hoe oud is uw zoontje? Hij lijkt een jaar of drie op de foto met uw vrouw.'

Ik keek toe hoe ze de trap af liep, langzaam in het zicht kwam. Ze leek zich vermand te hebben in de afgelopen minuten. 'Hij is vier,' zei ik. 'Hij heet Ethan.'

'Hoe lang bent u al getrouwd?'

'Vijf jaar.'

'Wat heeft uw zoontje eraan als u achter het stuur in slaap valt en in een greppel terechtkomt?'

Ik wist dat ze gelijk had. 'Misschien kan ik een hotel vinden,' zei ik.

Gretchen wees op de bank waar Horace nog op zat. 'U mag best hier blijven slapen, hoor.'

De bank met zijn vrolijke gehaakte kussens zag er opeens heel uitnodigend uit.

'Ik wil u niet tot last zijn,' zei ik.

'Alstublieft,' zei ze.

Ik knikte dankbaar. 'Morgenochtend vertrek ik meteen.'

Horace had zijn wenkbrauwen gefronst. Zijn gezicht stond strak. 'Sorry dat ik het vraag,' zei hij, 'maar als uw vrouw beweert dat ze Jan Richler is terwijl ze dat niet is, wie is ze dan wel?'

De vraag had zich ook aan mij opgedrongen, maar ik had geprobeerd hem te negeren.

Horace was nog niet uitgesproken. 'En hoe kan ze dat ons kleine meisje aandoen? Haar naam stelen? Heeft ze niet al genoeg geleden?'

19

Die zondagochtend liep de wekkerradio van de Duckworths om half zeven af.

De politieman bewoog zich niet. Hij hoorde niet dat de nieuwslezer zei dat het een bewolkte dag zou worden, dat het niet warmer werd dan vijfentwintig graden en dat het maandag wellicht zou regenen.

Maar Maureen Duckworth hoorde dat allemaal wel omdat ze al wakker was, en dat was ze al een tijdje. Een nachtmerrie had haar om een uur of vier gewekt, weer een nachtmerrie over hun negentienjarige zoon Trevor, die met zijn vriendin Thrish door Europa trok en in geen twee dagen gebeld had of een mailtje had gestuurd, wat typerend voor hem was. Nooit eraan denken hoeveel zorgen zijn moeder zich maakte. In deze droom had haar zoon besloten van de Eiffeltoren af te bungyjumpen, maar op zijn weg naar beneden werd hij aangevallen door een stel vliegende apen.

Ze wist dat er van alles kon gebeuren met een kind dat weg was van huis, maar ze moest toegeven dat dit wel een heel onwaarschijnlijk scenario was. Ze hield zich voor dat deze nachtmerrie niets speciaals betekende, dat het geen voorteken was, dat het niets meer was dan een stomme, krankzinnige droom. Daarna zou ze waarschijnlijk wel weer in slaap gevallen zijn als haar man naast haar niet zo hard had liggen snurken dat de ramen ervan trilden.

Ze gaf Barry een zetje zodat hij van zijn rug op zijn zij zou rollen, maar dat hielp helemaal niets. Het was of je naast een trekzaag lag te slapen.

Ze draaide de oordopjes in die ze naast haar bed bewaarde voor dit soort noodgevallen, maar die waren net zo effectief als een beetje lipbalsem als je verder naakt een sneeuwstorm tegemoet liep.

Ze had naar de wekkerradio liggen kijken toen hij op 06:29 uur stond en telde in haar hoofd de seconden af tot hij af zou gaan. Ze zat er maar twee seconden naast.

Ze had Barry overgehaald die stripjes uit te proberen die je op je neuspunt plakte, waarmee de neusgaten geopend bleven, maar die werkten niet. Vervolgens had ze antisnurktabletten voor hem gekocht, die hij moest innemen voor hij naar bed ging, maar die richtten ook niets uit.

Wat volgens haar echt zou helpen was wat afvallen. En daarom gaf ze hem fruit en muesli voor zijn ontbijt, en stopte ze een hoop wortels in z'n lunchtrommeltje en was ze zuinig met vet bij het bereiden van het avondeten.

Ze stapte uit bed en pakte de vuile kleren in de kamer op. De kleren die ze zelf die avond ervoor had uitgetrokken en de broek en het overhemd dat Barry had neergekwakt toen hij thuis was gekomen van zijn werk. Hij had een extra lange dag gemaakt, op zoek naar de vrouw die verdwenen was in het pretpark.

Ze keek naar de broek. Wat was dat voor vlek? IJs? Vermengd met gebakskruimels?

'Barry,' zei ze. Hij verroerde zich niet. 'Barry,' herhaalde ze, dit keer een beetje harder zodat ze het gesnurk overstemde.

Ze liep om het bed heen en legde haar hand op zijn schouder.

Hij snoof, deed zijn ogen open. Hij knipperde er een paar keer mee en hoorde toen de radio.

'Ja, oké,' zei hij. 'Ik heb helemaal niet gehoord dat hij aanging.'

'Ik wel,' zei Maureen. 'Moet je vandaag echt naar je werk?'

Hij schudde zijn hoofd op het kussen. 'Ik wil zien of dat persbericht van gisteren nog iets opgeleverd heeft.'

'Kun je me vertellen wat dit betekent?' zei ze terwijl ze zijn bevlekte broek een paar centimeter van zijn neus af hield.

Hij keek scheel. 'Ik werkte undercover. Ik moest me ambtshalve laten afrukken.'

'Ja, dat zou je wel willen. Maar dit is ijs, toch?'

'Kan zijn.'

'Waar heb jij ijs gegeten?'

'Je weet toch van die verdwenen vrouw? Ik ben bij haar baas langs geweest. Je kent dat busje toch wel, van Bertram's Heating and Cooling?'

'Jawel.'

'Dat is 'm. Z'n vrouw gaf me een stuk taart.'

'Met ijs.'

'Inderdaad.'

'Wat voor taart?'

'Appel.'

Maureen Duckworth knikte alsof ze het opeens begreep. 'Ik zou nu ook wel trek hebben in een stukje appeltaart, als we dat in huis hadden.'

'Wat hebben we dan wel?'

'Je krijgt fruit. En muesli,' zei ze.

'Je weet toch wel dat martelen niet meer mag? Dat zegt de nieuwe regering.'

De telefoon ging over.

Maureen reageerde niet. De telefoon ging in dit huis op de raarste momenten over. 'Ik neem hem wel,' zei ze toen. Ze nam het toestel naast het bed op. 'Hallo... ja... hoi... Nee, maak je niet druk, ik was al wakker... Jawel, hij is er... Ik probeer hem net uit bed te takelen.'

Ze hield Barry de telefoon voor. Hij leunde over het bed om hem te pakken.

'Met Duckworth,' zei hij.

'Goeiemorgen. Heb je een pen bij de hand?'

Barry pakte pen en papier, die altijd naast de telefoon lagen. Hij noteerde een naam en een telefoonnummer, maakte een paar aantekeningen. 'Geweldig. Bedankt,' zei hij, en hij hing op.

Maureen keek hem vol verwachting aan.

'We hebben iets,' zei hij.

Duckworth wachtte tot hij gedoucht en aangekleed was en een kop koffie in zijn hand had voor hij met de telefoon in de keuken het nummer belde.

Iemand nam na twee keer overgaan op. 'Met Ted,' zei een mannenstem.

'Spreek ik met Ted Brehl?' vroeg Duckworth.

'Jawel.'

'Spreek ik het goed uit?'

'Jazeker.'

'U spreekt met Barry Duckworth, van de politie van Promise Falls. U hebt ongeveer een half uur geleden gebeld?'

'Ja. Ik zag het gisteren op het nieuws. Toen ik vanochtend opstond en de winkel wilde openen, dacht ik dat ik jullie maar moest bellen.'

'Waar is uw winkel?'

'Bij Lake George. Aan de 87.'

'Ik ken de buurt. Erg mooi daar.'

Maureen zette een kom muesli, met banaan en aardbeien erop, voor haar echtgenoot neer.

'Inderdaad. Nou, ik heb die vrouw gezien.'

'Jan Harwood.'

'Jazeker. Ze was hier in de winkel.'

'Wanneer was dat?'

'Vrijdag. Om een uur of vijf.'

'Vijf uur 's middags?'

'Ja. Ze kocht een flesje water en een blikje ijsthee.'

'Was ze alleen?'

'Ze kwam in haar eentje de winkel in, maar ze was met een man, haar echtgenoot. Hij bleef in de auto wachten.' Ted Brehls beschrijving van de auto kwam overeen met de auto van David Harwood.

'Dus zij kocht wat te drinken en toen reden ze weer door?'

'Nee. Ze bleven een tijdje in de auto zitten praten. Ik heb een paar keer naar buiten gekeken. Toen ik rond half zes weer keek, waren ze weg.'

'Weet u zeker dat zij het was?'

Brehl aarzelde niet. 'O ja. Ik bedoel, ik had het misschien vergeten als ze niet een praatje met me had aangeknoopt. En ze ziet er goed uit. Zo iemand vergeet je niet gauw.'

'Waar had ze het over?'

'Ik probeer me te herinneren hoe ze het zei. Ze zei dat ze hier nog nooit geweest was, tenminste niet voor zover ze zich kon herinneren. Ik vroeg haar waar ze naartoe ging, en ze zei dat ze dat niet precies wist.'

'Ze wist het niet?'

'Ze zei dat haar man haar had meegenomen voor een ritje naar buiten. De bossen in. Ze zei dat het misschien een verrassing was of zo, want ze had tegen niemand mogen zeggen waar ze heen ging.'

Daar dacht Duckworth even over na.

'Wat zei ze verder nog?'

'Dat was het zo'n beetje.'

'En hoe was haar stemming?'

'Stemming?'

'Was ze gelukkig? Depressief? Zorgelijk?'

'Gewoon. Niks aan de hand, begrijpt u?'

'Jazeker,' zei Duckworth. 'Zeg, fijn dat u gebeld hebt. We nemen binnenkort nog even contact met u op.'

'Oké. Ik wilde gewoon helpen.'

Duckworth hing op en keek toen neer op zijn bakje muesli. 'Heb je wat suiker of slagroom om erop te doen?' vroeg hij.

Maureen ging tegenover hem zitten. 'Nu al twee dagen,' zei ze. Barry wist meteen dat ze het over hun zoon Trevor had. Hij pakte haar hand.

20

Ik werd vroeg wakker op de bank van de Richlers, maar dat hinderde niet omdat ze zelf ook mensen waren die vroeg opstonden. Ik hoorde even na zessen Horace Richler al in de keuken rondscharrelen. Vanaf de bank kon ik hem in zijn pantoffels en badjas bij de gootsteen zien staan. Hij liet water in een glas lopen en stopte wat pillen in zijn mond, daarna draaide hij zich om en slofte de trap weer op.

Toen hij weg was gooide ik de gehaakte deken van me af die Gretchen zelf gemaakt had, zoals ze me vertelde. Het ding was zo groot dat ik zou denken dat je minstens tweehonderd jaar nodig zou hebben om hem te maken. Hoewel ik wel het een en ander had ingepakt, had ik ervoor gekozen in mijn kleren te gaan slapen, en ik had alleen mijn jasje en schoenen uitgetrokken voor ik mijn hoofd neerlegde op het echte kussen – niet zo'n gehaakt geval – dat Gretchen me gebracht had.

'Het spijt me dat we geen beter bed hebben dan de bank,' had ze gezegd. 'In de kamer van onze zoon kan niemand slapen. Die hebben we helemaal gelaten zoals hij was. En van de logeerkamer hebben we een rommelkamer gemaakt. We hebben niet vaak gasten.' Ze dacht even na. 'Ik geloof eerlijk gezegd dat we nog nooit een logé hebben gehad. U bent waarschijnlijk de eerste en de laatste.'

Een douche zou prettig zijn geweest, maar ik wilde niet lastig zijn. Ik pakte mijn reistas en ging naar de wc op de begane grond achter in het huis. Ik schoor me, poetste mijn tanden en maakte mijn haar nat zodat het weer plat lag. Toen ik de wc uit stapte, rook ik de geur van koffie.

Gretchen was aangekleed en stond in de keuken. 'Goedemorgen,' zei ze.
'Goedemorgen.'
'Hebt u goed geslapen?'
'Best,' zei ik. Ook al was ik vol zorgen geweest toen ik naar bed ging, mijn lichaam was uitgeput en ik was meteen vertrokken. 'En u?'
Ze glimlachte, alsof ze niet wilde dat wat ze te zeggen had me zou kwet-

sen. 'Niet zo goed. Uw nieuws was erg verontrustend. Het heeft een hoop nare herinneringen opgerakeld. Vooral bij Horace. Ik bedoel, het verlies van Jan was voor ons allebei verschrikkelijk, maar gezien de manier waarop...'

'Ik begrijp het,' zei ik. 'Het spijt me. Maar ik had geen idee.'

'Zoiets als dit... het raakt zo veel mensen. Ons, onze familie, de school van Jan. Haar kleuterjuf, juffrouw Stephens, moest een week ziekteverlof opnemen, zo ontdaan was ze. Alle kinderen in haar klas waren er kapot van. Het meisje dat haar geduwd heeft... Vandaag de dag zou ze waarschijnlijk therapie hebben gekregen. Misschien hebben haar ouders haar ook wel naar een therapeut gestuurd, wie zal het zeggen. Meneer Andrews, het hoofd van de school, heeft een kleine herinneringsplaquette laten aanbrengen voor Jan. Maar ik ben er nooit naar wezen kijken en Horace... die kon er helemaal niet tegen. Hij wilde al dat gedoe niet, hij wilde alleen maar dat ze hem in de gevangenis zouden zetten of zo, zoals hij gisteravond al zei. Zo veel mensen zijn hierdoor geraakt.'

'En nu ik ook.'

'En nu u ook. Koffie?'

'Graag.'

'Maar met u,' zei Gretchen, 'is het iets anders.'

Ze vulde een kop met koffie uit een glazen koffiepot terwijl ik wachtte tot ze doorging.

'U kende onze Jan niet. Helemaal niet. U kent niemand van ons. En toch... nu zit u hier en is er op de een of andere manier een band tussen ons.'

Ik schonk wat melk bij de koffie, keek hoe de vloeistoffen zich vermengden zonder dat ik roerde, en knikte. 'En ik snap niet hoe dat zit.'

Gretchen legde haar handen plat op het aanrecht, een gebaar dat leek aan te kondigen dat ze een belangrijke mededeling had te doen, of in elk geval iets onomwonden wilde zeggen. 'Meneer Harwood, wat is er met uw vrouw gebeurd, volgens u?'

'Ik weet het niet,' zei ik naar waarheid. 'Ik ben bang dat ze zichzelf iets heeft aangedaan.'

Het duurde een halve seconde voor Gretchen begreep wat ik bedoelde. 'Maar als ze dat niet heeft gedaan en u vindt haar levend en wel terug...' Gretchen worstelde kennelijk met iets.

'Ja?'

'Laten we zeggen dat u haar vindt... en alles goed is met haar. Wordt het dan weer hetzelfde?'

'Ik ben bang dat ik u niet helemaal begrijp.'

'Uw vrouw kan Jan Richler niet zijn. Dat is toch duidelijk?'

Ik keek van haar weg.

'Als ze niet de vrouw is voor wie u haar altijd gehouden hebt, hoe kan het dan weer hetzelfde worden?'

'Misschien,' zei ik langzaam, 'is er een vergissing in het spel. Misschien is er een verklaring voor dit alles die niet meteen in het oog springt.'

Gretchen keek me strak aan. 'Wat voor verklaring?'

'Ik weet het niet.'

'Waarom zou iemand de identiteit van iemand anders aannemen? Waarom zou iemand dat doen?'

'Ik weet het niet.'

'En waarom zou ze, van alle mensen wier identiteit ze kon nemen, ze juist die van mijn dochter nemen?'

Weer wist ik het niet.

'Horace had gelijk, gisteravond, toen hij vroeg hoe iemand dat ons meisje kon aandoen. Hoe kan iemand haar op zo'n manier gebruiken? Het enige wat we nog van haar hebben is haar naam, en de herinnering aan haar. En dan probeert iemand jaren later die van ons af te pakken?'

'Ik weet zeker dat Jan…' De naam bleef in mijn keel steken. 'Ik weet zeker dat er een verklaring is. Ik weet zeker dat als mijn vrouw om de een of andere reden een andere naam heeft aangenomen, ze u of uw man of de herinnering aan uw dochter geen kwaad wilde doen.'

Waar had ik het in godsnaam over? Waar dacht ik aan?

'Stel,' zei ik, hardop denkend, en heel langzaam, 'dat ze om de een of andere reden van identiteit moest wisselen. En dat de naam die haar toen gegeven is, die ze aan moest nemen, toevallig die van uw dochter is.'

Gretchen keek me sceptisch aan. Ik keek naar mijn onaangeroerde koffie.

'Horace kon vannacht niet slapen,' zei ze. 'Het was niet alleen omdat hij van streek was. Hij was boos. Boos dat iemand zoiets kon doen. Boos op uw vrouw. Zelfs al kent hij haar niet.'

'Ik kan alleen maar hopen,' zei ik, 'dat u de kans krijgt om haar in haar gezicht te zeggen wat u ervan vindt.'

Voor ik wegging, schreef ik – voor het geval Jan hier toch zou komen opdagen – de telefoonnummers van mijn vaste lijn en mijn mobieltje op, mijn adres, en het telefoonnummer van mijn ouders en hun adres.

'Alstublieft, neem contact op als er iets gebeurt,' zei ik.

Gretchen suste me met een glimlach, alsof ze wist dat ze echt geen nieuws voor mij zou hebben.

Mijn mobiele telefoon ging over op de terugweg. Het was mijn moeder.

'Wat is er gebeurd?' zei ze. 'We zijn ontzettend ongerust, vroegen ons steeds af waarom je niet belde.'

'Ik ben over een paar uur weer thuis,' zei ik.

'Heb je haar gevonden?'

'Nee.'

'En de Richlers? Heb je hen gevonden?'

'Ja,' zei ik.

'Is Jan bij ze langs geweest? Hebben ze van haar gehoord?'

'Nee,' zei ik. Ik wilde er niet over uitweiden. Ik was bijna bang om te vragen hoe het met Ethan was, gezien zijn onbesuisde aard, maar ik vroeg toch naar hem.

'Het gaat prima met hem. We dachten vanochtend dat er een vrachtwagen tegen het huis was gereden, maar het was Ethan die van de trap sprong. Je vader is nu met hem in het souterrain om...'

'Heeft pa hem opgesloten?'

Mijn moeder lachte. 'Je vader en hij zitten in het souterrain te praten over de treinbaan die ze gaan bouwen.'

'Mooi. Ik rij onderweg even langs huis, en dan kom ik Ethan halen.'

'Ik hou van je,' zei ma.

'Ik hou ook van jou.'

De snelweg is een prima plek om je geest vrij te laten zweven. Je zet je auto op de cruisecontrol, en je hersens ook, als je dat wilt. Maar mijn gedachten buitelden over elkaar heen. En ze cirkelden allemaal om hetzelfde.

Waarom had mijn vrouw de naam en het geboortebewijs van een kind dat jaren geleden op vijfjarige leeftijd gestorven was?

Het was meer dan een krankzinnig toeval. Dit was geen geval van twee mensen die toevallig dezelfde naam hadden. De gegevens van het geboortebewijs van Jan hadden me naar de Richlers gevoerd.

Ik dacht na over de dingen waarover ik tegenover Gretchen gespeculeerd had. Dat Jan misschien een nieuwe identiteit had moeten aannemen.

Ik probeerde daar een logisch verhaal van te maken. Jan Richler, de Jan Richler met wie ik getrouwd was, de vrouw met wie ik al zes jaar samen was, de vrouw met wie ik een kind had, was niet echt Jan Richler.

Het was amper een geheim dat als je de naam wist van iemand die jong gestorven was, je daar gemakkelijk een nieuwe identiteit mee kon opbouwen. Ik had lang genoeg voor een krant gewerkt om te weten hoe je zoiets aanpakt. Je vraagt om een extra kopie van het geboortebewijs van de overledene, aangezien geboortebewijzen en overlijdensakten vaak niet aan elkaar gekoppeld zijn, zeker zo'n twintig, dertig jaar geleden niet. En met dat geboortebewijs kun je andere identiteitsbewijzen verkrijgen. Een persoonsnummer. Een bibliotheekkaart. Een rijbewijs.

Het was niet onmogelijk voor iemand om iemand anders te worden. Mijn vrouw was Jan Richler geworden, en toen ze mij tegenkwam en met me trouwde, werd ze Jan Harwood.

Maar daarvoor moest ze iemand anders zijn geweest.

En wat was de meest waarschijnlijke reden om afscheid te nemen van je eigen leven en iemand anders te worden?

Een woord schoot me ogenblikkelijk te binnen. Getuigenbescherming.

'Jezus christus,' zei ik hardop in de lege auto.

Misschien was dat het. Jan had in een proces getuigd. Tegen wie? De maffia? Was het ooit iets anders dan de maffia? De Hell's Angels misschien? Het moest iemand of een organisatie zijn die over de middelen beschikte om haar op te sporen en wraak op haar te nemen.

En in dat geval moesten de autoriteiten een nieuwe identiteit voor haar creëren.

Dat was het soort geheim waarvan zij het gevoel kon hebben dat ze het me nooit zou kunnen vertellen. Misschien was ze bang dat als ik het wist, ik mezelf zou blootstellen – en, nog belangrijker, Ethan zou blootstellen – aan risico's waarvan ik me geen voorstelling kon maken.

Geen wonder dat ze dat geboortebewijs had verstopt. Dat ik het zou vinden en haar dekmantel zou verknallen was wel het laatste wat ze wilde. Niet om wat dat voor haar zou betekenen, maar om wat het voor ons als gezin kon betekenen.

En als zij een beschermde getuige was, ertoe veroordeeld een nieuw leven te beginnen, op een nieuwe plek, wat had dat dan met haar verdwijning te maken, als het daar iets mee te maken had?

Was iemand erachter gekomen wie ze was? Dacht ze dat ze op het punt stond ontmaskerd te worden? Had ze de benen genomen om haar leven te redden?

Maar als dat zo was, waarom had ze er mij dan niets over verteld?

Wat dan ook?

En als Jans leven in gevaar was, deed ik er dan wel goed aan om te proberen haar te vinden? Zou ik uiteindelijk dan niet degene of degenen die haar kwaad wilden doen naar haar toe leiden?

Aangenomen natuurlijk dat mijn theorie dat Jan in een getuigenbeschermingsprogramma zat niet volkomen flauwekul was.

Ik moest Barry Duckworth vertellen wat ik ontdekt had. Hij had onge-twijfeld connecties, mensen die hem zouden kunnen vertellen of Jan onder een andere naam ooit de kroongetuige was geweest in een belangrijk pro-ces. Misschien...

Mijn telefoon ging over. Ik had hem op de stoel naast me gelegd, dus ik kon hem makkelijk pakken.

'Ja?'

'Dave?'

'Ja.'

'David, jezus, je bent groot nieuws en je laat verdomme je eigen krant er niets van weten?'

Brian Donnelly, van de stadsredactie.

'Brian,' zei ik.

'Waar zit je?'

'De I-90. Op de terugweg uit Rochester.'

'Man, wat verschrikkelijk,' zei hij.

'Ja,' zei ik. 'Jan is al ongeveer...'

'Ik bedoel, toen de politie met het persbericht kwam, was de krant al naar bed. Dus nu is het op radio en tv, maar hebben wij niets, en het gaat nog wel om een van onze eigen mensen! Madeline is razend. Wat is er ver-domme aan de hand? Had je ons niet kunnen bellen?'

'Sorry, Brian,' zei ik zonder een spier te vertrekken. 'Ik weet niet wat me bezielde.'

'Hoor eens, ik geef je Samantha, voor wat quotejes van jou voor het hoofdartikel, maar ik wil weten of je iets in de eerste persoon wilt schrij-ven: "Mysterie rond *Standard*-verslaggever". Zoiets. Ik wil niet lomp over-komen, maar...'

'Maak je geen zorgen,' zei ik.

'Maar een verhaal in de eerste persoon zou echt geweldig zijn. We heb-ben weinig losgekregen van de politie over wat er precies gebeurd is, en dat kun jij dan een beetje voor ons invullen, en weet je, misschien helpt dit wel om haar, om eh, eh...'

'Jan,' zei ik.

'Precies, om Jan te vinden. Dus als jij...'

Ik klapte de telefoon dicht en gooide hem op de stoel naast me. Een paar seconden later ging hij weer over. Ik klapte hem open en hield hem bij mijn oor.

'Dave? Met Samantha.'

'Hoi, Sam.'

'Ik hoorde wat Brian tegen je zei. Mijn god, het spijt me ontzettend. Hij is de grootste hufter die er bestaat. Ik kan niet geloven dat hij gezegd heeft wat hij gezegd heeft.'

'Ja, het is me er eentje.'

'Wordt Jan nog steeds vermist?'

'Ja.'

'Kun je erover praten? Is er iets wat je erover kunt zeggen? Om openbaar te maken?'

'Alleen dat ik hoop dat ze snel weer thuiskomt.'

'De politie doet hier erg vreemd over, dat moet ik je wel even zeggen,' zei ze.

'Hoe bedoel je?' vroeg ik.

'Gewoon, ze houden hun mond stijf dicht. Duckworth leidt het onderzoek. Ken je hem?'

'Sam.'

'O ja, dat is een stomme vraag. Hij laat bijna niets los, hoewel we wel begrepen hebben dat het in Five Mountains is gebeurd. Klopt dat?'

'Sam, ik ben op weg naar huis. Ik ga naar Duckworth toe als ik terug ben, en dan weten we misschien meer. Ik had, eerlijk waar, niet verwacht dat ze eerder dan vanmorgen een persbericht zouden brengen. Ik ben ook totaal overvallen door het nieuws gisteravond.'

'Oké. En dan tussen ons. Hoe gaat het met je?'

'Niet best.'

'Hoor eens, ik bel je straks nog wel, oké? Dan heb je even tijd om op adem te komen.'

'Bedankt, Sam.'

Even voor twaalven reed ik mijn oprit op.

Toen ik binnen was, riep ik Jans naam. Voor het geval dat.

Niets.

De laatste dertig kilometer had ik aan niets anders kunnen denken dan het geboortebewijs dat ik gevonden had. Ik moest het nog eens zien. Ik moest voor mezelf bewijzen dat ik het me niet verbeeld had.

Voor ik naar boven ging checkte ik mijn antwoordapparaat of er boodschappen waren achtergelaten. Het waren er vijf. Allemaal van verschillende media die een interview wilden. Ik bewaarde alle boodschappen met de gedachte dat ik op een gegeven moment misschien zo veel mogelijk interviews zou willen geven als dat betekende dat meer mensen zouden weten dat Jan vermist werd.

Toen ging ik naar boven.

Ik deed de linnenkast open en haalde alles wat op de bodem stond eruit. Ik kroop in de kast en wrikte de plint aan de achterkant los met een schroevendraaier die ik uit een keukenla had gehaald.

De envelop, met een geboortebewijs van Jan Richler en een sleutel, was er niet meer.

21

Ze sliep toen de man naast haar in bed het dekbed van zich af gooide en over de stugge vloerbedekking naar de badkamer liep. Ze had een hele tijd naar het plafond liggen staren toen ze weer in bed lag en had zich afgevraagd of ze ooit nog in slaap zou vallen, terwijl ze nadacht over wat ze gedaan had, over het leven dat ze achter zich had gelaten.

Over het lijk dat ze begraven hadden.

Op een gegeven moment was het toch gebeurd. Haar zorgen hadden eindelijk plaatsgemaakt voor vermoeidheid. Maar het was geen verkwikkende slaap geweest.

Net zoals zij had Dwayne naakt geslapen. Dwayne Osterhaus was een magere, pezige man van ongeveer een meter tachtig, met een kleine tattoo, het cijfer 6 op zijn rechterbil. Het was, geloofde hij, zijn geluksgetal. 'Iedereen neemt altijd de 7, maar ik ben gesteld op de 6.' Zijn slanke jonge lichaam paste niet bij zijn dunner wordende grijze haar. Misschien kwam dat van de gevangenis, dacht ze terwijl ze hem met één open oog in de gaten hield terwijl hij de kamer door liep. Misschien werd je daar jong grijs.

Hij sloot de badkamerdeur maar ze kon hem toch nog horen plassen. Het duurde eeuwen. Ze pakte de afstandsbediening en deed de tv aan, zette het volume hoger om het geluid van het plassen te overstemmen. Het was een ochtendprogramma uit New York. Twee presentatoren, een man en een vrouw, wauwelden over welke stelletjes bovenaan stonden om live op tv te mogen trouwen.

De badkamerdeur ging open en de kamer vulde zich met het geluid van een wc die doorgespoeld werd.

'Hé,' zei hij, met een blik op de tv. 'Ik dacht al dat ik stemmen hoorde. Je bent dus wakker.' Ze zette het geluid uit terwijl hij weer in bed kroop.

'Ja, ik ben wakker.'

'Hoe heb je geslapen?'

'Waardeloos.'

'Ik lag steeds als ik wakker werd te wachten op het geluid van de andere jongens, hun geadem, gesnurk, geruk in het midden van de nacht. Dat kan je slaap verpesten, maar op een gegeven moment vermengen al die geluiden zich met elkaar en raak je eraan gewend. Het is denk ik net zoiets als wanneer je in New York of zo woont en je hoort de hele nacht getoeter, dan hoor je het na een tijdje niet meer. En als je dan ergens slaapt waar die geluiden niet zijn, de bekende geluiden, dan merk je echt het verschil. Zo was het ook toen ik wakker werd. Ik dacht: jezus waar ben ik? Een heleboel vrachtverkeer op die klotesnelweg, maar daar ben ik niet aan gewend. Heb je nog steeds hoofdpijn?'

'Wat?'

'Vannacht had je hoofdpijn. Nog steeds?'

'Nee,' zei ze, en daar had ze onmiddellijk spijt van.

Dwayne schoof dichter naar haar toe onder het dekbed en liet zijn hand tussen haar benen glijden.

'Hé,' zei ze. 'Je bent zo lang weggeweest dat je denkt dat je meteen moet toeslaan. Maar je wordt heus niet binnen vijf minuten naar je cel teruggebracht.'

'Sorry,' zei hij. Ze had dit eerder gezegd, maar in een andere context. Gisteravond in de Big Boy, even van de snelweg af, had hij zijn eten al voor de helft op voor zij haar servet had opengevouwen en op haar schoot had gelegd. Hij schoffelde het naar binnen alsof het restaurant in brand stond en hij zijn buik vol wilde eten voor zijn haar vlam vatte. Toen ze hier een opmerking over maakte, had hij uitgelegd dat hij de gewoonte had aangenomen om zijn eten zo snel mogelijk op te eten, voor iemand anders het hem probeerde af te pakken.

Hij haalde zijn hand weg en begon zachtjes met een van haar tepels te spelen. Ze draaide zich naar hem toe. Ze kon hem best een beetje tegemoet komen, dacht ze. Speel je rol. Ze reikte naar beneden om hem in haar hand te nemen. Ze vroeg zich af wat hij in de gevangenis had gedaan. Had hij met mannen seks gehad? Ze wist dat hij geen homo was, maar vijf jaar is lang om zonder seks te doen. Je behielp je. Had hij dat ook gedaan? Misschien zou ze hem dat nog wel eens vragen. Maar aan de andere kant, misschien ook niet. Zoiets kon best gevoelig liggen, als je vroeg of hij nog lekker gepijpt had terwijl hij zat.

Niet dat het haar wat kon schelen of hij dat nou wel of niet gedaan had. Ze was gewoon nieuwsgierig. Ze vond het prettig om dingen te weten.

Dwayne vond dertig seconden voorspel kennelijk genoeg om haar aan de praat te krijgen. Hij wierp zich boven op haar. Het was in een minuut voorbij, en daar was ze dankbaar voor.

'Wauw, heerlijk,' zei ze.

'Echt?' vroeg hij. 'Ik had het natuurlijk wel wat langer kunnen uitstellen, schatje, maar het kwam gewoon.'

'Nee, je was geweldig,' zei ze.

Hij kwam een eindje overeind en steunde op zijn elleboog. 'Hoor eens,' zei hij. 'Hoe moet ik je nu noemen? Ik moet aan iets anders wennen dan je gewone naam. Voor als we onder de mensen zijn. Ik zou je natuurlijk Blondie kunnen noemen.' Hij knikte in de richting van de pruik op het nachtkastje en grijnsde. 'Je ziet er trouwens ongelofelijk lekker uit met dat ding.'

Ze dacht even na. 'Kate,' zei ze.

'Kate?'

'Ja,' zei ze. 'Van nu af ben ik Kate.'

Dwayne ging op zijn rug liggen en staarde naar het gebarsten plafond. 'Weet je, Káte, soms geloof ik bijna niet dat het voorbij is. Het lijkt wel honderd jaar. Andere jongens zaten gewoon dag in dag uit hun straf uit. Zij wilden natuurlijk ook graag dat het voorbij was, maar ze hadden niets om naar uit te kijken. Maar ik, ik dacht er elke dag aan hoe mijn leven zou zijn als ik eindelijk vrij was.'

'Niet iedereen stond te wachten wat jou te wachten stond,' zei Kate.

Dwayne keek even naar haar. 'Daar heb je gelijk in,' zei hij. 'En bovendien had ik jou ook nog.'

Kate was niet zo dom om gedacht te hebben dat hij het in de eerste plaats over haar had.

'Ik weet dat jij waarschijnlijk nog steeds vindt dat ik de stomste klootzak van de hele wereld ben,' zei hij.

Ze zweeg.

'Ik bedoel, we hadden het helemaal voor elkaar, en dan word ik voor iets gepakt wat er niets mee te maken had. Geloof me, ik kon mezelf wel elke dag voor m'n kop slaan dat ik zo stom ben geweest. Maar weet je, die jongen vroeg erom. Ik had er nooit voor veroordeeld mogen worden. Het was gerechtvaardigd. Mijn advocaat heeft me verraden, echt wel.'

Dit had ze al eerder gehoord.

'Als een vent je met een biljartkeu te lijf gaat, wat moet je dan doen? Blijven staan en je hersens laten inslaan?'

'Als jij hem het geld had terugbetaald dat je hem schuldig was, dan was het zover niet gekomen,' zei ze. 'Dan was hij jou niet te lijf gegaan, en dan had jij die zwarte bal niet gepakt en hem z'n voorhoofd in gedrukt.'

'Gelukkig dat die klootzak nog vóór mijn proces is bijgekomen uit zijn coma,' zei Dwayne. 'Anders hadden ze me voor altijd opgesloten.'

Ze zwegen allebei een tijdje. Dwayne doorbrak uiteindelijk de stilte door te zeggen: 'Ik moet toegeven, schatje, dat ik me af en toe wel zorgen heb gemaakt.'

'Waarover?' vroeg ze.

'Dat je niet op me zou wachten. Ik bedoel, vijf jaar is lang. Zelfs als er iets goeds op je te wachten staat, is het een lange tijd.'

Kate legde haar hand op zijn borst en trok loom cirkeltjes om zijn tepels. 'Ik wil echt niet beweren dat het voor mij net zo moeilijk was als voor jou,' zei ze. 'Maar ik zat als het ware in mijn eigen gevangenis toen jij in de jouwe zat.'

'Je hebt het slim aangepakt, dat moet ik je nageven, met je nieuwe naam en door er zo snel vandoor te gaan.'

Wat hij niet wist was dat ze dat allemaal al eerder geregeld had. Het had haar gewoon een goed idee geleken. Een beetje vooruit plannen en zo. Maar ze had nooit vermoed dat ze het al zo snel nodig zou hebben.

Dwayne gebruikte een andere naam toen het allemaal gebeurde – niet dat hij over de documenten beschikte die Kate bezat – en hij was er vast van overtuigd dat als die vent op onderzoek zou gaan, hij niet bij hem zou uitkomen. Toen hij gearresteerd werd voor de geweldpleging, kwam hij met zijn echte naam in de krant, dus daar hoefde hij zich geen zorgen over te maken. Maar toen het mis dreigde te lopen, zelfs voordat Dwayne die stomme truc met de zwarte bal uithaalde, was zij op safe gaan spelen. Als er zo veel op je te wachten stond aan het andere eind van de regenboog, dan wilde ze niet vermoord worden voor ze er was. Ze wilde niets aan het toeval overlaten. Niet toen ze eenmaal wist dat de loper het overleefd had.

'Dus die vent,' zei Dwayne.

'Welke vent?'

'Hoe bedoel je, welke vent? Die vent met wie je getrouwd bent. Díe vent.'

'Wat wil je weten?'

'Hoe was hij?'

Daar wilde ze geen antwoord op geven, maar toch zei ze: 'Hij hield van me. Ondanks alles.'

'Maar hoe was hij?'

'Hij… hij heeft nooit geweten wat hij allemaal in zich had.'

Dwayne knikte. 'Daar gaat het mij om. Ik weet wat ik in me heb. Met mij heb je een heel wat mooiere toekomst, reken maar van yes. Weet je wat ik graag zou willen? Op een boot wonen. Dan ben je helemaal vrij. Als het je ergens niet bevalt, dan vertrek je weer en ga je ergens anders heen. En je krijgt een hoop van de wereld te zien. En jij? Wil jij op een boot wonen?'

'Daar heb ik nog nooit over nagedacht,' zei ze. Ze streelde niet langer zijn borst en keek nu ook naar het plafond. 'Ik ben bang dat ik zeeziek word. Toen ik klein was, ben ik met mijn ouders op de pont over Lake Michigan geweest. Ik heb over de reling gekotst.' Ze zweeg en mijmerde even voor zich uit. 'Maar een eiland, dat lijkt me wel wat. Ergens met een strand waar ik de hele dag naar de aanrollende golven kan kijken. Een piña colada in m'n hand. Niemand die me lastigvalt, op me zit te vitten of iets van me vraagt. Gewoon een plekje waar ik naartoe kan en de rest van mijn leven vredig kan doorbrengen.'

Dwayne had er geen woord van gehoord. 'Ik wil een grote boot. Een boot met luxe hutten. Van die slaapkamertjes. En dan niet van die benauwde kooien, maar een goed, groot bed. En elke nacht als je gaat slapen hoor je het water tegen de boot botsen, echt heel ontspannend.'

'Botsen?'

'Hoe zeg je dat, niet botsen, klotsen? Had ik klotsen moeten zeggen?'

'Ben je wel eens op een boot geweest?' vroeg Kate.

Dwayne Osterhaus vertrok zijn gezicht. 'Ik vind niet dat je iets moet hebben gedaan om te weten dat je het prettig zult vinden. Ik ben nog nooit met Beyoncé naar bed geweest, maar ik weet zeker dat ik het wel lekker zou vinden.'

'Ze wacht al tijden tot je haar eens belt,' zei Kate. Ze gooide het dekbed van zich af. 'Ik ga douchen.'

Toen ze naar de badkamer liep vroeg ze zich af wat er in de jaren sinds ze met Dwayne was gegaan, gebeurd was. Het was anders. Hij was vroeger ook niet een van de slimsten geweest, maar toen had er iets tegenover gestaan. Het opwindende leven, de bijna voortdurende, fantastische seks, de spanning die bij het nemen van risico's hoorde, niet weten wat de volgende dag zou brengen.

Dwayne leek toen in het plaatje te passen. Hij voldeed. Hij hielp haar aan de dingen te komen die ze nodig had. Het was niet verrassend dat hij nu anders was. Een vent die een paar jaar opgesloten wordt, is niet dezelfde als hij er weer uit komt.

Misschien ging het niet alleen om hem. Misschien was er wel iets anders ook veranderd.

'Laten we gaan ontbijten,' zei hij. 'Een echt uitgebreid ontbijt. Eieren, worstjes, pannenkoekjes. Ik sterf van de honger.'

Bij Denny's zat in een zitje naast het hunne een man met twee kleine kinderen. De man zat met zijn rug naar Dwayne toe en zei net tegen de jongens – een tweeling van een jaar of zes – dat ze stil moesten zitten en niet steeds overeind moesten komen om op de bank te gaan staan.

De serveerster gaf hun de menukaart en Dwayne zei met een glimlach van oor tot oor: 'Kate en ik hebben wel trek in een kopje koffie.' Terwijl de serveerster de pot ging halen, grijnsde Dwayne en zei: 'Ik dacht, laat ik er maar gauw aan gewend raken.'

'Zoals jij het zegt, weet ze meteen dat er iets raars mee is,' zei ze.

De serveerster zette twee bekers op tafel, schonk ze vol en zocht toen in de zak van haar schort naar cupjes melk.

Dwayne zei tegen Kate: 'Ik wil worstjes, bacon en ham. Dat moet jij ook maar nemen, je mag wel wat dikker worden.' Hij grijnsde naar de serveerster. 'Jij schenkt de koffie wel steeds bij, hè?'

'Jazeker,' zei ze. 'Weten jullie al wat jullie willen, of moet ik straks terugkomen?'

'Ik wil een donut,' riep het jongetje achter Dwayne.

'We nemen geen donut,' zei de vader. 'Wil je eieren met spek? Roerei, wat je zo lekker vindt?'

'Ik wil een donut,' zeurde het jongetje.

Dwayne knarsetandde en bestelde zijn uitgebreide ontbijt met extra vlees, terwijl Kate de meest eenvoudige pannenkoekjes die je kon krijgen bestelde. 'Geen aardappels, geen worstjes, alleen pannenkoekjes,' zei ze. 'Met de stroop er apart bij.'

Terwijl de serveerster wegliep keek Dwayne over zijn schouder naar het kind dat hem ergerde en toen boog hij zich naar Kate over en zei fluisterend: 'Volgens mij staat je pruik een beetje scheef.'

Ze trok hem recht, terwijl ze probeerde het eruit te laten zien alsof ze haar eigen haar gladstreek.

'Staat je prima,' zei hij. 'Je moet het zo houden. Je zou je haar moeten verven.'

'En als de politie erachter komt dat ze op zoek zijn naar een blondje, wat moet ik dan doen? Het nog een keer verven? Ik kan beter wat extra pruiken kopen.'

Dwayne glimlachte wellustig. 'Dan kun je elke nacht een andere opzetten.'

'Doen ze het zo in de gevangenis?' vroeg ze. 'De ene avond is zo'n jongen een brunette, de volgende heeft-ie rood haar, dan denk je er niet meer zo bij na dat het eigenlijk een vent is?'

Ze geloofde zelf niet dat ze het gezegd had.

Dwayne kneep zijn ogen samen. 'Wat zeg je?'

'Laat zitten,' zei ze.

'Wil je me soms iets vragen?' vroeg hij.

'Ik zei toch: laat zitten.'

De tweeling zeurde het ene moment om friet bij hun ontbijt en het andere zaten ze elkaar te duwen. De vader brulde dat ze ermee op moesten houden, waardoor ze begonnen te kibbelen over wie ermee begonnen was.

Dwaynes ogen boorden zich in die van Kate.

'Ik zei: laat zitten,' zei ze weer.

'Denk jij dat ik een flikker ben?' vroeg hij.

'Nee,' zei ze.

'Want je kunt best iets doen zonder een flikker te zijn,' zei hij.

Nu weet ik het dus, dacht ze.

'Wil jij het over dingen hebben waar je het niet over zou moeten hebben?' vroeg hij. 'Dat kan ik ook, Káte.'

'Dwayne.'

'Hoe vond je dat, om je vriendin onder de zoden te stoppen?'

'Ze was mijn vriendin niet.'

'Jullie werkten bij hetzelfde bedrijf.'

'Ze was mijn vriendin niet. En ik heb je begrepen. We staan nu quitte. Het spijt me.'

'Hij begon!' jammerde een van de jongetjes.

Dwayne sloot zijn ogen. Met opeengeklemde kaken zei hij: 'Klotekinderen.'

'Die kunnen er niets aan doen,' zei ze, opgelucht dat ze zijn aandacht van haar opmerking kon afleiden. 'Het moet hun geleerd worden hoe ze zich in een restaurant moeten gedragen. Hun vader had iets voor ze moeten meenemen om te doen. Een kleurboek, of een gameboy of zo. Zo doe je dat.'

Dwayne ademde een paar keer diep in en uit door zijn neus.

De serveerster bracht de bestelling van de vader met zijn tweeling en even later kwam ze met de borden voor Kate en Dwayne. Hij viel erop aan als een uitgehongerde leeuw.

'Eet nou maar,' zei de vader achter Dwayne.

'Ik wil niet,' zei een van de tweeling.

De ander dook opeens op bij het tafeltje van Kate en Dwayne en inspecteerde hun ontbijt, tot Dwayne zei: 'Wieberen.'

Toen liep de jongen naar de kassa. De vader draaide zich om en riep: 'Alton, kom hier!'

Dwayne keek naar Kate en mimede: Alton!

Ze schonk een beetje stroop op haar pannenkoekjes, sneed een driehoekje af en prikte dat op haar vork. Er waren de afgelopen vierentwintig uur een heleboel dingen gebeurd die haar haar eetlust hadden kunnen ontnemen, maar toch had ze honger. Dat had ze al sinds middernacht, toen ze bij dat raam had gestaan en naar de reclamezuil van de McDonald's had gekeken. En ze had het gevoel dat ze snel moest eten, omdat ze hier niet erg lang meer zouden blijven.

Dwayne propte het eten in zijn mond, zette de beker aan zijn lippen en mengde alles door elkaar heen. Met volle mond zei hij: 'Hoeveel kans was daar nou op?'

Ze had geen idee waar hij het over had. Bedoelde hij de kans dat ze hier vandaag samen zaten en op het punt stonden te doen waarop ze al zo lang gewacht hadden?

Toen ze niets zei, ging hij door: 'Dat we haar tegen zouden komen? Dat ze ons zou zien?'

'Alton, kom ogenblikkelijk terug!'

'Maar ik moet zeggen,' zei Dwayne, 'dat we volgens mij van een nadeel een voordeel hebben gemaakt.'

'Dat zal wel.'

'Alton! Voor het laatst! Kom onmiddellijk terug!'

'Dit roerei is vies,' zei het jongetje dat nog aan tafel zat.

Dwayne draaide zich razendsnel om, legde zijn ene hand op de keel van de vader, duwde hem opzij en beukte zijn hoofd tegen de bank. De arm van de man vloog over tafel, waarmee hij een kop koffie en een bord met eieren en spek over zichzelf en de vloer gooide. Zijn ogen waren opengesperd van angst en hij snakte naar adem. Hij sloeg meelijwekkend tegen Dwaynes arm, die strak stond van de spieren en de man als een stalen balk op zijn plaats hield. Het jongetje aan tafel keek sprakeloos van ontzetting toe.

Dwayne zei: 'Ik wilde die jongens van je aanpakken, maar mijn vriendin hier zegt dat het jouw schuld is dat zij zich als wilde beesten gedragen. Je moet hun leren zich te gedragen als ze uit eten gaan.'

Ze stond al naast de bank. 'We moeten ervandoor,' zei ze.

22

'En wanneer was dat?' vroeg Barry Duckworth.

Gina dacht na. 'Begin vorige week? Maandag of dinsdag misschien? Wacht, nee, niet afgelopen week maar de week daarvoor.'

'Begrijp me niet verkeerd, u hoeft dit niet meteen te doen,' zei de politieman terwijl hij de geur van een saus die stond te pruttelen opsnoof, 'maar als ik u vraag hun bon van die avond op te zoeken, denkt u dat dat gaat lukken?'

'Waarschijnlijk wel,' zei ze. 'Meneer Harwood betaalt gewoonlijk met een creditcard.'

'Mooi, fijn. Want misschien moeten we op een gegeven moment precies weten wanneer dit gebeurde.' Duckworth zag Gina al voor zich in het getuigenbankje, en hoe de advocaat van de verdediging gehakt van haar zou maken – net zulk gehakt als ze in haar spaghettisaus deed – als ze zich niet meer zou kunnen herinneren wanneer het voorval had plaatsgevonden.

'Dus meneer en mevrouw Harwood zijn vaste klanten in uw restaurant?'

Gina aarzelde. 'Nou, vaste klanten? Ze komen hier eens in de drie weken of zo. Eens in de maand. Ik vraag me echt af of ik hier wel goed aan doe.'

'Waaraan?'

'Dat ik de politie gebeld heb. Misschien had ik dat beter niet kunnen doen.'

Duckworth stak zijn hand uit over het restauranttafeltje, dat met een wit tafelkleed bedekt was, en klopte bemoedigend op haar hand. 'U hebt er goed aan gedaan, echt.'

'Ik had het helemaal niet gezien op het nieuws, maar mijn zoon, die hier in de keuken werkt, heeft het wel gezien en hij zei: "Hé, zijn dat niet die mensen die hier af en toe komen eten?" Dus liet hij het aan me zien op de website van het nieuws, en toen zag ik dat het mevrouw Harwood was, en toen herinnerde ik me weer wat er die avond was voorgevallen. Maar nu ik de politie gebeld heb, denk ik dat ik misschien wel iets verschrikkelijks heb gedaan.'

'Echt niet,' zei de politieman.

'Ik wil meneer Harwood niet in de problemen brengen. Ik weet zeker dat hij zijn vrouw nog geen haar zou krenken. Het is een heel aardige man.'

'Daar ben ik van overtuigd.'

'En hij geeft altijd een mooie fooi. Niet een enorm bedrag, maar precies goed. Ik hoop dat u niet tegen hem zegt dat ik met u gesproken heb.'

'We doen altijd ons best om discreet te zijn,' zei Duckworth zonder iets te beloven.

'Mijn zoon zei dat ik u moest bellen, dus dat heb ik gedaan.'

'Vertel me eens: hoe gedragen de Harwoods zich gewoonlijk als ze hier zijn?'

'Normaal gesproken zijn ze erg gelukkig samen,' zei ze. 'Ik probeer niet mee te luisteren met mijn klanten. Mensen willen privé een gesprek kunnen voeren. Maar je weet het direct als een stel een slechte avond heeft, zelfs al hoor je niet wat ze zeggen. Je ziet het aan de manier waarop ze naar achteren leunen in hun stoel, de manier waarop ze elkaars blik ontwijken.'

'Lichaamstaal,' zei Duckworth.

Gina knikte enthousiast. 'Ja, precies. Maar de laatste keer dat ze hier waren had ik die lichaamstaal niet nodig. Ik kon horen wat ze zeiden, tenminste wat zij zei.'

'En wat zei ze dan?'

'Ze hadden kennelijk een naar gesprek, want ze zagen er allebei uit alsof ze van streek waren. En toen ik naar hun tafeltje liep, zei zij iets in de trant van "jij zou blij zijn als mij iets overkwam".'

'Dat heeft ze letterlijk gezegd?'

'Misschien zei ze het een beetje anders, misschien zei ze: "Jij zou blij zijn als ik dood was." Of als hij van haar af was. Zoiets.'

'Hebt u gehoord dat meneer Harwood zoiets tegen haar zei?'

'Nee, niet echt, maar misschien heeft hij dat gezegd en was ze daarom zo van streek. Misschien zei hij wel dat hij wilde dat ze dood was. Dat dacht ik dus.'

'Maar u hebt het hem niet horen zeggen?' vroeg Duckworth terwijl hij aantekeningen maakte.

Gina dacht na. 'Nee, maar ze was echt erg van streek. Ze stond op en ze zijn weggegaan zonder verder te eten.'

Duckworth snoof de geuren op. 'Ik kan me niet voorstellen dat je hier zonder te eten weggaat.'

Gina glimlachte breed. 'Wilt u een stukje van mijn pizza speciaal?'

Duckworth glimlachte terug. 'Het zou onbeleefd zijn om dat te weigeren, hè?'

Toen hij weer in zijn auto zat, na een verbazingwekkend stuk pizza met kaas en portobello, pleegde Duckworth een aantal telefoontjes.

Eerst belde hij zijn vrouw. 'Hoi,' zei hij. 'Ik bel je even om te horen of je nog iets gehoord hebt.'

'Nee,' zei Maureen.

'Geen e-mailtje of zo?'

'Het is daar vijf of zes uur later, dus hij moet zo langzamerhand toch wel wakker zijn.'

'Dat weet je maar nooit.'

'Maak jij je maar geen zorgen. Heb je de salade al gegeten die ik in je trommeltje heb gedaan?'

'Ja. Eerlijk gezegd heb ik nog steeds een beetje honger.'

'Morgen doe ik er een banaan bij.'

'Is goed. Ik bel je straks nog wel.'

Het tweede telefoontje was om na te gaan of Leanne Kowalski thuisgekomen was. Hij belde haar man niet – hij had op dit moment geen zin in een gesprek met hem – maar hij wist dat hij te weten kon komen wat hij wilde weten door het bureau van politie te bellen.

Ze was niet thuisgekomen.

De politieman vond dat het tijd werd om er wat Leanne betrof een tandje bij te zetten. Iemand moest exclusief aan die zaak werken terwijl hij aan de verdwijning van Harwood werkte, dan konden ze een paar keer per dag beraadslagen en zien waar de zaken elkaar raakten, als ze dat al deden. Hij belde weer naar het bureau om te zien wat er op dat front geregeld kon worden.

Duckworth dacht dat hij misschien die dag nog naar Lake George moest rijden, maar hij wilde eerst ergens anders heen.

Onderweg bedacht hij hoe dit alles samenviel: David Harwood had de politie gebeld met de mededeling dat zijn vrouw verdwenen was tijdens een bezoek aan Five Mountains. Maar het was niet vastgelegd dat ze inderdaad het pretpark binnen was gegaan. Kaartjes voor hem en zijn zoontje waren via internet gekocht, maar er was geen kaartje voor zijn vrouw.

Zo lopen ze tegen de lamp. Ze willen een paar dollar uitsparen, en dan komen ze voor de rest van hun leven in de gevangenis terecht. Je zou zeggen dat ze te slim zijn om zo'n stomme fout te maken. Maar denk dan maar eens aan die sukkel die in 1993 meehielp om het World Trade Center op te blazen, die betrapt werd omdat hij probeerde zijn borgsom terug te krijgen voor de huurvrachtauto waarmee ze de explosieven vervoerd hadden.

De bewakingscamera's in het pretpark hadden geen beelden van Jan Harwood opgeleverd. Je kon niet helemaal uitsluiten dat ze er geweest was, dacht Duckworth, maar het zag er niet best uit voor meneer Harwood. Ze moesten de opnamen nog eens grondig doornemen. Ze moesten het zeker weten.

David Harwoods verhaal dat zijn vrouw suïcidaal was, rammelde aan alle kanten. Niemand die Duckworth tot nog toe had gesproken deelde Harwoods mening over Jan Harwoods geestelijke gezondheid. Het meest belastend was wel dat Harwood beweerde dat zijn vrouw naar de dokter was geweest, maar dat dokter Samuels zei haar niet gesproken te hebben.

En nu dat verhaal van Gina, dat Jan Harwood tegen haar man had gezegd dat hij blij zou zijn als zij er niet meer was. Waar sloeg dat nu weer op?

En het ritje naar Lake George. Daar had David Harwood het helemaal niet over gehad. Een getuige had verklaard dat Jan Harwood de dag voor ze verdween bij Lake George was geweest. De eigenaar van de winkel, Ted Brehl, had verteld dat Jan had gezegd dat ze niet wist waar ze naartoe ging, dat haar man een soort verrassing voor haar gepland had. En haar baas, Ernie Bertram, ondersteunde dit verhaal door te zeggen dat Jan vrijdag op een soort mysterie tour ging met haar man.

Was het mogelijk dat Ted Brehl de laatste was die Jan Harwood had gezien? Afgezien van David Harwood, natuurlijk. Duckworth raakte er steeds meer van overtuigd dat David Harwood de laatste was die zijn vrouw levend gezien had.

En hij had het gevoel dat niemand anders haar ooit meer levend zou zien.

Arlene Harwood probeerde bezig te blijven. Haar man bekommerde zich om Ethan. Dat was mooi. Laten we eerlijk zijn: Don liep haar af en toe behoorlijk voor de voeten en het was onuitstaanbaar als hij háár ging vertellen hoe ze de dingen moest doen. Nu had hij in de garage een oud croquetspel gevonden en dat met hulp van Ethan in de achtertuin uitgezet. Ethan had al snel een speelstijl ontwikkeld die weinig van doen had met het door de boogjes schieten van de houten ballen. Hij vermaakte zich prima door de ballen in alle richtingen te slaan en Don stapte van het voornemen af om zijn kleinzoon de finesses van het spel uit te leggen.

Arlene knapte ondertussen het ene klusje na het andere op. Ze deed de afwas, ze streek, ze betaalde een paar rekeningen via internet, ze probeerde de krant te lezen, ze zapte de tv-kanalen af. Het enige wat ze niet deed, althans niet langer dan een minuut, was telefoneren. Ze wilde de lijn niet bezet houden. David kon bellen. Of de politie.

Of Jan misschien wel.

De momenten dat ze niet zat te piekeren over haar schoondochter, dacht ze aan haar zoon en kleinzoon. Wat als er iets met Jan gebeurd was? Zou David dat kunnen verwerken? En zou Ethan het kunnen verwerken als hij zijn moeder kwijtraakte?

Ze wilde er niet aan denken. Ze wilde positief blijven, maar ze was altijd een realist geweest. Je kon jezelf het beste op het ergste voorbereiden. Als het dan beter uitpakte dan verwacht, was dat mooi meegenomen.

Ze piekerde zich suf om te verzinnen waar Jan naartoe kon zijn gegaan, wat er met haar gebeurd kon zijn. Maar waar het om ging was dat ze altijd een gevoel had gehad waar ze nooit met haar man en haar zoon over gepraat had. Ze had er zeker met Don niet over kunnen praten – die had zijn mond nooit kunnen houden. Maar er was iets aan Jan wat niet helemaal klopte.

Arlene Harwood kon niet zeggen wat er mis was. Misschien had het te maken met de manier waarop Jan met mannen omging, maar juist niet met vrouwen. David was als een blok voor haar gevallen, kort nadat hij haar voor het eerst gezien had toen hij een verhaal voor de *Standard* schreef over mensen die bij het uitzendbureau van de gemeente een baan zochten. Jan was pas in de stad aangekomen en zocht werk, en David had geprobeerd wat quotejes van haar los te weken. Maar Jan was heel gereserveerd geweest, ze wilde niet met haar naam in de krant, ze wilde helemaal niet in de krant.

Iets aan haar had David ontroerd. Ze leek, zo had hij eens tegen zijn moeder gezegd, 'losgeslagen'.

Hoewel ze niet geïnterviewd wilde worden voor het artikel had ze, na flink aandringen van David, verteld dat ze alleen woonde, dat er geen man in haar leven was en dat ze hier geen familie had.

David had eens gezegd dat als het niet zo afgezaagd was hij gevraagd zou hebben hoe het kon dat een vrouw die zo mooi was als Jan, alleen was. Arlene had altijd gedacht dat die vraag wel degelijk gesteld had moeten worden.

Toen David andere, meer gewillige slachtoffers had geïnterviewd op het arbeidsbureau, zag hij Jan buiten bij de bushalte staan wachten. Hij had haar een lift aangeboden en na enige aarzeling had ze het aanbod aangenomen. Ze had een kamer gehuurd boven een poolbiljartzaal.

'Dat is niet echt… ik bedoel, het gaat me natuurlijk niets aan,' zei David, 'maar dat is niet echt een goede plek voor je om te wonen.'

'Meer kan ik op het ogenblik niet betalen,' had ze gezegd. 'Als ik een baantje heb, dan zoek ik wel iets beters.'

'Wat betaal je aan huur?'

Jan zette grote ogen op. 'Inderdaad, dat gaat je niets aan.'

'Zeg nou maar.'

En dat deed ze.

David ging naar de krant om zijn artikel te schrijven. Nadat hij het had ingeleverd, belde hij een vrouw die hij kende op de advertentieafdeling. 'Heb je nog advertenties voor kamers voor morgen waarop ik nu al kan reageren? Ik ken iemand die iets zoekt.' En hij noemde de prijsklasse.

Ze mailde hem vier advertenties door. Onderweg naar huis parkeerde hij voor de biljartzaal, ging naar boven, liep de gang in en klopte overal aan tot hij Jans kamer gevonden had.

Hij gaf haar het lijstje dat hij geprint had. 'Deze staan pas morgen in de krant. Ten minste drie zijn in een betere buurt dan hier, en ze kosten evenveel als wat je nu betaalt.' Hij probeerde langs haar heen de kamer in te kijken. 'Het ziet er niet naar uit dat je veel in te pakken hebt.'

'Wie ben jij in godsnaam?' vroeg Jan aan hem.

Dat weekend hielp hij haar verhuizen.

Weer iemand die gered moet worden, dacht zijn moeder nadat Samantha Henry hem duidelijk had gemaakt dat ze het echt wel zelf afkon. Met veel dank voor de moeite.

Ze hadden maar heel kort verkering. (Arlene trok een gezicht. Dat was een woord dat niemand meer gebruikte, 'verkering'. Ze leek wel tachtig.) Maar verdorie nog aan toe, het was allemaal heel snel gegaan.

Binnen een paar maanden waren ze getrouwd.

'Waarom zouden we wachten?' zei David tegen zijn moeder. 'Als zij het is, dan is ze het gewoon. Ik heb al lang genoeg gewacht. En ik heb al een huis.' Dat was zo. Hij had het een paar jaar eerder gekocht, daartoe overgehaald door een redacteur Economie, die had gezegd dat alleen sukkels huur betalen.

'Heeft Jan ook zo'n haast?'

'Hoe lang kende je pa ook alweer voor jullie trouwden?'

'Touché,' mengde Don, die binnen kwam lopen, zich in het gesprek. Ze kenden elkaar vijf maanden toen ze er samen vandoor gingen.

Waar het om ging was dat Don van Jan gehouden had vanaf de allereerste keer dat David haar mee naar huis nam. Jan had zich moeiteloos bij Davids vader bemind gemaakt, maar had ze zich ook zo ingezet voor zijn moeder? Misschien verbeeldde Arlene het zich, maar het was haar opgevallen dat Jan heel goed met mannen om kon gaan. Ze kreeg ze zover dat ze haar gaven wat ze wilde, zonder dat ze dat in de gaten hadden.

Dat was geen wonder, dacht Arlene. Jan was ongetwijfeld begeerlijk. Ze had alles. Misschien niet het gezicht van een supermodel, maar haar volle lippen, grote ogen en brutale neusje pasten goed bij elkaar. Haar lange benen zagen er geweldig uit, wat ze ook aanhad, een strakke rok of een versleten spijkerbroek. En ze straalde sexappeal uit zonder hoerig te zijn. Niet dat gewapper met wimpers, geen kinderstemmetje. Het was iets wat ze afgaf, als een geur.

De eerste keren dat David haar meebracht, had Don zich verschrikkelijk aangesteld. Hij bood steeds aan haar jas aan te nemen, haar glas bij te vullen, haar een extra kussentje in de rug te stoppen. Arlene had hem er uiteindelijk op aangesproken. 'Jezus,' zei ze op een avond toen David en Jan weer naar huis waren. 'Wat heb je? Wat ga je nog meer doen? Haar rug wrijven?'

Don slaagde er vanaf dat moment in zijn enthousiasme een beetje te temperen, maar hij bleef verrukt van de vriendin en toekomstige vrouw van zijn zoon.

Arlene was echter immuun voor dit soort charme. Niet dat Jan ooit niet hartelijk tegen haar was geweest. (Hartelijk? Weer zo'n ouderwets woord, dacht Arlene.) Maar Arlene voelde dat het meisje wist dat wat bij mannen werkte, bij haar geen zin had.

Wat was dat voor meisje, vroeg Arlene zich af, dat alle banden met haar familie had verbroken? Natuurlijk, niet iedereen kwam uit een gezin dat net zo liefdevol was als zij het hare had gemaakt, maar kom op, zeg. Jan liet haar ouders niet eens weten dat Ethan geboren was. Hoe slecht moesten ouders wel niet zijn, dat ze niet eens mochten weten dat ze een kleinzoon hadden?

Jan had er ongetwijfeld haar redenen voor gehad, had Arlene zichzelf voorgehouden, maar het voelde helemaal verkeerd.

Er werd gebeld.

Arlene stond maar een paar stappen verwijderd van de deur, omdat ze de kast in het tochtportaal aan het uitmesten was: sommige jassen waren in geen honderd jaar gedragen, werd het niet tijd om ze aan een goed doel te schenken? Ze schrok van het geluid, legde haar hand op haar hart en riep: 'Mijn god!'

Ze sloot de kast zodat ze de voordeur kon zien. Door het glas zag ze een dikke man in een pak, die zijn das had losgeknoopt.

'U hebt me de stuipen op het lijf gejaagd,' zei ze toen ze de deur opendeed.

'Dat spijt me. Ik ben rechercheur Duckworth van de politie van Promise Falls. Bent u mevrouw Harwood?'

'Inderdaad.'

'De moeder van David?'

'Ja.'

'Ik leid het onderzoek naar de verdwijning van uw schoondochter. Ik wil u graag wat vragen stellen.'

'O, natuurlijk. Komt u maar binnen.' Terwijl Duckworth naar binnen stapte vroeg ze: 'U hebt haar nog niet gevonden?'

'Nee, mevrouw,' zei hij. 'Is uw zoon thuis?'

'Nee, maar Ethan is hier wel. Hij speelt in de achtertuin met zijn grootvader. Moet ik hem even voor u halen?'

'Nee, dat hoeft niet. Ik heb Ethan gisteren al gezien. Een erg leuk ventje.'

Normaal gesproken zou dit Arlene Harwood met trots vervuld hebben, maar nu was ze te bezorgd. Ze vroeg zich af wat de reden kon zijn voor het bezoek van de politieman. Ze wees op de bank in de zitkamer, maar zag toen dat Ethans actiepoppetjes erover verspreid lagen.

'Hindert niet,' zei Duckworth terwijl hij ze opzijschoof. 'Mijn zoon is bijna twintig en hij verzamelt die dingen nog steeds.' Hij ging zitten en wachtte tot Arlene dat ook deed.

'Moet ik mijn man roepen?' vroeg ze.

'We kunnen eerst samen praten, en daarna wil ik hem misschien ook even spreken. Ik heb nu pas de gelegenheid om met u te praten.'

'Als er iets is wat ik doen kan...'

'O, dat begrijp ik. Uw zoon... dit moet verschrikkelijk voor hem zijn.'

'Het is voor ons allemaal heel erg. Ethan begrijpt niet echt hoe ernstig het is. Hij denkt gewoon dat zijn moeder eventjes weg is gegaan.'

Duckworth zag hier een opening in. 'Hebt u redenen om aan te nemen dat dat niet het geval is?'

'O, ik bedoel… wat ik bedoelde… Ik bedoel, we hopen allemaal dat het wel zo is. Maar het past helemaal niet bij Jan om zomaar weg te gaan. Ze heeft nog nooit eerder zoiets gedaan, of als dat wel zo is dan heeft David dat niet verteld.' Ze beet op haar lip, dacht dat dat misschien verkeerd over zou komen. 'Ik bedoel, het is niet zo dat hij dingen voor me achterhoudt. Hij rekent echt op ons. Wij, mijn man en ik, passen steeds op Ethan nu we met pensioen zijn. Hij gaat niet naar de crèche, en hij begint volgende maand op school.'

'Natuurlijk,' zei Duckworth. 'Hebt u de laatste tijd iets ongewoons opgemerkt aan Jan? Stemmingswisselingen of zo?'

'O, jee, jazeker. David zegt al een paar weken dat Jan heel down is, depressief. Het is een enorme zorg voor hem. Heeft hij u verteld dat Jan het erover had om van een brug te springen?'

'Inderdaad.'

'Ik kan me niet voorstellen wat de reden daarvoor is geweest.'

'Dus zelf hebt u die stemmingswisseling bij Jan ook opgemerkt?'

Arlene dacht hier even over na. 'Tja, ze is hier niet zo vaak. Ze zet Ethan 's ochtends af, en dan haalt ze hem aan het eind van de dag weer op. We wisselen gewoonlijk niet meer dan een paar woorden.'

'Goed, vooropgesteld dat u haar steeds maar even hebt gezien, kunt u dan toch beamen dat Jan de laatste tijd in de war was?'

'Tja,' zei ze aarzelend. 'Ik denk dat Jan altijd haar beste beentje voor zet als ze bij haar schoonouders is. Ik denk dat als ze zich niet prettig voelde, ze dan haar best zou doen dat niet te laten merken.'

'Dus u kunt zich niet een voorval herinneren waarbij Jan zich zeg maar depressief gedroeg?'

'Nee, er schiet me niets te binnen.'

'Oké. Ik stel allerlei vragen, en sommige, dat moet ik toegeven, lijken niet erg zinnig, snapt u?'

'Natuurlijk.'

'Weet u of Jan en Leanne Kowalski het er ooit over hebben gehad om samen een reisje te maken? Waren het goede vriendinnen?'

'Leanne? Is dat niet Jans collegaatje op haar werk?'

'Inderdaad.'

'Nee, dat weet ik niet. Ik weet niet echt met wie Jan bevriend is. Dat kunt u beter aan David vragen.'

'Dat is een goed idee,' zei hij. 'Ik wil nu zo nauwkeurig mogelijk vaststellen wat Jan de dag voor ze verdwenen is heeft gedaan.'

'Waarom is dat belangrijk?' vroeg Arlene Harwood.

'Dat geeft ons een beter inzicht in haar gewoonten en haar gedrag.'

'Oké.'

'Weet u wat Jan die vrijdag deed, de dag voor ze naar Five Mountains gingen?'

'Dat weet ik echt niet. Ik bedoel... o, wacht eens even, David en zij zijn een eindje gaan rijden.'

'O ja?' vroeg Duckworth terwijl hij een aantekening maakte. 'Waarnaartoe?'

'Dat probeer ik me te herinneren. Maar David vroeg of we die dag langer op Ethan wilden passen, omdat hij ergens naartoe moest en Jan met hem meeging.'

'Weet u waar ze naartoe zijn gegaan? Wat ze gingen doen?'

'Nee, niet echt. Dat moet u aan David vragen. Zal ik hem even bellen? Hij rijdt op dit moment terug uit Rochester.'

'Nee, dat hoeft niet. Ik vroeg me gewoon af of u het wist.'

'Ik geloof dat het iets met z'n werk te maken had. Hij is verslaggever bij de *Standard*, maar dat wist u waarschijnlijk al.'

'Jazeker. Dus u denkt dat hij ergens naartoe ging voor een artikel. Een interview?'

'Dat weet ik echt niet. Ik weet dat hij bezig is met die nieuwe gevangenis die in de stad komt. Weet u daarvan?'

'Ik heb erover gehoord,' zei Duckworth. 'Is het niet ongewoon dat uw zoon zijn vrouw meeneemt als hij moet werken?'

Arlene aarzelde even en haalde haar schouders op. 'Ik heb geen idee.'

'Dus hij heeft aan u gevraagd op Ethan te passen tot ze terugkwamen van dit tochtje?'

'Inderdaad.'

'Wanneer kwamen ze terug?'

''s Avonds. Voor donker. David kwam Ethan halen.'

'David en Jan,' zei Duckworth.

'Nee, alleen David,' zei Arlene.

'Wachtte Jan in de auto?'

'Nee, David kwam alleen.'

Duckworth knikte alsof hier niets vreemds aan was, maar hij had een eigenaardig prikkelend gevoel in zijn nek. 'Hoezo? Het zou toch logischer zijn dat ze op weg naar huis hier langskwamen om Ethan op te halen.'

'Ze voelde zich niet lekker,' zei Arlene.

'Wat zegt u?'

'Dat zei David. Hij zei dat Jan niet lekker was geworden op de terugrit, dus hij had haar bij hen thuis afgezet en daarna kwam hij Ethan hier ophalen.'

'Zodoende,' zei Duckworth. 'Wat mankeerde haar?'

'Hoofdpijn of zo. Dat zei David, geloof ik.'

'Oké. Maar kennelijk voelde ze zich de volgende ochtend goed genoeg om naar Five Mountains te gaan. Hoe vond u haar toen?'

'Ik heb haar die ochtend niet gezien. Ze zijn vanuit huis meteen naar het park gereden,' zei Arlene. Buiten hoorden ze een autoportier dichtslaan. Arlene stond op en liep naar het raam. 'Dat is David. Die zal u met uw vragen kunnen helpen.'

'Ongetwijfeld,' zei Duckworth, en hij stond op.

23

Toen ik voor het huis van mijn ouders stilhield, zag ik de burgerpolitieauto aan de stoeprand staan.

Mijn hartslag versnelde toen ik achter de auto parkeerde. Ik was binnen een tel uitgestapt en nam de treden van de veranda met twee tegelijk. Toen ik de deur opengooide, zag ik Barry Duckworth erachter staan.

'Meneer Harwood,' zei hij.

'Is er iets gebeurd?' vroeg ik. Ik had slechts een paar stappen gerend, maar ik voelde me nu al buiten adem. Het was een adrenalinestoot.

'Nee, nee, geen nieuws,' zei hij. Ma stond vlak achter hem, met een wanhopige, trieste blik. 'Ik was in de buurt en besloot even langs te gaan. Ik heb met uw moeder gepraat.'

'Hebt u al iets gevonden? Is het park opnieuw doorzocht? Is er beeldmateriaal van de bewakingscamera's boven water gekomen? Heeft...'

Duckworth hield zijn handen op. 'Als er ontwikkelingen zijn, dan hoort u dat als eerste, dat beloof ik u.'

Ik voelde me op mijn plaats gezet. Maar eigenlijk was ik degene die nieuws had.

'Ik moet met u praten,' zei ik.

'Prima.'

'Maar eerst wil ik Ethan zien,' zei ik. Ik kon zijn gelach in de achtertuin horen. Ik wilde langs rechercheur Duckworth lopen, maar hij hield me bij mijn arm tegen.

'Ik denk dat het beter is als we meteen even met elkaar praten,' zei hij.

Mijn blik ontmoette de zijne. Hij had gezegd dat er geen nieuws was, maar ik voelde dat hij iets achterhield. Als hij goed nieuws had gehad, dan had hij me dat meteen verteld.

'Er is wél iets gebeurd,' fluisterde ik. 'Zeg niet dat u haar gevonden hebt.'

'Nee, meneer Harwood, we hebben haar niet gevonden,' zei hij. 'Maar het zou goed zijn als u met me meekomt naar het bureau.'

Ik had het gevoel dat je krijgt als je te veel cafeïne ophebt. Alsof er elektrische tintelingen door mijn lichaam raasden. Ik vroeg me af of hij ze in mijn arm kon voelen.

Ik probeerde mijn ongerustheid niet in mijn stem door te laten klinken toen ik 'Oké' zei.

Hij liet mijn arm los en ging de deur uit. Ma kwam naar me toe en sloeg haar armen om me heen. Ze wist waarschijnlijk niet wat ze zeggen moest, want ze zei niets.

'Het is oké, ma,' zei ik. 'Het spijt me. Ik wilde jullie van Ethan verlossen…'

'Doe niet zo raar,' zei ze. 'Ga met hem mee.' Ze liet me los en ik zag tranen in haar ogen opwellen. 'David, het spijt me zo. Ik heb misschien iets gezegd wat…'

'Wat?'

'Die rechercheur. Hij keek heel raar naar me toen ik zei dat Jan…'

'Meneer Harwood?'

Ik keek over mijn schouder. Rechercheur Duckworth hield het rechterportier van de politieauto open en wachtte op me.

'Ik moet gaan,' zei ik. Ik gaf mijn moeder een knuffel, liep snel naar Duckworths auto en stapte voor in. Hij wilde het portier sluiten, maar ik greep het zelf beet en sloeg het dicht.

Toen hij achter het stuur ging zitten zei ik: 'Ik had gewoon achter u aan kunnen rijden, dan hoeft u me niet terug te brengen.'

'Maakt u zich daar maar geen zorgen over,' zei hij. Hij zette de auto in de versnelling, keek achterom en drukte het gaspedaal in. 'Zo hebben we meer tijd om te praten.'

'Waarom gaan we naar het politiebureau?'

Duckworth schudde even kort zijn hoofd, zijn manier om een vraag van mij te negeren. 'Dus u bent vanmorgen uit Rochester gekomen?' vroeg hij.

'Ja.'

'En waarom was u daar ook alweer naartoe gegaan?'

'Ik was op zoek naar de ouders van Jan.'

'De ouders die ze in geen jaren gesproken heeft?'

'Ja.'

'Hebt u ze gevonden?'

Ik aarzelde. 'Daar wilde ik met u over praten. Maar laat me u eerst iets vragen.'

Hij keek opzij. 'Gaat uw gang.'

'Als de FBI of een andere organisatie iemand in een getuigenbeschermingsprogramma plaatst, en zo iemand begint in uw regio z'n nieuwe leven, laten ze dat dan aan de politie hier weten?'

Duckworth leek hier lang over na te denken, zijn tong bewoog rond tegen de binnenkant van zijn wang. Uiteindelijk zei hij: 'Wat vroeg u nou precies?'

Ik herhaalde mijn vraag.

'Tja, dat zal wel per geval verschillen. Maar over het algemeen beschouwt de FBI de plaatselijke politie als een stelletje achterlijke provincialen, dus ik denk niet dat ze geneigd zullen zijn om dat soort informatie aan ons door te geven. Ik moet daar voor hun verdediging aan toevoegen dat hoe meer mensen iets dergelijks weten, hoe groter de kans is dat derden erachter komen.'

Ik dacht hier even over na. 'Dat zou kunnen.'

'En u vraagt mij dit omdat…?' vroeg Duckworth.

'Ik zeg niet dat het gebeurd is, maar ik denk dat het zou kunnen dat…'

'Nee, wacht even, laat me raden,' zei Duckworth. 'Uw vrouw is een getuige die een nieuwe identiteit heeft gekregen. Haar dekmantel is doorgeprikt en daarom is ze er nu vandoor gegaan.'

'Vindt u dit grappig? Ik dacht dat u dit zou willen weten.'

'Nee, nee, het is een ernstige zaak,' zei hij. 'Bijzonder ernstig.'

'U vindt dat ik uit m'n nek zit te kletsen,' zei ik.

Ik dacht dat hij die beschuldiging zou tegenspreken, maar toen hij dat niet deed zei ik: 'Ik denk dat Jan misschien niet degene is die ze zegt te zijn.'

Weer een blik. Toen zei hij: 'En wie is ze dan wel? Vertel het me maar, ik luister.'

'Ik weet het niet,' zei ik. 'Ik heb… ik heb de afgelopen vierentwintig uur het een en ander ontdekt waar ik niets van begrijp. En misschien heeft dat te maken met waarom Jan verdwenen is.'

'En wat hebt u dan ontdekt?'

'Ik ben naar Rochester gegaan en heb de mensen opgezocht die als Jans ouders op haar geboortebewijs staan.'

'En wie zijn dat?'

'Horace en Gretchen Richler. Maar waar het om gaat is dat ze inderdaad een dochter hadden die Jan heette, maar die is op haar vijfde gestorven.'

De tong bewoog weer tegen de binnenkant van Duckworths wang. 'Oké,' zei hij.

'Het was een ongeluk. Haar vader heeft haar overreden toen hij achteruit de oprit af reed.'

'Jezus,' zei Duckworth. 'Hoe kun je daar de rest van je leven mee leven?'

'Ja.' Ik gaf hem een minuutje om het te laten bezinken. 'Wat zegt u hier nu van?'

'Weet u, laat mij maar even bellen als we op het bureau zijn. En terwijl iemand dit uitzoekt, kunnen wij over wat andere dingetjes praten.'

'Ga zitten,' zei hij, en hij wees op de rechte stoel aan de rechthoekige tafel in de verder lege kamer.

'Dit is toch een verhoorkamer?' vroeg ik.

'Het is een kamer,' zei Duckworth. 'Een kamer is een kamer. Ik wil in alle rust met u praten, en daar is dit een prima plek voor. Maar wacht nog eventjes, dan bel ik over dat getuigenbeschermingsgedoe. Wilt u koffie, of frisdrank of zo?'

Ik zei dat ik niets hoefde.

'Dan ben ik zo weer terug.' Hij liep de kamer uit en deed de deur achter zich dicht.

Ik liep naar de tafel, bleef er even staan en ging toen op een van de metalen stoelen zitten.

Dit voelde niet goed.

Duckworth neemt me mee naar het bureau, hij zegt dat hij ergens over wil praten maar hij zegt niet waarover, hij brengt me naar een kamer en laat me daar alleen achter.

In een muur zat een grote spiegel. Ik vroeg me af of Duckworth aan de andere kant stond en door het glas keek hoe ik me gedroeg. Zat ik te wiebelen en te draaien, ijsbeerde ik door de kamer, streek ik nerveus door mijn haar?

Ik bleef zitten en probeerde rustig te worden. Maar vanbinnen kookte ik.

Na ongeveer vijf minuten ging de deur weer open. Duckworth had een beker koffie in zijn ene hand en een flesje water onder zijn arm zodat hij de kruk omlaag kon drukken.

'Ik heb voor mezelf koffie meegenomen,' zei hij. 'En voor u een flesje water, voor het geval dat.'

'Ik ben niet gek.'

'Wat zegt u?'

'Ik ben niet gek. Hoe dit gaat: u brengt me naar het bureau, u laat me hier een tijdje in mijn eentje zitten zweten. Ik snap het echt wel, hoor.'

'Ik weet niet waar u het over hebt,' zei Duckworth. Hij pakte een stoel en zette de koffie en het water op de tafel.

'Hoor eens, ik ben echt niet de beste journalist ter wereld, als ik dat was dan werkte ik niet voor de *Standard*. Daar geven ze niets meer om journalistiek. Maar ik loop wel lang genoeg mee om te weten hoe het gaat. U vindt mij een verdachte of zo.'

'Dat heb ik nooit gezegd.'

'Zeg dan dat ik het bij het verkeerde eind heb. Zeg dat u niet denkt dat ik hier iets mee te maken heb.'

'Waarom vertelt u me niet eens over uw ritje twee dagen geleden naar Lake George?'

'Wat?'

'Daar hebt u niets over gezegd. Waarom niet?'

'Waarom zou ik? Jan is pas de volgende dag verdwenen. Waarom zou ik dan iets vertellen over vrijdag?'

'Vertelt u er nu maar eens over.'

'Waarom is dat van belang?'

'Is er een reden dat u me er niets over wilt vertellen, meneer Harwood?'

'Nee, natuurlijk niet, maar... oké. Jan en ik zijn naar Lake George gereden omdat we een afspraak hadden met een bron. In feite had ik die afspraak, Jan is gewoon meegereden.'

'Een bron?'

'Voor een artikel van me.'

'Wat voor artikel?'

Ik aarzelde voor ik verderging. Kon ik met de politie stukken bespreken waaraan ik voor de *Standard* werkte? Was dat ethisch? Bruuskeerde ik hiermee de journalistieke code?

Maar kon me dat op dit moment eigenlijk een reet schelen?

'Ik ben bezig met een serie artikelen over de geplande komst van Star Spangled Corrections naar Promise Falls. Het bedrijf heeft in elk geval één gemeenteraadslid gunsten bewezen. Iemand heeft mij een e-mail gestuurd waarin stond dat ook anderen geschenken of smeergeld of wat dan ook hebben aangenomen, waarmee hun stem wordt gekocht wanneer de gemeenteraad groen licht moet geven voor de bouw.'

'Wie heeft u die e-mail gestuurd?'

'Dat kan ik u niet zeggen.'

'O,' zei Duckworth. Het leek erop dat hij zijn ogen ten hemel wilde slaan, maar hij beheerste zich. 'Vertrouwelijkheid. Bronnen beschermen.'

'Nee,' zei ik. 'De e-mail was anoniem.'

'Maar als u hem gesproken hebt, dan moet u toch weten wie hij is.'

'Ze is niet op komen dagen.'

'Zij?'

'Ze zei in haar e-mail dat ik moest uitkijken naar een vrouw in een witte pick-up. Er is geen vrouw in een witte pick-up komen opdagen.'

'En waar zouden jullie elkaar treffen?'

'Bij een winkel annex benzinepomp ten noorden van Lake George. Ted's General Store.'

'Dus u bent daarnaartoe gereden.'

'Inderdaad. Op vrijdagmiddag. Ze zou om vijf uur komen.'

'En u hebt uw vrouw meegenomen?'

'Ja.'

'Waarom? Neemt u uw vrouw vaker mee als u iemand gaat interviewen?'

'Gewoonlijk niet, nee.'

'Hebt u uw vrouw ooit eerder meegenomen als u er voor uw werk opuit moest?'

Ik dacht even na. 'Ongetwijfeld, maar ik kom er nu even niet op. Ja, een etentje ter gelegenheid van een prijsuitreiking, een paar jaar geleden.'

'U bracht verslag uit over die prijzen? Of was u genomineerd?'

'Ik was genomineerd. Voor verslaggever van het jaar.'

'Dat was dus niet echt voor uw werk. Dat was een gelegenheid waar iedereen zijn echtgenote mee naartoe zou nemen.'

'Mogelijk,' gaf ik toe.

'Hebt u die prijs gekregen?' vroeg Duckworth.

'Nee.'

'Maar goed, waarom nam u uw vrouw mee op dit tripje?'

'Omdat ze, zoals ik al zei, de laatste paar weken depressief was. Ze vertelde dat ze vrijdag vrij ging nemen, dus toen stelde ik voor dat ze mee zou gaan. Voor de gezelligheid onderweg.'

'Oké,' zei Duckworth. 'Waar spraken jullie over op de heenweg?'

Ik schudde geërgerd mijn hoofd. 'Ik weet het niet, we... Waar slaat dit op, meneer Duckworth?'

'Ik probeer een helder beeld te krijgen van de gebeurtenissen die tot de verdwijning van uw vrouw hebben geleid.'

'Onze rit naar Lake George heeft niet tot haar verdwijning geleid. Het is gewoon iets wat we de dag voor we naar Five Mountains gingen deden. Tenzij...'

Duckworth hield zijn hoofd schuin. 'Tenzij?'

Die auto. De auto die Jan had gezien, die ons volgde. De auto die een paar keer langsreed op de plek waar ik met die vrouw had afgesproken.

'Ik denk dat we gevolgd werden.'

Duckworth leunde in zijn stoel naar achteren. Hij trok zijn wenkbrauwen op. 'U werd gevolgd.'

Ik knikte. 'Jan zag dat een auto ons volgde. Maar ik was er niet zeker van. Toen, toen we op de parkeerplaats stonden te wachten tot mijn contact zou komen opdagen, reed de auto een paar keer langs. Hij reed naar het noorden, draaide ergens en kwam weer terug. Ik ben er op een gegeven moment naartoe gerend om te zien wie erin zat, maar toen reed hij snel weg.'

Duckworth kruiste zijn armen voor zijn borst. Zijn onderarmen rustten op zijn buik alsof het een bar was. Hij had nog geen slok van zijn koffie genomen, en ik had de dop nog niet van het flesje water gedraaid.

'U werd gevolgd,' zei hij weer.

'Daar ben ik vrij zeker van,' zei ik.

'Wie zou u moeten volgen?'

'Dat weet ik niet. Op dat moment dacht ik dat het iemand was die wist dat die vrouw met me afgesproken had. Ik dacht dat dat haar misschien afgeschrikt had. Ze zag die auto steeds langskomen en is ervandoor gegaan.'

'Maar nu hebt u een andere theorie?'

'Ik weet het niet. U bent zo geïnteresseerd in de gebeurtenissen van vrijdag, en nu ik die mensen gesproken heb van wie ik dacht dat het Jans ouders waren... misschien volgde die persoon in die auto Jan wel. Misschien gaat het daar allemaal om. Ze is een getuige die een nieuw leven heeft gekregen, iemand is erachter gekomen wie ze was, hij volgde haar en toen moest ze verdwijnen.'

Duckworth nam eindelijk een slok koffie. Hij glimlachte. 'U zult dit niet geloven, maar dit is geweldige koffie. We hebben iemand op Inbraken zitten die de lekkerste koffie zet die er is. Beter dan de Starbucks. Hoe vaak kom je dat nou tegen op een politiebureau? Weet u zeker dat u geen kopje wilt?'

'Nee, dank u wel.'

'En wat hebt u aan uw vrouw verteld over het doel van uw tripje?'

'Wat ik u net verteld heb. Dat ik een afspraak met die vrouw had.'

'Die u ging vertellen welke raadsleden zich lieten omkopen door die gevangeniszooi.'

'Dat zei ze in elk geval in haar e-mail.'

'Ik neem aan dat u die e-mail aan mij kunt laten zien,' zei Duckworth. 'Wanneer kreeg u hem?'

'Afgelopen donderdag,' zei ik. 'En… ik heb hem gewist.'

'O,' zei Duckworth. 'Wat eigenaardig. Waarom hebt u dat gedaan?'

'Omdat,' zei ik langzaam, 'ik niet wilde dat hij in het systeem zou blijven zitten.'

'Op uw eigen kantoor? Waarom niet?'

Ik dacht even na voor ik antwoordde. 'Ik geloof niet dat mijn enthousiasme voor dit verhaal door iedereen op de *Standard* gedeeld wordt.'

'Wat wil dat zeggen?'

'Dat ik erachter ben gekomen dat ik niet met verhalen over deze gevangenis moet komen als ze niet voor honderd procent waterdicht zijn. Ik wil het mijn superieuren moeilijk maken om een stuk te weigeren. Ik wil me niet in de kaart laten kijken. Dus laat ik geen e-mails slingeren die zij kunnen lezen.'

Duckworth leek niet overtuigd, maar hij probeerde het op een andere manier. 'Weet u het e-mailadres nog?'

Ik keek de kamer rond en schudde mijn hoofd. Ik had een hekel aan mezelf. 'Nee, het waren wat willekeurige letters en cijfers. Een Hotmail-adres.'

'Zodoende. Goed dan,' zei Duckworth, 'vertel me eens over die auto die u volgde. Merk, type?'

'Hij was donkerblauw. Een Buick met getinte glazen. Een vierdeurspersonenwagen.'

Duckworth knikte. 'Hebt u toevallig ook het nummer kunnen noteren?'

'Dat heb ik wel geprobeerd, maar het nummerbord zat onder de modder. Het was een New Yorks nummer.'

'Aha. Zat de hele auto onder de modder, of alleen het nummerbord?'

'De auto was redelijk schoon. Alleen het bord was smerig. Denkt u niet dat ze dat opzettelijk gedaan hebben?'

'Absoluut,' zei Duckworth.

'U hoeft niet zo neerbuigend te doen,' zei ik. 'U gelooft er kennelijk geen woord van. Dat zie ik aan uw gezicht. Maar we zijn daar echt geweest. Als u mij niet gelooft, praat u dan eens met degene die die dag in de winkel stond. Het heette…' Ik deed mijn best om me de volledige naam van het tankstation te herinneren. 'Ted's Lakeview General Store. Dat was het. Jan heeft er iets te drinken gekocht. Misschien herinnert iemand zich dat nog.'

Duckworth keek me zwijgend aan.

'Wat?' zei ik.

'Ik geloof best dat u daar was,' zei hij. 'Ik twijfel er geen seconde aan.'

Hij was er goed in me op het verkeerde been te zetten. Net nu ik ervan overtuigd was dat hij me niet geloofde, leek hij dit weer voor waar aan te nemen.

'Wat is het probleem dan?'

'Wanneer bent u weer naar huis gereden?'

'Ik ben daar tot ongeveer half zes gebleven, en toen ik er zeker van was dat de vrouw niet zou komen, zijn we teruggereden.'

'U allebei,' zei Duckworth.

'Natuurlijk wij allebei.'

'Onderweg nog gestopt?'

'Alleen bij mijn ouders. Om Ethan op te halen.'

'Dus jullie zijn samen uw zoontje gaan halen.'

Ik zag meteen dat hij al wist hoe het zat. 'Nee,' zei ik. 'Ik ben Ethan alleen gaan halen.'

'Ik begrijp het niet,' zei hij, al betwijfelde ik dat. 'Hoe kan het nu dat u alleen naar het huis van uw ouders bent gegaan?'

'Jan voelde zich niet lekker,' zei ik. 'Ze had hoofdpijn. Ze vroeg me haar eerst thuis af te zetten. Ze voelde zich niet goed genoeg om mijn ouders onder ogen te komen. Of misschien had ze geen zin om ze te zien en zei ze alleen maar dat ze hoofdpijn had.'

Duckworth knikte iets te heftig. 'Oké, oké. Maar u rijdt onderweg naar uw huis toch langs het huis van uw ouders? Ik bedoel, u moet erlangs zijn gekomen toen u van Lake George naar uw eigen huis reed, en toen moest u weer terug om uw zoontje op te halen.'

'Dat klopt,' zei ik. 'Maar soms zijn mijn ouders... ze vinden het prettig om eventjes te praten. Ze zouden het onaardig van zichzelf vinden als ze niet eventjes naar de auto waren gelopen om een praatje met Jan te maken. En daar kon ze op dat moment niet tegen. Daarom heb ik haar eerst naar huis gebracht. Waar wilt u eigenlijk naartoe? Denkt u dat ik haar bij Lake George heb achtergelaten?'

Toen Duckworth niet direct iets zei, zei ik: 'Moet ik mijn zoontje erbij halen? Moet Ethan voor me getuigen? Om aan u te zeggen dat mijn vrouw die dag echt met me mee teruggekomen is?'

'Ik denk niet dat dat nodig is,' zei Duckworth. 'Ik zou niet graag een vierjarige aan zoiets onderwerpen.'

'Waarom niet? Omdat als hij mijn verhaal zou bevestigen, u het toch niet zou geloven? Omdat het een kind is? En omdat u denkt dat ik hem kan laten zeggen wat ik wil?'

'Zoiets heb ik toch helemaal niet beweerd,' zei Duckworth, en hij nam nog een slok koffie.

'Ga er dan in elk geval heen,' zei ik, 'en praat met degene die die dag in de winkel stond.'

Duckworth zei: 'Daar zit het probleem niet, meneer Harwood. Er is al vastgesteld dat uw vrouw in de winkel was op het door u opgegeven tijdstip.'

Ik wachtte.

'Het probleem zit hem in wat ze zei toen ze in de winkel was.'

'Pardon?'

'Ze zei dat u haar meegenomen had voor een soort verrassing. Ze zei dat ze geen idee had wat ze daar kwam doen.'

'Wat?'

'Ze wist niet waarom u haar daarnaartoe had meegenomen. Ze leek niet te weten wat u van plan was.'

Het voelde als een stomp in mijn maag.

'Maar dat is krankzinnig,' zei ik. 'Jan wist waarom we daarnaartoe gingen. Degene die u dit verteld heeft, liegt.'

'Waarom zou iemand daarover liegen?' vroeg Duckworth.

'Geen idee. Maar het is niet waar. Jan kan dat nooit gezegd hebben. Het slaat nergens op.'

'Waarom zei mevrouw Harwood tegen u dat u blij zou zijn als ze er niet meer was? Als ze misschien zelfs dood was?'

'Wat?' zei ik weer.

'U hoorde best wat ik zei.'

'Waar hebt u het in godsnaam over?'

'Ontkent u dat ze dat heeft gezegd?'

Ik deed mijn mond open, maar ik was sprakeloos, tenminste een paar seconden. Toen zei ik zachtjes: 'Gina.'

'Ja?'

'Bijna twee weken geleden, geloof ik. We waren uit eten – we zouden gaan eten – bij Gina. Daar hebt u het over.'

'Vertelt u nou maar.'

'Jan was erg in de war bij dat etentje. Ze zei de raarste dingen. En toen barstte ze los, waarschijnlijk zo hard dat iedereen in het restaurant het kon horen, en zei dat ik blij zou zijn als ik van haar af was. Iets dergelijks. Maar niet dat ik haar dood wilde. Dat heeft ze nooit gezegd.'

'Dus u zou blij zijn als u van haar af was, maar niet als dat betekende dat ze zou moeten sterven.'

'Nee! Nee, daar klopt niets van. Ik bedoel, ze zei inderdaad dat we beter af zouden zijn zonder haar, maar dat is niet zo. Ik weet niet waarom ze zoiets zou denken, tenzij het te maken had met haar depressie. Hebt u met Gina gesproken? Want als zij zegt dat Jan zei dat ik haar dood wilde, dan is dat flauwekul.'

'Even over Jans depressie,' zei Duckworth. 'Het is grappig, maar de enige die heeft gemerkt dat uw vrouw daaraan lijdt, bent u zelf.'

Ik schudde heftig van nee. 'Dat is niet waar. Dat is helemaal niet waar. Ga met haar huisarts praten. Met dokter Samuels. Die kan het u vertellen.'

Duckworth keek me medelijdend aan. 'Uw vrouw is nooit bij dokter Samuels geweest.'

'Jezus,' zei ik. 'Bel hem op.'

'Ik heb met hem gesproken,' zei Duckworth. 'Jan Harwood is nooit bij hem op consult geweest voor haar depressie.'

Ik denk dat ik een behoorlijk goede impressie neerzette van een sukkel die er helemaal niets meer van begreep. Ik staarde hem met open mond aan en probeerde te begrijpen wat dit wilde zeggen.

Ten slotte zei ik: 'Dat is ook flauwekul.'

Maar na nog een paar seconden besefte ik dat het kon dat Jan tegen mij gelogen had over haar bezoek aan de huisarts, zodat ik haar met rust zou laten. Maar die idioot in de Lake George-winkel, die beweerde dat Jan niet wist waarom ze daar met mij was, dat was een verrekte leugenaar, daar twijfelde ik geen moment aan.

'Dus iedereen zegt maar wat,' zei Duckworth. 'En die beveiligingscamera's en computers in Five Mountains? Zeggen die ook maar wat?'

'Bedoelt u dat gedoe met die kaartjes?'

'Waarom zijn er maar twee kaartjes afgerekend op de creditcard van uw vrouw, meneer Harwood? Een volwassene, een kind. Was dat omdat u wist dat u uw vrouw niet mee zou nemen? Hebt u die creditcard uit haar tas gehaald toen u de kaartjes bestelde, of had u de gegevens al eerder genoteerd?'

'Ik heb die kaartjes niet besteld,' zei ik. 'Jan heeft ze besteld. En ze was er wél, in het park. Ik kan dat met dat kaartje niet verklaren. Misschien... misschien besefte ze toen ze terugkwam van de auto dat ze het verkeerd had geprint, dat zij geen kaartje had, en heeft ze cash betaald om erin te komen.'

'We hebben alle beelden van de beveiliging bij de ingang bekeken, maar we kunnen haar niet vinden. Niet als ze erin gaat en niet als ze eruit komt.'

'Dan is er iets mis met die camera's,' zei ik. 'Misschien haperen ze soms en nemen ze niet alles op.'

Ik wees naar hem en begon toen met mijn wijsvinger op de tafel te tikken, om mijn woorden kracht bij te zetten. 'Hoor eens, ik weet waar u mee bezig bent, maar u hebt het bij het verkeerde eind. Het eerste wat u nu moet doen is uitzoeken hoe het zit met Jans geboortebewijs, met die mensen van wie ik dacht dat het haar ouders zijn maar die dat niet blijken te zijn.'

'Laat maar zien,' zei Duckworth.

'Ik... ik heb het niet.'

'Is het bij u thuis?'

Ik schudde mijn hoofd. 'Het was verstopt. In een envelop achter de plint in de linnenkast. Maar ik heb vandaag gekeken, toen ik terugkwam uit Rochester, en het was weg.'

'Zo.'

'Kom op, zeg. U kunt dat toch sowieso nagaan? De staat heeft een archief. U kunt een kopie van dat geboortebewijs opvragen. Kunt u dat niet doen?'

Duckworth knikte langzaam. 'Ik neem aan van wel.'

'Maar u gaat het niet doen. Omdat u niets gelooft van wat ik u verteld heb.'

'Welk verhaal moet ik van u geloven, meneer Harwood? Dat uw vrouw een einde aan haar leven wilde maken, of dat ze in een getuigenbeschermingsprogramma zit? Of hebt u nog een derde verhaal achter de hand?'

Ik plantte mijn ellebogen op tafel en legde mijn hoofd op mijn handen. 'Mijn vrouw moet érgens zijn en u moet haar zoeken.'

'Weet u wat me wat dat betreft een hoop tijd zou besparen?' vroeg Duckworth.

'Wat dan?'

'U kunt me zeggen waar ze is. Wat hebt u met haar gedaan, meneer Harwood? Wat hebt u met uw vrouw gedaan?'

24

'Ik heb niets met haar gedaan!' schreeuwde ik tegen Barry Duckworth. 'Dat zweer ik. Waarom zou ik haar kwaad willen doen? Ik hou van haar! Ze is verdomme mijn vrouw! We hebben samen een zoontje.'

Duckworth zat daar maar, heel rustig, met een uitgestreken gezicht.

'Ik lieg niet tegen u,' zei ik. 'Ik verzin dit niet! Jan was depressief. Ze heeft tegen me gezégd dat ze naar de dokter was geweest. Misschien is ze niet gegaan, misschien heeft ze daar tegen mij over gelogen. Maar dat is wat ze me gezegd heeft.'

Nog steeds geen reactie.

'Hoor eens, ik weet niet hoe ik moet verklaren dat niemand anders heeft gemerkt hoe Jan zich voelde. Misschien... misschien kon ze alleen zichzelf zijn als ze bij mij was. In gezelschap van anderen deed ze alsof, deed ze vrolijk.' Ik schudde machteloos mijn hoofd. 'Ik weet niet wat ik tegen u moet zeggen.' Toen kreeg ik een idee. 'U zou met Leanne moeten praten. Hebt u al met haar gesproken? Ze werken samen. Leanne ziet Jan elke dag. Zelfs als Jan haar gevoelens voor de meeste mensen verborgen kon houden, dan moet Leanne toch iets gemerkt hebben.'

'Leanne,' zei Duckworth langzaam.

'Leanne Kowalski,' zei ik. 'Ze staat in het telefoonboek. Haar man heet Lyall.'

'Dat moet ik natrekken,' zei Duckworth. Er was iets in zijn stem, alsof hij niet dacht dat Leanne de moeite waard was om mee te praten, of dat hij dat al gedaan had. 'Hoe zou u Jans relatie met Leanne willen omschrijven?'

'Relatie?'

'Waren het dikke vriendinnen?'

'Dat heb ik u al verteld. Het waren collega's. En Leanne is nogal een zuurpruim.'

'Doen ze wel eens iets samen?' vroeg Duckworth.

'Zoals?'

'Samen lunchen, shoppen? Samen naar de film?'

'Nee.'

'Gingen ze wel eens na het werk samen iets drinken?'

'Hoe vaak moet ik dat nog zeggen? Nee. Waarom is dit belangrijk?'

'Nergens om,' zei Duckworth.

'Hoor eens, ga gewoon met haar praten. Praat met iedereen. Praat met iedereen die u maar kunt vinden. U zult niemand vinden die denkt dat ik iets te maken heb met Jans verdwijning. Ik hou van haar.'

'Ongetwijfeld,' zei Duckworth.

'Jezus,' zei ik. 'U hebt het helemaal bij het verkeerde eind.' Ik duwde mijn stoel naar achteren en stond op. 'Ben ik gearresteerd of zo?'

'Geen sprake van,' zei Duckworth.

'Moet ik een advocaat bellen?'

'Wat vindt u zelf?' vroeg hij.

Daar was geen slim antwoord op te verzinnen. Als ik ja zei, dan leek het of ik schuldig was. Als ik nee zei, dan leek ik een stomme sukkel.

'Ik moet een lift hebben terug naar mijn auto en… nee, laat maar zitten. Ik kom zelf wel terug naar het huis van mijn ouders.'

'Ja, nu we het daar toch over hebben,' zei Duckworth. 'Voor we hier aan ons babbeltje begonnen heb ik een huiszoekingsbevel geregeld. We leggen beslag op allebei uw auto's, meneer Harwood. En we gaan uw huis doorzoeken.'

'Wat zegt u?'

'Dus misschien is het inderdaad verstandig om een advocaat te bellen.'

'U gaat mijn huis doorzoeken?' vroeg ik.

'Daar zijn we al mee bezig,' zei hij.

'Denkt u dat ik Jan in ons huis verborgen heb? Dat meent u toch niet!'

Alsof het was afgesproken ging op dat moment mijn telefoon over. Ik klapte hem open en herkende het nummer van mijn ouders op de display.

'Hallo?'

'David?' Het was mijn moeder.

'Ja?'

'Ze slepen je auto weg!'

'Dat weet ik, ma. Ik ben er net achter gekomen dat…'

'Ik ben naar buiten gegaan en heb tegen ze gezegd dat ze dat niet konden maken, dat je drie uur gratis mag parkeren aan deze kant van de straat, maar…'

'Ma, je kunt er niets tegen doen.'

'Je moet meteen naar huis komen! Ze laden hem achter op een oplegger. Je vader is hun aan het vertellen dat het een vergissing is, maar…'

'Ma! Luister nou. Ik ben op het politiebureau en ik heb een lift nodig…'

'Een van mijn mensen kan u brengen,' zei Duckworth.

Ik keek hem aan. 'Rot toch op, man.'

'Wat?' zei mijn moeder.

'Stuur pa hiernaartoe,' zei ik. 'Wil je dat doen?'

'Alles goed met je? Zijn er…'

'Ma, stuur pa hier gewoon naartoe, dan vertel ik het wel als ik weer thuis ben.' Ik klapte de telefoon dicht en liet hem in mijn zak glijden.

'Klootzak,' zei ik tegen Duckworth. 'Godverdomde klootzak. Ik ben hier de slechterik niet. U laat mensen mijn huis doorzoeken, terwijl ze de stad zouden moeten afzoeken. Stel dat mijn vrouw geprobeerd heeft zich van het leven te beroven? Stel dat ze ergens is en hulp nodig heeft? Stel dat ze medische hulp nodig heeft? En wat doet u? U haalt mijn hele leven overhoop.'

Duckworth hield de deur voor me open en ik liep erdoorheen. Ik liep naar de lobby, met Duckworth vlak achter me aan. Die wilde er kennelijk zeker van zijn dat ik het gebouw verliet zonder herrie te schoppen. Het was druk in de lobby, mensen liepen heen en weer. Toen ik bijna bij de buitendeur was bleef ik staan, draaide me om en zei: 'U hebt dat getuigenbeschermingsgedoe helemaal niet laten natrekken, hè?'

Duckworth zweeg.

'U móét Jans achtergrond natrekken. Ik weet het wel, eerst dacht ik dat Jan misschien zelfmoord gepleegd had. Zo zag het er op dat moment voor mij uit. Maar er is meer gaande dan ik besefte. En ik weet niet wat het is.'

'Ik kan u verzekeren, meneer Harwood, dat ik het onderzoek in de richting waarin het loopt zal voortzetten, welke richting dat ook is.'

'Ik zeg het u nog een keer,' zei ik, terwijl ik mijn gezicht vlak voor het zijne hield. 'Ik heb mijn vrouw niet vermoord.'

'Ach!' zei een bekende stem, ergens opzij van me.

Duckworth en ik draaiden ons allebei om en zagen Stan Reeves staan, het gemeenteraadslid. Een grijns verspreidde zich over zijn gezicht.

'Niet te geloven,' zei hij met een blik op mij. 'Is dat niet dat heilige boontje, David Harwood van de *Standard*? Wat hoor je toch interessante dingen als je een parkeerbon komt betalen.'

25

Ik liep weg. Toen ik vlak bij de deur even omkeek, zag ik dat Stan Reeves nog met Duckworth stond te praten.

Pa kwam ongeveer vijf minuten later met zijn blauwe Crown Victoria voorrijden. Ik stapte in en sloeg het portier dicht.

'Pas op, straks breekt die ruit,' zei hij.

'Wat is er thuis aan de hand?' vroeg ik.

'Zoals je moeder al zei over de telefoon. Ze hebben hem meegenomen.'

Ik had de sleuteltjes, maar de politie had die niet nodig om de auto weg te halen, of erin te komen.

'Hij stond niet fout geparkeerd,' zei pa.

'Daarom hebben ze hem ook niet weggesleept,' zei ik.

Pa keek me teleurgesteld aan. 'Hebben ze hem in beslag genomen? Jezus, heb je de aflossing niet betaald?'

Ik neem aan dat het een bewijs van zijn vertrouwen in mij was dat pa eerder dacht dat ik blut was dan dat ik een moordenaar was.

'Pa, de politie zoekt naar bewijsmateriaal.'

'Bewijsmateriaal?'

'Ik denk dat de politie… ik denk dat de politie mij als een verdachte beschouwt.'

'Verdacht van wat?'

'Ze denken dat ik Jan misschien iets heb aangedaan.'

'Jezus!' zei hij. 'Waarom zouden ze zoiets denken?'

'Pa, rij even met me langs m'n huis.'

'Ze is je vrouw, David! Wat mankeert hun? Jij zou Jan nooit kwaad doen. En waarom denken ze dat haar iets overkomen is?' Plotseling drong het tot hem door. 'O, mijn god, jongen, ze hebben haar toch niet gevonden? Hebben ze een lijk gevonden?'

'Nee,' zei ik. 'De politie kijkt altijd eerst naar de echtgenoot als er een vrouw vermist wordt.' Probeerde ik mijn vader op te beuren of mezelf?

Misschien was het niet meer dan standaardprocedure dat Duckworth me ondervraagd had. Iets wat de politie altijd deed.

Nee, er zat meer achter. De omstandigheden waaronder Jan verdwenen was waren ongunstig voor mij. Het feit dat er maar twee kaartjes online besteld waren. Het feit dat niemand – behalve Ethan en ik – Jan gezien had sinds ons tochtje naar Lake George. Het feit dat Jan aan niemand anders had verteld hoe depressief ze de laatste paar weken was.

Ik dacht dat er voor de meeste dingen wel een verklaring te vinden was. Maar ik kon niet begrijpen waarom de winkelier van Ted's Lakeview General Store loog. Waarom zou iemand tegen de politie zeggen dat Jan gezegd had dat ze niet wist waar ze naartoe ging, dat haar man haar daarnaartoe had meegenomen voor een of andere verrassing?

Dat was krankzinnig.

Jan was naar binnen gegaan om iets te drinken te halen. Niets meer, niets minder. Hoe waarschijnlijk was het dat ze een gesprek zou aanknopen met de man achter de toonbank? Een gesprek over wat dan ook, laat staan over waarom ze daar met haar man was? Ik kon me voorstellen dat er iets over het weer was gezegd, maar wat voor reden kon Jan hebben gehad om iemand te vertellen dat ze niet wist waarom ze daar was? Aangezien ik erheen was gegaan om een bron te spreken, was het logischer dat Jan heel weinig gezegd had, zelfs als haar gevraagd was wat ze kwam doen bij Lake George.

Als dat was wat de eigenaar van Ted's tegen de politie had gezegd, dan loog hij, of zij had gelogen.

Tenzij, natuurlijk, rechercheur Duckworth gelogen had.

Had hij het allemaal verzonnen om mij op stang te jagen? Om te zien hoe ik zou reageren? Maar hoe wist hij dan überhaupt dat we daar geweest waren en dat Jan de winkel in was gegaan om iets te drinken te kopen? Degene bij wie ze de drankjes gekocht had, had kennelijk contact opgenomen met de politie nadat hij het nieuws over Jan had gezien.

'Wat?' zei pa. 'Waar zit je aan te denken?'

'Ik weet niet wat ik moet denken,' zei ik. 'Breng me maar gewoon naar huis.'

Ik zag de politieauto's voor het huis geparkeerd staan toen we de hoek om sloegen. Jans auto stond niet langer op de oprit, dus ze hadden die opgehaald terwijl ze die van mij bij het huis van mijn ouders wegsleepten. Pa had de auto amper tot stilstand gebracht of ik sprong er al uit en rende het gras over en het trappetje van de veranda op. De voordeur stond open en ik kon binnen mensen horen praten.

'Hallo!' riep ik.

Een vrouw in uniform verscheen boven aan de trap. Ik herkende haar als de agente die de dag ervoor in Five Mountains op Ethan had gepast terwijl ik met Duckworth praatte. Didi Campion, heette ze.

'Meneer Harwood,' zei ze.

'Ik wil het huiszoekingsbevel zien,' zei ik.

'Alex!' riep ze. Een kleine slanke man, zo te zien niet ouder dan dertig, kwam uit de slaapkamer van Jan en mij gelopen. Hij had kort stekeltjeshaar en was gekleed in een colbertje, een wit overhemd en een spijkerbroek.

'Dit is meneer Harwood,' zei ze tegen hem.

De man kwam de trap af, maar gaf me geen hand. Ik nam aan dat je dat soort beleefdheden achterwege liet als je het huis van een man overhoophaalde, op zoek naar bewijs dat hij zijn vrouw van kant had gemaakt. 'Alex Simpson, Recherche,' zei hij terwijl hij in zijn jasje tastte. Hij gaf me een stuk papier aan dat in drieën was gevouwen. 'Het huiszoekingsbevel voor dit adres.'

Ik nam het papier van hem aan en keek ernaar, maar in mijn woede was ik niet in staat de woorden te lezen. 'Vertel me gewoon waar jullie naar op zoek zijn, dan kan ik het jullie laten zien,' zei ik.

'Helaas werkt het niet zo,' zei Simpson.

Ik liep met grote passen de trap op. Didi Campion was bezig met de ladekast van Jan en mij. Ze groef tussen de sokken en het ondergoed. Ik zag haar eventjes stilhouden bij een jarretelgordel in een la van Jan, en toen ging ze weer verder. 'Is dit echt nodig?'

Didi Campion gaf geen antwoord. Ik zag dat de laptop uit de keuken nu midden op het bed stond. 'Wat doet die daar?' vroeg ik.

'Die neem ik straks mee,' zei ze.

'Dat meent u niet,' zei ik. 'Daar staat onze boekhouding in, en ons adresboek, en alles...'

'David.'

Ik draaide me om. Mijn vader stond in de deuropening. 'David, kom eens kijken wat ze met Ethans kamer hebben uitgehaald.'

Ik stak de overloop over. Het bed van mijn zoon was afgehaald en de matras stond tegen de muur. Alle plastic bakken waarin hij zijn speelgoed bewaarde waren omgekeerd en de inhoud lag over de vloer.

'Nee toch!' zei ik. 'Waarom moeten jullie de kamer van mijn zoontje overhoophalen?'

Simpson kwam naar boven. 'Meneer Harwood, u hebt het recht aanwezig te zijn als wij dit doen, maar u mag ons niet hinderen als wij ons werk doen, anders wordt u verwijderd.'

Ik was sprakeloos van woede. Ik wilde net weer wat zeggen, toen mijn mobiele telefoon overging.

'Ja?' zei ik.

'Hoi, Dave, met Samantha. Wat is er in godsnaam aan de hand?'

'Het komt nu niet uit, Sam.'

'Dave, hoor eens, ik moet openhartig tegen je zijn. Ik bel niet gewoon als vriendin. Ik wil een quote. En ik heb nu iets nodig.'

De maandageditie van de *Standard* zou pas vanavond gedrukt worden, dus Sam wilde iets hebben voor de onlinekrant. Ik had nog niet de gelegenheid gehad om even op de website te kijken, maar ik kon er gevoeglijk van uitgaan dat daar iets over de zaak zou staan, aangezien Jan gisteravond het tv-nieuws gehaald had.

Ik keek nogmaals Ethans kamer in, en toen weer in de mijne. Het liefst had ik op dat moment gezegd dat de politie van Promise Falls uit een stelletje debielen bestond, klootzakken die hun tijd verknoeiden met mij lastigvallen terwijl mijn vrouw nog steeds verdwenen was. Dat kon ze dan mooi in de krant zetten.

Maar in plaats daarvan zei ik: 'Vooruit maar, Sam.'

'Is het waar,' vroeg ze, 'dat jij verdachte bent in het onderzoek naar de verdwijning van je vrouw?'

Ik was nog maar een half uurtje geleden van het politiebureau vertrokken. Hoe kon de *Standard* nou weten dat...

Reeves.

Ik betwijfelde of Duckworth het gemeenteraadslid ook maar iets verteld zou hebben, en de politieman had de tijd niet gehad om een persconferentie te beleggen nadat ik vertrokken was. Maar die stomme opmerking van mij die Reeves gehoord had was genoeg voor hem geweest om even de *Standard* te bellen. Ongetwijfeld anoniem. Als er één lafaard bestond, dan was het Reeves wel. Een simpel belletje naar de krant om te vertellen dat een van de journalisten van de *Standard* zelf op het politiebureau woedend had ontkend dat hij zijn vrouw vermoord had, moest genoeg zijn geweest om de hele redactie in rep en roer te brengen.

Zodra Reeves klaar was met de *Standard*, had hij waarschijnlijk alle tv- en radiostations gebeld.

'Sam, hoe kom je hieraan?'

Pa keek me aan en mimede: Wie is dat?

'Kom op, Dave,' zei Samantha Henry. 'Je weet best hoe het gaat. Het spijt me, echt, maar ik moet het je vragen. Is het waar? Sta je op het punt gearresteerd te worden? Ben je een verdachte? Ben je in beeld? Is het lichaam van Jan gevonden?'

'Jezus, Sam. Vertel me in elk geval wat de politie zegt. Wat is hun officiële commentaar?'

'Ik heb nog niets van hen, maar...'

'Dus dit is alleen maar een gerucht. Heeft iemand de redactie gebeld, zonder zijn naam te noemen?'

'Dave, ik doe echt niets wat jij ook niet zou doen. We hebben een tip gekregen, en die trek ik na. Hoor eens, als je met iemand gaat praten, dan moet ik die iemand zijn. Dit is je eigen krant. Als iemand jou een goede pers gaat geven, dan zijn wij het wel.'

Daar was ik niet zo zeker van.

Buiten hoorde ik piepende remmen. Met de telefoon nog tegen mijn oor gedrukt liep ik langs mijn vader, ging de trap af en keek door de voordeur naar buiten.

Het was een tv-reportagebusje.

'Ik moet ophangen, Sam,' zei ik, en ik beëindigde het gesprek.

'Is dat niet News Channel 13?' vroeg mijn vader.

'Ja, bedankt, pa,' zei ik. 'We moeten hier weg. Als ze naar jullie huis gaan, wil ik niet dat ze Ethan lastigvallen.'

'Oké.'

'We lopen gewoon rustig naar je auto,' zei ik.

'Doen we.'

We liepen samen naar buiten en letten niet op de bestuurder en een verslaggever die uit het busje stapten. Ik herkende de verslaggever, het was Donna Wegman. Achter in de twintig, brunette, die altijd haar haren uit haar ogen streek als ze ergens op reportage het nieuws bracht.

'Hallo,' riep ze naar me. 'Bent u David Harwood?'

Ik wees naar het huis. 'Vraag maar aan de politie. Die weten wellicht waar u hem kunt vinden.'

Op weg naar het huis van mijn ouders zei pa: 'Ik weet niet of je hier al over hebt nagedacht, jongen, maar misschien moet je een advocaat inschakelen of zo.'

'Ja,' zei ik. 'Misschien wel.'

'Je kunt Buck Thomas bellen. Ken je die nog? Toen we dat akkefietje hadden met de Glendons, die hun oprit over onze grond wilden aanleggen. Prima kerel.'

'Ik heb waarschijnlijk iemand nodig met expertise op een ander terrein,' zei ik.

Pa gaf me met een knikje gelijk. 'Advocaten hebben huizenhoge tarieven, hè. Als geld het probleem is, dan, tja, je moeder en ik hebben wel wat opzijgelegd. Voor als je het nodig hebt.'

'Bedankt, pa,' zei ik. 'Maar weet je, de politie heeft me nog niet in staat van beschuldiging gesteld, voor wat dan ook. Ik denk dat als rechercheur Duckworth echt iets tegen me kon bewijzen, hij me dat politiebureau niet uit had laten wandelen.'

Pa knikte weer, met zijn blik op de weg. 'Dat is waarschijnlijk zo. En omdat je niets verkeerd hebt gedaan, is het niet waarschijnlijk dat ze bewijsmateriaal tegen jou zullen aantreffen bij het overhoophalen van je huis en je auto's.'

Als die opmerking bedoeld was om me gerust te stellen, dan was dat mislukt.

'Jezus,' zei pa, recht voor zich uit kijkend. 'Die klootzak doet zijn richtingaanwijzer niet aan.'

26

Ze reden over de Massachusetts-tolweg in Dwaynes beige pick-up, die zijn broer aan hem geleend had toen hij vrijkwam. Het was een vijftien jaar oude Chevrolet, en ondanks alle roest rond de wielen reed hij prima. Maar hij slurpte benzine, zelfs als de airco uit stond, wat voortdurend het geval was omdat die niet werkte.

'Weet je zeker dat de airco het niet doet?' vroeg Kate.

'Zet gewoon de ventilator aan.'

'Dat heb ik gedaan, die geeft alleen warme lucht.'

'Hou toch op met dat gezeur,' zei Dwayne. 'Zet gewoon een raampje open.'

Kate zei: 'Heeft je broer echt zo'n hekel aan je? Heeft hij je daarom deze rammelkast geleend?'

'Loop je liever?'

Nu hij de pick-up van zijn broer had, was de kans in elk geval groot dat het ding legaal was. Als ze toevallig van de weg gehaald zouden worden – god mocht weten of Dwayne zich op de meest ongeschikte momenten liet arresteren – dan klopten de nummerborden in elk geval. Dwayne had zelfs – de Heer zij geloofd – een geldig rijbewijs.

'Weet je,' zei Dwayne, 'ik kende vroeger op de middelbare school een Kate. Die droeg altijd zo'n laag uitgesneden truitje. Als ze vooroverboog dan wist ze dat je keek, maar dat kon haar geen reet schelen. Ik vraag me af waar die nu uithangt.'

'Ze zit in elk geval vast niet in een overjarige pick-up op de tolweg zonder airco terwijl het buiten achtendertig graden is. Misschien hadden we toch de Explorer moeten houden. Dat ding was oud, maar de airco deed het.'

Dwayne keek even opzij. 'Wat heb je? Ben je nog steeds kwaad over die toestand zonet?'

Bij Denny's. Ze had hem de wind van voren gegeven zodra ze weer op de weg zaten.

'Hoe haal je het in je hoofd,' had ze gezegd. 'Ze hebben waarschijnlijk nu al de politie gebeld.'

'Het stelde niet zo veel voor,' had Dwayne gezegd. 'Ik heb die man een dienst bewezen.'

'Wat?'

'Van nu af aan zal hij ervoor zorgen dat die kinderen zich gedragen. Ze zullen niet tot monsters opgroeien.'

Vijftig kilometer lang had ze steeds achteromgekeken, in de verwachting een blauw zwaailicht te zien. Maar misschien had niemand hen in de pick-up bij Denny's zien wegrijden.

Die gewoonte van Dwayne om zijn zelfbeheersing te verliezen op momenten dat ze zich heel erg gedeisd moesten houden, was absoluut een probleem. Ze kon alleen maar hopen dat hij zich een beetje kon inhouden tot ze hun zaakjes in Boston geregeld hadden.

'Hoor eens, het spijt me echt van zonet,' zei Dwayne. 'Dus wees weer een beetje lief en relax een beetje.'

Ze stak haar hand uit het raampje, voelde hoe de wind tussen haar vingers door blies. Een aantal kilometers zwegen ze. Zij was degene die de stilte verbrak.

'Hoe was het?' vroeg ze.

'Hoe was wat?'

'De gevangenis.'

'Wat wil je precies weten?'

'Niet wat je denkt,' zei ze. 'Ik bedoel het gewone, dagelijkse leven daar. Hoe was dat?'

'Dat ging best. Je wist altijd wat je verwachten kon. Je had een routine. Je wist wanneer je op moest staan en wanneer je naar bed ging en wanneer je moest eten en wanneer je kon luchten. Je had dingetjes om je op te verheugen.'

Dit antwoord had ze niet verwacht. 'Maar je kon nergens heen,' zei ze. 'Je was... nou ja, je zat gevangen.'

Dwayne legde zijn linkerarm in de raamopening. 'Ja, maar je hoefde geen beslissingen te nemen. Wat moet ik aan? Wat moet ik eten? Wat moet ik doen? Van dat soort dingen kun je hartstikke moe worden. Ik vraag me wel eens af hoe gewone mensen dat toch doen, al die beslissingen die ze moeten nemen. Binnen wist je elke dag dat je opstond wat je kon verwachten. Dat was best geruststellend.'

'Het was dus een hemel op aarde.'

'Niet altijd.' Haar sarcasme ontging hem. 'Het eten was waardeloos, en er was niet genoeg. Als je achter in de rij stond, dan was er soms niets meer over. En ze bezuinigden op het wasgoed. Sinds de gevangenis geprivatiseerd is, draaien die klootzakken elke cent drie keer om.'

'Geprivatiseerd?'

'Het werd door een bedrijf gerund, niet door de staat. Sommige bewakers werden erg slecht betaald. Soms hoorde je ze erover praten of ze het eind van de maand wel zouden halen, met hun kinderen, en de hypotheek, en de lening voor de auto en al die rotzooi. Je kreeg bijna het idee dat je zelf nog goed af was. Niet dat dat nog een probleem voor ons gaat worden.'

Dwayne zwenkte naar links en passeerde een bus.

'Snap je wat ik bedoel?' zei hij. 'Met die beslissingen. De enige beslissing die ik nog wil nemen is hoe groot die boot van me wordt.'

Ze dacht na over wat hij gezegd had. Ze snapte het wel degelijk. Zo was haar leven de afgelopen jaren toch ook geweest? Beslissingen. Steeds weer beslissingen. En niet alleen voor jezelf, maar ook voor andere mensen. Dat werd heel vermoeiend.

'Nog een vraag,' zei ze. 'Voel jij je vrij?'

Dwayne keek scheel. 'Ja, natuurlijk, absoluut. Ja, ik ben vrij. Ik zou niet willen ruilen met het leven binnen. Bedoel je dat?'

Het gekke was dat zij ook het gevoel had dat ze net uit de gevangenis was gekomen. Ze was ontsnapt. Hier was ze, ze reden over de snelweg, met haar voeten op het dashboard en de wind die haar haren door de war blies.

Wat een gevoel. Wat een kick.

Ze vroeg zich af waarom ze zich toch niet gelukkig voelde.

Het programma was eenvoudig genoeg.

Eerst moesten ze langs de twee banken. En dan, als ze de handel uit de kluisjes hadden gehaald, door naar die jongen over wie Dwayne gehoord had, die hun spullen zou taxeren en dan een bod zou doen. Als het bod niet goed genoeg was, dan was er ongetwijfeld ruimte om te onderhandelen, dacht Kate. Of dan zochten ze iemand anders. Er stond toch nergens zwart op wit dat je het eerste het beste bod dat je kreeg moest aannemen?

Ze hoopte maar dat het het wachten waard zou zijn. Maar ze kon zich amper voorstellen dat dat niet zo zou zijn. Zij, zij allebei, werden rijk. De enige vraag was: hoe rijk? Dat had haar al die jaren op de been gehouden. Geld was ongetwijfeld een geweldige prikkel. Dat je wist dat er – naar alle waarschijnlijkheid – miljoenen dollars op je lagen te wachten.

Misschien had ze er eerder werk van gemaakt als Dwayne en zij de sleutels niet geruild hadden en die sukkel zich niet had laten opsluiten wegens geweldpleging, ook al had ze dan alleen maar haar helft kunnen opstrijken. Maar toen Dwayne gearresteerd werd, en het sleuteltje van haar kluisje met zijn andere persoonlijke bezittingen werd bewaard op een plek waar zij niet bij kon, had ze geen andere keus gehad dan geduld oefenen.

Geduld oefenen en zich verschuilen. Dat laatste was vooral belangrijk geweest. Omdat ze wist dat iemand naar haar op zoek zou gaan. Ze had de kranten gelezen. Ze wist dat de loper het overleefd had. Tegen alle verwachtingen in. En als hij eenmaal hersteld was, dan kon ze ervan uitgaan dat hij op zoek zou gaan naar degene die hem niet alleen van een fortuin aan diamanten had beroofd, maar ook van zijn linkerhand.

Ze had altijd geweten dat zij meer risico liep dan Dwayne. De loper had haar gezicht gezien. Hij had haar recht in de ogen gekeken voor hij bewusteloos raakte. Ze had niet verwacht dat hij weer wakker zou worden.

Het bloed.

Ze wist dat het niet lang zou duren voor de loper erachter kwam hoe ze hem op het spoor gekomen was.

Via zijn vriendin, of liever, via zijn ex-vriendin. Alanna heette ze. Ze had met Alanna in een café in een voorstad van Boston gewerkt. Tijdens hun rookpauzes achter het café had Alanna het steeds maar over die jongen, en wat een sukkel het bleek te zijn. Dat hij altijd weg was, naar Afrika en zo, en dat ze nooit bij hem thuis mocht komen en dat hij zo geheimzinnig was over wat hij voor de kost deed. Een keer was ze met hem op pad geweest, in zijn Audi, en toen moest hij even een gebouw binnen omdat hij met iemand had afgesproken; hij zei dat hij over tien minuten weer terug zou zijn. En zij besloot even in zijn sporttas te kijken die achter de bestuurdersstoel op de vloer stond. Ze wist niet eens dat hij aan fitness deed. Het eerste wat haar opviel was dat het ding lekker rook voor een sporttas. Of liever, hij stonk in elk geval niet. Wie had er nu een sporttas die niet stonk? Ze ritste hem open en vond geen shorts, geen sportschoenen en geen zweetbandjes, maar wel een heleboel met fluweel gevoerde doosjes. In eentje zaten wel vijf diamanten, en ze dacht: shit, zijn ze echt? Maar hij kwam eerder terug dan ze gedacht had, betrapte haar en kreeg een woedeaanval, en daarna had ze hem nooit meer gezien.

En de vrouw die zich nu Kate noemde, dacht: diamanten?

Ze ging op dat moment al een paar weken met Dwayne, en vertelde hem wat ze gehoord had. Ze spoorden Alanna's ex op, begonnen hem in de gaten te houden, zochten uit wat zijn dagelijkse routine was. Ze zetten een val. Ze kwamen met een limousine voorrijden toen hij vanuit New York met de trein aankwam.

Als de pijnstillers uitgewerkt waren zou de loper er wel snel achter zijn dat Alanna gekletst had.

Een paar maanden na de gebeurtenissen stond er een artikel op de website van de *Globe* over een vrouw, Alanna Dysart, die in het water van Rowes Wharf was aangetroffen. Je kon er wel van uitgaan dat ze voor ze stierf haar moordenaar de namen had verteld van alle mensen met wie ze ooit over zijn werk had gepraat.

Het kon heel goed dat ze hem de naam Connie Tattinger had gegeven.

En dus verdween ze.

'Denk je dat je al op het nieuws bent?' vroeg Dwayne.

Ze was zo in haar gedachten verzonken, dat ze de eerste keer dat hij het vroeg niets hoorde.

'Neem bij het eerste knooppunt waar hotels zijn de afslag,' zei ze.

Dwayne nam bij het knooppunt met de 91 een afslag in westelijke richting, en vond een hotel met een kantoortje waar je je e-mails kon checken als je die ene reiziger op de duizend was die zonder laptop reisde.

Kate liep het kantoor binnen en zei tegen de beheerder dat haar man en zij een kamer wilden nemen. Maar eerst moest ze even kijken hoe het met haar zieke tante Belinda ging. Steeds als ze belde was ze in gesprek of kreeg ze de voicemail. Misschien had iemand wel een berichtje naar haar e-mailadres gestuurd. Als tante Belinda achteruitging, dan moesten ze meteen terug naar Maine, en het had geen zin om daarachter te komen als ze net ingecheckt hadden, dus...

'Toe maar', zei het meisje. 'Neem deze computer maar. Het is gratis'.

Ze bezocht eerst de website van de *Standard*, en daarna de websites van een aantal plaatselijke tv-zenders. Ze wilde twee dingen weten: werd er veel aandacht besteed aan de verdwijning van Jan Harwood, en was het lijk al gevonden?

Ze nam snel alle stukjes door die ze kon vinden en zei toen tegen het meisje achter de balie: 'Dank je wel. Het gaat helaas slechter met haar, we moeten terug.'

'Wat naar,' zei het meisje.

In de pick-up zei ze tegen Dwayne. 'Ze hebben haar nog niet gevonden.'

'Dat is niet zo best, toch?' vroeg hij.

'Het zal niet lang meer duren,' zei ze.

Dwayne dacht hier ongeveer drie seconden over na en toen zei hij: 'Ik heb trek, laten we wat gaan eten.'

27

Ethan vloog in mijn armen toen ik het huis van mijn ouders binnenging. Ik hield hem omhoog en kuste hem op allebei zijn wangetjes.

'Ik wil naar huis,' zei hij.

'Nog niet, kerel,' zei ik. 'Nog niet.'

Ethan schudde zijn hoofd. 'Ik wil naar huis en ik wil mama.'

'Ik zei al: nog niet.'

Hij wurmde zo kwaad in mijn armen heen en weer dat ik hem moest neerzetten. Hij liep met besliste stappen de gang door en de voordeur uit.

'Waar ga je naartoe?' vroeg ik.

'Naar huis,' zei hij.

'Dat had je gedroomd,' zei ik. Ik liep achter hem aan, greep hem om zijn borst vast en zwaaide hem de lucht in. Ik bracht hem naar binnen, liet hem op de vloer neerploffen, gaf hem een tikje op zijn achterste en zei: 'Ga iets leuks doen.'

Hij verdween in de keuken waar ik hem de koelkast hoorde opendoen. Ethan vond het gewoonlijk heerlijk bij mijn ouders, maar hij was sinds gisterochtend vroeg niet in zijn eigen huis geweest. En hoewel mijn ouders dol op hem waren, werd het hen waarschijnlijk zo langzamerhand ook iets te veel.

'Sorry,' zei ik tegen mijn moeder.

'Het hindert niet,' zei ze. 'Hij mist haar gewoon. David, wat is er aan de hand? Waarom hebben ze je auto weggesleept?'

Pa kwam net binnen en zei: 'Je zou eens moeten zien wat ze in zijn huis aan het doen zijn. Ze halen de hele boel overhoop.'

Ik nam ma mee naar de veranda, waar Ethan ons niet kon horen. 'De politie denkt dat ik Jan iets heb aangedaan,' zei ik.

'O, David.' Ze klonk eerder bedroefd dan verbaasd.

'Ze denken dat ik haar vermoord heb,' zei ik.

'Waarom?' zei ze. 'Waarom zouden ze zoiets denken?'

'Er zijn dingen… de omstandigheden lijken in mijn richting te wijzen,' zei ik. 'Sommige dingen zijn gewoon toeval. Bijvoorbeeld dat niemand Jan meer gezien heeft sinds ik haar vrijdag meenam naar Lake George. En dan die verwarring over de onlinekaartjes…'

'Wat voor verwarring?'

'Maar er zijn ook dingen die nergens op slaan. Mensen hebben gelogen. Zoals bij Lake George, die vent die die winkel daar heeft.'

'David, ik kan er geen touw aan vastknopen. Waarom zouden mensen leugens over jou vertellen? Waarom zou iemand jou last willen bezorgen?'

'De jongen heeft een advocaat nodig,' zei pa door de hordeur heen.

'Ik moet erheen,' zei ik. 'Ik moet erachter komen waarom die man liegt.'

'Luisteren jullie nog?' vroeg mijn vader.

'Pa, alsjeblieft,' zei ik.

'Je vader heeft gelijk,' zei ma. 'Als de politie denkt dat jij iets te maken hebt met wat er met Jan gebeurd is…'

'Ik heb nu geen tijd,' zei ik. 'Ik moet Jan vinden, en ik moet erachter komen waarom alles zo verdraaid is dat het erop lijkt dat…'

'Wat?' vroeg ma.

'Reeves,' zei ik.

'Het gemeenteraadslid?' vroeg ma. 'Stan Reeves?'

'Ik dacht dat hij hier pas achter was gekomen toen ik hem op het politie-bureau tegenkwam. Maar stel nu eens dat hij er al een tijdje van weet?'

'Waar heb je het over?' vroeg pa.

'En Elmont Sebastian,' zei ik. 'Ik kan het niet geloven… ik weet dat ze het op mij gemunt hebben, maar ze zouden toch niet…'

Ik dacht koortsachtig na. Ik had de puntjes snel genoeg met elkaar verbonden, maar wat voor plaatje kwam eruit naar voren?

Als Jan iets overkomen was, en als ik de schuld daarvoor in mijn schoenen geschoven kreeg, dan zou ik geen verhalen meer schrijven waarin ik vraagtekens zette achter de plannen van Star Spangled Corrections om een gevangenis in Promise Falls te vestigen.

Ik zou niet langer proberen om een artikel geplaatst te krijgen over Sebastian die gemeenteraadsleden – of in elk geval één gemeenteraadslid, Reeves – omkocht om de zaak van zijn kant te bekijken.

Kon dit? Of draaide ik helemaal door?

Was het al die moeite waard om één verslaggever het zwijgen op te leggen? Ik werkte voor de enige krant in de stad, en hoewel het blad achteruit-ging, had de *Standard* toch nog wel invloed in Promise Falls. En ik was kennelijk de enige bij de krant die iets om dit onderwerp gaf. Niet alleen of een commerciële gevangenis een goed idee was, maar ook hoe ver Star Spangled Corrections wilde gaan om zijn doel te bereiken.

En hoewel het niet alle problemen van Elmont Sebastian zou oplossen als ik van het toneel verdween, zou het in elk geval geen kwaad kunnen.

Maar zelfs als dat zo was, en Elmont Sebastian achter de schermen de zaak manipuleerde opdat ik onschadelijk werd gemaakt, hoe kon ik dan verklaren wat ik in Rochester had gehoord? Over Jans verleden, of liever, over het gebrek daaraan.

'Ik wil een glas water,' zei ik plotseling.

Ma liep voor me uit naar de keuken, waar Ethan op de vloer lag, zijn hoofd opzij tegen het linoleum gedrukt, en een autootje in zijn blikveld heen en weer liet rijden, terwijl hij ondertussen zachte, tevreden bromgeluidjes maakte. Ma liet de kraan lopen tot het water koud was, vulde een glas en gaf het me aan.

Ik dronk en zei daarna: 'Er is nog iets.'

Mijn ouders wachtten.

'Iets met Jan.'

Ik nam ze mee de keuken uit zodat Ethan niet zou horen wat ik te zeggen had.

Een half uur later reed ik in mijn vaders auto weg. Nu ik eenmaal verteld had wat ik in Rochester had gehoord, wist ik niet of dat wel zo'n goed idee was geweest. Pa had een tirade afgestoken over incompetente ambtenaren die Jan waarschijnlijk een verkeerd geboortebewijs hadden uitgereikt.

'Ik wil er wat om verwedden,' zei hij, 'dat ze haar gegevens heeft opgestuurd voor een geboortebewijs en dat ze haar het bewijs van een andere Jan Richler hebben gestuurd, en dat ze er toen ze het per post binnenkreeg verder niet meer naar gekeken heeft. Ze betalen die types goud geld en ze kunnen niet ontslagen worden, dus het kan hun niet schelen hoe ze hun werk doen.'

Maar ma was ontdaan door het nieuws. Ze keek steeds uit het raam naar de achtertuin, waar Ethan nu crocketballen in het rond sloeg. Op een gegeven moment zei ze: 'Wat moeten we hem vertellen? Wie is zijn moeder echt?'

Ik lanceerde mijn theorie over het getuigenbeschermingsprogramma, die pa zo plausibel vond dat het hem afleidde van zijn tirade over die luie ambtenaren (het scheen niet bij hem op te komen dat hij zelf ooit ook zo'n ambtenaar was geweest). De gretigheid waarmee hij de theorie omhelsde, deed mij twijfelen aan de waarde ervan.

Pa had het er nog steeds over dat ik een advocaat nodig had toen ik in zijn auto stapte. Ik moest toegeven dat hij wat dat betreft gelijk had, maar ik kon me er op dat moment niet toe zetten om alles wat me de afgelopen twee dagen was overkomen aan een onbekende uit te leggen.

Ik had te veel te doen.

Om pa te sussen zei ik: 'Wil jij dat ik een advocaat in de arm neem? Zoek er dan een voor me. Maar niet iemand die ruzies over een oprit doet.'

Ik keek de hele weg naar Lake George af en toe in mijn achteruitkijkspiegeltje. Ik verwachtte niet dat ik de blauwe Buick zou zien die Jan de vorige keer dat ik hier reed had gezien, maar ik had het gevoel dat rechercheur Duckworth, of een van zijn ondergeschikten, een oogje op me zou houden. Als Duckworth mij echt verdacht, dan zou hij me vast niet uit het oog verliezen.

Als ik gevolgd werd, dan deden ze het goed. Geen een auto sprong er tijdens de rit uit. Even over drieën parkeerde ik op de parkeerplaats van Ted's Lakeview General Store.

Geen florerende zaak. Niemand stond er benzine te tanken, en er stonden maar twee auto's op de parkeerplaats. Aangenomen dat een van de auto's van degene in de winkel was, dan betekende dat dat er maar één klant binnen was.

Er klonk een belletje toen ik de winkel binnenstapte. Een magere man, achter in de zestig of voor in de zeventig, stond achter de toonbank. Eerst dacht ik dat hij stond, toen zag ik dat hij op het randje van een hoge kruk zat. Hij knikte zo'n beetje naar me en glimlachte.

Een dikke vrouw zette een zak Dorito's, een kingsize Snickers en een fles cola light voor hem neer op de toonbank. Hij telde haar boodschappen bij elkaar op, stopte ze in een tasje en ze kon gaan.

Toen ze weg was zei ik: 'Bent u dé Ted?'

'Inderdaad,' zei hij. 'Wat kan ik voor u doen?'

'Ik ben verslaggever van de *Standard* van Promise Falls,' zei ik. 'De politie, rechercheur Duckworth, heeft me verteld dat hij met iemand hier gesproken heeft over die vermiste vrouw. Bent u dat?'

'Jazeker,' zei hij. Zijn stem klonk zangerig. Het idee dat hij op het punt stond geïnterviewd te worden had hem opgekikkerd.

'Die vrouw, Jan Harwood, was hier dus in de zaak?'

'Ik weet zeker dat zij het was, zo zeker als ik hier voor u sta,' zei hij.

'En u hebt de politie gebeld? Of hebben zij u benaderd?'

'Nou,' zei hij. Hij gleed van zijn kruk af en leunde over de toonbank. 'Ik zag haar gisteravond op het nieuws, ze zeiden dat ze vermist werd, en ik herkende haar meteen.'

'Goh,' zei ik terwijl ik aantekeningen maakte in het notitieblokje dat ik uit mijn zak had gehaald. 'Maar hoe kunt u nu iemand herkennen die hier maar een minuutje geweest is?'

'Normaal gesproken hebt u daar gelijk in,' zei hij. 'Maar ze was erg spraakzaam, en dat gaf me de gelegenheid haar eens goed te bekijken. Een aantrekkelijk vrouwtje bovendien.'

Jan? Spraakzaam?

'Wat zei ze?'

'Dat ze hier met haar man was, een tochtje.'

'Dat zei ze zomaar?'

'Nou, eerst zei ze hoe mooi het hier was, en dat ze nog nooit eerder bij Lake George was geweest, en ik vroeg of ze hier ergens in de buurt in een hotelletje of zo zat, en toen zei ze nee, dat ze hier alleen maar op een auto-tochtje was, met haar man.'

Dat klonk allemaal best waarschijnlijk. Een aardig gesprekje. Waarom probeerde Duckworth daar meer van te maken dan erin zat?

'En toen?' vroeg ik. 'Toen kocht ze iets en ging ze weer weg?'

'Ze kocht iets te drinken, dat weet ik nog wel. Ik weet uit mijn hoofd niet meer wat. In elk geval een ijsthee, geloof ik.'

'En toen ging ze weer weg?'

'Ze vroeg of er hier interessante dingen te doen waren. Iets leuks.'

'Iets leuks?'

'Moet u dit niet opschrijven?' vroeg Ted.

Ik realiseerde me dat ik geen aantekeningen had gemaakt. Ik glimlachte en zei: 'Maakt u zich geen zorgen. De interessante dingen onthou ik wel.'

'Ik wil alleen niet dat u me woorden in de mond legt of zo.'

'Daar hoeft u zich geen zorgen om te maken. En wat bedoelde ze daar-mee, met iets leuks?'

'Ze vroeg zich af of er hier in de buurt iets te doen was, want haar man had haar meegenomen voor een ritje, en ze vroeg zich af waarom. Ze dacht dat hij misschien van plan was haar met iets te verrassen.'

'En gaf ze nog een andere reden waarom ze hier waren? Bijvoorbeeld omdat ze met iemand afgesproken hadden of zo?'

Ted dacht hier even over na. 'Dat geloof ik niet. Alleen dat haar man haar hiernaartoe had meegenomen en dat hij haar niet wilde vertellen waarom.'

Ik legde mijn notitieblokje en pen op de toonbank en vroeg even niets. Dat verwarde Ted.

'Is er iets?'

'Waarom liegt u?' vroeg ik.

'Wat zegt u?'

'Ik vroeg waarom u liegt.'

'Waar hebt u het over? Het is de waarheid. Ik vertel u precies hetzelfde als ik aan de politie heb verteld.'

'Ik geloof het niet,' zei ik. 'Ik denk dat u dit verzint.'

'Bent u gek of zo? Ze was hier. Ze stond precies waar u nu staat. Twee dagen geleden, meer niet.'

'Ik geloof best dat ze hier was, maar niet dat ze dat tegen u gezegd heeft. Heeft iemand u betaald om dat aan de politie te vertellen? Wat is er aan de hand?'

'Wie bent u eigenlijk?'

'Dat heb ik al gezegd, ik ben een verslaggever. En ik hou er niet van als mensen me ertussen proberen te nemen.'

'Jezus christus,' zei Ted. 'Als u mij niet gelooft, vraag dan aan de politie of ze u de band willen laten zien.'

'Band?'

'Ja, ik noem het een band, maar het staat op schijf of op cd of hoe heet het. Kijk maar.' Hij wees over zijn schouder. Een kleine camera hing aan een haak die in de muur geschroefd was. 'Er zit ook geluid bij. Het is niet geweldig, maar als je goed luistert hoor je wat de mensen zeggen. Ik ben in 2007 overvallen, een nare zaak, die klootzak heeft zelfs op me geschoten, de kogel vloog vlak langs mijn oor, daar de muur in. Toen heb ik die camera met microfoon aangeschaft.'

'Staat het allemaal op tape?' vroeg ik.

'Vraag het maar aan de politie. Ze zijn hier zonet nog geweest om er een kopietje van te maken. Waarom beschuldigt u me er in godsnaam van leugens te vertellen?'

'Waarom zou ze zoiets zeggen?' vroeg ik. Maar ik had het tegen mezelf, niet tegen Ted.

Ik pakte mijn notitieblokje, liet het in mijn zak glijden en liep naar de deur.

Ted riep me achterna: 'Wanneer komt het in de krant?'

Ik schudde mijn hoofd en keek naar de grond toen ik naar buiten liep; ik probeerde een reden te verzinnen waarom Jan iemand die ze niet kende had verteld waarom ik haar daarnaartoe had meegenomen. Waarom ze gezegd had dat ik een verrassing voor haar in petto had. Het was logisch dat Jan niet aan een vreemdeling had verteld dat we hiernaartoe waren gereden omdat ik een bron zou ontmoeten. Dat zou natuurlijk oerstom zijn geweest. Maar om een gesprek te beginnen alleen maar om die dingen te zeggen... waar sloeg dat in godsnaam op?

Als ik niet zo in gedachten verzonken was geweest, had ik misschien gemerkt dat Welland, de ex-veroordeelde chauffeur van Elmont Sebastian, me verdekt opgesteld stond op te wachten toen ik naar buiten kwam.

28

Welland greep me bij mijn jasje vast en gooide me zo hard tegen de muur van Ted's Lakeview General Store dat ik naar adem snakte.

'Jezus, wat…'

Dat was het enige wat ik uit kon brengen voor Welland zijn gezicht voor het mijne hield. 'Hallo, meneer Harwood,' zei hij. Ik hapte naar adem en moest wel merken dat die van hem warm was en naar uien rook.

'Laat me los,' zei ik. Welland hield me met zijn armen, zo dik als schokdempers, tegen het gebouw gedrukt.

'Meneer Sebastian hoopte,' zei hij overdreven beleefd, 'dat u misschien even met hem wilt praten.'

Ik keek opzij en zag een limousine vlakbij staan. De motor liep en de getinte ramen waren allemaal dichtgedraaid. Ik moest Welland op zijn woord geloven dat zijn baas erin zat.

'Ik zei: laat me los,' zei ik tegen Welland, die me nog steeds tegen het gebouw aan drukte.

Welland liet niet los maar zei: 'Mag ik je wat vragen?'

Ik zei niets.

'Sommige mensen, types als jij, kunnen hun leven leiden zonder zich ooit te hoeven bewijzen. Snap je wat ik bedoel? Ik heb het over een man-tegen-mangevecht.' Dat laatste sprak hij met trots uit. 'Heb je dat ooit hoeven doen? Of heb je voor het laatst gevochten toen je zes was?'

Ik zei nog steeds niets. De deur ging open en Ted stak zijn hoofd om de hoek. 'Alles goed, hier?'

Welland wierp hem een blik toe. 'Rot op, ouwe.'

Ted ging weer naar binnen.

Welland liet me los, maar greep mijn arm vervolgens als een bankschroef beet en bracht me naar de limousine. Hij deed een achterportier open en duwde me naar binnen.

Elmont Sebastian zat in de andere hoek van de weelderige leren bank. In zijn hand had hij een Mars, het papiertje ervan afgepeld alsof het een banaan was. Ik haalde mijn been nog net op tijd binnen voor Welland het portier dichtsloeg.

'Meneer Harwood, wat een genoegen,' zei Sebastian.

Welland liep om de auto heen en ging achter het stuur zitten. Hij zette de auto in de versnelling en reed zo hard van de parkeerplaats af dat ik teruggeworpen werd op mijn stoel.

'Volgens mij noemen ze dit kidnapping,' zei ik.

Sebastian grinnikte. 'Doe niet zo gek,' zei hij kauwend. 'Dit is een zakelijk onderhoud.'

'Ik heb helemaal niet gezien dat jullie me volgden,' zei ik. 'Een grote auto als deze is toch moeilijk over het hoofd te zien.'

Sebastian knikte. 'We zaten een kilometer of vier achter je.'

'Maar hoe kan...'

'De vorige keer waren we een beetje slordig. We hebben je toen maar door één auto laten volgen, die je – dat moet ik je nageven – opmerkte. Deze keer hebben we dus verschillende auto's ingezet om je in de gaten te houden. Als je over een netwerk van instellingen zoals het mijne beschikt, dan heb je toegang tot een uitgebreid en gevarieerd arbeidspotentieel. De meesten kunnen wel een auto besturen. Sommigen hebben hun rijbewijs waarschijnlijk met een gestolen auto gehaald.' Hij lachte om zijn eigen grap. 'Maar goed, toen je hier weer stopte, is die informatie aan mij doorgegeven.'

'Waar gaan we heen?' vroeg ik toen Welland de auto in noordelijke richting draaide.

'Nergens heen,' zei Sebastian. 'We rijden gewoon een beetje rond.' Hij nam de laatste hap van zijn Mars, frommelde de wikkel tot een klein propje en gooide het op de vloer. Er lag verder geen rotzooi, dus ik nam aan dat Welland nog meer plichten had naast chaufferen.

'Dit gaat een fraai artikel worden,' zei ik. 'Baas van gevangenis kidnapt *Standard*-verslaggever.'

'Ik denk niet dat jij dat artikel gaat schrijven,' zei hij. Hij liet zijn tong over zijn tanden glijden om het laatste stukje chocolade weg te werken.

'Waarom niet?'

'Omdat je mijn voorstel niet gehoord hebt. Als je dat gehoord hebt, dan zul je heel wat vriendelijker over me denken.'

'Wat voor voorstel?'

Hij tikte even op mijn knie. 'Ten eerste: ik kan het volkomen begrijpen

213

als je me vandaag nog geen antwoord geeft. Ik weet dat je op dit moment heel wat op je bordje hebt, met dat ongelukkige gedoe met je vrouw.'

'Daar weet u alles van,' zei ik.

'Het zou gek zijn als ik het niet wist,' zei hij. 'Je hebt ongetwijfeld het nieuws gezien. Ik geloof dat ze hier en daar al zeggen dat je in beeld bent, wat mij altijd een nette manier heeft geleken om te zeggen dat iemand verdacht wordt. Ben je het met me eens?'

'Hoe snel heeft Reeves u gebeld nadat hij vertrokken was bij het politiebureau?' vroeg ik.

Sebastian grijnsde. 'Ik verzeker je, het enige wat sneller de ronde doet dan een goed bericht, is een slecht bericht. Maar dat weet jij waarschijnlijk al, met jouw beroep. Vertel me eens, waarom focussen de media zich altijd op het negatieve? Het is zo ontmoedigend. Het maakt maar mistroostig.'

'Als een vliegtuig een veilige landing maakt, dan haalt dat gewoonlijk het nieuws niet,' zei ik.

'Ja, daar heb je gelijk in. Touché. Maar bekijk het eens van mijn kant. Hier ben ik, ik bied een dienst aan waar behoefte aan is, ik ben bereid om banen en welvaart naar jullie kleine rotstadje te brengen, en het enige wat ik krijg is stank voor dank. Tenminste van types als jij.'

'Maar niet van mijn krant,' zei ik. 'Die is heel aardig geweest. Hebt u een deal met Madeline gemaakt om dat stuk grond van haar te kopen?'

Sebastian glimlachte. 'Star Spangled Corrections houdt nog alle opties open.'

'Waarom denkt u dat mijn huidige problemen me ervan zullen weerhouden om over uw plannen te schrijven?'

'Tja, ik weet niet zo veel over journalistiek, maar ik denk dat zelfs een klein krantje als de *Standard* er bezwaar tegen zal hebben om een verdachte in een moordzaak actief het nieuws te laten verslaan. Ik denk zo dat je al snel met verlof zult zijn.'

Wist hij dat daadwerkelijk, of dacht hij het alleen maar? Hoe dan ook, hij had het waarschijnlijk bij het rechte eind.

'En eerlijk gezegd, zelfs als je huidige problemen, zoals je die noemt, zouden verdwijnen, dan geloof ik niet dat het in jouw belang is om met dit onderwerp door te gaan.'

'En waarom niet?' vroeg ik.

'Daar komen we later wel op terug,' zei Sebastian. 'Ik wil nu graag met mijn voorstel komen.'

'Gaat uw gang,' zei ik.

'Ik vroeg me af wat je van een carrièreswitch zou denken.'

'Een wat?'

'Een carrièreswitch. Er zit geen toekomst in de journalistiek. Je hebt ongetwijfeld al nagedacht over de wegen die verder voor je openstaan.'

'Wat bedoelt u?'

'Wanneer Star Spangled Corrections hier een gevangenis opstart – en dat zullen we ongetwijfeld doen, dat verzeker ik je – dan hebben we een gewiekste publiciteitsman nodig. Iemand die met de pers kan omgaan. Iemand die weet hoe de media opereren.'

'U meent het.'

'Wel degelijk. Denk jij dat ik iemand ben die grappen maakt, David?'

Voorin zat Welland te grinniken.

'Nee,' zei ik.

'Ik meen het heel serieus, hoor. Ik zou het prettig vinden als jij mijn perschef wordt. Ik kan wel zo ongeveer raden wat je bij de *Standard* krijgt. Zeventig of tachtigduizend?'

Minder.

'Je aanvangssalaris wordt bijna het dubbele. Niet slecht voor een man met een vrouw en een zoontje.'

Zijn stem leek bij dat 'zoontje' even te dralen.

'U bent nog niet eens begonnen met heien,' zei ik. 'Ik neem aan dat zolang de eerste paal nog niet geslagen is, ik stukken kan blijven schrijven over het verzet tegen uw gevangenis.'

'Kijk, er komt altijd zo veel voorbereidend werk bij kijken, dat ik wil dat je meteen begint, als jou dat uitkomt,' zei Sebastian. Toen ik niet reageerde ging hij verder: 'Hoor eens, David, we zijn geen van beiden achterlijk. Ik wil je niet beledigen. Ik zal eerlijk zijn. Als jij deze baan aanneemt, sla ik dankzij jou twee vliegen in één klap. Er komt een einde aan jouw campagne tegen mijn inrichting, en ik hou er een slimme jonge man aan over met een hoop mediaknowhow. Het is het oude axioma dat je beter je vijanden bij jou in de tent kunt hebben om naar buiten te pissen dan dat ze buiten staan en naar binnen pissen. Ik vraag je om bij mij in de tent te komen, David, en ik ben bereid je voor de moeite die je neemt ruimschoots te compenseren.'

Na even zwijgen zei ik: 'Zoals u al zei, ik heb op dit moment een hoop op mijn bordje.'

Hij leunde naar achteren en knikte. 'Natuurlijk, natuurlijk. Wat moet je wel niet van me denken, dat ik überhaupt met zo'n voorstel kom terwijl je het op dit moment zo moeilijk hebt.'

'Maar desondanks kan ik u toch mijn antwoord wel geven,' zei ik.

'O,' zei Sebastian verrast. 'Laat horen.'

'Nee.'

Hij keek teleurgesteld, maar dat leek geveinsd. 'In dat geval heb ik nog maar één zakelijk dingetje te bespreken. Ik had gehoopt dat dat een fluitje van een cent zou zijn als je mijn aanbod had aangenomen. Maar nu vermoed ik dat het lastiger ligt.'

'Vertel maar.'

'Wie is je bron?'

'Pardon?'

'Wie kwam je hier ontmoeten?'

'Ik kwam hier niet naartoe om iemand te ontmoeten,' zei ik.

Sebastian glimlachte naar me alsof ik een kind was dat hem teleurgesteld had. 'Alsjeblieft, David. Ik weet dat dat de reden was waarom je vrijdag hiernaartoe kwam. Ik weet dat een vrouw contact met je heeft opgenomen. En ik weet dat ze niet is komen opdagen. Nu ben je hier weer, slechts twee dagen later, en dan wil je mij doen geloven dat dat niet om dezelfde reden is? Heeft ze je weer laten zitten?'

'Ik ben hier niet voor een afspraak.'

Sebastian zuchtte en keek even naar het landschap dat aan zijn raampje voorbijflitste. Zonder me aan te kijken zei hij: 'Heb je tijd voor een verhaal, David?'

'Ik ben publiek tegen wil en dank,' zei ik terwijl de limousine verderreed.

'Eens, in onze inrichting bij Atlanta, hadden we problemen met een gevangene die Buddy genoemd werd.'

Welland keek in zijn spiegeltje.

Sebastian zei: 'Hij had die naam gekregen omdat iedereen vrienden met hem wilde zijn. Niet dat hij zo'n gezelligheidsdier was. Iedereen wilde hem in zijn eigen belang te vriend houden. Het was een taaie. Buddy was lid van de Arische Broederschap, een blanke racistische bende die zich heeft genesteld in penitentiaire inrichtingen door het hele land. Wel eens van gehoord?'

Ik keek hem alleen maar aan.

'Ja, natuurlijk wel,' zei Sebastian. Hij schoof een beetje naar het midden van de bank en riep tegen zijn chauffeur: 'Welland, jij bent natuurlijk expert op dit gebied. Hoe zou je die arische kerels willen omschrijven?'

Welland keek in het spiegeltje. 'De engste klootzakken die er zijn.'

'Ja,' zei Sebastian. 'Een goede omschrijving. Welland, zou jij dit verhaal willen vertellen? Ik ben altijd bang dat het opschepperig klinkt als ik het doe.'

Welland zette zijn gedachten even op een rijtje, likte zijn lippen en zei toen: 'Meneer Sebastian had een probleempje met Buddy. Die was een expert in pis-schrijven.'

'In wat?' vroeg ik. Het enige wat ik me daarbij kon voorstellen was dat je als kind buiten in de sneeuw je naam piste.

'Je kunt pis gebruiken om mee te schrijven, een soort onzichtbare inkt. Als je het papier tegen het licht houdt of je verhit het, dan kun je de boodschap lezen. Meneer Sebastian is erachter gekomen dat Buddy op die manier een hele hoop boodschappen had verzonden, dat hij op die manier communiceerde met zijn bondgenoten, en hij wilde niet dat hij dat nog deed. Het was niet bevorderlijk voor de rust in de inrichting.'

Daar moest Sebastian om glimlachen.

'Dus meneer Sebastian liet Buddy naar zijn kantoor brengen, met handboeien om, natuurlijk. Een van de bewakers maakte Buddy's broek los en trok hem tot zijn enkels naar beneden.' Welland kuchte en schraapte zijn keel, alsof hij het niet prettig vond om dit verhaal te vertellen. 'En toen heeft meneer Sebastian vijftigduizend volt op z'n zakie gezet.'

Ik keek naar Sebastian.

'Een Taser,' zei hij. 'Een stungun.'

'U hebt de genitaliën van die man met een stungun bewerkt?'

'Best nog een hele opgave,' zei Sebastian. 'De stralen van een stungun kun je niet zo heel precies richten. Maar ik had geluk.'

Meer geluk dan Buddy, dacht ik.

'U kunt beter de rest vertellen,' zei Welland.

Sebastian zei: 'Ik heb tegen Buddy gezegd dat wanneer je bloed in je urine hebt, het een stuk lastiger is om het spul als onzichtbare inkt te gebruiken. Eerlijk gezegd wist ik niet zeker of vijftigduizend volt genoeg was. Misschien moest Buddy er alleen maar van aan de ziekenfondsviagra, meer niet. Maar het bleek wel degelijk het gewenste effect te hebben.'

Het bleef even stil in de auto. Uiteindelijk zei Sebastian: 'Ik had niet gedacht dat het mogelijk zou zijn om een lid van de Arische Broederschap aan het huilen te maken.'

'Ik denk dat het moeilijk is om niet te huilen als je zoiets wordt aangedaan,' opperde ik.

'O, daar kwam het niet door,' zei Sebastian. 'Toen Buddy van de schok bekomen was, liet ik hem een foto zien van zijn zesjarige zoontje, dat bij zijn vriendin woonde, en ik vertelde hem hoe jammer het zou zijn als een van de onlangs vrijgekomen gevangenen die hij verkracht en anderszins geterroriseerd had, te weten zou komen waar dat ventje woonde. Toen zag ik die traan over zijn wang rollen.'

'Zo,' zei ik.

'Inderdaad,' zei Elmont Sebastian. 'Dus zou ik het bijzonder waarderen als jij tegen me zou zeggen wie jou bij de *Standard* geschreven heeft en met jou afgesproken heeft.'

'Ik weet niet hoe u van die e-mail kunt weten,' zei ik, hoewel ik wel een vermoeden had. 'Maar nu dat kennelijk zo is, dan weet u toch ook dat hij anoniem was.'

Hij knikte. 'Inderdaad. Maar er zijn talloze andere manieren om met mensen in contact te komen. En ik denk dat hoewel jullie eerste afspraak mislukt is, het bijzonder waarschijnlijk is dat deze vrouw op een andere manier contact met je heeft opgenomen.'

'Dat heeft ze niet gedaan,' zei ik. 'Ze heeft zich kennelijk bedacht.'

'Wat doe je hier dan?'

'Ik ben hiernaartoe gereden om met de eigenaar van die winkel daar te praten. Ik wilde hem naar mijn vrouw vragen. Ze heeft daar iets te drinken gehaald toen we hier vrijdag waren. Ik dacht dat ze misschien iets tegen hem gezegd had wat me zou kunnen helpen bij mijn zoektocht naar haar.'

Sebastian leek dit te overdenken.

'Kijk, David. Ik kan het me niet permitteren om een lek in mijn organisatie te hebben. Dat kan geen enkel bedrijf zich permitteren. Apple niet, Microsoft niet, en Star Spangled Corrections zeker niet. Er zijn maar twee kandidaten voor die e-mail. Iemand uit mijn organisatie, of iemand die op het stadhuis van Promise Falls werkt, iemand die op de een of andere manier met Stan Reeves te maken heeft. Nu heb ik al eerder aan je uitgelegd dat al mijn contacten met het gemeentebestuur volkomen transparant zijn. Maar een valse beschuldiging kan net zo beschadigend zijn, of nog erger, dan eentje die waar blijkt te zijn.'

Welland liet de auto vaart minderen. Ik keek voor me uit en zag geen duidelijke reden daarvoor.

'Dus is het voor mij heel belangrijk om erachter te komen wie contact met jou heeft opgenomen en gesuggereerd heeft dat mijn bedrijf zich schuldig heeft gemaakt aan een misdrijf. De afzender van die e-mail heeft een paar dingen prijsgegeven. Ten eerste dat het een vrouw was, en ten tweede dat ze een witte pick-up heeft. Via eigen onderzoek heb ik kunnen vaststellen dat Star Spangled vier vrouwelijke werknemers heeft die niet verder dan twee uur hiervandaan wonen en die of zelf een witte pick-up hebben, of daaraan kunnen komen. En op het stadhuis zitten misschien vijf of zes vrouwen die toegang hebben tot de correspondentie van raadsleden. Ik ben nog aan het uitzoeken over wat voor voertuigen zij beschikken. Ik ben bereid om mijn onderzoek naar deze vrouwen te intensiveren, tenzij jij bereid bent om ons die moeite te besparen.'

Ik hoorde Welland het woord 'intensiveren' zachtjes herhalen. Hij had zijn richtingwijzer aangeknipt en even later reed hij een smalle grindweg op die het dichte bos doorsneed.

'Meneer Sebastian, alle respect!' zei ik. 'Dit intimidatiegedoe gaat u prima af. Je moet wel heel dom zijn om de bedoeling van dat arische huilverhaaltje niet te snappen. Ik zou alle journalistieke ethiek overboord zetten als ik ook maar één seconde zou geloven dat u mijn zoon bedreigde.'

Sebastian trok een zogenaamd verontwaardigd gezicht. 'David! Heb je dat uit dat verhaal opgepikt? Ik dacht gewoon dat je het wel interessant zou vinden.'

Ik ging door: 'Als ik echt dacht dat u mijn jongen kwaad zou kunnen doen en ik hem kon redden door mijn bron te verraden, dan zou ik dat direct doen. Ik zou het niet mooi van mezelf vinden, maar het hemd is nader dan de rok.'

Sebastian knikte.

Ik voegde eraan toe: 'En als u hem inderdaad kwaad zou doen, op wat voor manier dan ook, als u maar één van z'n actiemannetjes zou stelen, dan zou ik u vinden en u doden.'

Sebastian glimlachte vermoeid. 'Weet je wat echt interessant zou zijn? Het zou heel interessant zijn als ze je op dit gevalletje zouden pakken. Als ze het lijk van je vrouw vinden en jou de moord in de schoenen schuiven, als ze je voor de rechter slepen en je veroordelen en je voor tien of twintig jaar opsluiten. En als dat dan toevallig in een van mijn gevangenissen zou zijn. Als we de zaak snel rond hebben, dan zou het zelfs de vestiging in Promise Falls kunnen zijn. Dat zou toch wel geestig zijn!' Hij lachte zachtjes. 'Welland, vind je dat niet geestig?'

'Weet u wat het zou zijn, meneer Sebastian?' zei hij terwijl hij de auto stilzette. 'Het zou ironisch zijn.'

'Inderdaad.'

Ik keek naar buiten. We waren op een godvergeten plek, midden in het bos.

Ik vroeg aan Sebastian: 'Bent u niet ongerust over uzelf?'

'Hoe bedoel je?'

'Al die andere arische broeders die vrij rondlopen. Bent u niet bang dat iemand het u betaald wil zetten, wat u Buddy heeft aangedaan? Dat iemand misschien langsgaat bij iemand van uw eigen familie?'

'Als ik familie had, dan zou dat een punt van zorg kunnen zijn. Maar een man in mijn positie functioneert het best als hij niet de last hoeft te dragen van mensen van wie hij houdt.'

Ik keek weer uit het raampje. Ik wilde het niet vragen, maar ik kon mezelf niet inhouden. 'Wat doen we hier? Waarom stoppen we?'

Welland schoof opzij in zijn stoel zodat hij de blik van zijn baas in het achteruitkijkspiegeltje kon opvangen. Hij wachtte kennelijk op instructies.

'Het is hier toch prachtig?' zei Sebastian. 'We zitten maar anderhalve kilometer van de grote weg af, en het lijkt wel alsof je op duizend kilometer van de beschaving zit. Schitterend.'

Ik legde mijn hand op de portierkruk. Ik maakte me klaar om ervandoor te gaan. Maar hier op deze godvergeten plek had ik weinig kans te ontsnappen.

'Hier buiten kan het echter net zo gevaarlijk zijn als achter de tralies in een van mijn vestigingen,' zei hij. 'Vooral voor jou. Nu. Op dit moment.'

We keken elkaar strak aan. Ik was vastbesloten om niet de eerste te zijn die wegkeek, al scheet ik behoorlijk bagger. Hij kon Welland opdracht geven me te vermoorden en hier te dumpen en dan zou mijn lichaam misschien wel nooit gevonden worden.

Uiteindelijk zuchtte Sebastian vermoeid, verbrak het oogcontact en zei tegen Welland: 'Zoek maar een plek waar je kunt keren, dan gaan we terug.' Tegen mij zei hij: 'Je hebt geluk, David, want ik geloof je. Over die bron van je. Ik geloof je warempel.'

Even voelde ik me enorm opgelucht. Door me iets nieuws te geven om me druk over te maken – namelijk of ik de avond wel zou halen – en door me vervolgens uitstel van executie te verlenen, had Elmont Sebastian me in elk geval voor even mijn andere zorgen doen vergeten.

'Maar we zijn nog niet klaar,' zei hij. 'Je weet dan wel niet wie je bron is, maar ik zou je bijzonder dankbaar zijn als je je best doet daarachter te komen, en het mij te laten weten. Ze neemt wellicht opnieuw contact met je op. Misschien is er gelegenheid voor een nieuwe afspraak.'

Ik zweeg. De limousine reed weer. Welland bereikte een kruising met een ander smal pad en slaagde erin het monster te keren, en toen reed hij naar de weg die ons, hoopte ik maar, naar Ted's zou voeren.

'Dus het was Madeline?' vroeg ik.

'Wat zeg je?' zei Sebastian.

'Madeline Plimpton. Mijn uitgever.'

'Wat heeft die volgens jou gedaan?'

'Zij heeft u de e-mail van die vrouw gegeven. Het is niet zo vergezocht om te denken dat de uitgever een wachtwoord heeft waardoor ze alle berichten kan lezen die aan een van de e-mailadressen van de krant verstuurd zijn. Ik heb de mail zo snel mogelijk gewist, maar ik neem aan dat ik niet snel genoeg ben geweest. Is dat de afspraak? Zij verraadt haar werknemers, houdt u uit de wind, en in ruil daarvoor koopt u dat stuk grond van haar?'

Sebastian leek te knipogen.

'Dat is de moeilijkheid met jullie krantenjongens,' zei hij. 'Jullie zijn zo ongelofelijk cynisch.'

29

'Waarom zit je toch steeds zo naar die foto te staren?' vroeg Horace Richler aan zijn vrouw.

Gretchen zat op het trappetje van de veranda voor hun huis aan Lincoln Avenue. Haar onderarmen rustten op haar knieën, en ze hield de foto van Davids vrouw die hij bij hen had achtergelaten met beide handen vast. Het was een afdruk op gewoon papier en als ze hem met één hand zou vasthouden zou de wind er vat op krijgen en hem dubbel klappen.

Horace zag dat zijn vrouw de ingelijste foto van hun dochtertje Jan naast zich had staan.

'Wat is er aan de hand?' vroeg hij.

'Ik zit te denken,' zei ze.

'Wil je nog koffie? Er zit nog wat in de pot.'

Gretchen zei niets. Ze keek op van de foto en staarde uit over de straat. Ze zag ze nog voor zich. De twee kleine meisjes die in de voortuin speelden. Daar rondrenden, het ene moment nog lachten, het volgende ruzie hadden.

En dan Horace, die de voordeur uit rende, in zijn auto stapte, hem in zijn achteruit zette en het gaspedaal indrukte.

'Hé. Wil je koffie?'

Gretchen keek over haar schouder. Ze kon haar nek niet zo ver draaien. Dat merkte ze vooral als ze achteruit wegreed van een parkeerplek bij de supermarkt. Ze kon zich niet goed omdraaien om te zien waar ze reed, ze moest vertrouwen op haar spiegels. Ze reed altijd heel langzaam achteruit, met het idee dat als ze iets zou raken, ze het zou horen en meteen op de rem kon trappen.

'Ik hoef niets, lieverd. Dank je wel,' zei ze.

'Wat zit je toch allemaal te denken?'

Toen Gretchen geen antwoord gaf, kwam Horace het trappetje af. Hij liet zichzelf met enige moeite zakken. Zijn knieën deden gemeen zeer. Toen hij eenmaal zat, leunde hij met zijn schouder tegen zijn vrouw.

'Ik heb vannacht over Bradley gedroomd. Dat Afghanistan niet gebeurd was. Dat hij daar nooit naartoe is gegaan, dat er geen taliban bestonden, dat dat allemaal nooit gebeurd was. Ik droomde dat ik hier zat, en jij zat naast me, zoals je nu naast me zit, en dat ik de straat in die richting afspeurde, en dat ik hem aan zag komen lopen in zijn uniform.'

Een traan rolde over Gretchens wang.

'En hij had Jan bij zich,' zei Horace met brekende stem. 'Zij was nog steeds een klein meisje, en ze hield de hand van haar grote broer vast, en ze kwamen met z'n tweeën thuis. Samen.'

Gretchen hield de foto met haar ene hand vast en trok met de andere een tissue uit haar mouw. Ze drukte hem tegen haar ogen.

'En toen besefte ik dat ze niet echt leefden,' zei Horace. 'Ik besefte dat jij en ik dood waren. En dat Lincoln Avenue de hemel was.'

Gretchen snufte, snoot haar neus, veegde haar ogen af.

'Het spijt me,' zei Horace. 'Dit had ik je niet moeten vertellen. Ik denk dat die vent die droom in gang heeft gezet. Hij had hier niet moeten komen. Dat had hij niet moeten doen, ons met zijn problemen lastigvallen terwijl we zelf al genoeg problemen hebben. Wat bezielde hem in godsnaam om ons met zo'n bezopen verhaal te overvallen?'

Gretchen snifte weer, veegde haar ogen nogmaals af en maakte een propje van de tissue.

Horace pakte de foto van zijn dochter op. Zijn lichaam leek eromheen weg te schrompelen.

'Het was jouw schuld niet,' zei Gretchen, waarschijnlijk voor de honderdduizendste keer in al die jaren.

Horace antwoordde niet.

Gretchen hield de uitgeprinte foto van Jan Harwood weer in beide handen vast en staarde ernaar.

Horace zei: 'Het idee dat iemand de naam van onze dochter gebruikt en haar geboortebewijs... hoe kun je nou de identiteit van een klein meisje stelen!'

'Dat gebeurt nou eenmaal,' zei Gretchen rustig. 'Het gebeurt voortdurend. Ik heb een keer op tv gezien dat iemand een kerkhof afliep, op zoek naar graven waar hij aan de data kon zien dat het om een kind ging, en dan gebruikte hij die naam om een heel nieuwe identiteit op te bouwen.'

'Je hebt mensen...' mompelde Horace. Hij keek even naar de foto waarnaar zijn vrouw onophoudelijk staarde. 'Ze is mooi.'

'Ja.'

'Het moet moeilijk zijn voor die jongen, dat hij niet weet wat haar overkomen is. Dat hij niet weet of ze dood is of nog leeft. Dat moet heel zwaar zijn, dat je het niet weet.'

'Maar als je het niet weet, kun je tenminste nog hopen,' zei Gretchen, met haar ogen strak op de foto gericht. 'Ik kijk hier al de hele dag naar. Ik wist toen hij hem me gisteravond liet zien...'

'Je leek van streek,' zei Horace. 'Je ging naar boven.'

Gretchen wilde iets zeggen wat haar kennelijk moeite kostte. 'Horace...'

Hij legde zijn arm rond de schouders van zijn vrouw. 'Het hindert niet,' zei hij.

'Horace, kijk eens naar die foto.'

'Ik heb hem al gezien.'

'Kijk, kijk hier eens.' Ze wees.

'Wacht even,' zei hij. Hij zuchtte en haalde zijn arm van haar schouders. Hij tastte in het borstzakje van zijn overhemd naar zijn metalen leesbril. Hij klapte de bril open, zag dat de glazen vuil waren, maar zette hem toch op.

'Waar moet ik kijken?'

'Daar!'

'Waar?'

'Hier!'

Hij greep de foto met beide handen vast. Hij bestudeerde hem even en toen vertrok zijn gezicht.

'Dat kan toch niet waar zijn!' zei hij.

30

Toen Welland de limousine gekeerd had en we een eindje gereden hadden, zei ik tegen Elmont Sebastian: 'Stel nou dat ik er inderdaad achter kom wie me gemaild heeft, en ik vertel aan u wie ze was.'

Zijn wenkbrauwen gingen een eindje omhoog.

'Wat zou u dan met haar doen?' vroeg ik.

Sebastian zei: 'Dan zou ik een hartig woordje met haar spreken.'

'Een hartig woordje.'

'Ik zou tegen haar zeggen dat ze geluk heeft gehad dat er geen brokken van gekomen zijn, en ik zou aan haar uitleggen dat het niet verstandig is om niet loyaal te zijn tegenover degenen voor wie je werkt.'

'Aangenomen dan dat ze voor u werkt,' zei ik.

'Of voor meneer Reeves. Het is niet verstandig om je vrienden of werkgevers te verraden.'

'Maar het hindert niet als ik haar verraad.'

Sebastian keek me aan en glimlachte.

We naderden Ted's en ik voelde dat de auto vaart minderde, maar toen reed hij door. 'Je bent er voorbijgereden,' zei ik tegen Welland.

'O, dank je wel,' zei hij. 'Dat is nieuw voor me.'

Ik keek naar Sebastian. 'Wat is er aan de hand?'

Hij leek het net zomin te weten als ik. 'Welland?' zei hij.

Zijn chauffeur zei: 'Het leek me niet veilig om daar te stoppen, meneer Sebastian.'

'Wat zag je dan?'

'Het leek erop dat iemand meneer Harwood stond op te wachten,' zei Welland.

Stond iemand me bij Ted's op te wachten?

'Parkeer daar maar, als we de bocht om zijn,' zei Sebastian.

De auto reed nog een paar seconden door, en toen stuurde Welland hem de grindberm in. Toen de auto geheel tot stilstand was gekomen, zei Sebastian tegen me: 'Het was me zoals altijd een waar genoegen, David.'

Deze jongens maakten er een gewoonte van me niet bij het punt af te zetten waar ze me opgepikt hadden.

Terwijl ik het portier opendeed zei Sebastian: 'Ik hoop dat je alles wat ik gezegd heb zult overdenken.'

Ik stapte uit en begon terug te lopen naar Ted's zonder het portier te sluiten. Het zou een kleine moeite voor Sebastian zijn geweest om opzij te leunen en het zelf op te lossen, maar toen ik achteromkeek zag ik dat Welland achter het stuur vandaan kroop en om de auto heen liep. Ik verwachtte dat hij het portier dicht zou slaan, maar hij boog naar voren en kwam er weer uit met zo te zien een verfrommeld Mars-papiertje in zijn hand. Toen sloeg hij het portier dicht. Hij keek in mijn richting, maakte weer een pistooltje van zijn hand en richtte het op mij. Dit keer vuurde hij twee keer.

Toen ik langs de berm liep, ging mijn mobieltje over. Het was mijn moeder.

'Het wordt hier erg vervelend,' zei ze.

'Waar heb je het over?'

'Tv-busjes en verslaggevers. Iedereen wil met je praten, en als ze jou niet te pakken kunnen krijgen, dan willen ze met mij praten, of met je vader. Of ze willen een foto van Ethan maken.'

'Jezus, ma, hoe weten ze het allemaal?'

'Ik ben de websites langsgelopen. Eerst die van jouw eigen krant, en daarna de rest. Het begint rond te zingen. Koppen in de trant van JOURNALIST ONDERVRAAGD OVER VERDWIJNING ECHTGENOTE en VERSLAGGEVER TEGEN POLITIE: IK HEB MIJN VROUW NIET VERMOORD! Maar zoals ik al zei, het is niet alleen je eigen krant. Het is op de tv-nieuwswebsites, en ik heb ook al iets op de radio gehoord. David, het is verschrikkelijk. Ongelofelijk, wat ze allemaal over je zeggen. Nou ja, niet rechtstreeks, maar al die insinuaties en toespelingen en...'

'Ik weet het. Toen Reeves het balletje aan het rollen heeft gebracht, is iedereen erop gesprongen. Hoe gaat het met Ethan?'

'We houden hem binnen. We hebben hem voor de tv gezet. We hebben een paar Disney-dvd's gehaald en daar zit hij nu naar te kijken. David, ik heb de website van CNN bezocht en zelfs zij hadden een stukje over je. Het was kort, maar...'

'Ma, bekommer jij je nu maar om Ethan. Weet hij wat er aan de hand is?'

'Hij heeft een paar keer naar buiten gekeken, maar ik heb tegen hem gezegd dat hij weg moet blijven van het raam, want als ze een foto van hem maken, gaan ze die in de krant zetten.'

'Oké, mooi. Weet hij waarom ze daar zijn?'

'Nee,' zei mijn moeder. 'Ik heb een idioot verhaal verzonnen.'

'Wat dan?'

'Ik heb hem verteld dat er soms mensen langskomen om naar het huis te kijken omdat Batman hier vroeger woonde.'

Ondanks alles moest ik lachen. 'Ja, jullie huis is echt een Wayne-kasteel.'

'Ik weet niet waarom ik het gezegd heb, het was het eerste wat in me opkwam. Wacht even, je vader wil je wat zeggen.'

'Oké, ma. Bedankt…'

'Jongen?'

'Hoi, pa.'

'Waar zit je?'

'Ik loop langs de weg ten noorden van Lake George.'

'Waarom in godsnaam?'

'Wat wilde je zeggen, pa?'

'Ik heb iemand voor je.'

'Waarvoor?'

'Een advocaat. Ze heet Bondurant.'

Die naam kende ik ergens van. 'Natalie Bondurant?' vroeg ik.

'Precies. Wat denk je, zou dat Frans zijn?'

'Dat weet ik niet.'

'Ik heb haar kantoor gebeld, en ze hadden een nummer van haar voor dringende zaken in het weekend. Ik heb haar gebeld. Ze zei dat ze wel met je wil praten.'

'Bedankt. Geweldig, pa.'

'Je moet haar vandaag nog bellen. De pleuris is hier uitgebroken.'

'Doe ik.'

'Ik heb haar nummer hier. Kun je het opschrijven?'

Ik had mijn notitieblokje in mijn zak. 'Jawel.' Ik pakte het blokje, sloeg het open en noteerde het nummer dat mijn vader oplas.

'Als je verstandig bent, bel je haar meteen,' zei pa.

'Zodra ik weer op de weg zit.'

'Alles goed met mijn auto?' vroeg pa. Zelfs bij al dit gedoe verloor mijn vader de dingen die belangrijk voor hem waren niet uit het oog.

'Niks mee aan de hand,' zei ik.

'Als je haar niet direct belt, dan had ze alvast een goede raad voor je.'

'En die was?'

'Ze zei dat je je klep moest houden tegen de politie.'

Ted's kwam in het zicht. En tegen pa's auto leunde rechercheur Barry Duckworth.

'Mooie dag voor een wandeling,' zei Duckworth toen ik hem naderde. Zijn burgerpolitiewagen stond op de parkeerplaats. Dat was natuurlijk de reden dat Welland was doorgereden. Burgerpolitieauto's herkende je op een kilometer afstand.

'Ja,' zei ik. Waren er nog mensen die me níét hierheen gevolgd waren?

Ik haalde de autosleuteltjes uit mijn zak en hoopte dat ik daarmee de boodschap overbracht dat ik weg wilde.

'Wat doet u hier?' vroeg Duckworth.

'Ik kan hetzelfde aan u vragen.'

'Maar als ik geen antwoord geef, lijkt dat niet verdacht,' zei hij.

'Ik kwam hier om met Ted te praten.'

'En waarom hebt u uw auto laten staan en liep u langs de weg? Daar valt toch weinig te zien.'

Ik wilde hem vertellen over mijn ritje met Sebastian. Maar de gevangenisdirecteur had me dusdanig geïntimideerd dat het me niet zo'n goed idee leek. Bovendien verwachtte ik niet dat Duckworth me zou geloven.

'Ik liep gewoon te denken.'

'Over wat Ted u verteld heeft?'

'Dus u hebt hem al gesproken.'

'Kort,' zei Duckworth. 'Dat moet u niet doen, een getuige benaderen. Hun de duimschroeven aandraaien. Dat hoort niet.'

'Hij heeft u dingen verteld waar ik niets van begreep. Ik wilde ze zelf uit zijn mond horen.'

'En is dat gelukt?'

'Ja.'

'Denkt u nog steeds dat hij liegt?'

'Hij zegt dat het door de bewakingscamera is opgenomen. Wat Jan tegen hem gezegd heeft.'

'Dat klopt,' zei Duckworth. 'Hier en daar is de tape een beetje onduidelijk, maar we hebben mensen in huis die dat wel kunnen rechttrekken. Maar het komt in grote lijnen overeen met wat hij zegt.'

'Ik begrijp er niets van,' zei ik.

'Volgens mij wel,' zei Duckworth.

'Vast wel,' zei ik. 'Omdat u denkt dat ik weet wat er met Jan is gebeurd. Maar dat weet ik niet.'

'Wie heeft u meegenomen met de auto en u een eindje verderop langs de weg weer afgezet?'

Dus dat wist hij ook al. Ted moest hem verteld hebben dat hij gezien had dat Welland me beetgreep.

'Elmont Sebastian,' zei ik. 'En zijn chauffeur.'

'Die vent van de gevangenis?'

'Inderdaad.'

'Wat komt die hier doen?'

'Hij wilde met me praten. Ik probeer al een tijdje wat quotes van hem los te krijgen.'

'En hij is helemaal hierheen komen rijden om u wat quotejes te geven?'

'Hoor eens,' zei ik. 'Ik wil naar huis. Zo te horen gaat het daar niet zo goed.'

'Ja,' zei Duckworth. 'De media raken een beetje oververhit. Ik wil dat u weet, voor zover u daar iets aan hebt, dat ik er niet mee begonnen ben. Ik denk dat het uw vriendje Reeves is geweest. Zodra de media begonnen te bellen, hadden we geen andere keus dan hun vragen te beantwoorden. Het is niet mijn stijl om zo'n circus op te zetten.'

'Voor zover ik daar iets aan heb, bedankt,' zei ik. 'Dus u hebt me hierheen gevolgd?'

'Niet echt,' zei Duckworth.

'Wat doet u dan hier?'

'Ik was onderweg naar iets anders, en toen besloot ik om hier even langs te gaan en zelf met Ted te praten. Een collega van me was al eerder geweest om die tape bij hem op te halen, maar ik dacht dat het goed was om hem persoonlijk te spreken. Ted zei tegen me dat u geweest was, en dat uw auto er nog stond.'

'Dus u besloot me op te wachten.'

Duckworth knikte langzaam.

'Waar wilde u heen?' vroeg ik.

Duckworths mobieltje ging over. Hij hield het bij zijn oor en zei: 'Met Duckworth... Oké... Is de lijkschouwer er al...? Niet meer dan een paar kilometer... Tot zo.'

Hij sloot het gesprek af en stopte zijn telefoon weg.

'Wat is dat?' vroeg ik. 'Wat was dat over die lijkschouwer?'

'Meneer Harwood, er is zojuist een ontdekking gedaan, even verderop.'

'Een ontdekking?'

'Een ondiep graf, net even van de weg af. Pas gegraven en weer bedekt.'

Ik zette mijn hand op de auto om mezelf te ondersteunen. Mijn keel werd droog en mijn slapen begonnen te kloppen.

'Wiens lichaam lag erin?'

Duckworth knikte.

'Wie?' vroeg ik. 'Is het Jan?'

'Tja, ze weten nog niets zeker,' zei Duckworth.

Ik sloot mijn ogen.

Zo zou het toch niet moeten eindigen.

Duckworth zei: 'Laten we mijn auto maar nemen.'

We reden in noordelijke richting, de richting die Welland en Sebastian hadden genomen, maar na ongeveer een kilometer zette Duckworth zijn richtingaanwijzer aan en sloeg af naar een smal bochtig grindpad, dat naar beneden kronkelde en daarna omhoog. Het rook naar patat in de auto van Duckworth. De geur maakte me misselijk.

Niet ver voor ons uit blokkeerden politieauto's het pad.

'We lopen verder wel,' zei Duckworth. Hij minderde vaart en parkeerde de auto.

'Wie heeft het graf gevonden?' vroeg ik. Ik had even daarvoor gevoeld dat mijn handen trilden en ik had de portierkruk met mijn rechterhand beetgegrepen terwijl ik mijn linker onder mijn dij stopte, in de hoop dat Duckworth het niet zou zien. Ik had het gevoel dat ik moest verbergen hoe zenuwachtig ik was, omdat ik bang was dat Duckworth dat zou opvatten als een teken dat ik ergens schuldig aan was.

Maar zou niet iedere man, vooral een onschuldige man wiens vrouw vermist werd, volkomen van slag zijn als hij gehoord had dat er een lijk gevonden was?

'Wat de plaatselijke politie hier tegen me gezegd heeft,' zei Duckworth, 'is dat er aan het eind van deze weg een paar blokhutten staan. Een vent die in een van die blokhutten woont zag iets raars aan de kant van de weg, ging kijken wat het was, besefte wat daar begraven lag en belde de politie.'

'Hoe lang geleden was dat?'

'Een paar uur,' zei Duckworth. 'De plaatselijke politie hier heeft de plaats delict afgezet en daarna ons gebeld. We hadden al contact met hen opgenomen, ze ingelicht over uw vrouw.'

'Ik heb toch gezegd dat Jan niets overkomen is toen we hier waren.'

'Dat hebt u heel duidelijk gezegd, meneer Harwood,' zei hij. Hij deed zijn portier open en keek me aan. 'U mag hier blijven, als u dat wilt.'

'Nee,' zei ik. 'Als het Jan is, dan moet ik dat weten.'

'Absoluut,' zei hij. 'U moet niet denken dat ik uw assistentie niet waardeer.'

Klootzak.

We stapten uit de auto en liepen de weg af. Het grind knarste onder onze schoenen. Een geüniformeerde agent kwam ons tegemoet.

'Bent u rechercheur Duckworth?' vroeg hij.

Duckworth knikte en stak zijn hand uit. 'Bedankt dat jullie ons zo snel ingelicht hebben,' zei hij. De agent keek naar mij. Voor ik de kans had mezelf voor te stellen zei Duckworth: 'Dit is meneer Harwood. De echtgenoot van de vermiste vrouw.' De twee wisselden een snelle blik. Ik kon wel raden wat er al aan deze politieagent verteld was.

'Meneer Harwood,' zei hij. 'Mijn naam is Daltrey. Het spijt me erg. Dit moet een moeilijke tijd voor u zijn.'

'Is het mijn vrouw?'

'Dat weten we in dit stadium nog niet.'

'Maar is het een vrouw?' vroeg ik. 'Is het het lichaam van een vrouw?'

Daltrey keek naar Duckworth, alsof hij toestemming vroeg om iets te zeggen. Toen Duckworth niets zei, antwoordde Daltrey: 'Ja, het is een vrouw.'

'Ik moet haar zien.'

Duckworth legde zijn hand om mijn arm. 'Ik denk dat dat geen goed idee is.'

'Waar is het graf?' vroeg ik.

Daltrey wees. 'Net achter die auto's, links. We hebben haar nog niet weggehaald.'

Duckworth verstevigde zijn greep op mijn bovenarm. 'Laat mij eerst kijken. U wacht hier met Daltrey.'

'Nee,' zei ik hijgend. 'Ik moet...'

'U wacht hier. Als er aanleiding toe is, dan kom ik u zo halen.'

Ik keek hem recht aan. Ik wist niet of hij probeerde medeleven te tonen of dat ik op de een of andere manier op de proef werd gesteld.

'Goed,' zei ik.

Terwijl Duckworth wegliep, ging Daltrey voor me staan, voor het geval ik zou besluiten achter hem aan te rennen. Hij zei: 'Het ziet ernaar uit dat we regen krijgen.'

Ik liep naar de auto van Duckworth, wandelde er een paar keer omheen, en keek steeds over mijn schouder of hij er al aankwam.

Hij kwam na ongeveer vijf minuten terug, ving mijn blik op, wenkte me met zijn wijsvinger. Ik liep snel naar hem toe.

'Als u ertegen kunt,' zei hij, 'zou het prettig zijn als u de identificatie kunt doen.'

'O god,' zei ik. Ik voelde mijn knieën knikken.

Hij greep me bij mijn arm. 'Ik weet niet zeker of dit uw vrouw is, meneer Harwood. Maar ik denk dat u zich er wel op moet voorbereiden.'

'Het kan haar niet zijn,' zei ik. 'Waarom zou ze hiernaartoe gekomen zijn…'

'Doet u maar even rustig aan,' zei hij.

Ik haalde een paar keer adem, slikte en zei: 'Laat me haar zien.'

Hij leidde me tussen twee politieauto's door die als een scherm fungeerden. Toen we er voorbij waren, keek ik naar links en zag dat aan de andere kant van de greppel langs de weg een rug aarde van ongeveer anderhalve meter lengte was opgeworpen. Vanaf de weg was hij goed te zien. Op de aarde kon je een bleke, met modder bespatte hand zien en een stukje van een arm. Degene aan wie die arm toebehoorde, lag aan de andere kant van de hoop aarde.

Ik bleef staan en staarde.

'Meneer Harwood?' zei Duckworth.

Ik haalde nog een paar keer adem. 'Oké,' zei ik.

'U mag niets aanraken,' zei hij. 'U mag… haar niet aanraken. Soms willen mensen, als ze overmand worden door verdriet…'

'Ik begrijp het,' zei ik.

Hij bracht me naar het graf. Toen we er dicht genoeg bij waren om over de heuvel te kijken, hield Duckworth me weer tegen.

'Hier is het,' zei hij. Ik voelde dat hij me nauwlettend opnam.

' Ik keek naar het met modder besmeurde gezicht van de dode vrouw die in dat graf lag en viel op mijn knieën. Toen dook ik voorover, maar hield mezelf met mijn handen tegen.

'O god,' zei ik. 'O god.'

Duckworth knielde naast me neer en hield me bij mijn schouders vast. 'Zeg het maar, meneer Harwood.'

'Het is haar niet,' fluisterde ik. 'Het is Jan niet.'

'Weet u dat zeker?' vroeg hij.

'Het is Leanne,' zei ik. 'Leanne Kowalski.'

31

In de korte tijd dat ze zich nu Kate liet noemen, was ze niet aan die naam gewend geraakt. Misschien had ze wat meer dagen nodig om zich de naam eigen te maken. Ze had Leannes tweede naam genomen en die een beetje ingekort, het was het eerste wat in haar hoofd was opgekomen. Het voelde vanzelfsprekend.

Het gekke was dat ze tegenwoordig niet meer aan zichzelf dacht met haar eigen naam. Ze wist niet eens zeker of ze zich zou omdraaien als iemand 'Hé, Connie' zou roepen. Het was jaren geleden dat iemand haar als Connie gekend had.

Ze was nu alleen maar bang dat als iemand 'Jan!' zou roepen, ze zich in een reflex zou omdraaien.

Want zo dacht ze nog steeds over zichzelf. Als je zes jaar met een naam doorbrengt, dan ga je je er thuis bij voelen. Dit was de naam waarop ze al heel lang gereageerd had.

Jan, en mama.

Toen ze tegen Dwayne had gezegd dat Jan dood was, had ze dat meer tegen zichzelf gezegd dan tegen hem. Ze wilde die persoon, dat leven, achter zich laten. Ze wilde Jan ten grave dragen. Haar de laatste eer bewijzen en een paar woorden ter nagedachtenis spreken.

Toch was ze niet echt verdwenen. Een groot deel van haar was nog steeds Jan. Nu werd ze echter iets anders. Ze ontwikkelde zich. Ze was altijd in ontwikkeling geweest, had zich van de ene fase naar de andere bewogen. Maar soms deed je gewoon langer over een fase dan anders.

Ze trok haar pruik weer recht terwijl ze hun rit naar Boston voortzetten.

Het was dezelfde pruik die Jan gedragen had toen ze Five Mountains binnenging en weer verliet. Ze had hem gedragen terwijl ze naar binnen ging, en toen was ze naar de damestoiletten gegaan om hem af te zetten voor ze zich bij David en Ethan had gevoegd. De pruik en een stel extra kleren hadden in de rugzak gezeten. Op het moment dat David weggerend was om Ethan te zoeken was ze niet direct naar de uitgang gelopen, zoals hij gezegd had, maar was ze het dichtstbijzijnde damestoilet in gegaan, had een hokje genomen en zich uitgekleed.

Ze had haar korte broek uitgedaan en een spijkerbroek aangetrokken. Haar mouwloze truitje had ze vervangen door een blouse met lange mouwen. Ze had zelfs haar sportschoenen uitgetrokken en sandalen aangedaan. De blonde pruik had het afgemaakt. Ze propte haar oude outfit weer in de rugzak – ze kon haar kleren niet achterlaten, dan zouden ze gevonden worden – en liep rustig weg van de damestoiletten, alsof haar zoontje niet net gekidnapt was. Ze liep heel rustig door de hekken naar buiten en over de parkeerplaats, waar Dwayne op haar wachtte, en daar stapte ze bij hem in de auto. Hij wilde de nepbaard meteen afdoen, hij zei dat die jeukte als de ziekte, maar zij had hem overgehaald om hem te blijven dragen tot ze het terrein van het pretpark verlaten hadden.

Ze had zich geen moment zorgen gemaakt om Ethan. Ze wist dat als Dave hem niet zou vinden, iemand anders dat wel zou doen. Hij zou oké zijn. Die ontvoering, dat was alleen maar een afleiding, een manier om Davids verhaal nog ongeloofwaardiger te maken. Ethan zou nergens last van hebben.

Ze hoopte dat het pakje sap vol dramamine dat ze hem had gegeven hem het grootste deel van de tijd zou laten slapen. Natuurlijk, hij zou de komende dagen en weken nog genoeg nare momenten meemaken, maar hij had in elk geval niet de verschrikkingen van een echte ontvoering hoeven doorstaan.

Dat was het minste wat een moeder kon doen.

Een kind krijgen, moeder worden, dat was nooit onderdeel van het plan geweest. Maar trouwen was dat ook niet geweest.

Ze had Promise Falls min of meer op goed geluk uitgekozen. Ze had het op een kaart gezien en het online bekeken. Een leuk stadje in het noorden van de staat New York. Schilderachtig. Anoniem. Een universiteitsstadje. Het zag er niet uit als een plek waar iemand zich verborgen zou houden. New York, dat was een stad waar iemand kon verdwijnen. Buffalo, Los Angeles, Miami. Dat waren de steden waar je je onder de mensen kon begeven en kon verdwijnen.

Wie zou iemand zoeken in een plaatsje dat Promise Falls heette?

Ze had daar geen banden, geen wortels. De loper had geen enkele reden om te denken dat ze in Promise Falls zou zitten.

Ze kon erheen gaan, een baantje zoeken, een kamer, en rustig wachten

tot Dwayne zijn straf had uitgezeten. Als hij vrij was, dan zouden ze teruggaan naar Boston, de sleutels uitwisselen, de kluisjes openen en hun deal
maken.

Ze zou lang moeten wachten, maar sommige dingen waren dat wel
waard. Bijvoorbeeld dat je genoeg geld had om voor eeuwig op een strand
te zitten met geen andere zorgen dan wat zand in je shorts. Een droomle-
ven leiden, zoals Matty Walker in *Body Heat*.

Dat had ze altijd gewild.

Dus ze ging naar Promise Falls, vond een kamer boven een poolbiljartzaal in wat duidelijk niet het beste deel van de stad was, ging op zoek naar
een baantje bij het arbeidsbureau van de stad en kwam David Harwood tegen. Enthousiaste verslaggever.

Hij was, dat moest ze toegeven, schattig. Hij zag er goed uit, en hij was
heel erg lief. Maar ze wilde niet in zijn verhaal figureren. Ze was hier om
zich gedeisd te houden. Als je een interview weggaf, dan vroegen ze daarna
om een foto.

Nee, dank je wel.

Maar ze praatte even met hem, en verdorie, hij stond haar op te wachten
toen ze weer naar buiten kwam en bood haar een lift aan. Waarom niet?
dacht ze. Toen hij zag waar ze woonde, kreeg hij zowat een toeval. Hier kun
je niet wonen, zei hij. Tenzij je een baantje zoekt als crackdealer of als hoer.
Dat had hij echt gezegd.

Maak je geen zorgen, zei zij. Ik ben een grote meid. En, zei ze glimlachend, het was goed om alle opties open te houden.

Later, toen ze haar deur opendeed en hij daar stond met zijn lijstje andere appartementjes voor haar, was ze bijna in tranen uitgebarsten. Dat was
echter iets wat ze liever niet deed, tenzij het van pas kwam. Maar het was
lief, echt waar. Niet iets waaraan ze gewend was.

Ze liet zich door hem helpen bij de verhuizing. Toen liet ze zich uitnodigen voor een etentje.

Niet lang daarna liet ze zich uitnodigen in zijn bed.

Na een paar maanden had David – hoewel hij de grote vraag niet met zo
veel woorden stelde – wat vage opmerkingen gemaakt in de trant van dat
er ergere dingen konden gebeuren dan dat zij de rest van hun leven samen
zouden doorbrengen.

Jan voelde dat zich hier een prachtkans voordeed. Ze zei tegen David dat
hij daar wel eens gelijk in kon hebben.

Het enige wat nog anoniemer was dan als alleenstaande vrouw in Promise Falls wonen, was als getrouwde vrouw in Promise Falls wonen. Ze maakte van zichzelf een June Cleaver, de moeder in *Leave It to Beaver*, hoewel Jan niet dacht dat June voor Ward de dingen deed die zij voor David deed. Mayfield had nooit een meisje gehad dat de dromen van een man kon laten uitkomen zoals Jan dat kon. (Jan moest toegeven dat Cleaver een prima naam voor haar geweest was, gezien de reden waarom ze zich verscholen hield.)

Met David kon ze de volmaakte vrouw zijn met een volmaakt saai baantje. Ze woonde in hun volmaakte huisje, en ze zorgde ervoor dat ze een volmaakt leventje leidden. Als de vrouw van een journalist in een klein stadje paste ze niet bepaald in het profiel van een diamantendief.

Niemand zou haar hier vinden.

En ze had gelijk gehad. Niet dat het eerste jaar geen hel was geweest. Elke keer dat er aangebeld werd, was ze bang geweest dat hij het zou zijn. Maar het was altijd de man van het gas, of iemand die een donatie voor het kankerfonds wilde, of de buurman die kwam vertellen dat ze vergeten waren hun garagedeur te sluiten. Padvindsters die koekjes verkochten.

Maar hij nooit.

Na een jaar of zo begon ze te ontspannen. Connie Tattinger was dood. Lang leve Jan Harwood.

Althans tot Dwayne vrijkwam.

Ze kon dit. Ze kon de rol spelen. Dat had ze toch al van klein meisje af aan gedaan? Zich van de ene rol naar de andere begeven? Zich verbeelden dat ze iemand was die ze niet was, ook al was zijzelf de enige die ze voor de gek hield.

Dat had ze zeker gedaan toen ze klein was. Het was de enige manier waarop ze haar jeugd had kunnen overleven. Haar vader die het voortdurend op haar gemunt had, die haar er de schuld van gaf dat hun leven was verpest. Haar moeder die te dronken was of te zeer in zichzelf opging om tegen haar man te zeggen dat hij daarmee op moest houden.

Ze deed wat veel kinderen doen. Ze verzon een vriendinnetje. Maar in haar geval was het anders. Ze speelde niet met dit verzonnen makkertje. Ze werd haar. Ze was Estelle Winters, het geliefde dochtertje van Malcolm en Edwina Winters, sterren van de Broadwaytheaters. New York was haar thuis. Ze woonde alleen maar bij deze bittere, kwaadaardige man en zijn dronken vrouw als training voor een rol die ze moest gaan spelen. Ze was niet echt hun kind. Hoe kon dat? Ze was veel te bijzonder om de dochter te zijn van zulke ordinaire, verschrikkelijke mensen.

Natuurlijk wist ze dat het niet zo was, maar door zich te verbeelden dat ze Estelle was, kwam ze de dagen door tot die dag dat ze de deur uit liep en nooit meer terugkwam.

En toen, eindelijk, mocht Estelle Winters, haar verzonnen vriendin alias verdedigingsmechanisme, sterven.

Een tijdlang was ze echt Connie Tattinger. Maar zelfs als Connie kon ze zijn wie ze maar wilde. Ze kon een lief meisje zijn, of een heel slecht meisje, wat de situatie maar van haar vroeg.

Als ze op straat leefde was het slechte meisje niet zozeer een act als wel een manier om te overleven. Je deed wat je doen moest, en met wie je dat ook doen moest, om een dak boven je hoofd te hebben en wat eten in je maag.

Als ze een suf baantje in een kantoor kon krijgen, wat je moeder een 'scheer je benen'-baan genoemd zou hebben, nou, dan kon ze dat ook. Ze kon zich in een handomdraai van een straatmeid in een keurig meisje om-toveren.

Wat de rol maar van haar vroeg.

Toen ze David was tegengekomen, stapte ze gemakkelijk in de rol van provinciestadechtgenote. Het kostte weinig moeite. Het was zelfs leuk om te doen. Ze kon dit zo lang als nodig was volhouden, en als de tijd was aangebroken om ermee uit te scheiden, dan kon ze dat ook.

Het enige waar Jan niet op gerekend had was het kind. Dat was absoluut niet de bedoeling geweest.

Ze waren nog niet lang getrouwd toen ze vermoedde dat ze zwanger was. Ze kon het niet geloven, daar in de badkamer op een ochtend toen David al naar zijn werk was. Ze had de test gedaan, tien minuten gewacht, naar het resultaat gekeken en gedacht: shit.

Geweldig, dat David die dag zijn aantekeningen thuis had laten liggen. Opeens stond hij boven. Ze was er best goed – heel erg goed, eigenlijk – in geslaagd om het masker op te houden, maar dit keer ving hij iets op in haar blik, en toen zag hij de verpakking van de zwangerschapstest. Uiteindelijk vertelde ze hem dat ze zwanger was.

'Dat is toch helemaal niet erg,' zei hij.

Deels had ze de beslissing uit berekening genomen, wist ze. Met een kind mengde ze zich nog meer met haar omgeving. Het zou haar nog on-zichtbaarder maken. En David wilde dit kind. Als ze de zwangerschap af-brak, dan kon dit huwelijk – deze geweldige cover – ontsporen. En tot nog toe ging het heel goed.

En een liefhebbende moeder zijn, was dat niet gewoon weer een rol? Een van de meest uitdagende in haar carrière? Als ze al die andere rollen kon spelen, dan kon ze dit ook.

Toen ze er op die manier naar keek, wilde Jan het kind. Ze wilde de ervaring. Ze wilde weten hoe het was. Ze dacht niet aan de toekomst, wat ze zou doen als Dwayne vrijkwam. Voor de verandering dacht ze niet aan de lange termijn. Ze stortte zich in het moment. Zoals alle diva's op het toneel.

Maar nu was Dwayne vrij. En ze had zich aan haar plan gehouden. Ze ging voor het geld. En als ze dat had, dan begon ze aan haar laatste rol. De onafhankelijke vrouw. De vrouw die niemand meer waar dan ook voor nodig had. De vrouw die niet meer zou hoeven doen alsof. De vrouw die gewoon kon zíjn.

Ze deed het voor het strand en de piña colada. Geen David meer. Geen Dwayne.

Maar er zat één kink in de kabel.

Ethan.

Ze was echt opgeslorpt door die moeder-act. Dus ze wist dat ze iets zou voelen. Maar ze had niet kunnen vermoeden dat het zo moeilijk zou zijn om van deze rol weg te lopen.

Jan wist dat het lastig zou zijn om het Five Mountains-plan uit te voeren.

Maar ze was er een paar keer op haar vrije dagen geweest, ze had bekeken waar de bewakingscamera's hingen. Er bestond een kleine kans dat ze iemand zou tegenkomen die ze kende, maar Jan dacht dat er dingen in haar voordeel werkten. Ze zou er niet lang zijn, en het grootste deel van de tijd zou ze er helemaal niet uitzien als Jan Harwood.

En als ze herkend werd in Five Mountains – door een kennis, een buurvrouw, of iemand die in Bertram's een onderdeel voor zijn verwarmingsketel was komen halen – dan zouden ze het plan stopzetten. Ze had tegen Dwayne gezegd dat als ze niet zou komen opdagen, ze het een andere keer zouden proberen. Binnenkort.

Maar het ging goed. Het ging gesmeerd.

Het was alleen nooit bij Jan opgekomen dat ze iemand zou tegenkomen die ze kende nadat ze weg waren bij Five Mountains. Toen ze al kilometers verwijderd waren van Promise Falls.

Was Dwayne maar ergens anders gaan tanken. De meter gaf aan dat ze nog een kwart tank benzine hadden. Hij had nog wel honderd kilometer kunnen rijden, maar hij wilde beginnen met een volle tank. Iets psychologisch, zei hij.

Dus even voor Albany ging hij bij een van die grote winkelcentra de snelweg af. En wie stond daar naast hen te tanken?

'Jan,' zei Leanne Kowalski. 'Jan, ben jij dat?'

De sukkel.

Alsof hij wist dat ze over hem zat te denken zei Dwayne: 'We schieten lekker op. We zullen al gauw in Boston zijn.'

'Mooi,' zei Jan. Maar feitelijk werd ze steeds zenuwachtiger naarmate ze Boston naderden. Ze hield zich voor dat dat niet rationeel was. Het was een grote stad. En ze was er in geen vijf jaar geweest. De kans dat iemand haar zou herkennen was heel klein. Het was ook niet zo dat Dwayne en zij er lang wilden blijven hangen.

'Ik wil je wat vragen,' zei Dwayne. 'Vind je het niet lullig voor hem?'

'Ik zou onmenselijk zijn als ik het niet lullig vond om mijn kind achter te laten,' zei ze.

'Nee, niet dat jochie. Je man. Ik bedoel, die arme klootzak. Die heeft er geen idee van wat hem overkomt.'

'Wat zou dan beter zijn, denk je?' vroeg ze. 'Zou het beter zijn dat iedere politieman in het land zich afvraagt waar ik naartoe ben gegaan, dat ze allemaal op zoek zijn naar mij? Of is het beter dat ze denken dat ik al dood ben?'

'Hoor eens, ik zeg niet dat je iets verkeerd hebt gedaan. Het is briljant, echt waar. Doen alsof je depressief bent, maar alleen waar hij bij is, zodat de politie iets heel anders denkt. Ik neem m'n petje voor je af, hoor. Ik vind het tering briljant van je. Het enige wat ik zeg is: je hebt een hele tijd met die vent samengewoond. Hoe doe je dat trouwens? Bij hem blijven zolang je hem nodig hebt en geen dag langer? Hem het gevoel geven dat je van hem houdt, terwijl je dat helemaal niet doet?'

Jan keek hem aan. 'Dat is gewoon iets wat ik doe.' Ze keek weer uit haar open raampje, de warme wind blies in haar gezicht.

'Nou, je hebt het goed gedaan,' zei Dwayne bewonderend. 'En als je het mij vraagt is het niet erg dat je je daar niet rot over voelt. Dat is waarschijnlijk zelfs beter. Het heeft geen zin om aan een nieuw leven te beginnen als je je schuldig voelt over wat je hebt gedaan om dat te bereiken. Maar ik zie gewoon steeds zijn gezicht voor me. Hoe hij zal kijken wanneer hij hoort wat jij tegen die vent in die winkel hebt gezegd. Wanneer hij erachter komt dat je nooit naar die dokter toe bent geweest. En wanneer ze je niet kunnen vinden op de camerabeelden in het pretpark. Die vent doet het in zijn broek.'

'Laten we het over iets anders hebben,' zei Jan.

'Waar wil je het over hebben?'

'Wanneer heb jij voor het laatst gesproken met die vent die onze spullen wil kopen?'

'De dag nadat ik vrijkwam,' zei Dwayne. 'Ik heb hem gebeld. Ik zei: "Je raadt nooit met wie je spreekt." Hij kon het amper geloven. Hij zei dat hij me al lang geleden opgegeven had. Ik had de kans niet meer om hem te bellen nadat ik gearresteerd werd voor die geweldpleging. Dus toen we jaren geleden niet op kwamen dagen, dacht hij dat het hele feest niet doorging. Ik zei: "Ik ben er weer, en we willen nog steeds zaken doen." Hij zegt: "Dat meen je niet." Hij dacht dat ik dood was of zo. Maar hij zei nog iets heel interessants: dat er nooit iets over in de krant had gestaan. Ik bedoel, over dat die diamanten verdwenen waren. Hij zei dat er wel een stukje was geweest over een vent wiens hand eraf gesneden was, maar niets over diamanten.'

'Dat is logisch,' zei Jan.

'Hoezo?'

'Je gaat natuurlijk niet melden dat er illegale diamanten gestolen zijn,' zei Jan. 'Die horen er helemaal niet meer te zijn, niet sinds dat hele gedoe rond diamantencertificaten in 2000. Dat Kimberley-gedoe. Jij hebt die film natuurlijk nooit gezien, omdat je in de bak zat, die film met Leonardo DiCaprio over Sierra Leone en…'

'Bedoel je niet de Sierrawoestijn?' vroeg Dwayne.

'Het is de Saharawoestijn.'

'O ja. Oké.'

'Maar goed, ondanks dat gedoe met die certificaten, en de hele industrie die ingeperkt wordt, is er nog steeds een grote markt voor illegale diamanten, en je loopt natuurlijk niet naar de politie om te klagen dat ze van je gestolen zijn, ook niet als het er zo veel zijn als wij hebben. Wist je niet dat Al-Qaida miljoenen verdient aan de verkoop van illegale diamanten?'

'Dat meen je niet.'

'Jawel,' zei ze. Ze stak haar hand uit het raampje en duwde tegen de wind.

'Dus hebben wij eigenlijk ons steentje bijgedragen aan de terreurbestrijding,' zei Dwayne grijnzend.

Jan keek hem zelfs niet aan. Het was oppassen met hem, dacht ze. Als je begon te denken dat hij oliedom was, vergat je dat hij ook heel gevaarlijk kon zijn.

Het grappige was dat hij er geen been in zag om iemand pijn te doen, maar dat hij niet tegen bloed kon. Heel complex, op zijn eigen stomme manier.

'Wie is die man eigenlijk?' vroeg Jan.

'Hij heet Banura,' zei hij. 'Cool, toch? Hij is zwart. Maar dan echt zwart. Ik denk dat hij uit dat Sierra-gedoe is waar jij het over had.'

'Hoe kom je in contact met hem?'

'Ik heb z'n nummer op een papiertje in m'n zak. Hij woont aan de zuidkant van de stad, in Braintree.'

'Weet hij dat wij dit morgen willen doen?'

'Ik heb hem niet verteld wanneer we precies komen. Ik heb hem alleen maar gewaarschuwd.'

Jan zei dat het volgens haar een goed idee was om de man te bellen. Banura had misschien tijd nodig om het geld alvast bij elkaar te krijgen.

'Goed idee,' zei Dwayne.

Jan wilde niet langer in Boston rondhangen dan nodig was. De handel ophalen, die inruilen voor de poen, en er dan als de bliksem vandoor.

Ze verlieten de tolweg en Dwayne zocht eerst een benzinestation. Terwijl hij tankte, liep Jan de winkel binnen en keek rond. Ze draaide aan het rek met de zonnebrillen, toen ze een zware vrouw naast zich zag staan. De vrouw boog zich voorover en zei tegen haar dochtertje dat ze niet zo moest zeuren. Ze had haar tas over haar schouder op haar rug hangen.

Hij stond open. Jan keek er recht in.

Ze was niet geïnteresseerd in de portemonnee van het mens. Ze had genoeg geld om in Boston te komen, en als ze die diamanten eenmaal afgeleverd hadden, dan had ze meer geld dan ze op kon maken.

Maar het mobieltje van de vrouw kon wel eens van pas komen.

Jan regelde het met één snelle beweging. Ze boog zich over de vrouw heen alsof ze iets van een plank wilde pakken, haar ene hand tastte naar een pakje met twee cakejes, haar andere gleed de tas in, pakte het platte telefoontje en liet het in de voorzak van haar spijkerbroek glijden.

Ze kocht de cakejes – het waren Ethans lievelingscakejes; hij vond het leuk om om het kleine witte figuurtje op het chocoladeglazuur heen te eten en het voor het laatst te bewaren – en ze was weer terug bij de pick-up tegen de tijd dat Dwayne klaar was met tanken. Ze gooide de cakejes door het raampje naar binnen, stapte in en gaf hem de telefoon aan toen hij achter het stuur zat.

'Bel hem maar.'

Tegen de tijd dat ze besloten ieder een cakeje te eten, was het glazuur in de cellofaanverpakking gesmolten.

Jan peuterde voorzichtig het plastic los en slaagde erin één cakeje tamelijk ongeschonden te bevrijden. Ze gaf het aan Dwayne, die het hele ding in één keer in zijn mond schoof.

Het tweede was verschrikkelijk. Het grootste deel van het glazuur raakte los, dus ontblootte ze haar tanden en schraapte het van de verpakking. Een techniek die ze van haar zoon geleerd had.

'Kijk, mama.'

Ethan zit in zijn autostoeltje, Jan zit voorin, ze rijden van de markt naar huis. Ze kijkt achterom en ziet dat hij er niet alleen in geslaagd is het glazuur aan één stuk los te pulken, als een laagje op een pudding, maar dat hij ook keurig om het witte figuurtje heen heeft gegeten. Hij heeft het op de onderkant van zijn wijsvinger liggen. Zijn mond zit onder het chocoladeglazuur, maar hij ziet er heel trots uit.

'Ik heb een figuurtjesvinger,' zegt hij.

Dwayne klapt de telefoon dicht. 'We kunnen morgen komen. Ik heb hem gezegd dat we er rond twaalf uur zijn, misschien zelfs nog eerder. De bank zal toch rond een uur of half tien wel open zijn? We gaan bij die van mij langs, en bij die van jou, en tenzij je jouw helft in Tennessee of zo opgeborgen hebt, moet dat in een ommezien gebeurd zijn. Hoe lijkt je dat?'

Jan keek de andere kant op. 'Prima.'

'Wat is er? Alles goed?'

'Ja, best. Rij nou maar.'

32

Oscar Fine had zijn zwarte Audi A4 op Hancock Street geparkeerd, met de neus in zuidelijke richting. Links voor hem uit zag hij de achterkant van State House. De gouden koepel kon hij vanaf dit punt niet zien, maar die interesseerde hem ook helemaal niet.

Beacon Hill beviel hem. Hij waardeerde de buurt. De smalle straatjes, het gevoel dat het een verleden had, de prachtige oude bakstenen huizen met die volle bloembakken, de hobbelige stoepen en de klinkerstraatjes, de ijzeren schoenenschrapers die bijna in alle stoepjes aangebracht waren – niet zo belangrijk meer nu de straten niet meer vol modder en paarden-stront lagen. Maar het was hier te druk voor hem. Te vol. Hij vond het niet prettig om een hoop buren te hebben. Hij vond het prettig om alleen te zijn.

Maar goed, het was leuk wanneer hij hier voor zijn werk moest zijn.

Hij hield een adres zo'n tien deuren verderop in de gaten, aan de over-kant van de straat. Het was vroeg in de avond. Op dit tijdstip kwam Miles Cooper gewoonlijk thuis van zijn werk. Zijn vrouw Patricia, verpleegkun-dige bij het Massachusetts General Hospital, had zoals gewoonlijk avond-dienst. Ze was ongeveer een uur geleden vertrokken. Meestal liep ze, maar soms slechts tot Cambridge Street om daar op de bus te stappen, en soms nam ze zelfs een taxi. De meeste avonden werd ze na haar werk afgezet door een collega die in Telegraph Hill woonde en het niet erg vond om via Hancock Street naar huis te rijden.

Oscar had al een paar dagen hun routine bestudeerd. Hij wist dat hij voorzichtiger was dan nodig. Hij wist al heel goed wat Miles Cooper dag in dag uit deed. Hij wist dat Cooper in het weekend het liefste op zijn boot zat, dat hij te veel geld uitgaf aan de paardenraces, dat hij een waardeloze pokeraar was. Oscar wist dat uit de eerste hand. De man gaf belachelijk veel signalen af. Als hij een waardeloze hand had gekregen, schudde hij zijn hoofd. Niet echt opvallend. Een millimeter in beide richtingen, als dat het al was, maar genoeg voor Oscar om het op te merken. Als hij een flush in zijn handen had, kon je de vloer voelen bewegen omdat Miles' rechterknie als een zuiger op en neer bewoog.

Oscar wist nog meer van Miles. Hij ging regelmatig met buikklachten naar de huisarts. Hij gebruikte dagelijks maagzuurremmers. Hij had een opslagruimte buiten de stad, waar hij voor zijn jongere broer drie gestolen Harley-Davidsons verborg. Om de maandag ging hij naar North End en betaalde driehonderd dollar aan een meisje dat vanuit haar appartementje boven een Italiaanse bakker aan Salem Street werkte, om haar kleren heel langzaam uit te trekken en hem vervolgens te pijpen.

Oscar wist ook dat hij stal van de man voor wie ze allebei werkten. En die man was erachter gekomen waar Miles mee bezig was.

'Ik heb graag dat je dit voor me regelt,' zei de man tegen Oscar.

'Geen probleem,' zei Oscar.

Zo had hij al een aantal dagen Miles' bewegingen gevolgd. Hij wilde niet bij hem binnenvallen als zijn vrouw thuis was. Of hun dochter. Die was in de twintig en woonde in Providence, maar ze kwam in het weekend vaak bij haar ouders langs. Het was vandaag zondag, ze had er dus kunnen zijn, maar Oscar had vastgesteld dat dat niet het geval was. Als Miles Cooper zijn gebruikelijke routine volgde kon hij elk moment uit de richting van State House de heuvel af komen lopen en…

Daar was hij.

Achter in de vijftig, te zwaar, kalend, een dikke grijze snor. Gekleed in een slecht zittend pak, wit overhemd, geen das.

Toen hij bij zijn huis was aangekomen zocht hij in zijn zak naar zijn sleutels, en nadat hij die gevonden had klom hij de vijf betonnen treden naar zijn voordeur op, deed die open en ging naar binnen.

Oscar Fine stapte uit zijn Audi.

Hij liep de straat af, stak schuin over en kwam vanaf de andere kant bij Miles Coopers huis aan.

Oscar belde aan.

Hij kon Miles' voetstappen aan de andere kant van de deur horen voor die openging.

'Hé, Oscar,' zei Miles.

'Hoi, Miles,' zei hij.

'Wat doe jij hier?'

'Mag ik binnnenkomen?' zei Oscar.

Er flikkerde iets in Miles' ogen. Oscar Fine kon het zien. Het was angst.

Oscar was er de laatste vijf jaar steeds beter in geworden om te zien wat er in mensen omging. Voor die tijd was hij een beetje verwaand geweest, overmoedig. Slordig. In elk geval één keer.

Oscar wist dat Miles hem niet buiten zou laten staan. Miles moest weten dat als Oscar nog niet vermoedde dat hij wat in zijn schild voerde, hij dat zeker zou doen als Miles hem niet binnen zou willen laten.

'Natuurlijk, kom erin,' zei Miles. 'Leuk je te zien. Wat voert je hierheen?'

Oscar ging naar binnen en sloot de deur achter zich. Hij vroeg, hoewel hij het antwoord al wist: 'Is Patricia er?'

'Die zit nu op haar werk. Gewoonlijk is ze al een half uur aan het werk als ik thuiskom. Wat kan ik je inschenken?'

'Ik hoef niets,' zei Oscar.

'Weet je dat zeker? Ik ging net een biertje pakken.'

'Nee, niets,' zei Oscar. Hij liep achter Miles aan naar de keuken. Oscar Fine dronk niet, iets wat Miles steeds leek te vergeten.

Miles deed de koelkast open, boog naar voren, pakte een flesje en tegen de tijd dat hij zich omkeerde had Oscar een pistool op hem gericht. Hij hield het wapen in zijn rechterhand, zijn linker had hij in zijn jaszak gestoken. Op het pistool zat aan het eind van de loop een lang, buisvormig voorwerp bevestigd. Een geluiddemper.

'Jezus christus ,Oscar. Wat nou! Je jaagt me de stuipen op het lijf.'

'Hij weet het,' zei Oscar.

'Hij weet het? Wie weet het? Wie weet wat? Jezus, doe dat ding weg. Ik doe het bijna in mijn broek.'

'Hij weet het,' zei Oscar weer.

Miles wipte de dop van het flesje en gooide hem op het aanrecht. Zijn mond trilde toen hij zei: 'Ik weet niet waar je het over hebt.'

'Kom op, Miles, een beetje waardigheid. Hij weet het. Hou je niet van de domme.'

Miles nam een grote slok bier, liep naar een houten keukenstoel en ging zitten.

'Shit,' zei hij. Hij moest het flesje op tafel zetten omdat zijn hand begon te trillen.

'Je moet weten waarom dit gebeurt,' zei Oscar. 'Het zou verkeerd zijn als je stierf zonder te weten waarom.'

'Oscar, kom op, zeg. We kennen elkaar al zo lang. Je moet me een beetje tegemoetkomen. Ik kan het terugbetalen.'

'Nee,' zei Oscar.

'Echt. Met rente. Ik verkoop de boot. Ik verkoop hem morgen. Ik heb ook nog een ander spaarpotje. Het gaat echt niet om veel geld. Hij hoeft er niet op te wachten. Hij krijgt het meteen terug. Dat beloof ik. Bovendien heb ik nog een paar motoren. Die bewaar ik voor mijn broer, maar ik kan ze verkopen en het geld aan hem geven. Mijn broer kan de boom in. Zo erg is dat niet voor hem, hè. Ik bedoel, hij heeft er nooit een cent voor neergelegd, dus…'

Het pistool ging af. *Pfft. Pfft.* Oscar Fine joeg twee kogels door Miles' hoofd. Miles Cooper viel naar voren, kwam op de vloer terecht en dat was dat.

Oscar liet zichzelf uit, liep de straat af, stapte in zijn Audi en reed weg uit Beacon Hill.

Oscar Fine hoefde alleen maar vaart te minderen toen hij het beveiligde hek van het containerdepot naderde. De bewaker in het hokje herkende de auto en zijn chauffeur en drukte op de knop om het hek langzaam naar rechts open te laten schuiven. Oscar wachtte tot er genoeg ruimte was om erdoor te kunnen en reed toen het terrein op.

Het waren er duizenden. Allemaal rechthoekige boxen, op elkaar gestapeld als enorme gekleurde legoblokken. Ze waren oranje, bruin, groen, blauw of zilver en er stond Sea Land, Evergreen, Maersk of Cosco op. Af en toe stonden er wel zes op elkaar gestapeld. Het was net of je door een smalle canyon van staal reed. Het terrein besloeg even buiten de stad zo'n vier hectare. Oscar reed naar de andere kant en parkeerde naast een drie meter hoog hek met rollen prikkeldraad erbovenop. Hij stapte uit, met een fles melk in zijn hand die hij gekocht had bij een 7-Eleven toen hij Beacon Hill verliet, en liep naar de korte kant van een Evergreen-container waarop twee andere containers gestapeld stonden. Hij tastte in zijn rechterzak, vond de sleutel en ontsloot de containerdeur.

Hij zwaaide hem open. Zo'n zestig centimeter naar binnen bevond zich een tweede wand, met een deur van normale afmetingen erin. Hij deed hem met een tweede sleutel van het slot, opende hem en stapte zo op het oog de complete duisternis binnen. Toch brandde er ergens een flauw lichtje.

Hij tastte de wand met zijn rechterhand af en vond een schakelpaneel. Hij zette alle schakelaars om en ogenblikkelijk baadde het binnenste van de container in het licht.

Je zou verwacht hebben dat de wanden aan de binnenkant precies hetzelfde zouden zijn als aan de buitenkant van metaal en met verticale ribbels – maar ze waren glad en zacht mosgroen geverfd. Ze werden gesierd met grote moderne kunstwerken. De vloer was niet van metaal, maar van glanzend hout. Vlak bij de deur stonden een leren bank en een bijpassende leren luie stoel, en een 46 inch flatscreen-tv hing aan de muur. Halverwege de container bevond zich een glanzende smalle open keuken met aluminium werkblad en inbouwspotjes. Daarachter lagen een compacte badkamer en een slaapkamer.

Oscar Fine hoorde een geluid. Een seconde later streek er iets langs zijn been. Hij keek neer op de roestkleurige kat die zachtjes spon.

'Ik heb melk voor je gekocht,' zei Oscar. Het nachtlichtje had Oscar voor de kat aan gelaten. Hij zette de fles op het aanrecht, hield hem met zijn linkerarm tegen zich aan gedrukt terwijl hij er met zijn rechterhand de dop af haalde, en schonk wat melk in een kommetje op de vloer. De kat sloop geluidloos naar het kommetje, liet zijn kop zakken en begon te drinken.

Oscar haalde het pistool uit zijn jasje, legde het op het aanrecht en trok toen een grote deur in de keuken open waarachter zich een koelkast bevond. Hij zette de melk erin en haalde er een blikje cola uit. Hij trok het lipje er met zijn wijsvinger van af en schonk het drankje daarna in een glas met een dikke bodem.

'Hoe ging het vandaag?' vroeg hij aan de kat.

Oscar ging op een leren kruk aan het aanrecht zitten. Er stond een zilverkleurige laptop op, het scherm zwart. Hij tikte een knopje aan de zijkant aan, en terwijl hij wachtte tot het apparaat opgestart was, pakte hij de afstandsbediening en zette de tv aan. Hij stond op CNN en dat liet hij zo.

De laptop was opgestart en hij bekeek eerst zijn post. Alleen maar spam. Wist je maar waar die lui zaten, dacht hij. Dan konden ze nog meer van hem verwachten dan Miles. Hij liep een paar van zijn favorieten af. Op één site kon hij zien hoe zijn verschillende beleggingen het deden. Die site deprimeerde hem de laatste tijd. Een andere site, waar hij altijd van opkikkerde, toonde korte video's van jonge poesjes die in slaap vielen.

Hij keek af en toe naar de tv terwijl hij van site naar site klikte.

De nieuwslezer zei: '… de zaak heeft een bijzondere wending genomen. Een man die zijn geld verdient met het nieuws verslaan, wordt opeens zelf nieuws. De politie wil niet zeggen of zij denken dat Jan Harwood nog leeft of dood is, maar ze hebben aangegeven dat haar echtgenoot, David Harwood, een journalist van de *Standard*, een krant in Promise Falls, ten noorden van Albany, wat zij noemen in beeld is. De vrouw is niet meer gezien sinds ze haar man op vrijdag tijdens een ritje naar Lake George begeleidde.'

Oscar Fine keek even van zijn laptop naar de tv, het interesseerde hem niet echt en hij keek al snel weer naar zijn beeldscherm. Toen keek hij weer op.

Ze lieten een foto zien van de vermiste vrouw. Oscar Fine ving slechts een glimp op van haar beeltenis en daarna kwam er een shot van het huis waar David en Jan Harwood zouden wonen, en vervolgens een shot van het huis van de ouders van de verslaggever. Een vrouw van middelbare leeftijd kwam naar de deur en zei tegen de media dat ze weg moesten gaan.

Oscar wachtte tot ze de foto van de vrouw nog een keer lieten zien, maar dat deden ze niet.

Hij richtte zijn aandacht weer op zijn laptop. Met zijn rechterhand tikte hij 'Jan Harwood' en 'Promise Falls' in op Google. Dat leverde hem een aantal sites op, onder andere die van de *Standard* van Promise Falls, waar hij een uitgebreid bericht vond, door Samantha Henry, en een foto van de vermiste vrouw.

Hij klikte op de foto en vergrootte hem. Hij staarde er een dikke minuut naar. Het haar van de vrouw was totaal anders. Hij herinnerde zich dat ze rood haar had, maar nu was het zwart. En toentertijd was ze zwaar opgemaakt geweest, met wimpers als spinnenpoten. Deze vrouw was heel bescheiden opgemaakt. Ze zag er als de gemiddelde huisvrouw uit. Nou ja, een stuk beter dan de gemiddelde huisvrouw. Een lekker ding.

Hij klikte er nog eens op, blies de foto nog meer op. Daar was het. Het kleine litteken, in de vorm van een L, op haar kin. Ze had – de enige keer dat ze elkaar ontmoet hadden – waarschijnlijk gedacht dat ze er zo veel foundation op had gesmeerd dat het onzichtbaar was. Maar hij had het gezien.

Meer bewijs dan dat littekentje had hij niet nodig. Dat, en het kloppende gevoel aan het eind van zijn linkerarm, waar vroeger zijn hand had gezeten.

Oscar Fine moest een aantal telefoontjes plegen.

DEEL IV

33

Duckworth en ik waren weggelopen van het open graf met het lichaam van Leanne Kowalski erin. Ik trilde.

Ik zei: 'Ik moet overgeven.' En ik voegde de daad bij het woord. Duckworth gaf me even de tijd om er zeker van te zijn dat ik niet nog een keer moest kotsen.

'Hoe kan zij het nou zijn?' vroeg ik. 'Hoe komt ze hier?'

'Laten we teruggaan naar mijn auto,' zei Duckworth. Hij zweette. Hij had naast me gehurkt toen ik naar het lijk keek en hij was buiten adem geraakt bij het overeind komen.

'Als Leanne hier is…' begon ik.

'Ja?'

Ik voelde dat ik het moest vragen. 'Is er nog een graf? Of is dit het enige?'

Duckworth keek me strak aan, alsof hij in mijn hoofd wilde kijken. 'Denkt u dat er nog een is?'

'Wat?' zei ik.

'Kom mee.'

We zeiden niets terwijl we naar zijn auto liepen. Hij hield het portier voor me open en hielp me in de wagen alsof ik een invalide was, en toen stapte hij aan de andere kant in. We zwegen allebei meer dan een halve minuut. Duckworth draaide het sleuteltje zo ver om dat hij de raampjes kon laten zakken. Een lichte bries blies door de auto.

Ik draaide me opzij en keek hem aan. Hij staarde voor zich uit, handen op het stuur, ook al liep de motor niet.

'Wist u al wie ze was?' vroeg ik hem. 'Wist u dat het Leanne Kowalski was?'

Duckworth negeerde de vraag en stelde er zelf een. 'Toen u hier vrijdag met uw vrouw naartoe ging, meneer Harwood, had u Leanne Kowalski toen ook meegenomen?'

Ik legde mijn hoofd tegen de hoofdsteun en sloot mijn ogen. 'Wat? Nee,' zei ik. 'Waarom zouden we?'

'Heeft ze u hiernaartoe gevolgd? Had u met haar afgesproken?'

'Nee, en nee.'

Even vroeg ik me af of Leanne Kowalski de vrouw kon zijn geweest die me de anonieme e-mail had gestuurd en die me bij Ted's wilde spreken. Maar dat leek op geen enkele manier te rijmen met de rest.

'Vindt u het niet raar dat het lichaam van Leanne Kowalski opduikt binnen drie kilometer van de plek waar u volgens u die bron van u zou ontmoeten?'

Ik keek naar hem. 'Raar? Of ik het raar vind? Ik vind het verdomd raar. Wilt u een lijstje van al die verdomd rare dingen die mij de afgelopen twee dagen zijn overkomen? Wat dacht u hiervan? Mijn vrouw verdwijnt. Een onbekende man probeert mijn zoon te kidnappen. Ik kom erachter dat Jan een geboortebewijs had van een kind dat op haar vijfde is overreden, dat mijn vrouw misschien niet is wie ze zegt dat ze is. Ze gaat die winkel in en ze hangt een verhaal op tegen die man dat ze niet weet waarom ik haar daarnaartoe heb meegenomen, alsof ik haar erin geluisd heb. Waarom heeft ze dat gezegd? Waarom heeft ze tegen hem gelogen? Waarom was er geen kaartje voor haar voor Five Mountains? Waarom heeft ze tegen me gelogen dat ze met dokter Samuels over haar zelfmoordgedachten heeft gesproken? Dus als u mij vraagt of ik het ráár vind dat Leanne Kowalski daar dood ligt... inderdaad, ik vind het heel erg raar. Net als alle andere dingen.'

Duckworth knikte traag. Uiteindelijk zei hij: 'En vindt u het ook raar als ik u vertel dat een voorlopig onderzoek van uw auto – de auto waarmee u vrijdag hiernaartoe bent gereden met uw vrouw – bloedmonsters en haren in de achterbak heeft opgeleverd, en een verfrommeld bonnetje van een rol duct tape in het handschoenenkastje?'

Daarvoor was ik nog spraakzaam geweest, nu kon ik geen woorden vinden.

'Ik werd net voor u voor uw auto terugkwam gebeld. Het zal nog even duren voor we de resultaten van de dna-test binnen hebben. Wilt u ons de moeite besparen en ons vertellen wat we zullen ontdekken?'

Het werd tijd dat ik hulp kreeg.

Op de terugweg van Lake George belde ik Natalie Bondurant, de advocaat die mijn vader had geregeld. Na wat inleidend gepraat en nadat ik haar had gevraagd daadwerkelijk mijn advocaat te worden, zei ik: 'Er is een nieuwe ontwikkeling sinds u met mijn vader gesproken hebt. Eigenlijk een aantal ontwikkelingen.'

'Vertel,' zei ze.

'Leanne Kowalski, een collega van mijn vrouw. Haar lichaam is gevonden, niet ver van de plek waar ik vrijdag met Jan naartoe gereden ben.'

'De politie zag u al als verdachte,' zei ze. 'En dan komt dit er nog bij.'

'Ja.'

'Zullen ze nog een lijk vinden, meneer Harwood? Gaan ze uw vrouw ook vinden?'

'Ik hoop bij god van niet,' zei ik.

'Hoopt u dat omdat ze u anders als de dader zullen kunnen aanwijzen, of omdat u nog steeds hoopt dat uw vrouw levend thuiskomt?'

Ze was ontwapenend direct.

'Dat laatste,' zei ik. 'En rechercheur Duckworth zei dat de politie bloed en haren in de achterbak van mijn auto heeft aangetroffen, plus een bonnetje voor duct tape in het handschoenenkastje.'

'Het kan zijn dat hij u van uw stuk wil brengen. Hebt u een verklaring voor die zaken?'

'Nee,' zei ik. 'Ik bedoel, die haren? Dat kan best. We leggen spullen in de achterbak en halen ze er weer uit, dus het kan best dat er wat losse haren liggen. Maar die andere dingen? Nee. Ik weet niet waarom er bloed in de achterbak zou zitten. En ik heb al een hele tijd geen rol duct tape gekocht.'

'Dan komt het wel erg goed uit dat ze die dingen gevonden hebben,' zei Natalie Bondurant.

'Wat bedoelt u?'

'Dat er erg veel indirect bewijs tegen u is.'

Ze liet me het hele verhaal vanaf het begin doen. Ik probeerde het allemaal zo simpel mogelijk te vertellen, alsof ik het in een artikel voor de krant opschreef. Eerst het algemene plaatje, en daarna zoomde ik in op de details. Ik vertelde haar over mijn tocht naar Rochester, over de ontdekking dat Jan misschien niet was wie ze beweerde te zijn.

'Hoe verklaart u dat?' vroeg ze.

'Ik kan het niet verklaren. Ik heb aan rechercheur Duckworth gevraagd of ze zo'n ondergedoken getuige kan zijn, maar ik geloof niet dat hij me serieus nam, omdat ik hem al verteld had dat Jan zich de laatste paar weken depressief gedragen had en hij niemand kon vinden die dat verhaal kon bevestigen.'

Natalie zweeg even en toen zei ze: 'U zit behoorlijk in de nesten.'

'Bedankt,' zei ik.

'Maar de politie heeft geen lijk,' zei ze. 'Ze hebben het lichaam van Leanne Kowalski, maar niet dat van uw vrouw. Dat is het goede nieuws. Niet alleen omdat we willen dat uw vrouw gezond en wel weer thuiskomt, maar het betekent dat de politie de zaak nog niet rond heeft. Niet dat ze het niet rond kunnen krijgen zonder lijk. Zat mensen zijn voor moord de gevangenis in gegaan zonder dat er ooit een lijk gevonden is.'

'U vrolijkt me nou niet bepaald op.'

'Dat is mijn werk ook niet. Mijn werk is om u uit de gevangenis te houden, of als u er uiteindelijk toch in moet, het verblijf zo kort mogelijk te maken.'

Als ik niet aan het rijden was, had ik mijn ogen dichtgedaan. We hadden zo lang gepraat dat ik bijna thuis was. Het was even over achten.

Er viel me iets in.

'Er was iets raars aan dat graf,' zei ik. 'Aan de plek waar ze Leannes lichaam hebben gevonden.'

'Wat dan?'

'Dat gat dat gegraven was om haar lichaam in te leggen. Het was vlak naast de weg. Het was ook niet echt een graf. Net diep genoeg om iemand in te leggen en er een beetje aarde overheen te doen. Als de moordenaar maar een klein eindje verder van de weg af het bos in was gegaan en haar daar had begraven, had niemand haar gevonden. Het lijkt me nogal stom dat iemand haar zo dicht bij de weg heeft begraven, ook al is het een stil weggetje.'

'U zegt dat het de bedoeling was dat ze gevonden werd?' zei Nathalie.

'Tot nu toe had ik er niet over nagedacht, maar inderdaad, ik vind het vreemd.'

'Kom morgen om elf uur naar mijn kantoor,' zei ze. 'En breng uw chequeboek mee.'

'Oké,' zei ik.

'En praat niet meer met de politie als ik er niet bij ben,' zei ze.

'Begrepen,' zei ik. Ik reed de straat van mijn ouders in. Het huis was vlakbij.

Er stond een minimediacircus op straat. Twee tv-reportagebusjes. Drie auto's. Een hoop mensen.

Shit.

'En,' zei Nathalie, 'praat niet met de pers.'

'Ik doe m'n best,' zei ik, en ik beëindigde het gesprek.

Ik nam aan dat als er hier bij mijn ouders al zo veel verslaggevers stonden, het bij mijn eigen huis ook wel vol zou staan. Een van de reportagebusjes blokkeerde deels de oprit, dus ik moest aan de overkant van de straat langs de stoeprand parkeren.

Ik wist niet hoe ik een confrontatie kon vermijden. Ik wilde mijn ouders zien. En ik wilde ontzettend graag mijn zoon zien.

Ik stapte uit mijn vaders auto en stak de straat over. Een verslaggever en een cameraman sprongen uit een van de tv-busjes en riepen mijn naam. Jonge mensen met notitieblokken en digitale recordertjes sprongen uit de drie auto's. Samantha Henry dook op uit een vaalrode Honda Civic die me al zo bekend was voorgekomen. Haar gezicht droeg een gepijnigde, verontschuldigende uitdrukking terwijl ze naar me toe liep, alsof ze had willen zeggen: hé, sorry, ik doe ook maar gewoon m'n werk.

De verslaggevers zwermden om me heen en vuurden vragen op me af.

'Meneer Harwood, hebt u al iets van uw vrouw gehoord?'

'Meneer Harwood, weet u wat er met uw vrouw gebeurd is?'

'Waarom ziet de politie u als verdachte?'

'Hebt u uw vrouw vermoord, meneer Harwood?'

Ik weerstond de neiging om me een weg te banen en het huis in te rennen. Ik had Natalies advies nog vers in mijn geheugen, maar ik had lang genoeg bij de krant gewerkt om te weten hoe schuldig het overkomt als je haastig langs de pers loopt en weigert iets te zeggen. Dus bleef ik staan en hield mijn handpalmen vragend op om te laten zien dat ik bereid was op hun vragen te antwoorden als ze maar kalm aan deden.

'Ik wil een paar dingen zeggen,' zei ik terwijl de twee cameramannen zich in bochten wrongen om een goede shot te krijgen. Ik had even tijd nodig om rustig te worden en mijn gedachten op een rijtje te zetten. Toen zei ik: 'Mijn vrouw, Jan Harwood, is gisterochtend verdwenen toen we met ons zoontje in Five Mountains waren. Ik heb alles wat ik kon gedaan om haar te vinden, en ik hoop en bid dat het goed met haar is. Als je hiernaar kijkt, alsjeblieft lief, alsjeblieft, neem contact op en laat me weten dat het goed met je is. Ethan en ik houden van je, we missen je, en het enige wat we willen is dat jij weer veilig thuiskomt. Wat er ook gebeurd is, hoe erg het ook is, we vinden wel een oplossing. We kunnen samen een oplossing vinden. En voor iedereen die dit ziet: als iemand Jan heeft gezien, of weet waar ze kan zijn of wat er met haar gebeurd kan zijn, ik smeek u, alstublieft, neemt u contact op met mij of met de politie. Het enige wat ik wil is dat mijn vrouw weer thuiskomt.'

Een van de chic gekapte tv-verslaggeefsters duwde een microfoon onder mijn neus en zei: 'We hebben informatie dat u zich gedwongen voelde om tegen de politie te zeggen dat u uw vrouw niet vermoord hebt. Waarom had u het gevoel dat u dat moest zeggen? Bent u officieel verdachte?'

'Ik zei het omdat het de waarheid is,' zei ik. Ik probeerde mijn stem rustig te laten klinken. Ik keek naar het huis en zag dat mijn moeder door de vitrage naar me keek. 'Ik begrijp dat de politie rekening moet houden met elke mogelijkheid in een zaak als deze, en daar hoort de echtgenoot van een vermiste persoon ook bij. Dat begrijp ik. Dat is gewoon standaardprocedure.'

'Maar bent u een verdachte?' hield ze aan. 'Gelooft de politie dat uw vrouw vermoord is?'

'Er zijn geen bewijzen dat er iets gebeurd is met mijn vrouw,' zei ik.

'Komt dat omdat u het lijk zo handig hebt verborgen?' vroeg ze.

Ik deed erg mijn best om rustig te blijven. 'Op zo'n vraag ga ik geen antwoord geven.'

De tweede, zo mogelijk nog mooier gekapte verslaggeefster, van het andere tv-station, vroeg: 'Hoe verklaart u dat er geen bewijs is dat uw vrouw met u in Five Mountains is geweest?'

'Er waren gisteren in Five Mountains ongetwijfeld wel duizend andere mensen die moeilijk kunnen bewijzen dat ze daar geweest zijn,' zei ik. 'Ze was er, en toen is ze verdwenen.'

'Hebt u een leugentest ondergaan?' vroeg een verkreukelde reporter die volgens mij uit Albany kwam.

'Nee,' zei ik.

'Hebt u geweigerd hem te ondergaan?'

'Niemand heeft me gevraagd er een te doen,' zei ik.

De best gekapte tv-verslaggeefster kwam tussenbeide. 'Zou u erin toestemmen hem te doen?'

'Ik zeg net, niemand heeft me gevraagd…'

Zou u er een doen als wij hem regelen?' zei de iets minder mooi gekapte verslaggeefster.

'Ik zie geen enkele reden waarom ik me zou onderwerpen aan een door u…'

'U weigert dus? U wilt verbonden aan een polygraaf geen vragen beantwoorden over uw vrouws verdwijning?'

'Dit is belachelijk,' zei ik. Ik begon de controle te verliezen. Ik was stom geweest om te denken dat ik hier ongeschonden uit zou komen. Je denkt dat je het klappen van de zweep kent omdat je zelf journalist bent. Dan kom je erachter dat je geen haar slimmer bent dan de rest.

Samantha zag wat er gebeurde en probeerde me te helpen door met een makkelijke vraag te komen. 'David,' zei ze. 'Kun je me vertellen hoe je dit ondergaat? Het moet een ondraaglijke spanning zijn voor jou en je zoontje.'

Ik knikte. 'Het is verschrikkelijk… dat je het niet weet, dat is gruwelijk. Ik heb zoiets nog nooit meegemaakt. Je hebt er geen idee van tot je zoiets zelf doormaakt.'

'Hoe voelt het,' ging ze verder, 'om het onderwerp van een verhaal te zijn in plaats van dat je het zelf schrijft? Het moet heel raar zijn, dat wij ons als haaien op je storten.'

De tv-verslaggeefsters keken Sam kwaad aan toen ze over haaien begon.

Ik glimlachte bijna. 'Dat hindert niet. Ik weet hoe het werkt. Hoor eens, ik moet nu echt naar binnen.'

De verslaggevers maakten ruim baan voor me toen ik naar voren liep. Ik pakte Sam bij haar elleboog en nam haar met me mee, wat tot enig gemopper bij de rest leidde. Wat ging ik doen? Kreeg ze een exclusief interview met me?

'Dave, ik vind dit echt heel naar,' zei ze toen we de verandatrap op liepen. 'Je weet dat ik alleen maar…'

'Jawel,' zei ik. Voor ik de deur open kon doen had ma hem opengezwaaid. Ze was een paar jaar ouder geworden sinds ik haar eerder die dag gezien had, en ze wierp Sam een verzengende blik toe.

'Hai, ma,' zei ik. 'Je kent Sam nog wel.' Ze hadden elkaar een paar keer ontmoet toen ik met haar ging.

Ma beantwoordde Sams knikje niet. Ze zag Sam in haar professionele rol duidelijk als de vijand.

'Waar is Ethan?' vroeg ik.

Ma zei: 'Je vader heeft hem meegenomen. Ze zijn ergens wat gaan eten en daarna gingen ze naar het spoor om naar echte treinen te kijken. Ik zou bellen als het hier een beetje rustiger was geworden.'

Dat leek me een goed plan. Ik was blij dat Ethan dit allemaal niet hoefde mee te maken.

Ik zei tegen Samantha: 'Bedankt voor die vraag net. Dat hielp om de zaak een beetje te sussen.'

'Graag gedaan,' zei ze. 'Ik moet dit verhaal schrijven, maar ik ben er niet op uit om jou te grazen te nemen.'

'Dat waardeer ik.'

'Ik bedoel, ik weet dat je Jan nooit iets zou aandoen.' Ze keek me strak aan. 'Toch?'

'Jezus, Sam.'

'Ik denk echt van niet.'

'Bedankt voor dit halfhartige blijk van vertrouwen.'

Haar mondhoeken gingen omhoog. 'Ik moet in elk geval doen alsof ik objectief ben. Maar ik sta aan jouw kant, echt. Ik kan echter niet beloven dat de bureauredactie van m'n stuk afblijft als ik het ingeleverd heb. Over inleveren gesproken.' Ze keek op haar horloge. Het was tien over acht. Ik wist dat ze tot ongeveer half tien de tijd had om haar artikel te schrijven voor de krant van morgen.

'Wat wilde je me vertellen?' vroeg ze. 'Ik bedoel, als ik een exclusief interview van je krijg, dan graag. Dit is tenslotte je eigen krant.'

'Je moet oppassen,' zei ik.

'Wat?'

'Ik bedoel niet dat je gevaar loopt of zo, maar je moet voorzichtig zijn. Ik geloof dat Madeline alle e-mails controleert.'

'Wat?' Sams mond viel open. 'Leest Madeline mijn persoonlijke mails?'

'Als die via de krant binnenkomen, inderdaad, ik denk van wel.'

'Jezus christus,' zei ze. 'Waarom? Waarom denk je dat?'

'Ik heb een paar dagen geleden een anonieme e-mail gekregen van een vrouw die met me wilde praten, over de gevangenis, over raadsleden die smeergeld of wat dan ook aannemen in ruil voor hun stem.'

'Ja?'

'De e-mail kwam bij me binnen, hij heeft maar een paar minuten in m'n mailbox gezeten, ik heb hem meteen gewist. Maar Elmont Sebastian wist ervan. Hij wist dat iemand geprobeerd had contact met me op te nemen. Ik dacht eerst dat hij de tip vanaf de andere kant had gekregen, de kant van die vrouw, maar ik denk nu van niet. Ik denk dat hij door de *Standard* getipt is. En wie anders dan Madeline heeft het recht om alle e-mails te lezen?'

'Maar waarom zou ze dat willen?'

'Misschien is ze niet geïnteresseerd in jouw mails, maar ze heeft wel een reden om geïnteresseerd te zijn in de mijne. De familie Russell heeft een stuk grond dat ze aan Star Spangled Corrections willen verkopen voor die gevangenis. Het is niet in het belang van onze krant om het bedrijf aan de schandpaal te nagelen. Ik denk dat Madeline Sebastian heeft ingelicht toen ze die e-mail zag.'

'En Brian dan?' vroeg ze. 'Misschien laat Madeline hem de mails natrekken. Ze zit voortdurend bij hem op z'n kamer.'

Daar dacht ik even over na. 'Dat zou kunnen. Waar het op neerkomt, is dat onze uitgever niet te vertrouwen is. Dat moet je weten.'

'Ik maakte net een grapje, toen ik het over de bureauredactie had en mijn verhaal over jou, maar nu denk ik dat ze er misschien echt wat aan zullen veranderen. Gaan ze dit verhaal over Jan zo verdraaien dat jij er slecht van afkomt? Omdat dat verhaal over de gevangenis jouw ding is? Als jij buitenspel bent gezet, dan is het niet erg waarschijnlijk dat iemand anders het oppikt.'

'Ik weet het niet.' Ik vertelde haar niet hoe ver Elmont Sebastian al was gegaan om me tegen te houden. De baan die hij me had aangeboden. Bedekte dreigementen aan het adres van mijn zoontje. Ik had het idee dat hij iets te maken had met wat er met Jan was gebeurd nog niet opgegeven, maar ik kon er geen zinnige draai aan geven.

'Ik moet ervandoor,' zei Sam. 'Ik moet dit stuk inleveren.'

'Ik heb niets van doen met Jans verdwijning,' zei ik nog een keer.

Ze legde zachtjes haar hand op mijn borst. 'Dat weet ik. Ik geloof je. Ik ga je niet verraden in m'n stuk.'

Ze ging weg.

Ma zei: 'Ik mag haar niet.'

Het was al negen uur toen ik de oprit van mijn eigen huis op reed. Er waren geen mediamensen meer die er hun tenten hadden opgeslagen. Ze hadden alles wat ze wilden hebben bij het huis van mijn ouders gekregen en gunden me in elk geval de rest van de avond rust.

Ethan was onderweg in slaap gevallen. Ik tilde hem voorzichtig uit zijn stoeltje en hij legde zijn hoofd op mijn schouder toen ik hem het huis in droeg. Toen ik de deur opende, zag ik meteen weer dat het huis die dag door de politie doorzocht was. De kussens van de bank lagen overal, de boeken waren uit de boekenkast gehaald, het kleed lag teruggeslagen. Er leek niets beschadigd, maar ik moest flink opruimen.

Ik legde Ethan zachtjes op de bank en trok een plaid over hem heen. Daarna ging ik naar boven en ruimde z'n kamer een beetje op. Ik legde de matras weer op z'n plek, het speelgoed in de bakken, zijn kleren in de laden van de commode.

Toen ik begon zag het er vreselijk uit, maar het kostte maar tien minuten om het netjes te krijgen. Ik liep weer naar beneden, tilde hem van de bank en bracht hem naar bed. Ik legde hem op zijn rug en trok zijn kleren uit. Ik was bang dat hij wakker zou worden als ik z'n T-shirt over z'n hoofd trok, maar hij sliep rustig door. Ik trok hem z'n Wolverine-pyjama aan, leg-

de hem onder het dekbed, stopte het in en kuste hem zachtjes op z'n voorhoofd.

Zonder zijn ogen te openen fluisterde hij slaperig: 'Slaap lekker, mama.'

34

Terwijl hij van haar af rolde zei Dwayne tegen Jan: 'Altijd prettig om een grote dag als vandaag met een neukpartij te beginnen.'

Ze stapte uit het motelbed, ging de badkamer in en deed de deur dicht.

Dwayne lag op zijn rug naar het plafond te staren. Hij vlocht zijn vingers achter zijn hoofd ineen en glimlachte. 'Dit is het, schatje. Nog een paar uur en we zitten gebeiteld. Weet je wat we volgens mij vandaag ook nog moeten doen? We moeten naar boten gaan kijken. Er zijn vast een hele hoop mensen die hun boot willen verkopen. Net nu iedereen zijn spullen van de hand doet vanwege de recessie, kunnen we toeslaan. We kunnen een kajuitjacht van zeven tot tien meter voor een prikje kopen. Niet dat we niet de volle prijs kunnen betalen als we dat willen. Maar als we de rest van ons leven met dit geld willen doen, dan moeten we er verstandig mee omgaan, toch?'

Jan had na 'schatje' niets meer gehoord. Ze had de douche aangezet na even te hebben gekeken hoe de kranen werkten in dit éénsterrenmotel, ongeveer zeven kilometer van het centrum van Boston. Dat was dichtbij genoeg: ze werd er ontzettend nerveus van om hier in de buurt te zijn.

Dwayne gooide de dekens van zich af en stond naakt in de kamer. Hij pakte de afstandsbediening en zette de tv aan. Hij zapte razendsnel langs de zenders.

'De goeie zenders hebben ze hier niet,' zei hij. 'Waarom laten ze je extra betalen voor een pornozender? Ze vragen al meer dan genoeg voor de kamer.'

Hij kwam terecht op een tekenfilmzender waar een *Batman*-aflevering draaide. Het verveelde hem al snel en hij zapte door. Hij was langs een nieuwszender gekomen en zat al in een stand-upcomedy toen hij zei: 'Wat de fuck?' Hij zapte een paar zenders terug en daar was Jan. Een foto van haar.

'Hé,' riep hij. 'Kom er eens onderuit.'

Ze hoorde hem niet onder de douche.

Dwayne knalde de deur open en riep: 'Je bent verdomme op tv!'

Hij zette het geluid zo hard dat het kastje waarop de tv stond begon te trillen. De nieuwslezer zei: '... maar toen hem gevraagd werd een leugentest te ondergaan, weigerde meneer Harwood dat domweg. De journalist van de *Standard* van Promise Falls beweert dat zijn vrouw zaterdag in het pretpark Five Mountains verdwenen is, maar uit politiebronnen hebben we vernomen dat niemand Jan Harwood meer gezien heeft sinds vrijdag laat in de middag. En deze ochtend bracht een nieuwe ontwikkeling in de zaak. Het lichaam van een collega van de vermiste vrouw is gevonden in de buurt van Lake George, niet ver van de plek waar Jan Harwood met haar man is gezien voor ze verdween. Het ziet ernaar uit dat we deze middag in Boston en omgeving zonneschijn krijgen...'

Dwayne zette de tv uit en ging de badkamer weer in. Hij stak zijn hand langs het douchegordijn naar binnen en draaide de kraan dicht. Jans haar zat nog onder de shampoo.

'Dwayne! Verdomme!'

'Heb je me niet gehoord?'

'Wat is er?'

'Het was op het nieuws. Ze zetten je man onder druk. Ze hebben hem gevraagd een leugentest te ondergaan. En ze hebben het lijk gevonden.'

Jan keek hem met toegeknepen ogen aan. Er zat shampoo in. Ze voelde zich meteen koud terwijl het water van haar naakte lichaam droop. 'Oké.' zei ze.

'Dat is toch goed?'

'Laat me even afdouchen,' zei Jan.

'Zal ik erbij komen?'

Als antwoord trok ze het douchegordijn dicht. Ze begon weer aan de kranen te draaien. Het water kwam er eerst ijskoud uit, en ze dook in elkaar, alsof dat haar tegen de kou kon beschermen. Ze vloekte zachtjes, stelde de temperatuur bij en brandde zich toen bijna. Ze draaide de kraan weer een beetje terug tot ze de juiste temperatuur had en hield haar gezicht toen onder de stralen om de zeep uit haar ogen te spoelen.

Maar die hadden hiervoor al geprikt.

Op een gegeven moment had ze die nacht gemerkt dat ze huilde. Ze kon het zelf nauwelijks geloven. Dwayne lag als een kettingzaag te snurken, dus ze liep niet het risico dat ze hem wakker zou maken.

Niet dat ze keihard lag te snotteren. Ze had niet echt liggen janken of

zoiets onwaardigs. Maar ze had zich gewoon een ogenblik overweldigd gevoeld.

Een paar tranen waren ontsnapt voor ze ze terug kon dringen. Ze wilde
in haar rol blijven.

Je wilde niet dat de mensen zouden denken dat het je iets kon schelen.

Maar terwijl ze daar in bed lag stelde ze zich voor dat ze haar hand op
Ethans hoofd legde, dat ze de zijdeachtige haartjes tegen haar handpalm
voelde. Ze dacht aan zijn geur. Het geluid dat zijn voetjes maakten op de
vloer als hij 's ochtends uit bed kwam en naar hun slaapkamer liep om te
kijken of ze wakker was. De manier waarop hij een Cheerios oppakte en in
zijn mond stopte. Het geluid als hij erop kauwde. Hoe hij met gekruiste benen voor de tv naar *Thomas de Stoomlocomotief* zat te kijken.

De warmte van zijn lijfje als hij bij haar in bed kroop.

Denk aan het geld.

Ze probeerde hem uit haar gedachten te duwen terwijl ze daar midden
in de nacht lag. Zoals sommige mensen schaapjes telden, telde zij diamanten. Maar Ethans gezicht dook steeds voor haar geestesoog op.

Vanaf het moment dat ze een relatie met David was begonnen, had ze
zich voorgehouden dat ze dat om het geld deed. Deze façade, dit huwelijk,
het grootbrengen van een kind, dat was allemaal onderdeel van haar werk.
Zo moest ze haar vermogen verdienen. Ze moest gewoon de tijd uitzitten
tot Dwayne vrijkwam, en dan kon ze weg. Ze zou vertrekken en niet meer
achteromkijken. En als ze de diamanten voor cash had ingeruild, dan kon
ze ook van Dwayne afkomen.

Een laatste rolwisseling. Nog één keer een ander kostuum aantrekken.

Als het een beetje meezat, zou niemand naar haar zoeken. In elk geval
niet naar een levende Jan. Als ze haar lichaam niet zouden vinden, zou de
politie alleen maar denken dat David zich er op een briljante manier van
had ontdaan. O, hij zou tegen ze zeggen dat hij er niets mee te maken had,
dat hij onschuldig was. Maar dat zei toch iedereen? Alle schuldige mannen
zeiden dat.

Misschien zou hij op een gegeven moment zelfs een vermoeden krijgen
van wat er werkelijk gebeurd was. Maar wanneer en als het tot hem door
zou dringen dat zijn vrouw hem erin had laten lopen, wat zou hij daar dan
aan kunnen doen vanuit een gevangeniscel? Hij zou al zijn geld al aan advocaten hebben uitgegeven. Hij zou geen cent meer overhebben om een
privédetective in te schakelen om haar op te sporen.

Ethan zou in elk geval oké zijn. Zijn grootouders zouden voor hem zorgen. Don was af en toe een beetje gestoord, maar hij had het hart op de juiste plek. En hoewel Jan de manier waarop Arlene haar soms bekeek niet bepaald prettig had gevonden – het was alsof ze wist dat Jan iets in haar schild voerde, maar dat ze niet kon verzinnen wat dat was – twijfelde ze er niet aan dat ze de jongen kon grootbrengen. Ze was nog jong genoeg en ze hield zielsveel van Ethan.

Jan deed haar best troost te putten uit deze gedachte.

Misschien dat ze als ze haar geld eenmaal had, als ze echt wist dat haar een nieuw leven te wachten stond, een nieuw leven waarin ze alles kon doen wat ze wilde, in staat zou zijn de afgelopen jaren te vergeten, net kon doen of die er niet geweest waren, kon doen alsof de mensen die ze in die tijd gekend had – en dat ene mensje dat ze op de wereld had gezet – niet echt bestonden.

Als ze het geld eenmaal had.

Het geld zou alles veranderen. Geld kon alle wonden helen, geld hielp je verder te gaan met je leven. Daar had ze altijd in geloofd.

Dwayne zette de pick-up stil op Beacon Street, even ten westen van het Clarendon.

'Alsjeblieft,' zei hij.

Jan keek naar rechts. Ze stonden voor een vestiging van MassTrust, ingeklemd tussen een Starbucks en een chique schoenwinkel.

'Is dit het?' vroeg ze.

'Dit is het. Met jouw sleutel kun je hier een kluisje opendraaien.'

Zo hadden ze het opgezet. Ze hadden allebei een kluis uitgezocht om hun helft van de diamanten in op te bergen, ze hadden de locatie geheimgehouden, en toen hadden ze de sleutels geruild. Op die manier hadden ze elkaar nodig om te cashen.

'Kom op,' zei ze.

Ze stapten samen uit, gingen de bank binnen en liepen naar de balie.

Jan zei: 'We willen graag in ons kluisje.'

'Natuurlijk,' zei een vrouw van middelbare leeftijd. Ze wilde hun naam weten, Dwayne moest zijn handtekening zetten, en toen bracht ze hen naar beneden, naar een ruimte waar drie wanden geheel bedekt werden door rechthoekige deurtjes, als brievenbussen.

'Dit is uw kluisje,' zei de vrouw. Ze haalde een sleuteltje tevoorschijn en stak het in een deurtje. Jan haalde de sleutel die ze al vijf jaar bewaard had tevoorschijn en stak hem in de gleuf. Het deurtje ging open en de vrouw haalde er een langwerpige zwarte doos uit.

Toen ze hem schuin hield, hoorde je erbinnenin iets zachtjes ratelen.

'U kunt van de kamer hier gebruikmaken,' zei ze, en ze hield een deur voor Dwayne en Jan open. Ze zette de doos op een tafel en trok zich terug, waarbij ze de deur achter zich sloot. Het kamertje was ongeveer anderhalf bij anderhalve meter. Het was goed verlicht en er stond een bureaustoel voor het tafeltje.

'Het is hier nog kleiner dan mijn cel,' zei Dwayne. Hij haakte zijn vingers onder de voorkant van de doos en lichtte het deksel op. 'O boy.'

In de doos lag een zwarte stoffen zak die met een koordje gesloten werd, een zak voor schoenen, of slippers.

Jan haalde de zak uit de doos en bevoelde eerst de inhoud zonder hem open te maken.

'Net tanden,' zei ze zenuwachtig.

Ze maakte het koordje los en schudde de zak leeg boven het tafelblad.

De diamanten rolden eruit. Veel kleiner dan tanden, maar veel schitterender. Ze raakten het blad en verspreidden zich. Tientallen en nog eens tientallen diamanten. Veel meer dan je in één oogopslag kon tellen.

'Jezus tering christus,' zei Dwayne, alsof hij de edelstenen nooit eerder had gezien. Hij pakte er hier en daar een op, liet hem over zijn handpalm rollen, hield hem tegen het tl-licht alsof dat hem iets zou vertellen over de waarde.

Jan schudde langzaam en ongelovig haar hoofd.

'En dit is nog maar de helft, lekkertje,' zei Dwayne. 'Wij zijn tering rijk.'

'Rustig,' zei Jan. 'We moeten rustig blijven. Als we opgewonden worden, dan gaan we stomme dingen doen.'

'Wat dacht je dat ik ging doen? Dat ik met een van deze snoepjes hiernaast een latte ga bestellen?'

'Ik... ik was vergeten dat het er zo veel waren,' fluisterde ze.

Ze begon de diamanten weer in de zak te schuiven. 'Ik geloof dat er een op de vloer is gerold,' zei ze.

Dwayne liet zich op handen en knieën zakken en streek met zijn handen over de vaste vloerbedekking. 'Hebbes,' zei hij. Toen sloeg hij zijn armen om Jans benen, trok haar tegen zich aan, begroef zijn gezicht in het kruis van haar spijkerbroek.

'We zouden het hier moeten doen,' zei hij.

'We gaan het later wel vieren,' zei ze. 'Als we ons geld hebben. Dan neuken we ons te pletter.' Je moet hun geven wat ze willen, dacht ze.

Dwayne stond op en nam de zak van Jan over.

'Ik stop 'm wel in m'n tas,' zei ze.

'Nee, het is goed zo.' Hij propte de zak in de voorzak van zijn spijkerbroek, waar hij een lelijke bult vormde. 'Ik heb hem al.'

Jan wees Dwayne de weg in noordelijke richting, over de Harvard Bridge over de Charles, en toen naar Cambridge Street.

'Stop hier maar ergens,' zei ze.

'Waar is het?' vroeg hij. Hij parkeerde langs de stoeprand. Hij zag een Bank of America en dacht dat het daar zou zijn, maar Jan wees naar een filiaal van de Revere Federal aan de overkant van de straat.

'Indrukwekkend,' zei hij. Hij zocht in zijn andere voorzak naar de sleutel voor het kluisje die hij al zo lang bewaard had.

Hij had zijn hand al op het portier toen Jan voor hem langs boog en haar hand op zijn arm legde. 'Dit keer,' zei ze, 'hou ik ze bij me.'

'Ja, prima hoor,' zei hij terwijl hij zijn arm lostrok.

'Ik meen het,' zei ze.

Ze staken de straat schuin over en werden bijna door een suv geschept toen ze op de middenstreep wachtten tot de auto's voorbij waren. Geweldig, dacht Jan. Een paar seconden verwijderd van je vermogen wordt je overreden door een Tahoe.

Toen ze veilig waren overgestoken, gingen ze de bank binnen en volgden grotendeels dezelfde routine als in de andere bank. Dit keer werden ze door een jonge Indiase man naar de kluisjes gebracht en vervolgens naar een kamertje waar ze in alle rust de inhoud van de doos konden bekijken.

'Dit went nooit,' zei Dwayne toen Jan de zak openmaakte en de inhoud over tafel liet rollen.

Toen de diamanten weer in de zak zaten, en de zak veilig was weggestopt in de tas van Jan, liepen ze de bank uit, terug naar de pick-up.

De hele buit was veiliggesteld.

Jan dacht: in een volmaakte wereld zou ik Dwaynes helft ook kunnen krijgen zonder Dwayne erbij te hoeven nemen.

Ze vroeg zich af of hij soortgelijke gedachten had.

35

Sam pleegde geen verraad. Voor zover ik dat kon beoordelen had de stadsredactie niets aan haar verhaal veranderd. Het was niet aangedikt of verdraaid. Het was een feitelijk, direct, rechtdoorzee verslag van wat er de afgelopen twee dagen gebeurd was. Er werd niet verzwegen dat de politie uitgebreid met me gesproken had over de verdwijning van Jan, maar het artikel ging niet zo ver dat ik een verdachte genoemd werd. Noch rechercheur Duckworth, noch iemand anders van de politie van Promise Falls had iets dergelijks ronduit gezegd.

Sam had ook de ontdekking van het lichaam van een vrouw bij Lake George in haar verhaal opgenomen. Een scherpzinnige lezer zou een en een bij elkaar optellen – dat ik Jan vermoord had en haar lichaam daar had begraven – maar het artikel kauwde die conclusie niet voor. De politie had het lichaam niet geïdentificeerd als dat van Leanne Kowalski, ten minste nog niet bij het verstrijken van Sams deadline. Ik ging er echter van uit dat die informatie inmiddels wel was opgenomen in de websiteversie van het artikel, maar ik kon het niet natrekken omdat de politie de vorige dag onze laptop had meegenomen.

Ik had die maandag veel te doen, dus ik moest Ethan uit bed halen en hem naar mijn ouders brengen. Ik maakte hem even over acht wakker door op de rand van zijn bed te gaan zitten en over zijn schouder te wrijven.

'Tijd om op te staan, kerel,' zei ik terwijl ik het dekbed van hem af sloeg. Zijn bed lag vol met autootjes en actiepoppetjes.

'Ik ben moe,' zei hij. Hij pakte een van de speelgoedautootjes en trok het naar zijn gezicht alsof het een teddybeer was.

'Weet ik. Maar binnenkort ga je naar school. Dan moet je elke ochtend vroeg opstaan.'

'Ik wil niet naar school,' zei hij, en hij drukte zijn gezicht in het kussen.

'Dat zegt iedereen in het begin,' zei ik. 'Maar als je er eenmaal op zit, ga je het leuk vinden.'

'Ik wil alleen naar opa en oma toe.'

'Gisteren wilde je daar niet eens zijn,' bracht ik hem in herinnering. Hij begroef zijn hoofd weer in het kussen. Een interessante discussietechniek. 'Je zult ze nog heel vaak zien. Maar dan zie je ook andere mensen. En heel veel kinderen die net zo oud zijn als jij.'

Hij draaide zijn hoofd om en hapte naar adem. 'Wat maakt mama voor ontbijt?'

'Ik maak het ontbijt. Wat wil je?'

'Cheerios,' zei hij. En toen voegde hij eraan toe: 'En koffie.'

'Dat gaat niet door,' zei ik. 'Hoewel het misschien heel goed zou zijn om je wakker te krijgen.'

'Hoe smaakt het?'

'Meestal behoorlijk smerig.'

'Waarom drink je het dan?'

'Gewoonte,' zei ik. 'Als je het maar vaak genoeg drinkt, dan merk je niet meer hoe vies het smaakt.'

'Ik wil mama.'

Ik wreef zachtjes over zijn schouder. 'Mama is er nog steeds niet,' zei ik.

'Ze is al...' Hij sloot zijn ogen even. 'Ze is al twee nachtjes slapen weg.'

'Weet ik,' zei ik.

Hij pakte al z'n bedspeeltjes op en vroeg: 'Is ze gaan vissen?'

'Vissen?'

'Soms gaan mensen vissen.' Hij bekeek Robin en trok z'n cape glad. 'Opa gaat soms weg om te vissen.'

'Dat is zo. Maar ik denk niet dat mama is gaan vissen.'

'Waarom niet?'

'Ik denk dat ze vissen niet echt leuk vindt,' zei ik.

'Waar kan ze dan naartoe zijn?' Hij had Robin in zijn ene hand, Wolverine in de andere. Ze keken elkaar aan. Klaar om te gaan vechten, of gewoon een beetje te lullen. Het was moeilijk te zeggen.

'Wist ik het maar,' zei ik. 'Hoor eens, ik moet even met je praten.'

Ethan keek me aan, met een heel onschuldig gezichtje, alsof ik hem zou gaan zeggen dat de Cheerios op waren en dat hij geroosterd brood moest eten. Hij had de actiemannetjes nog in zijn handen en ik duwde ze naar beneden om zijn volledige aandacht te krijgen.

'Ook al ben je straks bij opa en oma thuis, dan zul je misschien toch dingen horen. Misschien op de tv of op de radio, of misschien van iemand die bij hen op bezoek komt. Dingen over papa die niet erg aardig zijn.'

'Wat voor dingen?'

'Dat ik gemeen tegen mama ben geweest.' Hoe vertelde je aan je zoon dat mensen konden denken dat je zijn moeder vermoord had?

'Maar jij bent niet gemeen tegen haar,' zei hij.

'Dat weten jij en ik, maar je weet toch wel hoe je vriendjes soms over je kletsen, ook al heb je niets gedaan?'

Hij knikte.

'Zoiets kan mij ook overkomen. Mensen zeggen dat ik slechte dingen met mama heb gedaan. De tv-mensen, bijvoorbeeld.'

Ethan dacht even na en klopte toen zachtjes op mijn hand. 'Wil je dat ik tegen ze zeg dat het niet waar is?' vroeg hij.

Ik moest even wegkijken. Ik deed net alsof ik iets in mijn oog had. In beide ogen.

'Nee,' zei ik. 'Maar dank je wel. Zorg jij maar dat je het leuk hebt bij opa en oma.'

'Oké,' zei hij. Nu dacht hij aan iets anders. 'Dat is net zoals wat mama tegen me zei.'

'Wat bedoel je?' vroeg ik. 'Wat heeft ze tegen je gezegd?'

'Ze zei dat mensen misschien erge dingen over haar zouden zeggen, maar dat ze wilde dat ik onthield dat ze echt van me houdt.'

Ik herinnerde het me.

'Gaan de mensen ook slechte dingen over mij zeggen?' vroeg hij.

'Nee, nooit,' zei ik. Ik boog naar voren en kuste zijn voorhoofd.

Toen ik de deur uit liep met Ethan, stapte Craig, mijn rechterbuurman, net in zijn Jeep Cherokee om naar zijn werk te gaan. Sinds hij hier drie jaar geleden was komen wonen, had ik nooit meegemaakt dat Craig me niet gedag zei, een opmerking over het weer maakte en me vroeg hoe het met ons ging. Het was een aardige man, en als hij je heggenschaar leende, dan bracht hij die terug zodra hij ermee klaar was.

Ik zag Craig mijn kant op kijken, maar hij zei niets. Dus ik zei: 'Goeiemorgen.'

Hij bromde zelfs niet. Craig stapte in zijn auto, deed zijn gordel om en startte zonder mijn kant op te kijken. Hij reed achteruit de oprit af en gaf flink gas op de weg.

Terwijl ik Ethan in zijn stoeltje vastgespte, hoorde ik dat een auto die door de straat reed vaart minderde toen hij bij mijn oprit kwam.

Ik keek op. Een man in een Corolla had zijn raampje laten zakken en riep terwijl hij voorbijreed: 'Wie ga je vandaag vermoorden?' Toen lachte hij, trapte het gaspedaal in en verdween de straat uit.

'Wat zei hij?' vroeg Ethan.

'Precies waar ik het net over had, kerel,' zei ik terwijl ik de gesp vastklikte.

Nadat ik Ethan bij mijn ouders had afgezet, reed ik naar de krant. Er was nog tijd om even binnen te wippen voor mijn afspraak met Natalie Bondurant.

Ik ging eerst naar de redactie. Toen ik er op weg naar mijn bureau doorheen liep, stopten de weinige mensen die er waren allemaal met hun bezigheden om naar mij te kijken. Niemand riep iets, niemand zei iets. Ik was een ter dood veroordeelde op weg naar de stoel.

Er stonden verscheidene berichten op mijn antwoordapparaat. Grotendeels van dezelfde media die al hadden geprobeerd me thuis te bereiken. Een telefoontje, waarvan ik niet kon vaststellen of het een grap was of serieus, was van de *Dr. Phil*-show. Wilde ik in het programma langskomen om mijn kant van het verhaal te belichten, om Amerika te laten weten dat ik niet mijn vrouw had vermoord en me van haar lichaam had ontdaan?

Ik wiste het bericht.

Toen ik probeerde in te loggen op mijn computer, kreeg ik hem niet aan de praat. Mijn wachtwoord werd afgewezen.

'Wat nou?' zei ik.

Opeens klonk er een stem achter me: 'Hallo.'

Het was Brian. Terwijl ik me omdraaide in mijn stoel zei hij: 'Ik had niet verwacht dat je vandaag zou komen, met al die, nou ja, met al die toestanden op het ogenblik.'

'Ik kwam alleen maar eventjes langs,' zei ik. 'Je hebt gelijk. Ik heb heel wat op m'n bordje.'

'Heb je even?' vroeg hij.

Toen we in zijn kantoor waren sloot hij de deur en wees op een stoel. Ik ging zitten en hij nam plaats achter zijn bureau.

'Ik vind het echt erg vervelend om dit te doen,' zei hij. 'Maar ik... we... ik bedoel, je bent geschorst. Nee, je bent met verlof, dat bedoel ik.'

'Waarom, Brian? Dacht je dat ik een boek wilde schrijven?' Dat was de gebruickelijke reden als een journalist met verlof ging.

Ik wist wat er aan de hand was, ik begreep het, maar ook in de omstandigheden waarin ik nu verkeerde kon ik het niet laten om Brian te stangen.

Vooral omdat ik hem zo'n eersteklas lafbek vond.

'Nee, nee, daar gaat het niet om,' zei hij. 'Het is alleen, vanwege je huidige situatie, nu je door de politie ondervraagd wordt over je vrouw, dat daardoor je journalistieke werk gecompromitteerd wordt.'

'Sinds wanneer maakt de krant zich druk over zijn journalistieke integriteit? Betekent dit dat we onze verslaggevers in India ontslagen hebben en van plan zijn om onze eigen mensen de gemeenteraadsvergaderingen te laten verslaan?'

'Jezus, Dave, moet je nou echt altijd zo'n lul zijn?'

'Zeg eens, Brian, was jij het?'

'Huh?'

'Was jij het die mijn e-mails gelezen heeft?'

'Waar heb je het in godsnaam over?'

'Weet je, laat maar zitten. Want zelfs al was jij het, dan deed je dat toch in opdracht van Madeline.'

'Ik weet werkelijk niet waar je het over hebt.'

'Dus, ben ik met betaald of met onbetaald verlof?'

Brian wilde me niet aankijken. 'We zitten nogal krap, Dave. De krant kan het zich niet permitteren om mensen te betalen om niets te doen.'

'Ik heb drie weken vakantie,' zei ik. 'Zal ik die nu opnemen? Dan word ik doorbetaald, maar ik schrijf niets. Als mijn problemen na drie weken nog niet voorbij zijn, kun je me schorsen zonder salaris.'

Brian dacht hier even over na. 'Dat moet ik even met hen opnemen.' 'Hen', dat was Madeline.

'Bedankt,' zei ik. 'Wil je dat ik het "hun" zelf vraag?'

'Wat bedoel je?'

Ik stond op en deed de deur open. 'Tot ziens, Brian.'

Toen ik over de redactie liep, op weg naar de uitgang, kwam ik langs de postvakjes. Ik haalde drie of vier enveloppen uit mijn vakje – een daarvan bevatte mijn loonstrookje. Ik vroeg me af of het mijn laatste zou zijn. Ik stopte de enveloppen in mijn zak en liep door.

Ik liep naar het kantoor van de uitgever. Madeline Plimptons secretaresse, Shannon, zat achter haar bureau, vlak voor Madelines deur.

'O, David,' zei ze. 'Ik vind het heel erg…' Ze zocht naar woorden. Vond ze het erg dat mijn vrouw vermist werd? Dat de politie dacht dat ik het gedaan had? Of vond ze het erg dat de uitgever me door deze moeilijke tijden heen wilde helpen door me van de loonlijst af te gooien?

Ik liep langs haar heen en deed de deur naar Madelines met eikenhout afgetimmerde kamer open, ondanks Shannons bezwaren.

Madeline zat met een telefoon aan haar oor achter haar grote bureau en bestudeerde iets. Ze keek naar me op zonder zelfs maar met haar ogen te knipperen.

'Er is iets tussen gekomen. Ik laat Shannon je straks terugbellen.' Ze zette de telefoon in zijn houder en zei: 'Hallo, David.'

'Ik kwam even langs om je te bedanken voor je steun.'

'Ga zitten, David.'

'Nee bedankt, ik sta liever,' zei ik. 'Ik heb Brian gesproken, en heb gehoord dat ik voorlopig op straat sta.'

'Ik leef echt wel met je mee,' zei Madeline. Ze leunde naar achteren in haar leren stoel. 'Aangenomen natuurlijk dat je niets te maken hebt met wat er met je vrouw gebeurd is.'

'Als ik tegen je zou zeggen dat ik er niets mee te maken heb, zou je me dan geloven?'

Ze zweeg even. 'Ja,' zei ze toen.

Dat bracht me van mijn stuk.

'Ik heb de geruchten gehoord,' zei Madeline. 'Ik heb hier en daar wat vragen gesteld. Ik ken mensen bij de politie. Je bent veel meer dan louter in beeld. Je bent een verdachte. Ze denken dat je vrouw iets overkomen is en dat jij het hebt gedaan. Dus ik voel dubbel met je mee. Ik vind het heel erg dat Jan iets overkomen kan zijn. Mijn hart gaat naar je uit. En ik vind het verschrikkelijk dat er een klopjacht op jou aan de gang is. Volgens mij ken ik jou wel, David. Ik heb altijd gevonden dat je een goed mens bent. Een beetje star, een beetje idealistisch, niet altijd in staat om het grote geheel te zien, maar een man met het hart op de juiste plaats. Ik weet niet wat er met Jan is gebeurd, maar ik kan moeilijk geloven dat jij er iets mee te maken hebt.'

Ik ging zitten. Ik vroeg me af of ze het echt meende of dat het een truc was.

'Maar je kunt op het moment onmogelijk als verslaggever werken. Je kunt geen verhalen schrijven als je zelf een verhaal bent.'

'Ik heb Brian gevraagd of ik alle vakantiedagen die ik nog te goed heb op kan nemen.'

Ze knikte. 'Dat is een goed idee. Natuurlijk, doe dat.'

'Ik moet je iets heel anders vragen, en ik wil eerlijk antwoord,' zei ik.

Ze wachtte.

'Heb jij mijn e-mails gelezen, ben je er een tegengekomen van een bron die me aanbiedt om me te vertellen over omkoperij van Star Spangled van gemeenteraadsleden, en heb je die mail gelekt aan Elmont Sebastian?'

Ze ontweek mijn blik niet. 'Nee,' zei ze. 'En wanneer je weer aan het werk bent, als je bewijs hebt tegen hem of wie dan ook wiens stem gekocht wordt, dan zorg ik ervoor dat het de voorpagina haalt. Ik mag die man niet. Ik vind het een griezel en ik wil geen zaken met hem doen.'

Ik stond op en verliet haar kamer.

Toen ik Natalie Bondurants kantoor binnenkwam, stond ze op van achter haar bureau. Ik verwachtte dat ze me de hand zou drukken. Maar in plaats daarvan pakte ze een afstandsbediening en zette de tv aan die aan het andere eind van de kamer aan de muur hing.

'Wacht even,' zei ze. 'Ik heb hem net ingesteld. Mooi, daar gaan we.'

Ze startte het beeld en opeens was ik daar, terwijl ik me een pad baande door een kluitje verslaggevers en zei dat het totaal niet nodig was dat ik een leugentest onderging.

Ze stopte het beeld, gooide de afstandsbediening op een stoel en wendde zich tot mij.

'Mijn god, jij wilt echt de gevangenis in, hè?'

36

Het probleem was dat Jan niet wist of ze de rol van moordenaar wel aankon. Daar moest je echt acteertalent voor hebben. Bijna al haar voorstellingen waren gemotiveerd door haar wil om het hoofd boven water te houden, of om niet op te vallen en haar tijd af te wachten.

Maar een moord? Nee, dat niet echt.

Als zich een gelegenheid zou voordoen waarbij ze ervandoor kon gaan met Dwaynes helft van de diamanten, dan zou ze dat doen. Absoluut. Ze had een verdwijntruc bij David toegepast, en dat zou ze bij Dwayne ook kunnen doen. Maar was ze bereid om hem ervoor te vermoorden?

Een kogel door zijn hoofd jagen, of een mes in zijn hart planten?

Ze had nog nooit iemand gedood, tenminste niet expres.

Maar ze was niet dom. Ze wist dat ze voor de wet al een moordenaar was. Ook al was zij niet degene die haar hand over Leanne Kowalski's mond en neus had gedrukt en hem daar had gelaten tot ze niet meer om zich heen sloeg, ze had ook niets gedaan om het te verhinderen. Jan had toegekeken. Jan wist dat het gedaan moest worden. En het was haar idee geweest om het lichaam van Leanne naar Lake George te brengen – zo kon de strop om Davids nek nog strakker aangetrokken worden, omdat de politie wist dat hijzelf met Jan in het bos was geweest – en haar met behulp van de schep die achter in de pick-up van Dwaynes broer lag te begraven in dat ondiepe graf waar iedereen het kon zien. Geen jury zou Dwayne alleen als schuldige aanwijzen.

En ze wist dat het alleen toeval was – of goddelijk ingrijpen, als je daarin geloofde – dat de ex-vriend van Alanna, Oscar Fine, niet gestorven was toen ze zijn hand had afgezaagd om het koffertje te stelen dat hij met een handboei aan zijn pols had vastgemaakt.

Dat was – eerlijk is eerlijk – een verschrikkelijk moment geweest. Ze dachten dat hij het sleuteltje bij zich zou hebben. Of de cijfercombinatie voor het slot van het koffertje. En de ketting waarmee het koffertje aan de handboei vastzat was van superhard staal, dat niet doorgezaagd kon worden met het gereedschap dat ze bij zich hadden. Maar dat gereedschap kwam in elk geval wel door vlees en botten heen.

De klootzak had hun weinig keus gelaten.

Dus toen hij eenmaal onder zeil was, en dat was al snel nadat Dwayne het pijltje in hem had geschoten, had ze het gedaan. Als je haar de dag daarvoor had gevraagd of ze het in zich had om een man zijn hand af te zagen, dan had ze gezegd: never nooit niet. Nog in geen duizend jaar. Maar daar zat ze dan, in een limousine die geparkeerd stond op een lege parkeerplaats in Boston, er kon elk moment iemand langskomen, je wist het niet, en plotseling doe je dingen waartoe je jezelf nooit in staat geacht zou hebben. Natuurlijk, diamanten ter waarde van miljoenen vormden een behoorlijke prikkel.

Ging het daar niet altijd om? Dat je wist wat je prikkelde? Waarvoor je iets deed? Dus was ze in die rol gestapt. Ze werd het soort vrouw dat zoiets kon doen, die de hand van een man af kon zagen. Ze speelde de rol lang genoeg om het voor elkaar te krijgen.

Jammer dat hij haar gezicht had gezien voor hij flauwviel. Ze was weliswaar opgedirkt met genoeg lippenstift en oogschaduw om een badkamer te verven, toch had ze zich altijd zorgen gemaakt dat hij haar zich zou herinneren. Het zou eerlijk gezegd een stuk beter zijn geweest als die klootzak was doodgebloed. Dan had ze haar leven niet vijf jaar lang in de wachtstand hoeven zetten. Dan had ze niet hoeven trouwen, een kind hoeven krijgen, bij dat stomme verwarmings- en aircobedrijf hoeven werken, een leugen hoeven leven.

Concentreer je, zei ze tegen zichzelf. Laten we dit stapje voor stapje doen. We hebben alle diamanten. Nu moeten we ze omzetten in cash. Laten we kijken hoe het gaat.

Ze hadden Boston aan de zuidkant verlaten en Jan voelde zich al een klein beetje meer op haar gemak. Ze wist dat de kans dat ze Oscar Fine in een stad zo groot als Boston zou tegenkomen heel klein was, maar dat maakte haar niet minder zenuwachtig. Nu ze het centrum weer uit waren, haalde ze opgelucht adem. Ze moesten nu die Banura in Braintree opzoeken, horen wat de edelstenen waard waren, onderhandelen over de prijs, het geld innen, en samen een nieuw leven beginnen.

Zelf een nieuw leven beginnen. Dwayne zou, linksom of rechtsom, tot het verleden gaan behoren.

Niet dat hij zijn verdiensten niet had. Hij had een fantastisch strak, pezig lichaam. En als hij nou eens ophield te neuken alsof er elk moment een bewaker binnen kon komen wandelen, dan zou hij het op dat vlak een heel eind kunnen brengen. Hij was de meest geschikte kandidaat geweest om haar te helpen toen ze hoorde van de diamantenloper. Hij had het lef – of het gebrek aan verstand, hoe je het maar bekeek – om haar te helpen met het ontwikkelen van het plan, hij had het verdovingspistool geregeld, de limousine gereden. Dus ook al was zij de enige die genoeg ballen had om de man z'n hand af te zagen, je kon niet alles hebben.

Ze had hem nodig gehad om in de kluisjes te komen. En ze had hem nu nodig om in contact te komen met Banura.

Maar daarna... nou ja, Dwayne was niet echt wat Jan in een man zocht. De enige man die ze in haar toekomst wilde zien was de man die haar drankjes bij haar strandhut kwam afleveren.

Eén ding moest je David nageven: hij was heel wat slimmer dan Dwayne. Dat kon je niet ontkennen. Slim genoeg om bij een betere krant dan de *Standard* van Promise Falls te werken. Hij had die keer dat aanbod gehad, een paar jaar geleden, om naar Toronto te komen om voor de grootste krant van Canada te werken, maar Jan zag het niet zitten om naar dat land te verhuizen. Haar papieren waren goed, maar ze vond het een griezelig idee om de grens over te gaan terwijl ze niet was die ze beweerde te zijn. Jan had tegen David gezegd dat ze het geen goed plan vond om zo ver van zijn ouders te gaan wonen, en hij was het uiteindelijk met haar eens geweest.

Als ze haar geld had, zou ze die hele identiteitshandel opnieuw in gang zetten en investeren in een werkelijk waterdicht paspoort – echt topwerk – en als een haas vertrekken uit de States. Misschien kon die Banura haar met iemand in contact brengen die echt klasse afleverde. Dan weg naar Thailand, of de Filipijnen, ergens heen waar het geld nooit op zou raken. Shit, er was misschien wel genoeg geld om in dat goeie oude Amerika te blijven, maar dan zou ze altijd op haar hoede moeten zijn, ze zou zich nooit ontspannen voelen.

David, arme donder.

De jongen dacht dat hij een geweldige journalist was, maar hoe geweldig kon je zijn bij de *Standard*? Niet echt iemand die risico's nam. Iemand die altijd aan de veilige kant bleef. Die ervoor zorgde dat er nieuwe batterijen in de rookdetector zaten, een nieuwe filter in de afzuigkap. Die op tijd de rekeningen betaalde. Als er een dakspaan los kwam te liggen, dan klom hij omhoog – of hij nam z'n vader mee omhoog – en dan hamerde hij hem weer vast. Hij vergat je verjaardag en Valentijnsdag niet, en soms bracht hij zomaar bloemen mee naar huis.

De jongen was verdomme volmaakt.

Volmaakte echtgenoot.

Volmaakte vader.

Niet aan denken.

Dwayne, die in zuidelijke richting over Washington Avenue reed en door de voorruit naar de straatnaambordjes tuurde, schoof een eindje op in zijn stoel en liet een scheet.

'Waar is Hobart Street, verdomme?' zei hij.

Ze vonden het adres. Een klein, witgeschilderd huis. Dwayne zette de pickup op de oprit achter een Chrysler minibusje.

'Zie je wel?' zei Dwayne. 'Een slimme jongen. Valt niet op. Hij kan zich een Porsche permitteren, maar dan zeggen de buren: hé, hoe komt-ie aan zo'n auto? En hij kan natuurlijk in een groter huis wonen, maar hij weet hoe hij zich gedeisd moet houden.'

'Wat heeft het voor zin om rijk te worden als je moet blijven wonen zoals je altijd gewoond hebt?' vroeg Jan.

Dwayne schudde zijn hoofd, alsof deze vraag te moeilijk was. 'Ik weet het niet. Misschien heeft hij ergens anders nog een huis. Op de Bahama's of zo.'

Dwayne legde zijn hand op het portier. De helft van de diamanten zat nog steeds in zijn broekzak, terwijl Jan haar deel in haar tas had.

'Hij zei dat we achterom moesten gaan,' zei Dwayne, en hij knikte naar het einde van de oprit die langs het huis liep.

'Vind je het niet riskant, om hier binnen te komen stappen met alles wat we hebben?' vroeg Jan. 'Stel dat hij besluit om ons die diamanten af te pakken? Wat doen we dan?'

'Hé, het is een zakenman,' zei Dwayne. 'Denk je dat hij z'n reputatie te grabbel gooit door een klant te belazeren?'

Jan was niet overtuigd.

'Oké, als jij je zorgen maakt...' Dwayne tastte onder zijn stoel en haalde er een kleine revolver met een korte loop onder uit.

'Jezus,' zei Jan. 'Hoe lang heb je die al?'

'Vrijwel vanaf het moment dat ik vrijkwam,' zei hij. 'Ik heb hem van mijn broer gekregen toen ik de pick-up leende.'

Weer iets waarmee we tegen de lamp hadden kunnen lopen als ze ons onderweg aangehouden hadden, dacht Jan. Maar de gedachte dat ze een wapen hadden was toch geruststellend.

Dwayne pakte uit de bak achter de stoelen een spijkerjasje. Hij trok het, terwijl hij nog achter het stuur zat, onhandig aan en stak de revolver in de rechterzak. 'Ik wil niet met dat ding in m'n handen binnen komen lopen, maar je hebt gelijk, het is goed om hem bij ons te hebben. Oké, tijd om rijk te worden.'

Ze stapten uit en liepen over de oprit langs het minibusje. Dwayne ging aan de achterkant van het huis de hoek om, vond een houten deur met een kijkgaatje en drukte op het witte knopje aan de linkerkant. Ze hoorden door de dikke deur de zoemer binnen niet overgaan, maar even later hoorden ze het geluid van een stevig nachtslot dat geopend werd.

Een lange, magere man met een zeer donkere huid deed de deur open. Zijn t-shirt was een paar maten te groot en met een gevlochten koord rond zijn middel hield hij zijn baggy cargobroek op. Hij glimlachte, waarbij hij twee rijen vergeelde tanden toonde. 'Jij bent Dwayne,' zei hij.

Geweldig, dacht Jan. Z'n echte naam.

'Banura,' zei Dwayne, en hij schudde zijn hand. Vervolgens stelde hij Jan voor. 'Dit is… Kate?'

Ze glimlachte nerveus. Ze kon geen Jan zijn, en ze kon ook geen Connie zijn. Dus was het Kate. 'Hoi.'

Banura stak zijn hand uit en nodigde hen toen binnen. Een smalle trap leidde naar beneden. Er was geen toegang, tenminste niet vanaf de achterdeur, naar een ander deel van het huis. Toen ze binnen waren keken ze toe hoe Banura een zware stang terugschoof voor de deur. Hij ging hun voor de trap af, drukte onderweg een paar lichtknopjes in.

Het trappenhuis was behangen met goedkoop ingelijste foto's – sommige in kleur en sommige in barmhartig zwart-wit. De meeste waren van jonge zwarte mannen, van wie sommige amper volwassen – op blote voeten en in gescheurde kleren, gefotografeerd tegen een achtergrond van sombere Afrikaanse landschappen van armoede en verval. Ze zwaaiden met geweren, hieven samen hun handen ten teken van de overwinning, trokken gezichten naar de camera. Een foto deed Jan wegkijken: de foto van een zwarte jongen, waarschijnlijk niet ouder dan twaalf, die met een afgehakte arm zwaaide alsof het een honkbalknuppel was.

Banura bracht hen naar een overvolle kamer met een lange, felverlichte werkbank. Over de werkbank lag een lange zwarte fluwelen doek, en daarboven hingen aan metalen armen drie vergrotingsapparaten.

'Ga zitten,' zei Banura met zijn vette Afrikaanse accent, en hij gebaarde naar een sjofele bank waarop een aantal dozen stond, en naar twee Ikea-achtige rechte stoelen die nieuw waarschijnlijk niet meer dan vijf dollar hadden gekost.

'Prima,' zei Dwayne. Hij ging zitten op het kleine stukje bank dat nog vrij was.

'Die revolver zul je niet nodig hebben,' zei Banura met zijn rug naar Dwayne toe terwijl hij op een kruk aan de werkbank ging zitten.

'Waar heb je het over?'

'Die revolver in je rechterzak,' zei hij. 'Ik ga jullie niets afpakken, en jullie gaan mij niets afpakken. Dat zou ontzettend stom zijn.'

'Hé. Dat snap ik ook wel,' zei Dwayne met een zenuwachtig lachje. 'Maar ik ben graag voorzichtig, hè.'

Banura trok de vergrotingsapparaten in positie, drukte op een knopje. Het licht in de apparaten floepte aan.

'Laat eens zien wat jullie bij je hebben,' zei hij.

Jan, die was blijven staan, tastte in haar tas en haalde de zak eruit. Dwayne leunde op de bank naar achteren om beter bij zijn broekzak te kunnen en haalde zijn helft van de diamanten tevoorschijn. Hij gooide de zak naar Jan, alsof het weinig voorstelde om een zak vol diamanten bij je te hebben, en zij gaf ze allebei aan Banura.

Voorzichtig deed hij beide zakken open en leegde ze op het zwarte fluweel. Hij bekeek niet meer dan een stuk of vijf stenen, die hij allemaal onder de loep en in het licht legde.

'Niet gek, hè?' zei Dwayne.

'Nee,' zei Banura.

'En, wat vind je ervan?'

'Momentje geduld.'

'Dwayne, laat hem zijn werk doen,' zei Jan.

Dwayne trok een gezicht.

Toen hij de vijf stenen bekeken had, draaide Banura zich langzaam op zijn kruk naar hen toe en zei: 'Dit zijn heel goede stenen.'

'Ach ja,' zei Dwayne.

'Hoe komen jullie eraan?' vroeg hij. 'Ik ben nieuwsgierig, meer niet.'

'Toe nou, Banny Boy, daar hebben we het al over gehad. Ik ga je dat niet vertellen.'

Banura knikte. 'Oké. Soms is het ook beter om het niet te weten. De kwaliteit van de handel, daar gaat het om. En dit is topkwaliteit. En jullie hebben er veel.'

'En, wat zou het waard zijn volgens jou?' vroeg Jan.

Banura draaide zijn hoofd en keek haar strak aan. 'Ik ben bereid jullie zes te bieden.'

Jan knipperde met haar ogen. 'Pardon?'

'Miljoen?' vroeg Dwayne. Hij ging rechtop zitten.

Banura knikte plechtig. 'Ik vind dat ruim betaald.'

Jan had nooit verwacht dat ze een bod zouden krijgen dat zelfs maar in de buurt kwam van zes miljoen. Twee of drie miljoen, ja, maar dit was ongelofelijk.

Dwayne stond op; hij deed zijn best niet te laten zien hoe opgewonden hij was. 'Je raadt nooit wat mijn geluksgetal is,' zei hij. Hij sloeg op zijn bil waar de tatoeage zat. 'Nou, ik denk dat mijn partner en ik wel kunnen leven met dat bedrag. Maar we moeten overleggen.'

'We gaan akkoord,' zei Jan.

Banura knikte en draaide zich toen weer om naar de werkbank. Hij pikte er lukraak nog wat stenen uit, die hij onderzocht. 'De kwaliteit is constant,' zei hij.

'Topkwaliteit,' zei Dwayne. 'Waar is het geld?'

Banura fronste zijn wenkbrauwen, maar hij keek niet op. 'Zulke bedragen heb ik niet in huis,' zei hij. 'Ik moet het een en ander regelen. Jullie kunnen de koopwaar meenemen, en dan kunnen we vanmiddag tot zaken komen.'

'Hier?' vroeg Dwayne. 'Komen we hier terug?'

'Ja,' zei Banura. 'En ik moet jullie vertellen dat ik er voor een transactie van deze omvang een collega bij haal. En jullie komen mijn huis niet in met die revolver.'

'Geen probleem, geen probleem,' zei Dwayne. 'We willen het netjes doen.'

Banura keek op zijn horloge. Het leek Jan een goedkoop Timex-klokje. 'Kom om twee uur maar terug,' zei hij.

Dwayne zei: 'Je betaalt toch in cash, hè. Ik wil geen cheque.'

Banura zuchtte.

'Het spijt me,' zei Jan. 'We zijn gewoon… we zijn eerlijk gezegd een beetje opgewonden.'

'Uiteraard,' zei Banura. 'Hebben jullie plannen?'

'Ja,' zei Jan, maar ze ging er niet op door.

'Jazeker,' zei Dwayne.

Banura schoof alle stenen bij elkaar en stopte ze in één zak, omdat ze daar gemakkelijk in pasten. 'Goed zo?' vroeg hij.

'Prima,' zei Jan.

Hij hield de zak op en Jan pakte hem voor Dwayne dat kon doen. Ze stopte hem in haar tas.

'Om twee uur, dus,' zei Jan.

Banura liep achter hen aan de trap op, tuurde door het kijkgaatje en trok de stang toen voor de deur weg.

'Tot straks,' zei hij. 'En als jullie terugkomen, laat die revolver dan thuis. Die komt er bij mij niet in.'

Ze hoorden hoe de stang weer op zijn plaats geschoven werd toen ze buiten stonden.

'Zes miljoen!' zei Dwayne. 'Heb je dat gehoord? Zes miljoen!' Hij sloeg zijn armen om haar heen. 'Het is het allemaal waard geweest, schatje! Zeker weten.'

Jan glimlachte, maar ze voelde zich niet blij.

Het was te veel.

Toen hij weer achter zijn werkbank zat pakte Banura een mobieltje, klapte het open en toetste een nummer in.

Hij hield de telefoon bij zijn oor. Hij ging één keer over.

'Ja?'

'Ze zijn het,' zei Banura.

'Hoe laat?'

'Om twee uur.'

'Bedankt,' zei Oscar Fine, en hij hing op.

37

Natalie Bondurant zei: 'Of je wordt erin geluisd, of je hebt je vrouw vermoord.'

'Ik heb mijn vrouw niet vermoord,' zei ik. 'Ik weet zelfs niet zeker of haar echt iets overkomen is.'

'Er is haar wel degelijk íéts overkomen,' zei Bondurant. 'Ze is weg. Het kan best dat ze nog in leven is, maar er is haar absoluut iets overkomen.'

Ik had mijn nieuwe advocaat alles wat ik wist verteld, en alles wat me de laatste weken overkomen was. Daarbij inbegrepen mijn praatjes, en ritjes, met Elmont Sebastian.

Natalie zat achter haar bureau en leunde in haar stoel naar achteren. Het leek of ze naar het plafond keek, maar haar ogen waren dicht.

'Ik denk dat het een onzinnige theorie is,' zei ze.

'Wat?'

'Dat Sebastian jou er op de een of andere manier in luist zodat jij hiervoor gearresteerd wordt. Dat hij haar iets heeft aangedaan en het zo heeft gedraaid dat alles in jouw richting wijst.'

'Omdat het wel erg veel moeite is om één tegenstander het zwijgen op te leggen?' zei ik.

Ze schudde haar hoofd. 'Nee, dat niet zozeer. Omdat het zijn stijl niet is. Uit alles wat je me verteld hebt blijkt dat Elmont Sebastian het type van de directe benadering is. Eerst wordt je geld geboden, een baan. Als je daar niet op ingaat, stapt hij over op eenvoudige tactieken om je angst aan te jagen. Als jij mij lastigvalt, dan overkomt jou iets, of, erger, je kind overkomt iets.'

'Ja,' zei ik.

'Volgens mij is er een meer voor de hand liggender verklaring,' zei ze.

'O ja? Wat dan?' vroeg ik.

Natalie Bondurant deed haar ogen open en leunde naar voren, haar ellebogen op het bureaublad. 'Laten we even een paar dingen tegen het licht houden. Dat gedoe met die kaartjes. De toegangskaartjes voor Five Mountains.'

'Ja,' zei ik.

'Een kinderkaartje en een kaartje voor volwassenen, online gekocht.'

'Klopt.'

'Jij bent de enige die iets schijnt te weten over je vrouws depressie van de afgelopen weken. Jan zegt dat ze naar de dokter is geweest maar dat is niet zo.'

'Ja.'

'Niemand heeft Jan meer gezien sinds jullie weggegaan zijn bij die winkel bij Lake George. Ze is niet met je meegegaan naar het huis van je ouders om jullie zoontje op te halen. Ze hangt een verhaaltje op tegen die man van de winkel dat ze niet weet waarom jij haar daarnaartoe hebt meegenomen.'

'Kennelijk.'

Natalie negeerde dat. 'En Duckworth heeft niet tegen je gelogen. Ze hebben haren en bloed in de kofferruimte van je auto gevonden, en een bonnetje voor duct tape in het handschoenenkastje. En duct tape is erg handig als je van plan bent iemand te kidnappen en hem of haar vervolgens te dumpen.'

'Ik heb geen duct tape gekocht,' zei ik.

'Maar iemand wél,' zei Natalie. 'En raad eens wat ze op je laptop hebben aangetroffen, in het mapje Geschiedenis?'

Ik knipperde met mijn ogen. 'Dat weet ik niet. Wat dan?'

'Sites waarop tips staan hoe je je van een lijk kunt ontdoen.'

'Hoe weet je dat?'

'Ik heb even met rechercheur Duckworth gebabbeld voor jij hier kwam. Alle kaarten op tafel.'

'Maar dat is krankzinnig,' zei ik. 'Ik heb zulk soort dingen nog nooit opgezocht.'

'Ik heb tegen Duckworth gezegd dat deze zaak wel bijzonder gunstig voor hem verloopt. En dat dat dus de beste aanwijzing is dat jij erin geluisd wordt.'

'Dat ik erin geluisd word? Denkt hij dat?'

'Welnee. Hoe meer aanwijzingen, hoe blijer de politie is. En dan hebben we nog die levensverzekering die je onlangs op het leven van je vrouw hebt afgesloten.'

'Wat? Hoe weet je dat?'

'Duckworth kan heel grondig zijn, dat moet ik hem nageven. Hoe zit dat met die verzekering?'

'Het was Jans idee. Het leek haar verstandig, en ik was het met haar eens.'

'Jans idee,' herhaalde Natalie, en ze knikte.

'Wat?' zei ik.

'Je snapt het echt niet, hè?'

'Wat snap ik niet? Dat ik tot mijn nek in de rotzooi zit? Ja, dat snap ik wel. En dat ik niet met de pers moet praten, snap ik nu ook.'

Ze schudde haar hoofd. 'Hoe goed ken je je vrouw eigenlijk, David?'

'Echt goed. Echt heel goed. Je kunt niet vijf jaar je leven met iemand delen zonder haar te kennen.'

'Maar je weet niet eens hoe ze echt heet. In elk geval niet Jan Richler. Jan Richler is jong gestorven.'

'Daar moet een verklaring voor zijn.'

'Die is er ongetwijfeld. Maar hoe kun je nu beweren dat je je vrouw goed kent terwijl je niet eens weet wie ze is?'

De vraag bleef even hangen.

Uiteindelijk zei ik: 'Misschien dekt Duckworth de FBI. Misschien zit ze in een getuigenbeschermingsprogramma. Misschien heeft ze tegen iemand getuigd en mag niemand officieel toegeven dat ze een nieuwe identiteit heeft gekregen.'

'Dit heb je tegen Duckworth gezegd,' zei ze.

Ik knikte. 'Volgens mij geloofde hij er geen zak van toen ik het hem vertelde. Ik had hem ook al gezegd dat Jan depressief was, maar van dat verhaal klopte niets meer toen hij er anderen naar vroeg.'

'Dus misschien heeft hij het helemaal niet gecheckt bij de FBI.'

'Dat weet ik niet.'

'Hoe verklaar je dat jij de enige bent die heeft gemerkt dat je vrouw depressief was?'

'Ik weet het niet. Misschien was ik de enige tegenover wie ze voor haar gevoel eerlijk kon zijn.'

'Eerlijk?' zei Natalie. 'We hebben het hier over een vrouw die vanaf de dag dat ze jou ontmoette voor je verborgen heeft gehouden wie ze werkelijk was.'

Daar had ik niets op te zeggen.

'Stel dat dat depressieve gedoe toneelspel was?'

Daar had ik ook niets op te zeggen.

'Een toneelstukje dat ze alleen voor jou heeft opgevoerd.'

Aarzelend zei ik: 'Ga door.'

'Oké, laten we de band even terugspoelen. Zet het maar uit je hoofd dat de FBI je vrouw een nieuw bestaan en een nieuwe identiteit heeft gegeven. De FBI hoeft niet op zoek te gaan naar mensen die jong gestorven zijn om een nieuwe identiteit te creëren. Die creëren er een uit het niets. Ze hebben lege formulieren voor alle documenten die je maar hebben wilt. Als jij Mary Poppins wilt heten, dan is dat geen enkel probleem. We maken een Mary Poppins-ID voor je. Ik vraag je dus: is het ooit bij je opgekomen dat je vrouw die nieuwe identiteit helemaal zelf geregeld heeft?'

Ik dacht even na. 'Daar heb ik wel even aan gedacht, maar ik kan geen reden verzinnen waarom ze zoiets zou doen.'

'David, het zou me niets verbazen als de politie op dit moment al bezig is een arrestatiebevel voor jou uit te vaardigen. Nu ze Leanne Kowalski's lijk een paar kilometer van de plek hebben gevonden waar jij met je vrouw gezien bent, zullen ze op hol geslagen zijn. Ze wilden een lijk vinden, en nu hebben ze er een. Denk maar niet dat ze zich in zullen tomen omdat het niet het lijk van je vrouw is. Ze denken waarschijnlijk dat je Jan hebt vermoord, en dat Leanne daarachter is gekomen of er getuige van was, dus dat je haar ook vermoord hebt. Ze hoeven het lijk van je vrouw niet eens meer te vinden. Ze hebben met dat van Leanne al een zaak. Je hebt misschien het lichaam van Jan heel goed verborgen, maar je bent in paniek geraakt en je hebt het met Leanne verpest. Als ik de politie was, zou ik er zo'n draai aan geven.'

'Ik heb Leanne niet vermoord,' zei ik.

Natalie maakte een wuivend gebaar, alsof ze dit niet wilde horen. 'Je zit in de stront, en ik kan maar één persoon verzinnen die jou daarin heeft laten zakken.'

Mijn hoofd voelde opeens heel zwaar aan. Ik liet het even hangen, toen hief ik het weer op en keek Natalie aan.

'Jan,' zei ik.

'Bingo,' zei ze. 'Zij was degene die de Five Mountains-kaartjes besteld heeft. Zij was degene die tegen jou, en alleen tegen jou, het verhaal heeft opgehangen dat ze depressief was. Waarom? Omdat jij dat tegen de politie zou zeggen als haar iets overkwam. Een verhaal dat steeds onwaarschijnlijker zou worden, hoe meer de politie het tegen het licht hield. Wie had toegang tot jouw laptop om een spoor achter te laten met sites over hoe je je van een lijk kunt ontdoen? Wie kon haar eigen haar en bloed zonder enig probleem in de kofferbak van jouw auto achterlaten? Wie heeft die eigenaar van de winkel bij Lake George verteld dat ze geen idee had waarom haar man haar meegenomen had voor een ritje naar het bos? Wie heeft jou overgehaald om een levensverzekering op haar af te sluiten zodat je drie-honderdduizend zou krijgen als ze overleed?'

Ik zei niets.

'Wie is niet degene die ze beweert te zijn?' vroeg Natalie. 'Wie heeft de identiteit van een kind aangenomen dat jaren geleden is doodgereden?'

Ik had het gevoel dat de grond onder mijn voeten wegzakte.

'Wie is die vrouw van jou? En waarmee heb je haar zo kwaad gemaakt dat ze jou voor de moord op haar wil laten opdraaien?'

'Ik heb niets gedaan.'

Natalie sloeg haar ogen ten hemel. 'De man wiens vrouw hem nooit eens dood heeft gewenst, moet nog geboren worden. Maar dit is iets anders. Dit is tot nu toe onvertoond.'

'Maar waarom?' vroeg ik. 'Ik bedoel, als ze niet meer van me hield, als ze van me af wilde, waarom is ze dan niet gewoon weggegaan? Waarom heeft ze niet gewoon gezegd dat het voorbij was en is ze vervolgens vertrokken? Waarom zoiets ingewikkelds als jij nu suggereert?'

Natalie dacht hierover na. 'Omdat er meer achter zit. Omdat het niet goed genoeg is om weg te gaan. Ze wil niet dat iemand nog naar haar gaat zoeken. Ze wil niet dat iemand weet dat ze nog leeft. Niemand gaat naar haar op zoek als iedereen denkt dat ze dood is.'

'Maar ik zou naar haar op zoek gaan,' zei ik. 'Ze moet toch weten dat ik alles zou doen om haar te vinden.'

'Dat is nogal lastig vanuit een cel,' zei Natalie. 'En als de politie denkt dat ze deze zaak rond hebben, wat hindert het dan dat ze geen lijk hebben? Ze hebben jou, hun werk zit erop. En jouw Jan kan ergens anders een nieuw leven beginnen.'

Ik zat daar verdoofd in Natalies leren stoel.

'Ik kan het niet geloven,' zei ik. 'Ze kan dit niet allemaal zo gepland heb-ben.' Ik deed mijn best het te begrijpen. 'Hoe zit het bijvoorbeeld met dat ritje naar Lake George? Hoe kan zij geweten hebben dat ik daar vrijdag een afspraak met een bron had?'

Natalie haalde haar schouders op. 'Ik weet het niet. En wie is er met Ethan vandoor gegaan, daar in Five Mountains. Wie heeft jou op die ma-nier afgeleid? En hoe past Leanne Kowalski in het plaatje? Geen idee. Maar op dit moment, afgaande op wat jij me verteld hebt, is het enige wat ergens op slaat dat jouw vrouw erachter zit. Ze wilde weg, en ze wilde dat jij haar dekte. Jij was de lul. De zondebok. En sorry dat ik het zeg, maar ze heeft het fantastisch gedaan.'

'Waarom zou ze mij dit aandoen?' fluisterde ik. En er was nog een belangrijker vraag. 'Waarom zou ze Ethan dit aandoen?'

Natalie sloeg haar armen over elkaar en dacht hier even over na.

'Misschien,' zei ze, 'omdat ze niet zo'n prettig mens is.'

38

'Er klopt iets niet,' zei Jan.

Ze zaten in een McDonald's aan Pearl Street in Braintree. Dwayne had twee dubbele Big Macs besteld, een chocoladeshake en een grote portie friet. Jan had alleen maar koffie genomen, en zelfs die liet ze onaangeroerd.

Met volle mond zei Dwayne: 'Wat klopt er niet?'

'Het is te veel.'

'Waar heb je het over?'

'Het is te veel geld.'

Jan zag stukjes friet en brood en de huissaus toen Dwayne zei: 'Als je jouw helft niet wilt, dan kan ik je er wel van af helpen.'

'Waarom zou hij ons direct zo veel geboden hebben?' vroeg ze.

'Misschien,' zei Dwayne, nog steeds met volle mond, 'wist hij dat de spullen veel meer waard zijn en beduvelt hij ons.'

Een vrouw die ongeveer net zo oud was als Jan, ging met een klein jongetje twee tafeltjes verderop zitten. Het jongetje, misschien vier of vijf jaar oud, hees zichzelf op een stoel. Zijn beentjes bungelden zo'n dertig centimeter boven de vloer. Jan keek toe hoe zijn moeder een Happy Meal voor hem neerzette en zijn cheeseburger uit het papiertje haalde. Het jongetje stak een frietje in zijn mond alsof hij een degenslikker was: hij leunde achterover en stak het langzaam naar binnen.

Jan draaide zich net weer om om naar Dwayne te kijken, toen ze de vrouw hoorde zeggen: 'Doe niet zo gek, Ethan.'

Jan hield haar hoofd schuin. Had ze dat goed gehoord?

De moeder zei: 'Kun je zelf je beker melk openmaken, Nathan, of moet ik het voor je doen?'

'Ik kan het zelf wel,' zei hij.

'Jij maakt je veel te veel zorgen,' zei Dwayne. 'We hebben jaren gewacht op dit moment, en nu schiet je in de stress.'

'Ik had nooit gedacht dat we er zo veel geld voor zouden krijgen,' zei Jan rustig. 'Kom op, het is gestolen waar, daar krijg je nooit de winkelprijs voor, je krijgt niet eens de inkoopwaarde. Je krijgt hooguit tien procent, oké, misschien twintig.'

'En dat heeft hij ons waarschijnlijk ook geboden,' zei Dwayne. 'Wat wij hebben is waarschijnlijk veel meer waard dan wij ons kunnen voorstellen.'

'Hij heeft niet eens alle diamanten bekeken,' zei ze. 'Maar een paar.'

'Hij heeft er lukraak een paar uit gepikt, en hij was onder de indruk,' zei Dwayne op een toon alsof hij geen tegenspraak duldde. Hij nam het rietje van zijn milkshake in zijn mond en zoog er hard aan. 'Verdomme, wat krijg je die shake moeilijk binnen.'

De moeder keek even naar Dwayne.

'Let op je woorden,' zei Jan. Ze keek naar de moeder en glimlachte verontschuldigend, maar die bleef strak kijken. Nathan leek het niet gehoord te hebben. Hij hield zijn cheeseburger stevig met beide handen vast en nam zijn eerste hap.

'Rustig, zeg,' zei Dwayne. 'Denk je nou echt dat dat joch dat woord nooit eerder gehoord heeft?'

'Misschien niet,' fluisterde Jan. 'Als ze een goede moeder is, dan houdt ze in de gaten met wie hij speelt en let ze erop dat hij geen verkeerde dingen op tv ziet.'

Ze moest eraan denken hoe David gereageerd had toen zijn moeder Ethan naar *Family Guy* liet kijken. Even speelde er een glimlach om haar lippen.

'Wat nou?' vroeg Dwayne.

'Niets,' zei ze. Ze richtte haar aandacht weer op het heden. 'Ik vind het gewoon niet prettig.'

'Oké,' zei Dwayne. Hij maakte zijn mond leeg voor hij verderging. 'Wat is nou eigenlijk het probleem? Misschien biedt hij ons meer dan we verwacht hadden. Waar maak je je druk om? Dat hij ons later achteropkomt en z'n geld terugvraagt?'

'Nee, ik denk niet dat hij zijn geld terug gaat vragen,' zei ze. 'Heb je die foto's bij hem aan de muur gezien?'

Dwayne schudde zijn hoofd. 'Niet op gelet.'

Jan dacht: er is zo veel waar jij niet op let.

Dwayne keek op zijn horloge. 'Nog een paar uur, dan kunnen we ons geld ophalen. Ik dacht dat we om de tijd te doden ergens heen kunnen waar ze boten verkopen.'

'Ik wil naar een juwelier,' zei Jan.

'Wat? Als je een diamant wilt, dan kunnen we er eentje van onze voorraad achterhouden. Er zijn er zo tering veel dat Banny Boy niet zal merken dat er eentje ontbreekt.'

De vrouw wierp weer een blik op Dwayne. Hij keek terug en zei op overdreven toon: 'O, het spijt me.'

'Ik wil niks kopen,' zei Jan. 'Ik wil een second opinion.'

De vrouw zette het eten van haar zoontje op het blad en liep met hem naar een tafeltje aan de andere kant van het restaurant.

Dwayne zei hoofdschuddend tegen Jan: 'Als je je kind niet blootstelt aan bepaalde dingen, dan kunnen ze als ze groot zijn de werkelijkheid niet aan.'

'Dit is een stom idee,' zei Dwayne. Ze zaten in de pick-up voor juwelier Ross, een winkel met zwarte ijzeren tralies voor de etalages en de deur.

'Ik wil dat er iemand anders naar kijkt,' zei Jan. 'Als die juwelier hier een paar stenen bekijkt en zegt dat ze zus of zo waard zijn, dan weet ik of het bod wat we gekregen hebben klopt.'

'En als we te horen krijgen dat ze nog meer waard zijn, dan gaan we terug en zeggen we dat de onderhandelingen weer geopend zijn,' zei Dwayne. 'Dan zeggen we dat de prijs omhoog is gegaan.'

Jan had de zak met diamanten nog steeds in haar tas.

'En denk maar niet dat je er stiekem tussenuit kunt knijpen,' zei Dwayne. 'De helft van die diamanten is van mij.'

'Waarom zou ik ermee vandoor gaan nu iemand ons er zes miljoen voor beloofd heeft?'

'Heb ik je wel eens verteld wat mijn geluksgetal is?'

Ja, nog maar honderd keer.

Jan stapte uit, deed de deur van de juwelierszaak open en kwam terecht in een klein halletje. Er was nog een deur, die op slot zat. Door de tralies en het glas kon Jan de winkel in kijken, maar ze kon er niet in. Er stond een vrouw van een jaar vijftig, zestig achter de toonbank, goed gekleed, en met een kapsel dat met lucht volgepompt leek. Ze drukte op een knopje en opeens vulde haar stem het halletje.

'Kan ik iets voor u doen?' vroeg ze.

'Ja,' zei Jan. 'Ik wil graag een snelle taxatie.'

Er klonk een zoemer, een aanwijzing voor Jan om aan de deurknop te trekken. Toen ze binnen was, liep ze naar de toonbank toe.

'Wat wilt u getaxeerd zien?' vroeg de vrouw beleefd.

Jan zette haar open tas op de toonbank en haalde voorzichtig zes diamanten uit de zak. Ze hield ze in haar hand zodat de vrouw ze kon zien.

'Ik vroeg me af of u me een grove schatting van hun waarde zou kunnen geven. Hebt u hier iemand die dat kan?'

'Ik kan het zelf,' zei de vrouw. 'Is het voor de verzekering? Want dan is de gebruikelijke procedure dat u ze hier achterlaat, u krijgt er een kwitantie voor, en over een week krijgt u dan een certificaat...'

'Daar gaat het niet om. Ik wil gewoon dat u er even naar kijkt en me vertelt wat u ervan vindt.'

'Op die manier,' zei de vrouw. 'Prima, laat maar eens zien wat u hebt.'

Op de glazen toonbank lag een bureaukalender, ongeveer vijfenveertig bij zestig centimeter, een raster van dunne zwarte lijnen en cijfers op een witte achtergrond. De vrouw pakte een loep, richtte een lampje op de kalender en vroeg toen aan Jan om de diamanten die ze in haar hand hield op het verlichte oppervlak te leggen.

De vrouw boog voorover, bestudeerde de diamanten, pakte er een paar met een pincet op om ze beter te kunnen bekijken.

'Wat vindt u ervan?' vroeg Jan.

'Laat me ze allemaal even bekijken,' zei ze. Een voor een onderwierp ze de zes stenen aan een onderzoek. Ze zei niets en maakte ook geen enkel geluid.

Toen ze klaar was, vroeg ze: 'Waar hebt u deze stenen vandaan?'

'Het is familiebezit,' zei Jan. 'Ik heb ze geërfd.'

'Zo. Het klonk alsof u er nog meer in uw tas hebt.'

'Ja, nog een paar,' zei Jan. 'Maar ze zijn allemaal ongeveer hetzelfde.'

'Inderdaad,' zei de vrouw.

'Dus, wat vindt u ervan? Gewoon ruw geschat, wat zijn ze volgens u waard? Per steen, bedoel ik.'

De vrouw zuchtte. 'Ik zal u iets laten zien.'

Ze legde een van de diamanten op zijn platste kant op een van de zwarte lijnen van de kalender. 'Kijk eens recht van bovenaf naar de steen.' Jan boog zich naar voren en deed wat haar gezegd was. 'Ziet u de lijn door de steen heen?'

Jan knikte. 'Ja,' zei ze.

De vrouw draaide zich om en haalde iets uit een platte la in een kast tegen de wand. Ze had een enkele diamant in haar hand. Ze legde hem op de zwarte lijn naast de steen van Jan. De twee diamanten zagen er identiek uit.

'En nu,' zei de vrouw. 'Kijk eens of u de lijn door deze steen heen kan zien.'

Jan boog zich nogmaals naar voren. 'Nee,' zei ze. 'Ik zie de lijn niet.'

'Dat komt doordat diamanten het licht reflecteren en breken, dat doet geen enkele andere steen of substantie. Het licht wordt daarbinnen in zo veel richtingen teruggekaatst, dat je er niet doorheen kunt kijken.'

Jan werd bekropen door een ongemakkelijk gevoel.

'Wat bedoelt u?' vroeg Jan. 'Dat mijn diamanten van mindere kwaliteit zijn?'

'Nee,' zei de vrouw. 'Dat bedoel ik niet. Die steen van u hier, dat is geen diamant.'

'Jawel,' zei Jan. 'Het is wel een diamant. Kijk er maar naar. Hij ziet er toch precies hetzelfde uit als die van u?'

'In uw ogen misschien wel. Maar wat u hier hebt is kubisch zirkonium. Dat is een door mensen gemaakte stof, en die lijkt inderdaad bijzonder veel op diamant. Ze gebruiken het zelfs voor advertenties in de tijdschriften van de diamanthandel.' Om haar woorden te illustreren pakte ze een blad van de kast en bladerde erdoor. Op elke pagina stonden schitterende foto's van diamanten. 'Dit is een nepsteen, die ook. En deze ook. De kosten voor de beveiliging bij een fotoshoot zouden de pan uit rijzen als ze voor alles echte diamanten zouden gebruiken.'

Jan hoorde niet meer wat ze zei. Er was niets meer tot haar doorgedrongen nadat de vrouw had gezegd dat wat zij had geen diamanten waren.

'Dat kan toch niet,' zei ze zachtjes voor zich uit.

'Tja, het is ongetwijfeld een schok voor u, als uw familie u heeft doen geloven dat dit echte diamanten zijn.'

'Dus deze steen,' zei Jan nadenkend terwijl ze op de echte diamant wees, 'zou niet breken als ik er met een hamer op sloeg, en die van mij wel?'

'Feitelijk zouden ze allebei kapotgaan,' zei de vrouw. 'Diamanten kun je ook beschadigen, hoor.'

'Maar mijn diamanten, mijn kubische...'

'Kubisch zirkonium.'

'Die moeten toch ook iets waard zijn,' zei Jan, niet in staat de teleurstelling in haar stem te verbergen.

'Natuurlijk,' zei de vrouw. 'Zo'n vijftig cent per stuk.'

39

Barry Duckworth zette zijn auto in de berm. Vijftig meter voor hem uit stonden politieauto's aan weerszijden van de twee rijbanen brede geasfalteerde autoweg ten noordwesten van Albany. De weg slingerde langs een dichtbeboste heuvel. Aan de linkerkant, net voorbij de berm waarin Duckworth geparkeerd had, liep de helling steil naar beneden.

En daar beneden, tussen de bomen, had een voorbijkomende fietser iets gezien. Een suv.

Het eerste reddingsteam dat ter plekke was, was met touwen naar het voertuig afgedaald. De leden van het team wisten dat het een lastige klus zou worden om een gewonde omhoog te krijgen naar de ambulance, maar het bleek dat er helemaal geen probleem was.

Er was niemand in de Ford Explorer. En niets wees erop dat er een gewond iemand in had gezeten. Geen bloed, en geen haren op de gebarsten voorruit.

Bij controle van het kenteken bleek dat de auto het eigendom was van Lyall Kowalski, uit Promise Falls. Al snel kwam de plaatselijke politie erachter dat de vrouw van de man die als eigenaar geregistreerd stond, vermist werd. En toen had iemand Barry Duckworth gebeld.

De avond daarvoor, ongeveer twaalf uur voordat hij het telefoontje over die suv kreeg, was Duckworth langs geweest bij Kowalski om Lyall te vertellen dat zijn vrouw Leanne gevonden was in een ondiep graf bij Lake George.

De man was in jammeren uitgebarsten. Hij had met zijn hoofd tegen de muur gebonkt tot zijn voorhoofd rauw en bloederig was, en toen was de hond gaan janken.

Duckworth had hem niet gebeld toen hij hoorde dat Kowalski's auto was gevonden. Hij besloot erheen te rijden, zelf de zaak in ogenschouw te nemen en zo veel mogelijk te weten te komen voor hij Lyall op de hoogte stelde.

Vanaf zijn plek boven aan de heuvel kon hij de weg die de suv gegaan was volgen. Het gras was geplet, er was aarde opgeworpen. De Explorer was op zijn weg naar beneden langs een paar bomen geschampt, gezien de hier en daar ontbrekende schors. Een grote dennenboom had een einde gemaakt aan de rit toen de auto er met de neus tegenaan was geploegd.

Het eerste wat Barry dacht was: hè?

Wat deed die Explorer hier? Als je op een kaart keek, dan lag Promise Falls in het midden, Lake George in het noorden en Albany in het zuiden. Hoe kon het nou dat Leannes auto onder aan deze heuvel lag, terwijl haar lichaam in het noorden bij Lake George gevonden was?

Iemand heeft de auto hier gedumpt in de hoop dat die niet gevonden werd, zei hij tegen zichzelf. Maar hij heeft Leannes lichaam ergens achtergelaten waar het onvermijdelijk gevonden zou worden.

De agenten van de plaatselijke politie, die voor Duckworth arriveerde al een paar keer waren afgedaald naar de auto, vertelden dat ze een benzinebon op de vloer van de auto hadden gevonden van zaterdag vroeg in de middag. Van een Exxon ten noorden van de stad. Duckworth noteerde de locatie, en drukte alle aanwezigen op het hart dat de Explorer verband hield met een moord, en dat hij zo snel ze hem omhoog gekregen hadden, naar het laboratorium moest.

Onderweg naar de Exxon ging Duckworth mobiele telefoon over. Een ruwe verstoring van zijn mijmeringen over welke snacks ze bij het pompstation zouden verkopen. Hij zat aan een roze koek te denken. Hij had in geen weken een roze koek gehad.

'Ja?'

'Hoi, Barry. Hoe gaat het?'

'Natalie, hoe is het met jou, meid?' Natalie en hij waren het meestal grondig met elkaar oneens, maar hij mocht haar graag.

'Heel goed, Barry. En met jou?'

'Kan niet beter. Heeft je cliënt al besloten een bekentenis af te leggen?'

'Sorry, Barry, nog niet. Ik heb een vraagje.'

'Brand los.'

'Toen die lomperiken van jou het huis van de Harwoods doorzochten, hebben ze toen ook naar vingerafdrukken gekeken?'

Barry krabde met zijn telefoon achter zijn oor. 'Nee,' zei hij. 'Ze hebben gezocht naar sporen van geweldpleging, maar ze hebben niet op vingerafdrukken gelet.'

'Waarom niet?'

'Natalie, het is geen plaats delict. We waren op zoek naar andere dingen. Bijvoorbeeld wat we op de laptop hebben aangetroffen.'

'Iedereen kan die internetzoekopdracht hebben geplaatst, Barry.'

Daar ging hij niet op in. In plaats daarvan vroeg hij: 'Wat wil je dan met die vingerafdrukken?'

'Ik wil een vingerafdruk van die vrouw hebben,' zei ze. 'Als jij niet van plan bent die veilig te stellen, dan stuur ik iemand erheen om een setje te maken.'

'Het is niet zo verrassend als je haar vingerafdrukken in het hele huis aantreft, Natalie,' zei Barry voorzichtig.

'Ik wil weten of ze in een database voorkomen. Ik wil weten wie ze echt is.'

'Dus jij slikt het verhaal van die jongen. De versie dat zijn vrouw in een getuigenbeschermingsprogramma zit? Of denkt hij nu dat ze door een alien vervangen is?

'Je hebt het zeker nooit bij de FBI nagetrokken, hè?'

'In feite heb ik dat wél gedaan,' zei Barry. 'Als zij een getuige is, dan geven ze dat in elk geval niet toe.'

'En die nepnaam die ze aangenomen heeft? Heb je die nagetrokken?'

Dat had hij niet gedaan, maar in plaats van dat toe te geven zei hij: 'Zelfs als blijkt dat ze iemand anders is, dan betekent dat nog niet dat haar man haar niet vermoord heeft.'

'Je zit er helemaal naast met deze zaak, Barry. Kun je dat niet zien over die dikke pens van je?'

'Gezellig om met je gepraat te hebben, Natalie,' zei Barry, en hij hing op.

Die laatste opmerking van haar had alle trek in de roze koek bedorven. Want inderdaad, de zaak zat hem helemaal niet lekker.

40

Ik herinner me helemaal niets meer van de rit naar huis vanaf het kantoor van Natalie Bondurant. Toen ik daar wegging was ik zo van slag door haar interpretatie van de gebeurtenissen van de afgelopen tijd, dat het was alsof ik slaapwandelde. Ik was getraumatiseerd, in shock, verbijsterd.

Jan had me erin geluisd.

Tenminste, daar leek het op. Misschien, bleef ik mezelf voorhouden, was er een andere verklaring. Iets waardoor ik niet gedwongen zou zijn mijn leven van de afgelopen vijf jaar te herwaarderen. Iets waardoor Jan niet van een liefhebbende vrouw en moeder in een harteloze manipulator werd veranderd.

Maar dat deel van mij dat getraind was om de feiten voor zich te laten spreken – het deel dat ik de laatste tijd met succes onderdrukt had – vond het erg moeilijk om Natalies theorie direct te verwerpen.

Als je aannam dat ik iets te maken had met Jans verdwijning, zoals rechercheur Duckworth ongetwijfeld deed, dan was er een aanzienlijke hoeveelheid indirect bewijs. Mijn verhaal dat Jan depressief was en dat ze zich misschien van het leven had beroofd, doorstond een kritisch onderzoek niet. En hoe minder er van dat verhaal overbleef, hoe meer het leek of ik het verzonnen had.

En opeens was ik de hoofdverdachte.

Jan had me erin geluisd.

Die vijf woorden bleven de hele rit naar huis door mijn hoofd spoken. Op de een of andere manier, zonder dat ik me daarvan bewust was geweest, had ik de sleuteltjes uit mijn zak gehaald, mijn vaders auto gestart en was ik van de ene kant van Promise Falls naar de andere kant gereden. Ik had op m'n oprit geparkeerd, had mijn voordeur opengemaakt en was bij mij thuis naar binnen gestapt.

Bij ons thuis.

Ik gooide pa's sleuteltjes op het tafeltje bij de voordeur, en terwijl ik daar in dat huis stond voelde het opeens helemaal anders, als een plek waar ik voor het eerst kwam. Als alles wat hier de afgelopen vijf jaar was gebeurd op een leugen gebaseerd was – op Jans valse identiteit – was dit dan wel een echt thuis? Of was dit hier een façade, een toneel waarop dag na dag een toneelstuk was opgevoerd?

'Verdomme, waar zit je, Jan?' zei ik tegen het lege huis.

Ik ging de trap op, naar onze slaapkamer, die ik zo netjes had opgeruimd nadat de politie ons huis overhoop had gehaald. Ik stond daar aan het voeteneind van het bed en nam de kamer in me op. De grote garderobekast, de ladekast, de nachtkastjes.

Ik begon met de garderobekast. Ik haalde alles van Jan eruit. Ik rukte bloesjes en jurken en broeken van de kleerhangers en gooide ze op het bed. Daarna haalde ik de planken leeg, gooide truien en schoenen de kamer in. Ik weet niet wat ik zocht. Ik weet niet wat ik verwachtte te vinden. Maar ik voelde de aandrang om alles van Jan eruit te trekken en aan het licht bloot te stellen.

Toen ik klaar was met de garderobekast rukte ik alle laden van Jans helft van de ladekast eruit. Ik kiepte ze om en gooide de inhoud op het bed – veel viel er op de vloer: ondergoed, sokken, kousen. Ik gooide de lege laden op een stapel en begon toen als een gek de spullen op het bed overhoop te halen.

Het was net zo goed om mijn woede te koelen als om iets te vinden. Waarom had ze dit gedaan? Waarom was ze weggegaan? Waar liep ze voor weg? Waar was ze naartoe? Waarom was het zo belangrijk voor haar om te verdwijnen dat ze mij daaraan wilde opofferen? Wie was de man die er in Five Mountains met Ethan vandoor was gegaan? Was ze daarom weggegaan? Om een ander?

En de vraag waarop ik steeds terugkwam: wie was ze in godsnaam?

Plotseling liep ik de slaapkamer uit – die er heel wat erger aan toe was dan toen de politie geweest was – en rende de twee trappen af naar het souterrain. Ik pakte een grote schroevendraaier en een hamer, en ging met twee treden tegelijk de trap weer op naar boven.

Ik deed de linnenkast op de overloop open, gooide alles wat op de grond stond eruit, zakte op mijn knieën en begon de plinten eruit te rukken. Ik zette het uiteinde van de schroevendraaier tussen het hout en de muur en tikte het ding met de hamer naar beneden.

Ik pakte het niet bepaald zachtzinnig aan.

Als ik het hout een eindje los had gemaakt van de muur stak ik de klauw van de hamer erachter en trok. Het hout brak af. Ik deed dat in de hele kast, brak het hout en gooide het in de gang achter me.

Toen ik klaar was met die kast – en niets gevonden had – begon ik met de vaste kast in Ethans kamer. Ik gooide het speelgoed en zijn schoentjes eruit en trok de plinten onderin los. Toen ik daar klaar was, begon ik met de vaste kast in onze slaapkamer. Weer niets.

Ik liep de hele bovenverdieping door en nam de schade in me op.

Dit was nog maar het begin. Ik viel weer neer op handen en knieën en begon door het hele huis op de vloer te kloppen, op zoek naar planken die loslagen, of niet helemaal op hun plek. Ik trok de loper in de gang boven los en begon daar. Een paar planken leken niet helemaal op hun plek te liggen, dus ramde ik de schroevendraaier ertussen en wrikte ze omhoog. De planken barstten en braken toen de spijkers eruit getrokken werden.

Ik stak mijn neus in het gat dat ik gemaakt had, en voelde toen met mijn hand. Niets.

Toen ik boven nog een paar planken had losgewrikt, ging ik naar beneden. Ik trok de kleden weg, klopte op de planken, wrikte ze hier en daar omhoog. Daarna haalde ik de plinten weg uit de kast in de hal. In de keuken haalde ik alle laden leeg en kiepte ze om. Ik trok de ijskast naar voren en keek erachter, gooide de potten met meel en suiker leeg, haalde alle plastic tasjes die we bewaard hadden uit een doos in de voorraadkast. Haalde de deksels van ovenschalen die we zelden gebruikten. Pakte een stoel en keek boven op alle keukenkastjes.

Niets.

Toen kreeg ik een ingeving en pakte alle ingelijste familiefoto's die in het huis stonden. Foto's van Ethan. Van Jan. Van Jan en mij samen. Foto's van ons drieën. Een foto van mijn ouders bij hun dertigste huwelijksdag.

Ik haalde alle lijstjes los, haalde de foto's eruit, keek of er iets tussen de foto en de kartonnen achterkant was geschoven.

Weer niets.

In de woonkamer gooide ik de kussens van de bank. Ik ritste de kussenhoezen los en haalde ze eraf, gooide stoelen om, legde de bank op zijn rug en trok de dunne stof die de onderkant bedekte los, stak mijn hand erin en haalde hem open aan een nietje.

Toen ik alle plekken waar je iets kon verstoppen op de begane grond had gehad, ging ik naar het souterrain.

Dat betekende dat ik talloze dozen met spullen moest openmaken. Oude boeken, herinneringen aan vroeger – uitsluitend van mij – kleine huishoudelijke apparaten die we niet langer gebruikten, slaapzakken voor kampeeruitjes, spullen uit mijn studietijd.

Zoals ik overal had gedaan, zocht ik koortsachtig en onvoorzichtig. Ik gooide overal spullen neer.

Ik wilde wanhopig graag iets vinden, wat dan ook, wat me zou vertellen wie Jan echt was of waar ze naartoe kon zijn.

En ik vond werkelijk helemaal niets.

Misschien was dat geboortebewijs dat achter de plint van de linnenkast boven verborgen had gezeten, het enige geweest. Het enige wat Jan in huis verstopt had. Of als er nog andere dingen waren geweest, dan was ze slim genoeg geweest om die ook mee te nemen voor ze verdween.

Het geboortebewijs. De envelop.

Er had ook een sleutel in die envelop gezeten. Een rare sleutel. Niet een huissleutel. Een ander soort sleutel.

Toen viel me in wat het waarschijnlijk was. De sleutel van een kluisje.

Voor Jan mij had ontmoet en iets met mij begonnen was, had ze iets weggeborgen om te bewaren. En nu was de tijd aangebroken om dat op te gaan halen.

En om Ethan en mij achter te laten.

Langzaam liep ik door ons huis en keek naar de schade die ik had aangericht. Het leek wel alsof het huis door een bom was getroffen.

Ik kon nergens meer gaan zitten, behalve op de trap. Ik liet me op een van de treden zakken, verborg mijn gezicht in mijn handen en begon te huilen.

Als Jan echt dood was, dan was mijn leven verwoest.

Als Jan nog leefde, dan had ze me verraden en was ik er niet veel beter aan toe.

Als Natalie Bondurant het bij het rechte eind had, dan betekende dat dat Jan leefde en dat ik haar moest vinden om mijn eigen nek te redden.

Ik veegde de tranen van mijn wangen, probeerde door mijn waterige ogen heen te focussen, op zoek naar iets in dit alles wat wél goed was. Iets wat me hoop kon geven, en de kracht om door te gaan.

Ethan.

Ik moest doorgaan om Ethan.

Ik moest dit doorstaan, ik moest erachter komen wat er aan de hand was, en ik moest uit de gevangenis zien te blijven, voor Ethan.

Ik kon niet toelaten dat hij zijn vader kwijtraakte. En ik was niet van plan mijn zoon kwijt te raken.

41

Toen Jan in de pick-up stapte, zei ze niets. Maar Dwayne voelde dat er iets niet in orde was. Jans gezicht stond strak en haar hand leek te trillen toen ze de kruk greep om het portier dicht te slaan.

'Wat is er?' vroeg Dwayne. 'Wat zeiden ze?'

Jan zei: 'Rijden.'

'Waarnaartoe?'

'Gewoon rijden, maakt niet uit waarheen.'

Dwayne draaide het contactsleuteltje om, zette de pick-up in de versnelling en reed de weg op, vlak voor een Lincoln, waarvan de bestuurder op de rem moest trappen.

'Wat is er aan de hand?' vroeg Dwayne. 'Je ziet eruit alsof je een geest hebt gezien. Of dat je een drol dwarszit.' Toen Jan niet lachte zei hij: 'Hé, zeg, ik probeer een grapje te maken. Wat zeiden ze in die winkel?'

Jan draaide zich om en keek hem aan. 'Het is allemaal voor niets geweest.'

'Wat? Waar heb je het over?'

'Alles. Alles wat we gedaan hebben. Het wachten, alles. Het was allemaal voor niets.'

'Jezus, Connie, kun je me even vertellen waar je het over hebt?'

'Ze zijn waardeloos,' zei ze.

'Wat?'

'Ze zijn nep, Dwayne!' schreeuwde ze tegen hem. 'Het zijn allemaal kubische weet-ik-veels. Het zijn geen diamanten. Ze zijn waardeloos. Begrijp je wat ik zeg?'

Dwayne trapte midden op straat op de rem. Achter hen werd er getoeterd.

'Godverdomme! Wat vertel je me nou?' zei hij, met zijn voet nog steeds op de rem.

'Ben je doof, Dwayne? Ben je gehoorgestoord? Ik zal het nog één keer heel langzaam zeggen, zodat je het begrijpt. Ze. Zijn. Vals.'

Dwaynes gezicht was vuurrood geworden. Hij greep het stuur zo stevig beet dat zijn knokkels wit werden.

Weer werd er getoeterd, en toen passeerde de Lincoln hen. De bestuurder remde even en riep: 'Hé, klojo, waar heb jij je rijbewijs gehaald?'

Dwayne liet het stuur los, tastte onder zijn stoel naar zijn revolver en stak hem uit het raampje.

'Wil je mij leren rijden?' riep hij.

De bestuurder van de Lincoln gaf plankgas en reed met gierende banden weg.

Dwayne draaide zich om naar Jan, zijn wapen nog in zijn hand, en hij zei: 'Vertel.'

'Ik heb die vrouw zes diamanten laten zien. Ik heb ze er op goed geluk uit gehaald. Ze zijn allemaal nep, zei ze.'

'Dat kan niet,' zei Dwayne met opeengeklemde kaken.

'Ik zeg toch wat ze heeft gezegd. Ze zijn niets waard.'

'Dat is niet zo,' zei hij. 'Dat heb je mis.'

'Ik ben het niet die dat zegt,' zei Jan. 'Zij heeft dat stomme loepje van haar gepakt en ze bekeken.'

Dwayne schudde woedend zijn hoofd. 'Ze heeft het bij het verkeerde eind. Die trut speelt een spelletje met je. Ze dacht natuurlijk dat als ze zei dat ze vrijwel niets waard waren, ze een heel laag bod kon doen. Daar was ze mee bezig.'

'Nee, nee,' zei Jan. 'Ze heeft helemaal geen bod gedaan. Ze heeft…'

'Niet nú,' zei Dwayne. 'Maar ik wil er wat om verwedden dat ze gewoon wacht tot jij weer terugkomt en aan haar vraagt: wat geeft u me hiervoor? Duizend, vijfhonderd?'

Jan begon tegen hem te gillen: 'Je snapt het niet! Het zijn geen…'

Hij dook over de stoel en met zijn linkerhand – de revolver had hij nog in zijn rechter – greep hij haar bij de keel en duwde haar tegen de hoofdsteun.

Jan zei verstikt: 'Dwayne…'

'Nu moet je eens heel goed naar me luisteren. Het kan me geen reet schelen wat dat stomme wijf jou zonet verteld heeft. We hebben hier een vent die bereid is om ons zes miljoen voor die diamanten te geven, en ik ben bereid dat aanbod te accepteren, kan me niet schelen wat jij ervan vindt.'

'Dwayne, ik krijg geen adem…'

'Of misschien… laat me eens raden. Heeft ze soms gezegd dat die diamanten nog meer waard zijn? Jij dacht zeker dat je gewoon aan die stomme Dwayne kon vertellen dat ze vrijwel niets waard zijn, zodat ik zou denken: shit, laat zitten, ik vertrek. En dan ga jij terug en haalt er nog meer geld uit, en dat hou je dan allemaal zelf? Ik heb al de hele tijd het vermoeden dat je daarop uit bent.'

Jan snakte naar adem terwijl Dwayne haar nek nog steeds vasthield. Ze probeerde zijn armen weg te slaan, maar dat waren net stalen kabels.

'Je hebt die man van je jarenlang kunnen bedonderen, dus zo moeilijk zou het niet zijn om Dwayne een paar dagen te bedonderen, hè. Wachten tot ik vrijkwam, zodat je de andere sleutel ook had, al de diamanten ophalen en dan alleen nog maar iets verzinnen om al het geld te kunnen innen en mij erbuiten te laten.'

Jan voelde dat ze haar bewustzijn verloor.

'Denk je dat ik stom ben?' vroeg Dwayne met zijn gezicht vlak voor het hare. Zijn warme McDonald's adem omhulde haar. 'Denk je dat ik niet weet waar jij mee bezig bent?'

Jans oogleden begonnen te trillen en haar hoofd zakte naar een kant.

Dwayne liet haar los.

'Laat zitten,' zei hij. 'Ik ga die diamanten voor onze zes miljoen inwisselen. En als ik het geld heb, dan beslis ik wel hoeveel jij ervan krijgt.'

Jan hoestte en hapte naar adem. Ze legde haar hand tegen haar hals en liet hem daar terwijl Dwayne de wagen in de versnelling zette en wegspoot.

Ze had de dood nog nooit van zo dichtbij in de ogen gekeken. Twee gedachten waren door haar heen geflitst voor ze dacht dat het voorbij was.

Ik zou het wél kunnen. Ik zou hem kunnen vermoorden.

En: Ethan.

Dwayne reed rondjes, wachtte tot het twee uur was en tijd om terug te gaan om zijn geld op te halen. Jan had stilletjes in de stoel naast hem gezeten, wachtend tot ze dacht dat hij gekalmeerd zou zijn.

Uiteindelijk fluisterde ze: 'Je moet naar me luisteren.'

Hij duwde zijn tong tegen de binnenkant van zijn wang en draaide zijn hoofd niet opzij om haar aan te kijken.

'Het enige wat ik wil is dat je luistert. Je mag doen wat je wilt, maar luister eerst naar mij.' Hij zei niet dat ze haar mond moest houden, dus ze ging door. 'Als iets te mooi lijkt om waar te zijn, dan is het meestal ook niet waar.'

'O, alsjeblieft, zeg.'

'Ik weet dat je denkt dat ik lieg over wat die vrouw in de juwelierszaak gezegd heeft. Maar stel nou dat ik de waarheid spreek. Als dat zo is, waarom heeft Banura dan gezegd dat het eersteklas diamanten waren?'

Dwayne schudde zijn hoofd. 'Oké, als jij niet liegt, misschien weet dat mens er dan niets van.'

'Maar het is haar werk,' zei Jan. 'Het is haar vak.'

Dwayne dacht hier even over na. 'Misschien weet Banura er wel niets van.'

Nu schudde Jan haar hoofd. 'Het is ook zíjn werk.'

Dwayne snoof. 'Nou, als ze er allebei zo veel van weten, hoe kan het dan dat een van hen het bij het verkeerde eind heeft? Een van hen weet duidelijk niet waar hij of zij het over heeft.'

'Ik denk dat ze allebei heel goed weten waar ze het over hebben,' zei Jan. 'Maar een van de twee liegt. En het slaat nergens op dat die vrouw in de juwelierszaak zou liegen.'

'Waarom niet? Als jij zou besluiten haar de hele handel voor een schijntje te verkopen, dan heeft zij een klapper gemaakt.'

'Dat geloof ik niet.'

Dwayne kneep zijn ogen toe. 'Wat wil je nou beweren? Dat Banny Boy tegen ons liegt?'

'Ja.'

'Over hoeveel hij ons gaat geven? Denk je dat als we daar straks aankomen, dat hij dan drie miljoen heeft klaarliggen in plaats van zes?'

'Hij gaat natuurlijk niets betalen voor stenen die waardeloos zijn,' zei Jan. Terwijl ze het zei, kon ze het zelf amper geloven. Al die tijd die ze erin geïnvesteerd had, het wachten...

Dwaynes gezicht werd weer rood. De woede kwam terug. Jan wist wat er in zijn hoofd omging. Hij was zo dicht bij het geld dat hij het bijna kon proeven. En hij wilde niet dat iemand zijn droom verstoorde.

'Als ze waardeloos zijn, waarom heeft hij dat dan niet tegen ons gezegd toen hij ze bekeek?' vroeg Dwayne. 'Waarom laat hij ons om twee uur terugkomen?'

'Dat weet ik niet,' zei Jan.

'Ik zal het je uitleggen,' zei Dwayne. 'Omdat het niet veilig is om zo veel geld in je huis te laten slingeren. Hij moest waarschijnlijk ergens heen om het te halen. Of misschien is het door een loper gebracht. Misschien heeft hij ook wel een kluisje, en moest hij daar het geld uit halen. Zo zit het.'

Opeens stuurde Dwayne de pick-up naar de stoeprand.

'Geef me een diamant,' zei hij.

'Wat?'

'Geef me een diamant, maakt niet uit welke.'

Jan haalde uit de zak in haar tas een kleine steen en gaf die aan Dwayne. Hij sloot zijn hand eromheen, stapte uit en liep naar de stoep, bij Jans raampje. Hij bukte zich, legde de steen op de stoep, ging rechtop staan en stampte toen met de hak van zijn schoen op de steen. Toen hij zijn voet optilde, was het ding weg.

'Shit,' zei hij. 'Waar is dat kreng gebleven?'

Toen bekeek hij de onderkant van zijn schoen, en zag de steen in zijn rubberzool zitten. Terwijl hij zich met een hand aan de pick-up vasthield, peuterde hij de steen er met een vinger uit en hield hem onder Jans neus.

'Kijk, kijk maar,' zei hij. 'Nog helemaal gaaf.'

Jan wist dat deze proef helemaal niets bewees, maar ze wist ook dat Dwayne op dit moment niet te overtuigen was.

Hij gaf haar de steen voor hij om de pick-up heen liep en weer achter het stuur kroop.

Hij zei tegen haar: 'Als ik m'n boot heb, dan gooi ik jou als ballast overboord.'

42

Voor Oscar Fine was het een kwestie van rehabilitatie.

Het ging natuurlijk ook om respect. Om zijn zelfrespect, en om het respect van anderen. En ongetwijfeld had het te maken met wraak.

Maar het had vooral te maken met verlossing. Hij moest zichzelf verlossen. Hij moest dingen rechtzetten, een soort persoonlijke orde herstellen, en de enige manier waarop hij dat kon doen – en het maakte niet uit hoe lang het duurde – was om de vrouw te vinden die hem zijn hand had afgenomen.

Het was meer dan een verwonding, meer dan een lichamelijk gebrek. Het was een vernedering. Oscar Fine was altijd de beste geweest. Als je iets geregeld wilde zien, dan belde je hem. Hij was de klusjesman. Hij regelde dingen.

Hij verpestte het nooit.

Maar die keer wel. En hoe.

Hij wist namelijk dat er iets zou kunnen gebeuren. Daarom zat dat koffertje vol namaakstenen. Ze vreesden dat er een lek was, dat de hele organisatie om edelstenen het land in te smokkelen en op verschillende plekken af te zetten, in gevaar was gebracht.

Het was Oscar Fines idee geweest: we doen een levering als lokaas, zei hij. Ik doe de gewone run, maar de echte spullen brengen we via een route die we nog niet eerder hebben gebruikt. Als iemand mij pakt, als de stenen gestolen worden, of als de lading op de een of andere manier wordt beschadigd – Oscar Fine had zich een scenario voorgesteld waarbij hij iemand, koffertje incluis, naar de bodem van Boston Inner Harbor zou moeten sturen – dan zijn we onze echte koopwaar niet kwijt.

Voor het theatrale effect had hij zich met een handboei aan het koffertje vastgeklonken. Normaal vervoerde hij de waar gewoon in een sporttas. Een handboei, dat was alsof je een groot bord om je nek had gehangen met de tekst BEROOF ME.

De stenen zaten in een paar stoffen zakken. In de voering van een van de zakken was een gps-transmittertje meegestikt. Stel dat iemand hem onder schot hield, dan kon hij de cijfercombinatie afgeven waarmee zij het koffertje konden openmaken om de zakken mee te nemen. Hij hoefde ze alleen maar te volgen via het ontvangertje in zijn zak, dat niet groter dan een mobieltje was.

Zijn opdrachtgevers waren niet zo zeker van de zaak. 'En als ze je nou afmaken?'

'Ze hebben me nodig voor de combinatie. En ik zal hun direct tegemoetkomen. Ze hebben er niets aan als ze me afmaken.'

Oscar Fine wist meteen dat er iets aan de hand was toen de limousine arriveerde en de chauffeur niet uitstapte om zijn portier open te maken.

Oké, dacht hij, ik speel het spelletje gewoon mee. Hier ging het tenslotte allemaal om.

Dus hij deed zelf het achterportier open, en daar zat ze, die vrouw met haar rode haar, aan de andere kant van de bank. Ze zag er niet slecht uit: lippenstift, een laag uitgesneden truitje, een heel kort rokje, zijden kousen en heel hoge hakken. Hij wist meteen dat het niet in orde was, dat het een valstrik was. Dit was absolute flauwekul en hij moest bijna lachen, zo amateuristisch vond hij het opgezet.

Ze zei: 'Ze zeiden dat je een bonus verdient.'

Ja, fuck, vast wel. Maar hij kon hierin meegaan. Laat ze maar denken dat het een makkie was. Ze zouden wel snel met een pistool komen, dan gaf hij de code en het koffertje af en dan zouden ze hem wel ergens afzetten.

Jammer van dat pijltje.

Het kwam van de chauffeur. Raakte hem onder zijn rechtertepel, het boorde dwars door zijn jasje en prikte in zijn huid.

Die klootzak.

Het pijltje had vrijwel direct effect. Toen hij begon te wankelen, dook de vrouw naar hem toe, greep het koffertje en trok eraan. Omdat hij er met zijn pols aan vastzat, struikelde hij naar voren de auto in.

Niet goed, zei hij tegen zichzelf, helemaal niet goed. Zijn armen en benen begonnen te verstijven, hij kon zijn handen niet eens uitsteken om zijn val te breken. Maar de leren bekleding bezorgde hem een zachte landing.

Hij wilde 'Jezus, wat nou?' zeggen, maar het enige wat eruit kwam was 'Jejuju'.

Waarom had hij iets dergelijks niet voorzien? Het pijltje had hem verlamd en duizelig gemaakt, en maakte het spreken moeilijk, maar hij kon nog wel nadenken. De rollen zijn omgedraaid, dacht hij. Opeens ben ík weer de amateur.

Hij begon zich af te vragen hoe het verder zou gaan. Ze wilden het koffertje hebben, dat was zeker. En hij gunde hun elk stukje kubisch zirkonium dat erin zat van harte. Maar als hij niet kon praten, hoe kon hij hun dan de cijfercombinatie geven? Er zat een slot aan het koffertje, naast het handvat. Een serie van vijf getallen die op een rijtje geschoven moesten worden om het ding open te krijgen. Er was geen sleuteltje.

Hij kon de chauffeur niet zien, maar de vrouw zag hij wel.

Ze begonnen tegen elkaar te snauwen toen ze het koffertje niet open kregen en het ook niet los konden krijgen van zijn pols. Eerst hoorde hij het geluid van stukken metaal die tegen elkaar sloegen. Ze hadden gereedschap meegebracht en gooiden het op de vloer van de auto. Zijn pols werd gegrepen, bekeken en weer losgelaten, weer opgepakt. Ze doorzochten zijn zakken, de binnenkant van zijn jasje. De vrouw vond zijn mobiele telefoon en de gps-ontvanger, en stak ze allebei in haar eigen zak.

Toen vond ze het pistool dat aan zijn enkel vastgeplakt zat. 'Jezus,' zei ze. Ook dat pikte ze in.

Vervolgens schreeuwden ze allebei tegen hem, vroegen om de combinatie. Hij probeerde iets te zeggen, maar de woorden kwamen niet. Hij was zich nog steeds bewust van wat er om hem heen gebeurde, ook al kon hij niet spreken of zich bewegen.

Hij dacht dat hij iets in zijn vingers voelde. Het prikte, alsof zijn gevoel weer terugkwam. Misschien was het niet zulk sterk spul geweest in dat pijltje.

'Hij is helemaal van de wereld,' zei de vrouw.

'Er moet ergens een sleuteltje zijn, zoek het,' zei de chauffeur.

'Ik heb z'n zakken al doorzocht, dat zei ik toch. Er is geen sleuteltje voor die handboei.'

'En een code? Misschien heeft hij hem ergens opgeschreven en het briefje in z'n portefeuille gestopt of zo,' zei de chauffeur.

De vrouw: 'Wat? Zo stom is hij echt niet, hoor. Denk je nou echt dat hij de code op een papiertje bij zich heeft?'

'Zaag die ketting dan door,' zei de chauffeur. 'We nemen het koffertje mee, en dan zoeken we later wel uit hoe we het open krijgen.'

'Hij ziet er behoorlijk sterk uit,' zei de vrouw. 'Het kost me minstens een uur om 'm door te zagen.'

De chauffeur: 'En kun je die handboei niet over zijn hand schuiven?'

De vrouw: 'Hoe vaak moet ik het nog zeggen! Ik moet hem eraf zagen.'

'Je zei toch net dat het tijden gaat duren om die handboei door te zagen?' zei de chauffeur.

De vrouw: 'Ik heb het niet over de handboei.'

Oscar Fine probeerde met wilskracht weer wat gevoel in zijn armen te krijgen. Hij begreep wel zo'n beetje wat ze van plan waren.

Het verbaasde hem enigszins toen het tot hem doordrong dat de vrouw het ging doen.

Hij probeerde het woord 'wacht' uit te brengen. Als ze maar lang genoeg wachtten tot die tranquillizer uitgewerkt was, althans een beetje. Niet tot het moment dat hij een bedreiging voor hen zou kunnen vormen, maar genoeg zodat hij de cijfers kon uitspreken waarmee ze het koffertje open konden krijgen.

Dan zouden ze misschien afzien van die amputatie.

'Wa,' zei hij.

'Wat?' vroeg de vrouw.

'Dwe,' zei hij.

Ze schudde haar hoofd en keek op hem neer. Er leek iets in haar gezicht te veranderen, alsof het een masker was. Hij zou dat gezicht nooit vergeten, niet als hij dit overleefde.

'Sorry,' zei ze.

En toen begon ze te zagen.

De pijn was verschrikkelijk, traumatisch. Normaal gesproken zou Oscar Fine zijn flauwgevallen, maar nu werd de werking van de tranquillizer er enigszins door opgeheven.

Toen de vrouw en de chauffeur er met het koffertje vandoor waren gegaan, was hij erin geslaagd zijn das af te doen en die met zijn andere hand een paar centimeter boven de bloederige stomp te wikkelen. Een herinnering flitste door zijn geest, iets wat hij eens in een ochtendnieuwsprogramma had gezien, over een jongen die in een canyon op onderzoek was uitgegaan en daar klem was komen te zitten omdat er een rotsblok op zijn hand viel. Hij zat daar dagenlang zonder gevonden te worden, en uiteindelijk had hij zijn hand met een pennenmesje geamputeerd.

Ik kan net zoals die jongen zijn, dacht Oscar Fine. Ach, de helft van het karwei is al voor me opgeknapt. De vrouw had het moeilijkste gedaan. Hij hoefde alleen de bloedtoevoer maar te stoppen.

Met zijn laatste beetje wilskracht draaide hij de uiteinden van de das ineen en knoopte hem vast om zijn pols. Zo hoopte hij in elk geval de hoeveelheid bloed die uit hem wegvloeide te verminderen.

Het was niet goed genoeg. Er kwam nog steeds bloed uit.

Hij ging sterven.

Als hij zijn telefoon nog had gehad, dan had hij iemand kunnen bellen. Maar de vrouw had het ding meegenomen. Hij had de kracht niet om het portier te openen, op te staan, om iemand te roepen.

Dit was het dus.

'Wilt u uw voertuig verlaten?'

Hè?

Er werd op het raampje gebonsd. 'Hallo, politie. U mag uw limousine hier niet parkeren. Wilt u het voertuig verlaten? Ik vraag het niet nog een keer.'

Hij kon de politie weinig vertellen.

Ik heb ze niet gezien, zei hij.

Hij zei niets over het koffertje.

Zei dat hij geen idee had waarom ze zijn hand hadden afgezaagd.

Wat hij er zelf van dacht? Persoonsverwisseling. Niemand had reden om hem zoiets aan te doen, zei hij. Ze moesten gedacht hebben dat hij iemand anders was.

De politie geloofde er geen hout van.

En Oscar Fine wist dat. Maar wat kon hem de politie schelen.

Het stomme was dat de andere loper ook overvallen werd, de man met de echte diamanten. Maar die loper verknalde het niet. Hij schoot de overvaller neer en voordat die stierf, hoorde hij dat hij een tip had gekregen van iemand uit de organisatie.

De overval op Oscar Fine leek uit een onbekende hoek te komen.

Zijn opdrachtgevers zeiden dat hij zich niet druk hoefde te maken. Dat ze voor hem zouden zorgen.

Ze betaalden de rekening van het ziekenhuis, ook al had hij gezegd dat dat niet hoefde. Waarom zouden zij hiervoor moeten opdraaien, zei hij, als hijzelf degene was die het verpest had? Maar ze stonden erop. Het duurde enkele maanden voor hij hersteld was. Weliswaar hadden de ambulancemedewerkers de hand op de vloer van de auto gevonden, maar de artsen waren er niet in geslaagd hem er weer aan te zetten.

Inderdaad, Oscar Fine had pijn geleden. Maar vooral had hij geleden onder een gevoel van schaamte.

Hij had het verpest. Iemand was hem te slim af geweest. Hij had anderen zijn gezondheidszorg laten betalen.

Ik kan het nog steeds, zei hij. Ik wil er niet uit stappen. Ze zeiden dat hij zich geen zorgen hoefde te maken. Als we je ergens voor nodig hebben, dan bellen we je en betalen je het geldende tarief.

Hij wist dat ze hem nooit zouden bellen. Je kunt een vent die zijn eigen lichaamsdelen niet vast weet te houden niet vertrouwen.

Dus zei hij: de volgende vijf klussen doe ik gratis. Vertel me maar wat jullie willen. En zijn opdrachtgevers dachten: waarom ook niet? Laten we eens kijken of die jongen weer terug in het zadel komt.

En hij kwam terug in het zadel.

In veel opzichten was hij, zelfs met een hand minder, beter dan hij ooit geweest was. Hij was minder zelfverzekerd, hij was voorzichtiger.

Minder vergevingsgezind. Niet dat hij ooit een softie was geweest, maar soms had hij nog wel eens echt geluisterd als iemand om zijn leven smeekte. Niet dat dat iets veranderd had, maar Oscar Fine had gedacht dat ze zich daardoor misschien beter hadden gevoeld. Dat het hun, al was het voor een paar seconden, een sprankje hoop had gegeven.

Nu deed hij gewoon zijn werk.

En er was de afgelopen zes jaar geen moment geweest dat hij niet naar haar had uitgekeken. Hij bekeek gezichten in de menigte, zocht op internet. Hij had maar één aanknopingspunt. Een naam: Constance Tattinger. Die had hij gekregen van die stomme trut, Alanna, die in zijn sporttas had zitten snuffelen toen hij haar een paar minuten alleen in de auto had gelaten. Zij was – afgezien van zijn opdrachtgevers – de enige die volgens hem kon weten wat voor werk hij deed.

Hij moest weten met wie ze gekletst had. En voor ze stierf was Alanna met die naam gekomen.

De enige Constance Tattinger van wie hij gegevens had kunnen vinden was in Rochester geboren, maar haar ouders waren verhuisd toen ze nog een klein meisje was, na een ongeluk waarbij een vriendinnetje door een achteruitrijdende auto op een oprit overreden was. Vandaar waren ze naar Tennessee verhuisd, daarna naar Oregon en vervolgens naar Texas. Het meisje was op haar zestiende of zeventiende uit huis gegaan en haar ouders hadden in de keuken van hun huis in El Paso tegen Oscar Fine gezegd dat ze nooit meer iets van haar gehoord hadden.

Hij was er behoorlijk zeker van dat ze hem de waarheid vertelden, aangezien de ouders op keukenstoelen waren vastgebonden en Oscar Fine een mes tegen de hals van de vrouw drukte. Jammer dat ze hem niet iets konden vertellen waar hij wat aan had.

Hij sneed ze allebei de keel door.

Oscar Fine nam aan dat Connie Tattinger sinds haar treffen met hem een andere naam had aangenomen. Dat maakte het lastig, maar hij had het nooit opgegeven. Hij was er redelijk zeker van dat zij en haar medeplichtige nooit hadden geprobeerd zich van de nepdiamanten te ontdoen. Oscar Fine en de rest van de organisatie waarvoor hij werkte hadden iedereen die ze kenden gevraagd ernaar uit te kijken. Zo veel diamanten – of ze nu echt waren of niet – trokken altijd wel de aandacht.

De jaren waren verstreken zonder dat iemand had geprobeerd ze voor geld in te wisselen.

Misschien wisten ze dat ze nep waren, dacht Oscar Fine. Maar zelfs als ze daarachter waren gekomen, dan nam hij aan dat ze nog steeds zouden proberen ze af te zetten bij iemand die niet beter wist.

Er moest iets misgegaan zijn. De plannen waren kennelijk gewijzigd. Hij kon zich verschillende scenario's voorstellen. Maar hij had nooit de hoop opgegeven dat ze het op een goede dag zouden proberen.

Toen hij het gezicht van Jan Harwood – schoongeboend en fris – op tv had gezien, wist hij het. Zij was het. Constance Tattinger.

En omdat hij wist wat voor soort persoon zij was, waartoe ze in staat was, verwedde hij er wat om dat ze springlevend was. Dit was een meisje dat heel goed op zichzelf kon passen. Oscar Fine verwedde er wat om dat ze cash nodig had.

En dus ging Oscar Fine wat rondbellen.

'Ik waardeer dit heel erg,' zei Oscar Fine tegen Banura. Ze zaten samen in de werkplaats in het souterrain.

'Graag gedaan, vriend,' zei Banura. 'Die klojo noemde me Banny Boy.'

'Uiterst onbeleefd,' zei Oscar Fine.

'Zeg dat wel.'

'Weet je zeker dat dit de handel is waarnaar ik zocht?'

'Absoluut.'

'En hoeveel verwachten ze te krijgen?'

'Zes.'

Oscar Fine glimlachte. 'Hij kreeg vast een stijve toen-ie dat hoorde.'

Banura knikte. 'Klopt. Maar die meid, ze keek een beetje... tja, ik weet het niet.'

'Twijfelend?'

'Ja, twijfelend. Ik dacht: misschien was zes een beetje té.'

'Maak je geen zorgen.' Oscar Fine keek op zijn horloge. 'Bijna twee uur.'

Banura grijnsde. 'Showtime.'

43

De telefoon in de keuken ging over. Ik had een tijdje op de trap gezeten, zwelgend in zelfmedelijden en niet wetend wat ik verder moest doen nu ik het huis compleet vernield had en niets had gevonden.

Ik stond op, stapte voorzichtig om de omhooggewerkte planken heen en liep naar de keuken.

'Hallo,' zei ik. Ik keek op het schermpje van de telefoon, maar de naam en het nummer van degene die opbelde, was geblokkeerd.

'Jij moet rotten in de hel,' zei een vrouw.

'Met wie spreek ik?'

'We houden niet van vrouwenmoordenaars hier in de buurt. Dus pas jij maar op.'

'Fijn dat u me zo steunt. Ik neem aan dat u toen u dit telefoontje pleeg-de dacht dat uw nummer verborgen zou blijven. Maar u zult van nu af aan dus ook moeten oppassen.'

'Wat?' Toen werd er haastig opgehangen.

Zo, daar kon ze zich dan verder druk om maken.

Ik had nog maar net opgehangen, of hij ging weer over. Misschien was ze erachter gekomen dat ik blufte. Maar dit keer stond er wel een nummer op de display, hoewel geen naam, dus ik nam op.

'Meneer Harwood?'

'Daar spreekt u mee.'

'U spreekt met Annette Kitchner. Ik ben producer van *Good Morning Albany*. We zouden u heel graag als gast in ons programma hebben. U hoeft niet naar de studio te komen, we zijn graag bereid om naar u toe te komen om over de situatie waarin u verkeert te praten en u de kans te geven om uw kant van het verhaal te laten horen.'

'Welke kant bedoelt u?'

'U krijgt de gelegenheid om de aantijgingen te ontzenuwen dat u iets te maken hebt met de verdwijning van uw vrouw.'

'Het kan natuurlijk dat u iets weet wat ik nog niet weet,' zei ik, 'maar op dit moment is mij nog niets ten laste gelegd.'

Ik hoorde in gedachten Natalie Bondurant zeggen: *Hang op, stomkop.*

Dus ik hing op.

Ik liep nogmaals langzaam mijn huis door, stapte over losgetrokken vloerplanken, van hun plek getrokken plinten, de op de grond gesmeten kussens, en ik vroeg me af wat er in godnaam in me gevaren was. Ik was meer dan een half uur volkomen krankzinnig geweest.

Ik hoorde dat iemand de deurkruk van de voordeur omlaag duwde, die ik achter me op slot had gedaan toen ik thuiskwam. Ik liep er tussen de rotzooi door naartoe.

'David?' Het was mijn vader die door de deur heen riep.

Ik draaide de deur van het nachtslot en deed hem open. Mijn vaders ogen werden heel groot toen hij zag in welke toestand mijn huis verkeerde.

'Jezus, David, wat is hier gebeurd?' zei hij terwijl hij naar binnen stapte. 'Heb je de politie al gebeld?'

'Het is oké, pa.'

'Oké? Je moet de politie...'

'Ik heb het zelf gedaan, pa.'

Hij keek me met open mond aan. 'Jezus, wat heeft je bezield?'

Ik ging hem voor naar de keuken. 'Wil je een biertje of zo?' vroeg ik.

'Je hebt hier een partij schade die in de duizenden gaat lopen,' zei hij terwijl hij naar de suiker en het meel keek die op het aanrecht waren gestort en naar de leeggestrooide cornflakespakken. 'En de verzekering dekt dit niet als je het zelf hebt gedaan. Ben je gek geworden?'

Ik deed de koelkast open. Die was nog steeds weggetrokken van de muur, maar de stekker zat er nog in. 'Ik heb een blikje Coors voor je. Wil je dat?'

Pa stak hoofdschuddend zijn hand uit. 'Ja, geef maar.' Hij pakte het blikje aan, trok het lipje los en nam een slok. 'Ik heb tegenwoordig meer last van bier dan vroeger, als je begrijpt wat ik bedoel, maar een half blikje is wel goed.'

Ik vond nog een blikje achter een pak sinaasappelsap en trok het open. Nadat ik een flinke slok had genomen keek ik mijn vader aan en zei: 'Tja, ik zat te denken om een paar klusjes in huis op te knappen. Heb je zin me een handje te helpen?'

Pa was nog steeds te zeer van slag om de grap te kunnen waarderen. Misschien omdat het niet echt een grap was.

'Waarom heb je dit gedaan?' vroeg hij.

'Ik dacht dat Jan misschien iets anders in huis verstopt zou hebben. Ze had dat geboortebewijs en een sleutel in een envelop boven achter een plint verstopt. Ik dacht dat ze ergens anders ook wel wat verstopt kon hebben.'

'Jezus christus nog aan toe,' zei pa. 'Wat dacht je eigenlijk te vinden?'

'Ik weet het niet,' zei ik. 'Geen idee.'

De telefoon ging weer over. Ik keek ernaar en herkende het nummer op de display niet. Na twee keer overgaan zei pa: 'Neem je hem nog op?' En toen ik niet meteen iets zei, zei hij: 'Stel dat het je vrouw is?'

Ik nam op. Ik dacht niet dat het Jan zou zijn, ik verwachtte nog een scheldpartij.

'Hallo.'

Een stem die ik herkende. 'Meneer Sebastian wil met je praten.'

Ik zuchtte. 'Is goed.'

'Niet aan de telefoon. Voor je huis.'

Ik zette de telefoon in zijn houder, negeerde pa's vragende blik, ging de voordeur uit en liep de treden af naar de limousine, waar ik zo langzamerhand veel bekender mee werd dan ik wilde. In plaats van me naar buiten te volgen liep pa de trap op, ongetwijfeld nieuwsgierig naar hoeveel schade hij daar te herstellen zou hebben.

Toen ik naar de stoeprand liep kwam Welland, die er weer even schurkachtig als altijd uitzag met zijn Serengeti-zonnebril, om de voorkant van de auto heen lopen om me te begroeten. De ramen van de limousine waren zo donker getint dat ik zelfs niet kon zien of Elmont Sebastian erin zat.

Welland stak zijn hand uit naar de hendel van het achterportier om het voor me open te doen.

'Ik stap niet in en ik ga nergens mee naartoe,' zei ik. 'Als hij met me wil praten, dan laat hij zijn raampje maar zakken.'

Welland was kennelijk bereid hier niet moeilijk over te doen. Hij tikte met zijn knokkels tegen het raam en een seconde later zakte het omlaag. Sebastian boog zich enigszins naar voren zodat hij me kon zien.

'Hallo, David.'

'Wat wilt u?'

'Hetzelfde als bij ons vorige gesprek. Ik wil weten met wie je die afspraak had. Ik hoopte dat je vorderingen hebt gemaakt op dit gebied.'

'Ik heb toch al gezegd dat ik het niet weet.'

'Dan moet je erachter zien te komen,' zei Sebastian rustig. 'Die vrouw is een bedreiging voor mijn organisatie. Het is moeilijk om verder te gaan als je weet dat er iemand bereid is om bedrijfsinformatie door te geven.'

'Ik heb meer dan genoeg op m'n bord,' zei ik. 'Maar ik heb een tip.'

Sebastians wenkbrauwen gingen een eindje omhoog.

'Je kunt de pot op.'

Sebastian knikte plechtig, zei niets meer, liet het raampje omhooggaan. Toen hij van de rest van de wereld afgesloten was keek Welland me aan.

'Hij gaat je dit niet nog eens vragen,' zei hij.

'Mooi,' zei ik.

'Nee,' zei Welland. 'Dat is niet mooi. Dat betekent dat meneer Sebastian bereid is de druk te intensiferen.'

Hij kroop weer achter het stuur van de limousine en reed geruisloos de straat uit. Ik keek de auto na tot hij de hoek om was en liep daarna langzaam weer naar mijn huis.

Toen ik naar binnen ging, kon ik pa boven horen rondrommelen.

'Pa!' riep ik.

'Ja?'

'Wat doe je?'

'Ik kijk hoe we dit weer op orde kunnen krijgen. Jezus, jongen, je hebt het wel drastisch aangepakt.'

Ik trof hem boven op de overloop aan, op handen en knieën gebogen over een gat in de vloer waar ik een plank omhooggewrikt had.

'Je kunt Ethan hier niet mee naartoe nemen,' zei pa. 'Hij kan overal met z'n voet achter blijven haken en zich ernstig bezeren. Er steken overal spijkers omhoog. Jezus, David, ik weet wel dat je een hoop meemaakt, maar je hebt hier echt stukken heel mooi hardhout verruïneerd.'

Dat kon me niet schelen, maar ik vond het erg dat ik het huis gevaarlijk had gemaakt voor mijn zoon.

'Het was stom van me,' gaf ik toe.

Pa verzamelde de planken en legde ze opzij. 'Met steeds proberen zal ik er wel achter komen welke plank waar hoort. Maar voor sommige plekken moet je nieuw hout kopen. En de klus gaat een paar dagen kosten. Ik ga naar huis om m'n gereedschap te halen.'

'Dat hoef je niet nu meteen al te doen,' zei ik.

Pa draaide zich om en schreeuwde: 'Wat moet ik verdomme anders doen? Hè? Vertel me dat maar eens!'

Ik leunde tegen de muur, ik voelde me verslagen.

'Hoe kon je zo ongelofelijk stom zijn,' zei hij terwijl hij voorzichtig verder de gang op liep naar de linnenkast, oppassend voor de spijkers.

'Daar ben ik begonnen,' zei ik. 'Daar had ik die envelop gevonden.'

'Maar je hebt verder niks gevonden,' mompelde hij.

Hij pakte een stuk witte plint op dat ik aan de binnenkant van de kast had losgewrikt, draaide het om om te kijken of er spijkers in zaten en hij zei: 'Hallo!'

'Wat?' zei ik.

'Wat is dit?'

Ik liep naar hem toe. Het was een envelop. Eenzelfde soort envelop als ik eerder gevonden had, vastgeplakt aan de achterkant van de plint. Toen ik de plinten eraf rukte was ik op zoek geweest naar wat erachter gezeten kon hebben, niet naar iets wat op de achterkant geplakt kon zijn.

Pa trok het plakband los. Het was vergeeld en vergaan. Toen hij de envelop los had, gaf hij hem aan mij. Hij was dichtgeplakt. Ik scheurde hem aan het eind open, blies erin en haalde het stuk papier dat erin zat eruit. Het was in drieën gevouwen.

Ik vouwde het open.

Het was opnieuw een geboortebewijs, van een kind dat Constance Tattinger heette.

'Wat is het?' vroeg pa.

'Een geboortebewijs,' zei ik.

'Van wie?'

Langzaam zei ik: 'Dat weet ik niet.' Ik wist dat ik die naam gehoord had. In elk geval de voornaam, Constance. Onlangs nog, niet meer dan een paar dagen geleden.

'Nou, wiens naam staat erop?' vroeg pa.

'Pa,' zei ik. Ik hield mijn hand op om hem het zwijgen op te leggen. 'Alsjeblieft.'

Ik probeerde na te denken.

De naam was bij de Richlers gevallen. Constance was de naam van Jans vriendinnetje. Het meisje dat met haar in de tuin had gespeeld toen Horace Richler te hard met zijn auto achteruitreed. Het meisje dat Jan Richler voor de auto geduwd had.

Ik keek weer op het geboortebewijs, naar de geboortedatum van Constance Tattinger. 15 april 1975. Maar een paar maanden eerder dan de geboortedatum op het geboortebewijs van Jan Richler.

Ik nam de rest van het document door. Constance Tattinger was in Rochester geboren. Haar ouders heetten Martin en Thelma.

'Jezus,' zei ik.

'Wat?' zei pa.

'Het klopt allemaal.'

'Waar heb je het over?'

'Als je de volwassen Constance Tattinger was en je had een nieuwe identiteit nodig, en je zocht iemand die als kind overleden was, dan zou je jezelf een hoop tijd en moeite besparen als je iemand nam die je al kende.'

'Constance wie?'

'Niet gewoon iemand die je kende,' zei ik. 'Maar iemand in wier dood je de hand had gehad.'

'Ik snap er werkelijk geen reet van,' zei pa.

Ik had bevestiging nodig van wat ik vermoedde. Ik liep naar de telefoon, vroeg het nummer weer op van de Richlers in Rochester en toetste het in.

'Hallo?' Het was Gretchen Richler.

'Mevrouw Richler,' zei ik. 'Met David Harwood.'

'O ja.'

'Sorry dat ik u stoor, maar ik heb een vraag.'

'Zeg het maar.' Het klonk vermoeid.

'U hebt volgens mij de voornaam genoemd van het meisje dat bij u in de tuin speelde toen... toen het ongeluk gebeurde.'

'Constance,' zei ze. Het klonk ijzig.

'En haar achternaam?'

'Tattinger,' zei ze meteen.

'Weet u hoe het verder is gegaan met dat gezin? Zei u niet dat ze verhuisd zijn?'

'Inderdaad. Vrij kort erna.'

'Weet u waarnaartoe ze verhuisd zijn?'

'Ik heb geen idee,' zei ze.

'Kent u iemand bij u in de buurt die het wel zou kunnen weten?'

'Ik heb geen idee. Echt niet.' Ze zweeg even. 'Waarom vraagt u me dit?'

Ik wilde geen dingen tegen Gretchen Richler zeggen die ik niet zeker wist. Dus gaf ik een ontwijkend antwoord. 'Ik probeer het vanuit alle invalshoeken die ik kan bedenken te bekijken, mevrouw Richler. Meer niet.'

'Zo.' Weer bleef het even stil. 'Hebt u uw vrouw al gevonden, meneer Harwood?'

'Nog niet,' zei ik.

'U klinkt hoopvol.'

Nu was het mijn beurt om te zwijgen. Uiteindelijk zei ik: 'Ja.'

'U denkt dat ze leeft.'

'Inderdaad. Maar ik begrijp nog niet precies waarom ze verdwenen is.'

'Zo,' zei ze weer.

'Ik waardeer het dat u me te woord hebt gestaan, mevrouw Richler. Dank u wel. Het spijt me dat ik u heb moeten storen. Doet u alstublieft de groeten aan uw man.'

'Misschien kan ik dat doen als hij terugkomt uit het ziekenhuis,' zei Gretchen Richler koeltjes.

'Pardon? Gaat het niet goed met uw man?'

'Hij heeft vanochtend geprobeerd zelfmoord te plegen, meneer Harwood. Ik denk dat uw bezoekje en wat u te vertellen had hem te veel geworden zijn.'

44

'Ik ga niet naar binnen,' zei Jan. 'Ik ga dat souterrain niet in.'

Ze zaten in de pick-up op de oprit van het onopvallende huis van Banura in Braintree. Een paar huizen verderop stond een zwarte Audi langs de stoeprand geparkeerd.

'Hoor eens,' zei Dwayne. 'Komt dat doordat ik zonet mijn zelfbeheersing verloor? Is dat het?'

Omdat je je zelfbeheersing verloor? Je hebt me bijna vermoord, dacht Jan.

'Als het daarom gaat, dan spijt me dat,' zei hij. Hij zei het zo overdreven dat ze wel wist dat het hem helemaal niet speet. 'Binnen een paar minuten zijn we miljonairs. Je moet blijven denken aan wat dit ons allemaal gaat opleveren.'

'Ik hou hier buiten wel de wacht,' zei ze. 'Als er problemen zijn, dan toeter ik.' Dwayne keek haar zo argwanend aan dat Jan eraan toevoegde: 'Wat? Jij hebt de diamanten, jij krijgt straks het geld. Wat denk je dat ik van plan ben? Ervandoor gaan?'

Dat stelde hem gerust. 'Oké. Nee, dat zul je wel niet doen.' Hij leek in gedachten verzonken.

Ze had hierover nagedacht. Het kon haar geen reet schelen wat er met Dwayne zou gebeuren, maar ze moest weten hoe dit af zou lopen. Als er een kansje was, al was het maar een kans van één op een miljoen, dat ze het bij het verkeerde eind had, dat er toch nog geld aan zat te komen voor haar, dan wilde ze dat afwachten.

'Stel dat Banny Boy die stenen nog een keer wil bekijken,' vroeg Dwayne. 'Stel dat hij ze dit keer niet goed genoeg vindt, wat dan?'

'Ga je me nou opeens geloven?' vroeg Jan. 'Geloof je nu opeens wel wat die vrouw zei?'

Dwayne zag er benauwd uit, minder zelfverzekerd. 'Ik weet het niet.' Hij schudde zijn hoofd, alsof hij de twijfels van zich af wilde zetten. 'Nee, het is goed. Alles is in orde. Hij heeft die diamanten bekeken, ze bevielen hem, hij heeft ons geld geboden. Voor mij is dat goed genoeg. Als jij hier in de auto de angsthaas wilt uithangen, dan ga je je gang maar.'

'Mooi,' zei Jan, 'want dat is precies wat ik ga doen.'

Dwayne keek op zijn horloge. Het was vijf minuten voor twee. 'Dit zal niet lang duren, tenzij hij wil dat ik het geld tel. Hoe lang zal het duren, denk je, om zes miljoen te tellen?'

'Heel lang.'

'Ik wil niet dat hij me belazert.'

'Als hij een zak geld voor je klaar heeft staan, neem hem dan gewoon mee. We gaan ergens heen en we tellen het, en als we tekortkomen, dan gaan we nog wel even bij hem langs.' Niet dat ze dat maar één moment zelf geloofde. Als ze met een redelijk bedrag wegkwamen van dit huis, dan ging zij echt niet meer terug. Ze wilde die foto's aan de muur nooit meer zien. Die foto van dat jongetje, waarschijnlijk Banura zelf, die met die afgehakte arm stond te zwaaien. Die herinnerde haar eraan dat ze wellicht meer met hem gemeen had dan ze wilde toegeven.

'Ja, oké.' Dwayne pakte de zak met diamanten, deed het portier open, waarbij hij het sleuteltje liet hij in het contact zitten, en wilde uitstappen.

'Wacht,' zei Jan. 'Neem je revolver mee.'

Dwayne keek haar minachtend aan. 'Je hebt toch gehoord wat hij zei. Hij zei dat we geen wapens mee mochten nemen. Daar was hij heel duidelijk in.'

Jan leunde naar voren en pakte de revolver van onder de bestuurders-stoel. 'Echt, je moet hem meenemen.' Ze was niet bezorgd om Dwayne. Maar als het daar beneden in het souterrain mis zou lopen, dan was het het beste dat Dwayne het afhandelde voor iemand naar boven kwam om haar te zoeken. En zij had zelden een vuurwapen in handen gehad. Dwayne wist in elk geval hoe hij moest richten en schieten.

Dwayne zei: 'Ontspan een beetje.' Hij zette zijn voeten op de grond, sloeg het portier dicht en zei door het open raampje: 'Verzin maar waar we het straks kunnen vieren. Ik ga me helemaal klem zuipen.'

Toen Dwayne langs de linkerkant van het huis liep, ging Jan achter het stuur zitten en legde de revolver op de stoel naast haar.

'Ik wil je wat vragen,' zei Banura tegen Oscar Fine. 'Ik weet dat je geen reet om die diamanten geeft, omdat ze geen bal waard zijn, dus neem ik aan... sorry dat ik het zeg... dat dit iets te maken heeft met dat.'

Banura wees naar het uiteinde van Oscar Fines linkerarm.

'Ja,' zei hij. 'Klopt.'

'Dus dit stel... dit zijn de mensen die jou dat hebben aangedaan.'

'Een van hen,' zei hij. 'De vrouw. Je hebt haar perfect beschreven.'

Banura knikte. 'Dat moet tering veel pijn hebben gedaan.'

Oscar Fine knikte. Hij vond het geen prettig onderwerp.

'Ik heb dat veel meegemaakt, waar ik vandaan kom. Daar komt het vaker voor dan hier.'

'Daar kan ik in komen. Ik heb je foto's gezien.'

Banura knikte. 'Ik was elf.'

'Als je zoiets doet, op je elfde, dat vergeet je denk ik niet meer,' zei Oscar Fine.

Banura leek in gedachten verzonken. 'Ja.' Het was moeilijk om over dit soort dingen te praten met een man wiens hand eraf gehakt was.

Er werd aangebeld. Oscar Fine stelde zich beneden aan de trap verdekt op terwijl Banura naar boven ging om de deur open te maken. Oscar Fine haalde zijn pistool uit de binnenzak van zijn jasje en hield het stevig in zijn rechterhand.

Oscar Fine luisterde terwijl Banura de stang voor de deur wegschoof en de deur opende.

'Hallo,' zei Banura.

'Alles kits?' zei Dwayne.

'Armen omhoog, alsjeblieft.' Dwayne deed wat hem gezegd was en liet Banura hem fouilleren.

'Je kunt me vertrouwen,' zei Dwayne. 'Je zei dat ik geen wapen mee mocht nemen, dus dan doe ik het niet.'

'Waar is je vriendin?' vroeg Banura.

'Die wacht buiten in de pick-up,' zei hij. 'Ik ben geen minuut te vroeg, hè? Heb je het geld?'

'Alles is klaar voor de deal,' zei Banura. Hij sloot de deur en schoof de stang er weer voor. 'Ik mag aannemen dat je hetzelfde aantal diamanten meegenomen hebt?'

'Ja, natuurlijk,' zei Dwayne lachend. 'Dat zou nogal lullig zijn, na zo'n mooi bod van jou met de helft van de stenen terugkomen.'

Banura lachte met hem mee terwijl ze de trap af liepen. Toen Dwayne de kamer in kwam keek hij naar rechts en zag een man staan, met zijn linkerarm in zijn zak, zijn rechterarm uitgestrekt terwijl hij het pistool op zijn hoofd richtte.

'Shit! Wat moet dit verdomme voorstellen?' zei Dwayne. Tegen Banura zei hij: 'Oké, je hebt gezegd dat je er een... Hoe noemde je het? ... een collega bij zou halen. Dat vind ik prima, maar jullie hoeven me niet te bedreigen.'

'Weet je nog wie ik ben?' vroeg Oscar Fine.

'Huh? Je bent z'n bankier of z'n bodyguard of zo, neem ik aan. Ik wil geen problemen maken, ik kom alleen maar halen wat me toekomt.'

Banura bleef onder aan de trap staan, zodat Dwayne de weg werd versperd, mocht hij besluiten de benen te nemen.

'Ik vroeg: weet je nog wie ik ben?' zei Oscar Fine.

'Ik heb geen flauw idee,' zei Dwayne.

De man met het pistool haalde zijn linkerarm uit zijn zak. Dwayne keek naar beneden, misschien in de verwachting nog een wapen te zien, en toen zag hij dat de man een hand miste.

Hij werd lijkbleek. Even later werd het kruis van zijn spijkerbroek donker.

'Jezus, shit, pis niet op mijn vloer, man,' zei Banura, hoewel hij wel wist dat er over een paar minuten meer troep zou zijn om zich druk over te maken.

'Ik neem aan dat dat betekent dat je weet wie ik ben,' zei Oscar Fine terwijl hij zijn pistool onder Dwaynes middel richtte.

'Ja,' zei Dwayne.

'Hoe heet je?'

'Dwayne. Dwayne Osterhaus.'

'Nou, Dwayne Osterhaus, prettig je eindelijk weer tegen te komen. Hoewel we elkaar toen niet echt in de ogen hebben gekeken, denk ik dat jij de chauffeur was.'

'Je had ons de code moeten geven,' zei Dwayne. 'Dan was het allemaal heel anders gelopen. Dan hadden we dat niet hoeven doen, eh, met die hand.'

'Het was nogal lastig om jullie een cijfercombinatie door te geven toen je dat pijltje in me geschoten had.'

'Het spijt me echt, man, eerlijk waar,' zei Dwayne. 'En ik weet dat jij buiten westen was, maar je moet weten dat ik niet degene ben die het gedaan heeft, oké?'

'Ik weet nog wie het gedaan heeft,' zei Oscar Fine. 'Waar is ze?'

Dwayne aarzelde.

Oscar Fine zei: 'Kom, Dwayne, jij weet ook wel waar dit heen gaat. Het is in je eigen belang om een beetje mee te werken. Hier, ik wil je wat laten zien.' Hij hield zijn linkerarm omhoog. De manchet van zijn overhemd was om de stomp heen gevouwen en Oscar Fine duwde hem omlaag met zijn wijsvinger, die door de trekker van zijn pistool gestoken was.

'Nee, nee, dat hoeft niet,' zei Dwayne.

'Absoluut, ik doe het graag,' zei Oscar Fine. Hij trok de stof weg en toonde de slordig geheelde stomp.

'Jezus,' zei Dwayne.

'Die kan je niet helpen,' zei Oscar Fine. Toen hij zeker wist dat Dwaye het goed had kunnen bekijken duwde hij de mouw van zijn overhemd weer over de stomp. Hij vroeg: 'Ben je links- of rechtshandig?'

De plek op Dwaynes broek werd groter. Oscar Fine herhaalde de vraag. Dwayne slikte. 'Rechts.'

'Dan neem ik je linkerhand. We hoeven het niet moeilijker te maken dan nodig is. En ik ga ervan uit dat Banura hier wel iets heeft waarmee we hem netter kunnen amputeren dan bij mij is gebeurd.'

Zweetdruppels vormden zich op Dwaynes voorhoofd. 'Dat is toch helemaal niet nodig. Als je me laat gaan, dan vertel ik je alles wat je wilt weten.'

'Waar is ze?'

'Ze zit in de pick-up.'

'Waarom is ze niet met je meegekomen?'

'Ze is nerveus,' zei Dwayne.

'En waarom dan wel?'

'Ze denkt dat meneer Banura hier ons te veel geld bood. Ze werd achterdochtig. Dus heeft ze een paar diamanten door iemand anders laten bekijken, en die zei dat ze waardeloos waren.'

Oscar Fine knikte. 'Maar toch ben je hier.'

Dwayne leek op het punt te staan in tranen uit te barsten. 'Ik heb meneer Banura op z'n woord geloofd.'

'Dus het is nu "meneer",' zei Banura. 'Geen "Banny Boy" meer.'

'Hé,' zei Dwayne met een zenuwachtig lachje. 'Ik bedoelde het niet respectloos.'

'Dus zij dacht dat er iets loos was,' zei Oscar Fine. 'Vermoedt ze dat ik hier ben?'

'Nee, dat heeft ze niet gezegd. Ze is gewoon hartstikke zenuwachtig, meer niet.' Dwayne kikkerde op en veegde de tranen uit zijn ogen. 'Ik heb een idee. Als je mijn hand er niet afhakt en me laat gaan, dan ga ik terug naar de pick-up, en dan zeg ik dat er een probleempje is. Dat een deel van het geld in vreemde valuta is, in euro's of Canadese dollars of zo, en dat zij moet helpen tellen. Dan neem ik haar mee hiernaartoe en dan kun je mij laten gaan. Omdat, en dat zweer ik op m'n moeders graf, ik die hand van je er helemaal niet af wilde zagen. Ik had meer iets van: hé, laten we ergens beter gereedschap gaan halen. Wat we bij ons hadden was niet sterk genoeg om die ketting door te zagen. Begrijp je wat ik bedoel? Ik was liever ergens anders heen gereden zodat we de tijd hadden om het goed te doen, zodat jij er heelhuids van af zou komen. Maar zij was helemaal gefixeerd, ze werd helemaal gek, maar jij moet weten dat ik er echt op tegen was.'

Oscar Fine knikte, alsof hij overwoog op het voorstel in te gaan.

'Dus jij brengt haar naar me toe, en dan laat ik je gaan.'

Dwayne knikte driftig en lachte nerveus. 'Ja, inderdaad. Ik wil je graag helpen.'

'Ik heb een paar vragen,' zei Oscar Fine.

'Ja, natuurlijk, ga je gang.'

In feite had Oscar Fine een hele waslijst met vragen. Over wat zij tweeën de afgelopen zes jaar hadden gedaan. Over wie Constance Tattinger was geworden. Waar ze gewoond had, en met wie. Dwayne deed zijn best zo goed mogelijk te antwoorden. Hij vertelde Oscar Fine alles wat hij wist.

'Je bent heel behulpzaam geweest,' zei Oscar Fine.

'Ja, ach, dat is wel het minste, gezien...' Dwayne probeerde nog een lachje. 'Nou, wat denk je ervan? Zal ik haar maar gaan halen? Zodat ik daarna dan weg kan?'

'Ik dacht het niet,' zei Oscar Fine, en hij schoot Dwayne Osterhaus midden in zijn gezicht. 'Er is geen enkele reden waarom ik niet zelf naar buiten kan gaan om een praatje met haar te maken.'

45

Oscar Fine bood Banura zijn verontschuldigen aan. 'Ik heb er een rotzooi van gemaakt. Helemaal mijn verantwoordelijkheid.'

Banura keek naar het bloed en het hersenweefsel op de muur achter de plek waar Dwayne gestaan had. De kogel was door zijn hoofd gegaan en er aan de achterkant weer uit gekomen.

'Ik heb wel erger meegemaakt,' zei Banura.

Oscar Fine schreef een telefoonnummer op een stukje papier op Banura's werkbank. 'Bel dat nummer en zeg dat meneer Fine jou heeft gezegd dat zij het moeten opknappen. Ze zullen komen en alles regelen, zowel de schoonmaak als de verwijdering.'

'Dat waardeer ik,' zei Banura.

'Maar je kunt beter nog een paar minuutjes wachten tot ik de ander ook heb,' zei Fine, en Banura knikte.

'Is er hier nog een andere uitgang?' vroeg Oscar Fine. 'Misschien houdt ze de deur in de gaten.'

'Nee,' zei Banura. 'Dit gedeelte heeft geen verbinding met de rest van het huis en je komt er alleen via de achterdeur in. Je kunt vanuit hier niet eens de verwarmingsketel bereiken. Er is nog een trap in het andere deel van het huis. Maar er zijn overal camera's opgehangen.'

'Laat eens zien.'

Banura liep met Oscar Fine naar de werkbank. Afgezien van de apparatuur voor de edelstenen stond er een toetsenbord op en een uitermate dunne flatscreen. Banura tikte op een paar toetsen en opeens werd het scherm in vier gelijke stukken verdeeld, elk met een andere opname van het huis van Banura.

'Aan elke kant van het huis hangt een camera met een groothoeklens,' zei hij.

Oscar Fine boog naar voren, keek naar de rechterbovenhoek, het beeld van de straat voor het huis, met de oprit aan de rechterkant. Hij kon de pick-up zien, maar door de hoek waarin de camera hing en het licht dat in de voorruit reflecteerde was het moeilijk om te zien of er iemand in zat, en wie dat dan was. Er zat niemand op de passagiersstoel, maar het was niet te zien of er iemand achter het stuur zat.

'Hmm,' zei hij.

De camera bij de achterdeur liet zien dat er niemand in de tuin stond, die expres leeg gelaten leek. Geen schuurtje om je achter te verbergen, geen bomen met dikke stammen. Alleen een kale tuin met vergeeld gras, omgeven door een bijna twee meter hoge houten schutting.

Banura wees op het vierkant in de linkerbenedenhoek.

'Zie je dat?'

Oscar Fine had het gemist. 'Wat?'

'Er was... kijk!'

Zodra Dwayne om de hoek van het huis was verdwenen, dacht Jan: wegwezen.

Ze had verschillende scenario's overdacht van wat er aan de hand kon zijn: Banura was een sukkel die niets van diamanten wist. Onwaarschijnlijk. De vrouw in de juwelierszaak was een sukkel die niets van diamanten wist. Net zo onwaarschijnlijk. Banura wist dat ze vals waren, hij vond het niet leuk om getild te worden en hij ging hun een lesje leren als ze terugkwamen. Dat kon, maar waarom tot twee uur gewacht? Waarom had hij hun niet meteen een lesje geleerd? Banura had tijd nodig om iets te regelen. Dat leek waarschijnlijker. Maar Jan dacht niet dat dat regelen iets met geld bij elkaar krijgen te maken had.

Kon hij contact hebben opgenomen met Oscar Fine? Zou de man na al die jaren nog steeds iedereen die in de handel zat eraan herinneren dat ze uit moesten kijken naar een grote hoeveelheid valse diamanten? En naar een vrouw die aan haar persoonsbeschrijving voldeed?

Wegwezen, zei ze tegen zichzelf.

Ze had haar hand op het contactsleuteltje, klaar om het om te draaien. Het enige wat ze hoefde te doen was de motor aanzetten, de pick-up in z'n achteruit zetten, naar de snelweg rijden en zo veel mogelijk afstand creëren tussen zichzelf en Boston.

Waar moest ze naartoe?

Al die jaren had ze een plan gehad: weg uit Promise Falls, regelrecht naar het paradijs. Maar ze had het geld van die diamanten nodig om een kaartje ernaartoe te kopen.

Waardeloos.

Ze had al die jaren gewacht om te krijgen wat ze wilde, ze had er nooit bij stilgestaan dat ze misschien al iets had. Dat nepleven van haar was een echt leven. Een echt huis. Een echte man.

Een echt kind.

En dat had ze allemaal verruild voor dit. Een kans. De kans om genoeg geld te hebben om de rest van haar leven helemaal naar haar eigen wensen in te richten. Om maar naar dat mythische strand toe te kunnen. Ze had niet eens bedacht waar dat dan wel moest zijn. Tahiti? Thailand? Jamaica?

Deed het er eigenlijk toe?

En als ze daar was, dan zou ze haar moeder, en vooral haar vader, kunnen zeggen: krijg de tering! Ik ben hier, ik leef het goede leven en jullie niet. Daar droomde ze van.

Het strand leek nu heel ver weg. Ze zat in een pick-up even buiten Boston, te wachten tot een oliedomme ex-gevangene met zes miljoen dollar terug zou komen, en ze vroeg zich af of haar hele wereld op het punt stond te vergaan.

Ze liet het sleuteltje los en zocht in haar tas. In een zijvakje zat een foto, gekreukeld en gescheurd. Ze haalde hem eruit en hield hem voorzichtig vast, een foto zo kwetsbaar en licht als een gevallen herfstblad. Ze keek naar het gezicht van haar zoontje.

'Het spijt me,' fluisterde ze. Ze legde de foto op de stoel naast haar.

Toen zat ze weer even, met haar hand op het sleuteltje. Klaar om ervandoor te gaan. Maar een klein stukje in haar vroeg zich nog steeds af: stel dat?

Stel dat Dwayne een keertje ongelofelijke mazzel had en op het juiste paard gewed had?

Alles wees erop dat hij het bij het verkeerde eind had. Maar stel dat hij straks naar buiten zou komen lopen met het geld en zij was er niet?

Ze moest weten hoe het daar beneden ging.

Jan liet het sleuteltje in het contact zitten en stapte uit, na de revolver gepakt te hebben die Dwayne ondanks haar aandringen niet had willen meenemen. Ze liep langs het huis, ging de hoek om en liep naar de deur.

Ze belde niet aan. Ze keek alleen naar de deur. Ze wilde dat hij openging. Ze wilde dat hij niet openging.

Heel vaag kwamen er geluiden, tegengehouden door de zware deur, van beneden. Een stem, hoog, jankerig. Het soort geluid dat Dwayne zou kunnen maken, dacht ze.

Ze ving een paar zinnen op.

'... zweer ik op mijn moeders graf... hé, laten we... beter gereedschap... begrijp je wat ik bedoel... ik was liever ergens anders heen gereden...'

Jan had genoeg gehoord. Ze was verraden. Ze zouden haar komen halen. Elk moment kon die deur opengaan.

Moest ze wachten en degene die naar buiten kwam neerschieten? Nee, het was niet handig om hier te blijven staan. De kans was groot dat zijzelf neergeschoten werd. Ze liep weg van de deur en drukte zich tegen het huis aan, en terwijl ze dat deed keek ze toevallig omhoog en zag een kleine camera die onder de dakgoot bevestigd was.

Ze had zo lang bij Five Mountains rondgehangen om alle camera's te spotten, ze vond dat ze deze ook wel wat eerder had mogen zien. Als er hier eentje zat, dan zat er waarschijnlijk aan elke kant van het huis een.

Ze wisten misschien al dat ze aan de deur had staan luisteren.

Ze moest rennen.

Ze ging ervandoor, rende om het huis heen, greep de portierkruk aan de linkerkant met haar linkerhand beet, de revolver nog in haar rechter. Ze sprong in de auto, gooide de revolver op de stoel naast haar en draaide het contactsleuteltje om.

De motor startte niet direct.

Terwijl ze het sleuteltje nog een keer omdraaide, zag ze iemand van achter het huis tevoorschijn komen. Een man in een lange jas, die in zijn rechterhand een pistool had. Het ding werd op haar gericht.

De motor startte en ze gooide de auto in zijn achteruit. Ze trapte het gaspedaal al in voor ze zich omgedraaid had om te kijken of er niemand achter de auto stond. Ze legde haar rechterhand op de rugleuning van de stoel, draaide zich om, reed van de oprit de straat op en gooide het stuur om.

De voorruit barstte.

Een milliseconde keek ze achterom in de richting vanwaar het schot gekomen was en ze zag de man met het pistool. Ze zag de linkerarm zonder hand.

Een blauwe Chevrolet die de straat af reed toeterde toen de achterkant van de pick-up zijn weg versperde. De auto maakte een bocht en een man riep 'Sukkel!' in het voorbijrijden.

Jan trapte op de rem en zette de pick-up in de versnelling. Oscar Fine vuurde opnieuw. Het schot raakte de auto niet, maar Jan had het gevoel dat de kogel door het raampje aan de linkerkant naar binnen vloog en er aan de rechterkant weer uit vloog.

Oscar rende nu de straat op, zijn gezicht grimmig. Jan trok weer aan het stuur en ramde op het gaspedaal. Ze raakte de man bijna met de rechtervoorbumper van de pick-up. Hij draaide zo snel om dat hij op de straat viel, ook al was hij niet echt geraakt.

De revolver lag nog op de stoel naast haar, maar ze had geen tijd om hem te gebruiken. En trouwens, het zou toch geen geweldig schot worden terwijl zij reed en Oscar Fine achter haar aan rende.

Ze reed langs de zwarte Audi, ze nam aan dat dat zijn auto was. Maar hij was er nog zo'n vijftien meter vandaan. Tegen de tijd dat hij ingestapt was en gestart had, kon zij twee blokken verderop zijn. Dat was als voorsprong misschien net genoeg.

Ze hoorde een scherp geluid, hoog achter haar hoofd. Het klonk alsof er een kogel in de cabine was geslagen, boven het achterraampje.

Ze reed er alleen maar harder door. Ze keek in haar spiegeltje en zag de man naar de zwarte auto rennen. Het was het laatste wat ze van hem zag voor ze een scherpe bocht naar rechts maakte en het gaspedaal dieper intrapte.

Ze had bij alle opwinding niet gemerkt dat de wind vat had gekregen op de foto van Ethan en hem uit het raampje had geblazen.

Oscar Fine wilde net de achtervolging inzetten, toen hij het stukje papier door de lucht zag zweven.

Hij was bijna blij dat hij een excuus had om niet in zijn auto te stappen en achter Jan Harwood aan te rijden. Zo'n klopjacht liep onvermijdelijk slecht af. Dat was altijd zo. Met een botsing. Of je trok de aandacht van de politie. En met maar één hand was het lastig voor Oscar Fine om snel en behendig te sturen.

Hij had haar nu een keer gevonden, dus kon het ook een tweede keer. Vooral met alle informatie die hij van Dwayne had gekregen. Hij liet het autoportier dichtvallen en liep de straat op om het stukje papier op te pakken. Het leek niet meer dan een simpel wit vierkantje te zijn, maar nadat hij gebukt had en het had opgeraapt en omgedraaid, zag hij dat het een foto was.

Een foto van een lachend jongetje. Oscar Fine liet hem in zijn zak glijden.

Toen bedacht hij zich dat als hij de stad uit ging, hij iemand moest bellen om zijn kat te eten te geven.

46

Niet lang na mijn gesprek met Gretchen Richler werd ik onverwacht gebeld.

Ik pakte de telefoon bij de eerste keer overgaan. 'Hallo?'

'Meneer Harwood?' Een vrouwenstem, die me vaag bekend voorkwam.

'Ja?'

'U bent niet langer de juiste persoon voor dit verhaal.'

'Wat? Met wie spreek ik?'

'Ik heb u de informatie over de hotelrekening van meneer Reeves gestuurd. Zodat u erover kon schrijven. Waarom hebt u dat niet gedaan?'

Ik moest me even bezinnen. 'Hij heeft het terugbetaald aan Elmont Sebastian,' zei ik. 'Mijn redacteur vond dat daarmee de bodem uit het verhaal viel.'

'Nou, geef dat lijstje dan maar aan iemand anders, iemand die het artikel kan schrijven. Ik heb de krant gebeld en ze zeiden dat u vrij had, of geschorst was, omdat uw vrouw verdwenen is. En ik wil niet dat iemand die misschien zijn vrouw vermoord heeft, aan dit verhaal werkt. Sorry, hoor.'

'Lijstje? Waar hebt u het over? Een lijstje?'

Aan de andere kant van de lijn werd er gezucht. 'Dat ik u toegestuurd heb.'

Ik klopte op de zak van mijn jasje en voelde de enveloppen die ik erin gepropt had toen ik de *Standard* verliet. Ik haalde ze tevoorschijn. Een bevatte mijn salarisstrookje, een ander was een persbericht van een zeepfabriek, en de derde was een gewone witte envelop, in blokschrift aan mij geadresseerd, zonder afzender. Ik scheurde hem open en haalde er een enkel vel papier uit, dat ik openvouwde.

'Meneer Harwood?'

'Wacht even,' zei ik. Ik nam de handgeschreven lijst vluchtig door. Het waren namen van raadsleden van Promise Falls, met bedragen erachter. Die liepen van nul tot vijfentwintigduizend dollar.

'Jezus,' zei ik. 'Is dit echt zo? Zijn dit de bedragen die Elmont Sebastian aan die mensen betaald heeft?'

'Ziet u het nu pas?' zei de vrouw. 'Dat bedoel ik nou. Daarom moet iemand anders ermee aan de slag. Die klootzak van een Elmont heeft me net één keertje te veel belazerd en ik wil dat hij gepakt wordt. Als u een verhaal wilt schrijven, dan moet u maar eens aan de vrouwen bij Star Spangled Corrections vragen hoe ze het vinden om elke dag door mannelijke collega's betast te worden zonder dat de directie er ook maar iets aan doet.'

Dus ze werkte voor Elmont. En ze had helaas gelijk, gezien mijn huidige situatie. Iemand anders moest dit artikel schrijven.

Ik vroeg: 'Waarom bent u niet komen opdagen bij Lake George?'

'Wat?' zei ze. 'Waar hebt u het over?'

'Die e-mail die u me gestuurd hebt. Om elkaar daar te treffen?'

'Ik weet niet waar u het over hebt,' zei ze. 'Ik ga echt niet met iemand afspreken. Denkt u dat ik dom ben of zo?'

Ze hing op.

Ik bleef even zitten, stopte het papier terug in de envelop en propte hem weer in mijn zak. Nog maar kort geleden zou ik een gat in de lucht gesprongen hebben, maar een goed verhaal was op dit moment niet echt een prioriteit voor me.

Maar één ding dat de anonieme belster gezegd had, bleef hangen. Ze had me niet gemaild om me bij Lake George te ontmoeten. Iemand anders had me daarnaartoe gelokt. Het was allemaal onderdeel van de valkuil waarin ik gelopen was. Het klopte helemaal met de theorie van Natalie Bondurant.

Jan.

Ik bracht het grootste deel van de rest van die dag door met zo veel mogelijk te weten komen over Constance Tattinger. Ik had maar weinig houvast. De familie Tattinger had in de jaren zeventig en tachtig van de vorige eeuw in Rochester gewoond, maar daarna waren ze volgens Gretchen Richler verhuisd.

Ik zei tegen pa dat ik het een en ander te doen had en hij zei dat voor hem hetzelfde gold. Hij ging de boel bij mij thuis repareren.

Hij belde mijn moeder en vertelde zachtjes wat er gebeurd was en dat hij de rest van de dag in mijn huis bleef, als zij dat goedvond. Dat betekende dat ze zonder zijn hulp op Ethan moest passen.

Ma zei dat het prima was, en toen vroeg ze mij aan de lijn.

'Hoe is het met je?' zei ze.

'Ik word helemaal gek, maar verder gaat het wel,' zei ik.

'Je vader zegt dat je je huis kort en klein geslagen hebt.'

'Ja. En dat voelde heel stom, tot pa iets vond wat ik over het hoofd had gezien. Ik denk dat ik een aanwijzing over Jan heb gevonden.'

'Weet je waar ze is?'

'Nee, maar ik denk dat ik weet wíé ze is. Het zou handig zijn als ik een computer had. Ik moet op zoek naar mensen die Tattinger heten.'

'Je vader komt naar huis om extra gereedschap te halen. Ik zal mijn laptop aan hem meegeven.'

Ik bedankte haar en zei: 'Er is iets ergs gebeurd, iets waarvoor ik me verantwoordelijk voel.'

Ma wachtte af tot ik verderging.

'Horace Richler heeft geprobeerd zelfmoord te plegen. Ik heb herinneringen tot leven gewekt. En toen hij erachter kwam dat er iemand was... mijn vrouw... die de naam van zijn dochter gebruikte, was dat te veel voor hem.'

'Maar je doet wat je moet doen,' zei ma. 'Het is jouw schuld niet, wat er met dat dochtertje van die man gebeurd is. En wat Jan al dan niet gedaan heeft, is ook jouw schuld niet. Je moet de waarheid achterhalen, en dat kan moeilijk zijn voor sommige mensen.'

'Ik weet het. Maar de Richlers deugen. Het zijn beste mensen.'

'Doe wat je moet doen,' zei ma.

Ik zei tegen pa dat hij ma's laptop niet moest vergeten. Hij maakte al een lijstje van de dingen die hij nodig had en schreef onderaan 'laptop'.

'Zo terug,' zei hij.

Ik belde Samantha Henry op de *Standard*. 'Wil je iets voor me doen?' vroeg ik.

'Zeg het maar,' zei ze.

'Ik wil dat je bij de politie, en verder waar dan ook, nagaat of de naam Constance Tattinger iets oplevert.'

'Spel het even.'

Dat deed ik.

'En wie is deze Constance Tattinger?'

'Dat zeg ik liever niet,' zei ik.

'O, oké,' zei ze. 'Je bent dus geschorst, de politie denkt dat je je vrouw vermoord kunt hebben, we schrijven zelfs stúkken over jou, over een van onze eigen collega's, en dan wil je dat ik informatie voor je inzamel zonder dat je me vertelt waarom.'

'Ja, daar komt het wel op neer,' zei ik.

'Oké,' zei Sam. 'Heb je nog iets meer dan een naam? Geboortedatum?'

'15 april 1975.'

'Mooi. Nog iets?'

'Niet echt. Geboren in Rochester. Ik denk dat haar ouders verhuisd zijn toen ze nog klein was.'

'Ik bel je als ik iets heb.'

'Bedankt, Sam. Ik sta bij je in het krijt.'

'Inderdaad,' zei ze. 'Als we hier nog iets van journalistieke ethiek hadden, dan zou ik me hier nog zorgen om gaan maken.'

'Nog iets,' zei ik. 'Dat verhaal over Sebastian en Reeves waar ik aan werkte?'

'Ja?'

'Dat mag jij hebben. Ik heb iets waarmee we het verhaal eindelijk kunnen openbreken. Een lijstje met betalingen aan verschillende gemeenteraadsleden.'

'Wát?'

'Ik kan het niet onder me houden, ik weet niet wanneer ik terugkom en dit verhaal moet zo snel mogelijk verteld worden. Jij moet het doen. Ik hou het lijstje bij me, je krijgt het de volgende keer als ik je zie, kijk maar of je die bedragen op de een of andere manier bevestigd kunt krijgen.'

'Hoe ben je aan die lijst gekomen?'

'Ik vertel het later allemaal wel, goed? Ik moet nu ophangen.'

'Oké,' zei Sam. 'Heel erg bedankt. En ik ga voor je achter die naam aan.'

'Fijn,' zei ik, en ik hing op.

Pa was binnen een uur terug. Hij bracht zijn gereedschapskist naar binnen, een zaag, een aantal stukken plint die hij waarschijnlijk al sinds God de bomen had uitgevonden in zijn garage bewaarde, en ging naar boven. Al snel hoorde ik hem hameren.

Ik pakte ma's laptop, zette hem aan en begon met de onlinetelefoongidsen. Er waren helemaal niet zo veel mensen die Tattinger heetten in de Verenigde Staten – ongeveer vijfendertig – en maar vijf Tattingers met de voorletter 'M'. Ze woonden in Buffalo, Boise, Catalina, Pittsburgh en Tampa.

Ik begon te bellen.

Bij de nummers in Buffalo en Boise nam er iemand op. Dat waren niet de mensen die het abonnement hadden, maar ik kreeg te horen dat de Tattinger in Buffalo een Mark was, en die in Boise een Miles.

Ik was op zoek naar Martin.

In beide gevallen vroeg ik of ze ene Martin Tattinger kenden, die met zijn vrouw Thelma een dochter Constance had.

Nee, en nog eens nee.

Bij de nummers in Catalina en Pittsburgh nam er niemand op, en het nummer in Tampa was afgesloten.

Ik nam aan dat ik later op de dag nog wel iemand zou bereiken op de andere nummers, als de mensen thuiskwamen van hun werk. Ondertussen probeerde ik erachter te komen op welke school Jan Richler en Constance Tattinger gezeten hadden. Ze konden samen niet verder zijn gekomen dan de kleuterschool of de eerste groep. Ik bekeek de Google-kaart van de buurt van de Richlers, vond de namen van twee basisscholen daar en noteerde de nummers.

Toen ik het eerste intoetste, realiseerde ik me dat het augustus was. De scholen zouden pas over een paar weken beginnen. Maar ik wist ook, van vrienden van me in het onderwijs, dat er vaak al leerkrachten aanwezig waren in de maand voor de eerste schooldag, om het nieuwe schooljaar voor te bereiden.

Bij de eerste school kreeg ik de adjunct-directrice aan de lijn, maar haar school, vertelde ze me, bestond nog niet in de jaren tachtig. Hij was pas halverwege de jaren negentig gebouwd.

Terwijl ik wachtte tot er iemand bij de andere school opnam, probeerde ik in gedachten het gesprek dat ik met de Richlers bij hen thuis had gevoerd nog eens af te draaien. Gretchen had het erover gehad hoe kapot iedereen was geweest van de dood van hun dochtertje, onder anderen de kleuterjuf.

Ze had een naam genoemd. Stevenson? Zoiets.

Een oudere vrouw nam op. 'Met Diane Johnson, van het secretariaat.'

Ik zei eerst dat ik blij was dat ik iemand op school aan de lijn kreeg, en toen begon ik met mijn verhaal dat ik informatie zocht over Constance Tattinger, die in 1980 – kort – op deze school gezeten had.

'Met wie spreek ik?' vroeg ze.

Ik wilde dat liever niet zeggen, aangezien zelfs CNN bericht had over de verdwijning van Jan, en mijn naam en kop waren op de buis verschenen. Maar mijn naam en telefoonnummer stonden waarschijnlijk toch wel op de display van Diane Johnsons telefoon.

'Met David Harwood,' zei ik. 'Ik heb niet op school gezeten in Rochester, maar ik probeer Constance, of haar ouders, op te sporen vanwege een noodgeval in de familie.' Ik benadrukte die laatste woorden, in de hoop dat ze zo ernstig zouden klinken dat Diane Johnson me zou willen helpen zonder een hoop vragen te stellen.

Ze zei: 'Nou, 1980 was het jaar voor ik hier begon, dus ik kan niet zeggen dat ik me die naam herinner.'

'Ik denk dat ze alleen maar bij jullie op de kleuterschool heeft gezeten,' zei ik. 'Haar ouders hebben haar van school gehaald en zijn verhuisd. Ze was bevriend met een meisje dat Jan Richler heette.'

'O, wacht eens eventjes,' zei Diane Johnson. 'Die naam ken ik wel. We hebben een gedenksteen voor haar in de muur bij mijn kantoortje. Dat was het kind dat door een auto is overreden.'

'Dat klopt.'

'Haar vader zat achter het stuur. Hij reed geloof ik achteruit de oprit af.'

'Ja, inderdaad.'

'Wat verschrikkelijk, hè. Zelfs al werkte ik hier nog niet, ik herinner me er toch nog wel het een en ander van. Ze zeiden dat ze misschien wel voor die auto geduwd was.'

'Ja,' zei ik. 'En over dat meisje bel ik. Constance Tattinger.'

'O jee, het is zo lang geleden.'

'U begrijpt wel dat het moeilijk is om iemand te vinden als je haar zo lang geleden al uit het oog verloren bent.'

'Ja, maar ik weet echt niet hoe ik u kan helpen.'

'Heeft de school geen archief? Waarin informatie over Constance te vinden is? Waar ze naartoe is verhuisd, misschien?'

Op de achtergrond ging er een paar seconden een bel af. Toen het geluid verstomd was zei Diane Johnson: 'Ze testen hem vandaag.' Daarna: 'We hebben geen dossiers van zo lang geleden hier op school. Misschien wel bij de overkoepelende stichting, maar ik vraag me af of u daar inzage in zult krijgen.'

'O,' zei ik.

'Herinnert u zich de naam van de leerkracht nog?'

Ik dacht diep na. 'Ik zou zeggen, Stevenson.'

'O. Kan dat niet Stephens zijn geweest, met ph?'

'Dat zou best kunnen.'

'Tina Stephens was de kleuterjuf toen ik hier kwam werken. Ze is hier nog een paar jaar gebleven en vervolgens is ze bij een andere school gaan werken.'

'Hebt u de naam van die school?'

'Dat weet ik niet zo een-twee-drie, maar je hebt kans dat ze daarna nog op een heleboel andere scholen heeft gewerkt. Leerkrachten wisselen vaak van baan.'

'Zou ik de overkoepelende stichting kunnen bellen?'

'Ik kan u wel vertellen dat ze getrouwd is. Laat me even denken. Met een heel leuke man. Hij werkte voor Kodak, geloof ik. Maar ach, daar heeft iedereen wel eens gewerkt.'

'Weet u nog hoe hij heet?'

'Wacht eventjes, misschien weet iemand anders hier op kantoor het.' Ik hoorde hoe ze het toestel neerlegde. Ik klemde de telefoon vast en drukte hem tegen mijn oor terwijl pa boven zat te hameren en te zagen.

Diane Johnson kwam weer aan de lijn en zei: 'Pirelli. Dat was het. Frank Pirelli.'

Ik schreef de naam op. 'Dank u wel,' zei ik. 'U hebt me geweldig geholpen.'

Ik vond al snel het nummer van F. Pirelli in Rochester op internet en toetste het in. De telefoon ging drie keer over en sprong toen op het antwoordapparaat. 'Hoi, u spreekt met de voicemail van Frank en Tina Pirelli. We kunnen nu niet aan de telefoon komen, maar laat u alstublieft een boodschap achter.'

Dat deed ik niet. Ik had het gevoel dat ik tijd zat te verknoeien.

De dag sleepte zich voort.

Op een gegeven moment zei mijn vader dat hij iets moest eten, dus hij ging de deur uit en kocht een paar stokbroodjes met gehaktballetjes en provolone voor ons. We namen pauze en aten de stokbroodjes aan de keukentafel.

'Bedankt,' zei ik.

'Dat stelt toch niets voor, gewoon een broodje.'

'Ik heb het niet over de broodjes.'

Pa keek verlegen en deed de koelkast open om te zien of er nog bier was.

Die middag laat, nadat ik het nummer in Catalina voor de tweede keer zonder succes had ingetoetst, ging de telefoon over. Ma zei: 'Ethan wil je spreken.' Er klonk wat gedoe met de telefoon en toen: 'Pap?'

'Hé, kerel, hoe gaat het?'

'Ik wil naar huis.'

'Dat kan heel gauw,' zei ik.

'Oma zegt dat ik hier de hele dag moet blijven.'

'Dat klopt.'

'Maar ik ben hier al heel veel dagen.'

'Ethan, het zijn maar een paar daagjes.'

'Wanneer komt mama thuis?'

'Dat weet ik niet,' zei ik. 'Ben je wel lief voor oma?'

Een korte aarzeling. 'Ja.'

'Wat heb je uitgehaald?'

'Ze was boos op me omdat ik van de trap af sprong.'

'Is dat alles?'

'Ja. Nu speel ik met het hout.'

'Het hout?'

'Dat krokettenhout.'

Ik glimlachte. 'Speel je croquet met oma?'

'Nee, ze zegt dat haar rug pijn gaat doen als ze de bal slaat.'

'Hoe speel je dan in je eentje?'

'Ik sla die houten bal door de poortjes. Ik kan hem heel ver laten rollen.'

'Mooi,' zei ik. 'Maakt oma het avondeten klaar?'

'Ik geloof het wel. Ik ruik iets. Oma! Wat eten we vanavond?' Ik hoorde mijn moeder iets zeggen. Toen zei Ethan: 'Stoofvlees.' Hij fluisterde: 'Daar doet ze wortels in.'

'Probeer maar één worteltje te eten. Dat is goed voor je. Doe het maar voor oma.'

'Oké.'

'Hoe laat staat het eten op tafel?'

Ethan riep weer een vraag. 'Om zeven uur,' zei hij.

'Oké. Tot straks dan, hè?'

'Oké.'

'Ik hou van je,' zei ik.

'Ik ook van jou,' zei hij.

'Oké. Dag, man.'

'Dag pap.'

En hij hing op.

Ik probeerde het nummer van de Pirelli's in Rochester weer.

'Hallo?' Een vrouwenstem.

'Hoi,' zei ik. 'Ik ben op zoek naar Tina Pirelli.'

'Daar spreekt u mee.'

Ik probeerde niet te laten merken hoe gespannen ik was. 'Is dit de Tina Pirelli die vroeger lesgaf op een kleuterschool in Rochester?'

'Dat klopt.' Er kroop iets van achterdocht in haar stem. 'Met wie spreek ik?'

'Mijn naam is David Harwood en ik probeer iemand te vinden die volgens mij vroeger, heel kort, een leerling van u was.'

'David hoe?'

'Harwood. Ik bel vanuit Promise Falls.'

'Hoe bent u aan mijn nummer gekomen?'

Ik vertelde haar in het kort hoe dat gegaan was.

'En wie probeert u te vinden?' vroeg ze.

'Constance Tattinger.'

Het bleef even stil aan de andere kant van de lijn. 'Ik herinner me haar nog wel,' zei Tina Pirelli rustig. 'Waarom probeert u haar te vinden?'

Ik had overwogen of ik een verhaaltje zou verzinnen, maar ik had besloten dat het beter was om eerlijk te zijn. 'Ze is later mijn vrouw geworden,' zei ik. 'En ze wordt vermist.'

Ik kon horen dat Tina haar adem inhield. 'En u denkt dat ik kan weten waar ze is? Ik heb haar zo'n dertig jaar geleden voor het laatst gezien, schat ik, toen ze nog een klein meisje was.'

'Dat begrijp ik,' zei ik. 'Maar hebben haar ouders toen ze weggingen uit Rochester gezegd waar ze naartoe verhuisden?' Omdat ik tot nog toe geen geluk had gehad bij het opsporen van Martin Tattinger in de Verenigde Staten, vroeg ik me af of ze naar Canada verhuisd konden zijn, of naar Europa.

'Gezien de omstandigheden,' zei Tina Pirelli, 'hadden ze weinig te zeggen. Tegen wie dan ook. Ze zijn gewoon verhuisd.'

'De omstandigheden... daarmee bedoelt u het ongeluk?'

'Dus daar heeft uw vrouw u over verteld,' zei ze.

'Ja,' loog ik.

'Die arme Constance. Iedereen gaf haar de schuld. Ook al was ze nog maar een kind. Haar ouders hebben haar van school gehaald en uiteindelijk zijn ze verhuisd. Ik heb geen idee waarheen. Het spijt me. U zei dat ze vermist wordt?'

'Ze is gewoon verdwenen,' zei ik.

'Dat moet verschrikkelijk voor u zijn,' zei ze.

'Klopt.'

'Ik heb Constance maar een paar weken in de klas gehad. Het ongeluk was in september. Maar het was een lief meisje. Rustig. En ik heb haar na het ongeluk nog maar één keer gezien.'

'Hoe was ze toen?' vroeg ik.

Tina Pirelli zweeg zo lang dat ik dacht dat de verbinding verbroken was. 'Het was alsof ze opgehouden was met iets te voelen,' zei ze toen.

Ik belde het nummer in Pittsburgh van M. Tattinger.

'Hallo?' Een mannenstem. Hij klonk alsof hij een jaar of zestig of ouder was.

'Spreek ik met Martin Tattinger?' vroeg ik.

Toen de man niet direct reageerde, vroeg ik het nog eens.

'Nee,' zei hij. 'U spreekt met Mick Tattinger.'

'En kan ik op dit nummer ook Martin Tattinger bereiken?'

'Nee. Ik denk dat u het verkeerde nummer hebt.'

'Het spijt me,' zei ik. 'Maar misschien kunt u me helpen. Ik ben David Harwood. Ik bel vanuit Promise Falls, ten noorden van Albany. Ik ben op zoek naar Martin Tattinger, die getrouwd is met Thelma. Ze hebben een dochter die Constance heet en ik heb voor het laatst van ze gehoord toen ze nog in Rochester woonden, maar dat is al een hele tijd geleden. Bent u toevallig familie? Weet u waar ik Martin Tattinger kan vinden?'

'De Martin Tattinger die u zoekt is mijn broer,' zei hij met toonloze stem.

'O,' zei ik, ik kreeg weer moed.

'Hij en Thelma zijn vaak verhuisd, ze zijn uiteindelijk in El Paso terechtgekomen.'

Ik had geen Tattinger in El Paso gevonden. 'Hebt u het nummer van ze?'

'Waarom wilt u hem bereiken?' vroeg Mick Tattinger.

'Het gaat om hun dochter Constance.' Dit keer onthulde ik mijn relatie met haar niet. 'Ik heb redenen om aan te nemen dat ze in moeilijkheden is, en we proberen contact op te nemen met haar ouders.'

'Dat zal moeilijk gaan,' zei Mick.

'Hoezo?'

'Ze zijn dood.'

'O,' zei ik. 'Het spijt me. Ik had me niet gerealiseerd dat ze overleden zijn.'

Mick snoof. 'Overleden, ja... dat is zacht uitgedrukt.'

'Wat bedoelt u?'

'Ze zijn vermoord.'

'Wat?'

'Keel doorgesneden. Bij allebei. Terwijl ze op hun keukenstoelen vastgebonden zaten.'

'Wanneer is dat gebeurd?'

'Vier of vijf jaar geleden? Het is nu ook weer niet zo dat ik die datum op de verjaardagskalender heb gezet, hè.'

'Hebben ze de dader gepakt?' vroeg ik.

'Nee,' zei Mick Tattinger. 'Wat is er met Connie?'

'Constance… Connie wordt vermist,' zei ik.

'Tja, dat is niet bepaald een nieuwtje, hè. Ze wordt al jaren vermist. Martin en Thelma hadden toen ze stierven al in geen tijden meer iets van haar gehoord. Ze hadden geen idee wat er van haar geworden was. Ze is ervandoor gegaan toen ze zestien of zeventien was. Niet dat ik haar dat kwalijk kan nemen. Wilt u zeggen dat ze weer boven water is gekomen?'

'Daar lijkt het wel op,' zei ik.

'Jezus nog aan toe,' zei hij. 'En waar is ze nu dan? Ze weet waarschijnlijk niet eens dat haar ouders dood zijn.'

'Ik denk dat u daar wel eens gelijk in kunt hebben,' zei ik.

'Het zou haar misschien enige genoegdoening geven als ze het wist,' zei Mick Tattinger. 'Martin was dan wel mijn broer, maar het was een ongelofelijke klootzak. We gingen al jaren niet meer met elkaar om. Hij en Thelma verdienden nou niet bepaald een prijs voor hun ouderschap. Bij hem kwam er alleen maar bagger uit, zij zoop en deed verder helemaal niks; het was me het stel wel. Maar goed, dat wil niet zeggen dat ze hun lot verdiend hebben. Martin repareerde auto's. Hij had een garage in El Paso. Voor zover ik weet eerlijke handel. Dus waarom zijn ze dan vermoord? Er is niets gestolen.'

'Ik weet het niet,' zei ik zacht.

'Maar Connie leeft dus nog? Wat een verrassing! Ik dacht dat zij waarschijnlijk ook dood was.'

'Waarom zegt u dat?'

'Ik weet het niet. Ze was hartstikke verknipt. Dat kwam allemaal door een gebeurtenis toen ze nog heel klein was. Het heeft geen zin dat weer op te halen.'

'Dat meisje dat overreden is op de oprit.'

'O, daar weet u dus ook al van? Martin was voordien al een lul, maar na dat ongeluk werd het echt heel erg. Hij werkte voor een garage die van de oom van het dode meisje was. En die reageerde het op Martin af en ontsloeg hem. Martin gaf Connie de schuld. Dat is natuurlijk ergens wel begrijpelijk, maar ze was een klein kind. Toch hij bleef erover doorgaan tegen haar. Hij kreeg een baan bij een garage in een andere stad, maar daar kreeg hij de schuld toen iemand had ingebroken en een hoop gereedschap gestolen had. Hoewel Martin het niet gedaan had, dacht de directie dat hij het was en ze hebben hem ontslagen. Nu was hij dus twee keer ontslagen en het werd allemaal steeds erger. Hij heeft uiteindelijk ander werk gevonden, maar het maakte niet uit, hij gaf Connie overal de schuld van, alsof ze hem

ongeluk bracht of zo.' Mick zweeg even, hij probeerde zich iets te herinneren. 'Hoe noemde hij haar ook weer? Hij had een naam voor haar.'

'Hindy,' opperde ik.

'Ja, dat was het. Naar de Hindenburg.'

'Hoe ging zij ermee om?' vroeg ik.

'De paar keer dat ik ze samen heb gezien was het een beetje vreemd.'

'Hoe bedoelt u?'

'Het was alsof... alsof ze ergens anders was.'

'Sorry?'

'Alsof ze er helemaal niet bij was. Het was alsof ze zich verbeeldde dat ze
ergens anders was, of dat ze zelf iemand anders was. Ik denk dat dat haar
manier was om te overleven.'

Ik luisterde en knikte.

'Wie was u ook alweer?' vroeg hij, en ik noemde nogmaals mijn naam.
'Als u Connie vindt, vraagt u haar dan ons te bellen. Wilt u dat doen?'

'Natuurlijk,' zei ik.

'Wat bent u eigenlijk? Een privédetective of zo?'

'Verslaggever,' zei ik. 'Ik ben verslaggever.'

Pa kwam naar beneden naar de keuken.

'Het moet zo langzamerhand etenstijd zijn,' zei hij met een blik op de
klok. Het was tien voor zeven. 'Hoe laat moesten we van je moeder thuis
zijn?'

Ik zei: 'Wat?'

'Wat heb je? Je ziet eruit alsof je een geest hebt gezien of zo.'

'Zoiets, ja,' zei ik.

De telefoon ging over. Ik keek op de display. Mijn moeder. Of misschien
Ethan die er een tijdje geleden achter was gekomen hoe hij met de sneltoets
op de telefoon van zijn grootouders kon bellen.

Ik nam op. 'Ja?'

'Ik kan hem nergens vinden,' zei ma met trillende stem. 'Ik kan Ethan
niet vinden.'

DEEL V

47

Meer dan een kwartier reed Jan in het wilde weg rond. Een paar kilometer rechtdoor, en dan sloeg ze links af. Een paar kilometer verder nam ze een afslag naar rechts. Ze kwam op de snelweg terecht, reed langs twee afritten en ging er toen weer af. Ze hoopte dat hoe meer ze kriskras rondreed, hoe moeilijker het zou zijn om haar te volgen.

En ze had geen zwarte Audi's gezien in haar achteruitkijkspiegeltje. Toen ze op de snelweg zat en ze meer dan anderhalve kilometer achter zich kon kijken en er nog steeds geen spoor van de Audi te bekennen viel, begon ze het gevoel te krijgen dat Oscar Fine haar niet volgde.

Maar dat was niet echt een troost.

Als hij haar één keer had kunnen vinden, dan kon hij dat nog een keer.

Ze moest er voor andere automobilisten die toevallig in de pick-up naar binnen keken als een gekkin uitzien. Met grote ogen, haar haren een massa stijve pieken van de wind die door de open raampjes blies en door de barst in de voorruit. Ze hield het stuur zo stijf mogelijk vast, niet alleen om te sturen maar ook om te verhinderen dat ze zou trillen.

Ze was één grote ramp.

Dwayne was dood, dat kon niet anders. Oscar Fine zou hem nooit levend uit dat souterrain laten ontsnappen.

De vraag was, hoeveel had Dwayne verteld voor hij stierf?

Wist Oscar wie ze was? Wist Oscar wie ze was geweest? Wist hij dat al voor Dwayne binnen kwam stappen om zijn valse diamanten voor zes miljoen in te ruilen?

Denk na, zei ze tegen zichzelf terwijl ze in westelijke richting over de Massachusetts-tolweg reed. Denk na.

Eén ding was glashelder. Banura had hen verraden. Nadat ze hem hun koopwaar hadden laten zien, moest hij Oscar Fine getipt hebben. Maar waarom was Oscar Fine nu, na al die tijd, zo waakzaam? Had hij de afgelopen zes jaar regelmatig met iedereen in de diamanthandel contact gehouden, ze eraan herinnerd dat hij op zoek was naar die waardeloze stenen omdat hij op die manier Dwayne en haar kon opsporen?

Misschien. Maar het was ook mogelijk dat Oscar Fine door iets aangezet was om nu wat energieker te zoeken dan daarvoor.

Had hij een nieuwsuitzending over haar verdwijning gezien? Zelfs als dat zo was, dan werden er foto's in getoond van haar als Jan Harwood. En Jan Harwood leek in geen enkel opzicht op dat meisje dat hem in de limousine de baas was geweest. Maar misschien, als iemand je hand had afgesneden, herinnerde je je nog wat meer dan haarkleur en oogschaduw...

Jan liet het stuur lang genoeg los om er een paar keer met haar vuist op te slaan. Was er ook nog iets wat ze niet verpest had in deze zaak?

Waar moest ze beginnen?

Dat ze er überhaupt ooit aan begonnen was. Dat ze Dwayne Osterhaus erbij gehaald had. Dat ze zo ontzettend stom was geweest dat ze niet wist wat de spullen die ze gestolen hadden waard waren. Dat ze terug was gegaan naar Banura terwijl ze wist dat de deal te mooi was om waar te zijn.

Dat ze was weggelopen van wat ze allemaal gehad had.

Ze keek op het dashboard en zag dat ze bijna geen benzine meer had. Dat was iets praktisch dat ze moest regelen. Ze nam de eerstvolgende afslag, waar zich talloze benzinepompen en fastfoodtenten bevonden. Ze tankte voor dertig dollar, stak de weg over en parkeerde op de parkeerplaats van een McDonald's.

Ze liep langs de counter regelrecht door naar de damestoiletten. Ze rende een hokje binnen en kotste al voor ze de bril omhoog kon doen. Ze legde haar handen tegen de wand van het toilethokje om zich te ondersteunen. Ze zweette en ze was duizelig.

Vervolgens moest ze weer overgeven.

Ze trok de wc door en veegde haar gezicht af met wc-papier. Toen ze zeker wist dat ze niet nog eens hoefde te kotsen deed ze de deur open. Ze liep naar de wasbak en plensde water in haar gezicht. De vrouw die haar dochtertje hielp haar handen te wassen in de wasbak naast haar, keek Jan behoedzaam aan.

Jan wist wat ze dacht: een krankzinnige.

Er waren geen papieren handdoekjes, alleen die vervloekte blowers, en het laatste wat Jan wilde was wel warme lucht op haar gezicht. Dus verliet ze de toiletten en het restaurant terwijl de druppels nog van haar gezicht stroomden.

Ze leunde tegen de bakstenen muur van het restaurant, hield de pick-up en het verkeer in de gaten, steeds op de uitkijk naar een zwarte Audi. Ze bleef daar ruim een half uur staan, alsof ze verlamd was, omdat ze niet wist wat ze nu verder moest doen.

Een medewerker van de McDonald's die vuilnisbakken leeggooide vroeg of hij iets voor haar kon doen. Niet omdat hij echt iets voor haar wilde doen, maar omdat hij wilde dat Jan wegging. Ze ging weer achter het stuur van de pick-up zitten en dacht na.

Er ging een mobieltje af. Jan schrok ervan, ze had geen mobieltje. Toen bedacht ze dat ze er een gestolen had uit de tas van de vrouw bij het benzinestation. Ze stak haar hand in haar tas, vond de telefoon en keek naar het nummer.

Het was toch onmogelijk dat iemand wist dat hij haar op dit mobieltje kon bereiken, of niet?

Maar Dwayne had Banura met dit mobieltje gebeld. Die had het nummer waarschijnlijk opgeslagen.

Ze klapte hem open. 'Hallo?'

'Met wie spreek ik?' vroeg een vrouw. 'Hebt u mijn mobieltje? Ik zoek er al de hele ochtend naar en ik…'

Jan brak het mobieltje doormidden, alsof ze zijn ruggengraat brak, stapte uit en gooide de twee stukken in een vuilnisbak.

Toen ze weer in de pick-up stapte, trilde ze.

En ze dacht na. Ze dacht na over lang geleden. Toen het allemaal begonnen was. Toen ze het dochtertje van de Richlers in de baan van die auto had geduwd.

Dat was toch het moment waarop het begonnen was? Als ze dat niet gedaan had – en god weet dat het nooit haar bedoeling was geweest dat zoiets zou gebeuren – dan hadden haar ouders niet hoeven verhuizen. Dan was het misschien niet misgegaan met het werk van haar vader, dan had hij misschien niet zo'n ontzettende hekel aan haar gehad, en dan was zij er niet zo op gebrand geweest om al vroeg uit huis weg te gaan en iets te beginnen met iemand als Dwayne Osterhaus en dan…

Nee, ze had het meisje Richler niet willen doden. Ze was alleen kwaad geweest, meer niet. Kwaad over iets wat ze gezegd had. Constance Tattinger was jaloers geweest op Jan Richler. Jaloers op de dingen die ze had. Jaloers omdat haar ouders zo dol op haar waren. Gretchen en Horace Richler kochten barbies voor haar, en mooie schoentjes, en op haar verjaardag mocht zij bij de Kentucky Fried Chicken bestellen. Ze hadden zelfs een kettinkje voor hun dochter gekocht, dat eruitzag als een cakeje. Constance had nog nooit zo'n mooie ketting gezien en vanaf het moment dat ze het dingetje voor het eerst zag, had ze het willen hebben.

Op een dag, toen Jan Richler het kettinkje naar school om had en het eventjes afdeed omdat het kriebelde, had Constance Tattinger het uit haar zak gepikt. Jan Richler had haar ogen rood gehuild omdat ze het niet kon vinden en ze raakte ervan overtuigd dat Constance het had gestolen. Twee dagen later zei Jan in de voortuin van de Richlers tegen Constance dat ze dacht dat zij het gedaan had, en Constance had het meisje kwaad van zich af geduwd.

Precies voor de auto.

Al die jaren had de vrouw die de identiteit van Jan Richler zou stelen zich vastgeklampt aan dat kettinkje. Ze was vaak in de verleiding geweest om het weg te gooien, maar dat had ze nooit over haar hart kunnen verkrijgen. Niet dat ze van het sieraad hield. Verre van dat. Het herinnerde haar aan iets verschrikkelijks wat ze gedaan had. Het symboliseerde niet alleen het moment waarop het leven van Jan Richler geëindigd was, maar ook het moment waarop Constance Tattingers leven voor altijd veranderde.

Ze werd van school gehaald. Haar ouders verhuisden. Haar vader ontwikkelde een wrok tegen haar die nooit meer zou overgaan.

De dag dat ze dat kettinkje stal was de dag waarop werd bepaald dat zij op haar zeventiende uit huis zou gaan en nooit meer contact zou opnemen met haar ouders. Soms vroeg ze zich wel eens af wat er van hen geworden was. En dan besefte ze dat het haar eigenlijk weinig kon schelen.

Ze klampte zich aan het kettinkje vast om wat het vertegenwoordigde. Een bepalend moment in haar leven, ook al was het een slecht moment geweest.

Op een dag had Ethan het in haar sieradenkistje zien liggen en hij had gevraagd of hij het mocht hebben – cakejes waren zijn lievelingssnack – en zijn moeder had nee gezegd, het was niet iets voor een jongetje, en toen had hij gezeurd dat zij het moest omdoen bij hun tripje naar Chicago.

Ze had het die dag gedragen, en daarna nooit meer.

Ze dacht over al deze dingen na, over haar leven, over Ethan, over David, terwijl ze daar in die pick-up zat. Ze dacht aan het leven dat ze met hen gehad had en…

Concentreer je.

De vrouw die bekendstond als Jan schudde even haar hoofd. Er zou later nog tijd genoeg zijn om in zelfmedelijden te zwelgen, zich er in onder te dompelen als in een warm bad. Er zat haar iets dwars. Iets wat geen uitstel duldde.

Ze had alle reden om aan te nemen dat Oscar Fine wist dat ze de afgelopen jaren onder de naam Jan Harwood had geleefd. Dit kon hij van Dwayne gehoord hebben, of hij had het zelf afgeleid uit de nieuwsberichten over haar verdwijning.

Als hij wist dat ze Jan Harwood was, dan zou hij binnen de kortste keren weten waar ze vandaan kwam. Als zij Oscar Fine was, hield ze zichzelf voor, zou ze dan niet eerst eens in Promise Falls langsgaan?

Ze stak haar hand uit naar de zitting van de stoel naast haar, op zoek naar de foto van Ethan die ze nog maar een paar uur eerder uit haar tas had gehaald. Hij was er niet meer.

Jan stak het sleuteltje in het contact en startte de motor. Zonder dat ze het beseft had, was ze al in de richting gereden van de plek die ze de afgelopen vijf jaar haar thuis had genoemd.

Ze moest terug. En ze moest er zijn voordat Oscar Fine er was.

Ze stopte niet meer op weg naar Promise Falls, zelfs niet toen ze om Albany heen reed en zag dat ze minder dan een kwart tank benzine had. Ze voelde dat ze het kon halen.

Ze vroeg zich af waar Ethan zou zijn. Het leek logisch – gezien de benarde toestand waarin ze David had achtergelaten – dat hun zoon niet bij hen thuis zou zijn. David zou, als hij niet al daadwerkelijk gearresteerd zou zijn, op het politiebureau zitten, of bij een advocaat, of hij reed als een gek de halve wereld rond om haar te vinden.

Jan lachte bijna hardop toen het haar inviel: kon ik hier maar met David over praten.

Ze wist dat dat onmogelijk was. Er was geen plek voor vergeving, ook al hoefde ze alleen maar een politiebureau binnen te wandelen om hem vrijuit te laten gaan. De dingen die zij gedaan had... dat liet je niet zomaar achter je om opnieuw te beginnen. Misschien zou er op een goede dag bewijsmateriaal boven water komen waardoor hij vrijuit ging. Dat moest dan maar.

Tegen die tijd zouden Ethan en zij allang verdwenen zijn.

Ethan was haar zoon. Ze zou uit dit alles tenminste één ding overhouden dat van haar was.

Hij was waarschijnlijk bij zijn opa en oma.

Ze zou daar eerst langsgaan.

48

Barry Duckworth reed laat in de middag terug uit Albany. Hij naderde Promise Falls toen zijn mobiele telefoon overging.

Zijn laatste stop was een Exxon-pompstation ten noorden van de stad geweest, waar degene die met Lyall Kowalski's Ford Explorer reed – en Duckworth wist bij god niet of dat nu diens vrouw Leanne was geweest of iemand anders – getankt had. Het bonnetje dat in de SUV was gevonden gaf aan dat er cash betaald was voor de benzine, en dat leek te kloppen, omdat Lyall Kowalski tegen Duckworth had gezegd dat de betaalpasjes van de Kowalski's geblokkeerd waren.

Bij het benzinestation had hij een foto van Leanne laten zien aan de pompbedienden die er de bewuste middag gewerkt hadden, maar niemand herinnerde zich Leanne Kowalski of de Explorer, terwijl ze wel binnen moest zijn geweest om te betalen. Het verbaasde Duckworth niet. Er kwamen hier elke dag honderden klanten, dus was de kans dat iemand zich Leanne zou herinneren klein. Duckworth wist van het bonnetje hoe laat er voor de benzine betaald was, maar de tape van de bewakingscamera leverde voor dat tijdstip geen beelden. De apparatuur was stuk.

Voor de zekerheid liet hij het personeel foto's zien van Jan Harwood en David Harwood. Ook dat leverde niets op.

Dus stapte hij weer in zijn auto en begon aan de rit naar huis. Onderweg kon hij mooi nadenken.

Vanaf het begin had hij David Harwood in de rol van moordenaar gezien. Je kijkt sowieso altijd eerst naar de echtgenoot. En er waren zo veel dingen in zijn verhaal die niet klopten. Die zogenaamde depressie van zijn vrouw, daar klopte geen hout van. Het kaartje dat nooit gekocht was. En dan de verklaring van Ted, de eigenaar van de winkel in Lake George. En als je het motief wilde weten: de levensverzekering van driehonderdduizend dollar. Precies een appeltje voor de dorst dat een vent die bij een krant werkte – of waar dan ook, vandaag de dag – graag achter de hand zou hebben.

Het leek er bijzonder veel op dat Harwood zijn vrouw meegenomen had naar Lake George en haar daar had vermoord. Tenslotte had niemand haar sinds dat tripje gezien, als je het jongetje, Ethan, tenminste buiten beschouwing liet. Maar Duckworth werd geplaagd door twijfel over zijn theorie sinds de ontdekking van het lijk van Leanne Kowalski. Vanaf het moment dat David Harwood in dat ondiepe graf had gekeken en haar daar had zien liggen. Duckworth had hem nauwlettend in de gaten gehouden om te zien hoe hij reageerde.

Duckworth had niet voorzien wat hij toen zag: oprechte verbazing.

Als David Harwood die vrouw vermoord had en haar daar had begraven, dan was hij ongetwijfeld in staat geweest om net te doen of hij schrok. Hij zou net gedaan hebben of hij er volkomen kapot van was. Hij had er wellicht wat tranen uit geperst, veel mensen konden dat. Allemaal dingen die een ervaren politieman kon verwachten.

Maar waarom had Harwood zo verbaasd gekeken?

Het was een dikke seconde op het gezicht van de man te lezen geweest. Zijn ogen werden groot. Hij keek nog eens of hij het goed zag. Het was onmiskenbaar. Leanne Kowalski's lichaam was niet het lichaam dat hij verwacht had te zien, waarop hij zich voorbereid had.

Deze gebeurtenis had Barry Duckworth een aantal dingen duidelijk gemaakt. Harwood was niet de moordenaar van Kowalski. En het was ook niet erg waarschijnlijk dat hij zijn vrouw vermoord had.

Als Harwood Jan Harwood gedood had en haar lichaam ergens anders had gedumpt, dan had hij niet zo verrast gekeken. Hij zou geweten hebben dat hij iemand anders dan zijn echtgenote te zien zou krijgen. En als hij Kowalski vermoord had en hij wist dat ze daar zou liggen, dan had hij verbazing kunnen veinzen. Maar meer zou het niet geweest zijn: gespeelde verbazing. Duckworth had iets gezien wat echt was.

En dan had je die Explorer nog.

Harwood had tussen de rit met zijn vrouw naar Lake George en het uitstapje naar Five Mountains de volgende dag wellicht de tijd gehad om Leanne Kowalski te vermoorden, maar Duckworth kon met geen mogelijkheid bedenken hoe die Explorer dan onder aan die heuvel in Albany terecht was gekomen. Wanneer had Harwood hem daar kunnen dumpen? Hoe had hij dat in zijn eentje kunnen doen? Zou er niet één iemand nodig zijn geweest om in de Explorer te rijden terwijl een ander in de auto reed waarmee je terug kon gaan naar Promise Falls?

Duckworth zag Harwood steeds minder zitten als moordenaar. Misschien zat er toch iets in de bewering van de journalist dat zijn vrouw een nieuwe naam had aangenomen, van identiteit was verwisseld. Het was hem eerst bijzonder vergezocht voorgekomen, maar nu voelde hij zich toch verplicht het na te trekken. Hij moest de naam weer even opzoeken van die mensen bij wie Harwood in Rochester langs was geweest. Eens horen wat die te vertellen hadden.

Er ontwikkelde zich een nieuw gevoel in wat Natalie Bondurant zo onaangenaam zijn 'dikke pens' had genoemd.

En toen ging zijn mobiele telefoon over.

'Duckworth.'

'Ja, Barry, met Glen.'

Glen Dougherty. Barry's chef. Hoofd van politie van Promise Falls.

'Hé, Glen,' zei hij.

'Ik zou je normaal hier niet over bellen, maar ik heb net wat resultaten van het lab doorgekregen en ik vroeg me af of jij die al had.'

'Ik zit op de weg.'

'Die verdwijning van Jan Harwood. Die zaak doe jij toch?'

'Daar ben ik mee bezig, ja.'

'Je hebt wat haren en bloed laten testen die je in de kofferbak van de auto van haar man hebt gevonden.'

'Klopt.'

'De resultaten zijn binnen. Ze matchen allebei met het DNA van de vermiste vrouw, gebaseerd op het DNA-materiaal dat je bij die huiszoeking hebt verkregen.'

'Oké.'

'Ik denk dat je nu moet handelen,' zei zijn chef. 'Het ziet ernaar uit dat die sukkel haar in zijn kofferbak heeft vervoerd.'

'Misschien,' zei Duckworth.

'Misschien?'

'Een aantal dingetjes aan deze zaak bevalt me niet,' zei Duckworth.

'Volgens mij heb je die klootzak te pakken. Tijd om hem weer naar het bureau te halen en hem het vuur na aan de schenen te leggen. Als je hem deze resultaten vertelt, dan breekt hij.'

'Ik kan hem wel weer naar het bureau halen, maar ik ben niet zeker van m'n zaak.'

'Hoor eens, Barry, ik ga jou niet vertellen wat je moet doen. Maar ik wil je wel het volgende zeggen. Ik sta zwaar onder druk over deze zaak. Die verschrikkelijke lui van het pretpark, het toeristenbureau, en de burgemeester.

En ook nog die laffe Reeves. God, wat heb ik de pest aan die vent. Waar het op neerkomt, is dat Five Mountains een heleboel geld genereert, niet alleen voor Five Mountains maar voor de hele omgeving. Als mensen beginnen te denken dat daar iemand rondloopt die je kind steelt, dan blijven ze weg. En zo te horen heeft die vent dat hele verhaal over z'n kind dat daar is ontvoerd gewoon uit zijn duim gezogen. Luister je wel?'

'Absoluut,' zei Duckworth.

'Als ik jou was, dan haalde ik hem weer naar het bureau.'

'Hij heeft Natalie Bondurant ingeschakeld.'

'Nou, dan laat je haar ook komen. Als ze ziet wat je allemaal aan bewijzen tegen haar cliënt hebt, dan zal ze hem misschien adviseren tot een vergelijk te komen.'

'Begrepen,' zei Duckworth. 'Ik...'

Maar zijn superieur had al opgehangen.

Duckworth kreeg een nieuwe gedachte, en die beviel hem helemaal niet.

49

Pa en ik reden zo snel mogelijk in twee auto's naar huis. Ma stond op de veranda op ons te wachten en ze rende naar de oprit toen we parkeerden.

Ze stond al bij mijn portier toen ik uitstapte.

'Ik kan hem nog steeds nergens…'

'Begin bij het begin,' zei ik toen pa uit de andere auto stapte en naar ons toe liep.

Ma nam even de tijd om op adem te komen. 'Hij heeft de hele dag steeds in de achtertuin gespeeld. Met het croquetspel. Hij sloeg de bal in de rondte.'

'Oké,' zei ik.

'Ik was bezig in de keuken en met wat andere klusjes in huis, en ik ging om de paar minuten even buiten naar hem kijken, maar ik hoorde natuurlijk steeds die bal, beng, beng, beng, dus ik wist wat hij deed. En opeens besefte ik dat ik dat geluid al een tijdje niet gehoord had en dat ik hem ook niet had horen binnenkomen. Dus toen ben ik naar buiten gegaan om te kijken of hij geen dingen deed die niet mogen, bijvoorbeeld met gereedschap uit de garage van je vader. En toen kon ik hem niet vinden.'

'Pa,' zei ik. 'Bel de politie.'

Hij knikte en liep naar het huis.

Ma greep me bij mijn schouders beet. 'Ik vind het zo erg, David. Ik vind het zo erg, ik vind het zo…'

'Ma, het is goed. Laten we…'

'Ik zweer dat ik op hem lette. Ik heb hem maar eventjes uit het oog verloren. Hij was…'

'Ma, we moeten nu gewoon zoeken. Ben je al bij de buren geweest?'

'Nee, nee. Ik heb alleen hier overal gezocht. Ik dacht dat hij zich misschien verstopt had in huis, onder het bed of zo, dat hij een grap met me wilde uithalen. Maar ik kan hem nergens vinden.'

Ik wees naar de buurhuizen en de huizen aan de overkant. 'Begin jij met de buren, dan check ik nog een keer het hele huis. Vooruit.'

Ma draaide zich om en rende naar de linkerburen terwijl ik de treden van de veranda op rende en het huis binnenging.

'Hij heet Ethan Harwood,' hoorde ik pa in de telefoon zeggen. 'En hij is vier jaar.'

Ik riep: 'Ethan! Ethan, ben je hier?'

Ik rende eerst naar het souterrain, keek achter de verwarmingsketel, haalde het luik weg voor de bergruimte onder de trap. Een jongetje van vier kan zich op heel veel plekken verstoppen. Ik wist nog dat toen ik zo oud was als Ethan, ik de koffers van mijn ouders wel eens pakte en me in een ervan opvouwde. Een keer was het slot dichtgesprongen, maar ma had me horen gillen voor ik geen lucht meer kreeg.

Daarom pakte ik de grote koffers – een andere set dan al die jaren geleden – van onder de trap en schudde eraan.

Toen ik zeker wist dat Ethan niet in een koffer zat, of ergens anders in het souterrain, ging ik weer naar boven. Ik keek pa aan toen ik de keuken binnenstapte. Hij was klaar met telefoneren.

'Ze zeiden dat ze over een tijdje een auto zouden sturen,' zei hij.

'Over een tijdje?' zei ik. 'Dan pas?'

Pa was helemaal overstuur. 'Dat zeiden ze. Ze vroegen hoe lang hij al weg was en toen ik zei dat het minder dan een uur was leken ze er weinig meer aan te vinden.'

Ik schoof pa opzij en greep de telefoon. Hij was nog warm. Ik toetste 911 in.

'Hoor eens,' zei ik toen ik de coördinator te pakken had die met mijn vader gesproken had. 'We hebben niks aan een auto die over een tijdje langskomt om te helpen mijn zoontje te zoeken. We hebben verdomme nu meteen iemand nodig.' En ik zette de telefoon met een klap neer.

Tegen mijn vader zei ik: 'Ga ma helpen. De buren langs.'

Voor de tweede keer binnen een paar minuten draaide pa zich om en deed wat ik hem gezegd had.

Ik rende naar boven en trok kasten open, keek onder de bedden. Er was een luik waardoor je op zolder kon komen, maar zelfs met een stoel zou Ethan daar met geen mogelijkheid bij kunnen.

'Ethan!' riep ik. 'Als je je ergens verstopt, dan moet je meteen tevoorschijn komen, anders zwaait er wat.'

Niets.

Tegen de tijd dat ik door de voordeur naar buiten ging, stonden er een stuk of tien buren op straat. Mijn ouders hadden iedereen gealarmeerd. De mensen vroegen aan elkaar wat er aan de hand was en of ze konden helpen.

'Mensen!' riep ik. 'Mensen, alstublieft, wilt u even naar me luisteren?'

Ze hielden op met kletsen en keken naar mij.

'Mijn zoontje Ethan hebben jullie de afgelopen jaren waarschijnlijk regelmatig hier gezien. We kunnen hem niet vinden. Hij speelde in de achtertuin van mijn ouders en nu is hij weg. Willen jullie alsjeblieft allemaal bij jullie thuis kijken en in de achtertuin, of in de garage? En willen degenen met een vijver – God sta ons bij – daar eerst kijken?'

Mijn moeder zag eruit alsof ze elk moment van haar stokje kon gaan.

Sommigen begonnen te knikken, alsof ze wilden zeggen 'Ja, dat is een goed idee', maar ze maakten niet veel haast.

'Nu!' riep ik.

Ze begonnen zich te verspreiden, behalve een man van halverwege de twintig, een lange maar slome sukkel met een baard van een paar dagen en een pet. Hij zei: 'Wat heb je nou weer uitgehaald, Harwood? Was het niet genoeg om je vrouw af te maken? Moest je het kind ook kwijt?'

Er knapte iets.

Ik stormde op hem af, greep hem om zijn middel en werkte hem tegen de grond in een voortuin. De buren die al wegliepen om naar Ethan te zoeken, bleven staan om de voorstelling te zien. Ik ging op de man zitten, haalde uit en raakte zijn mondhoek. Die bloedde meteen.

'Klootzak!' zei ik. 'Schoft.'

Voor ik nog een keer kon uithalen, had pa zijn armen van achteren om me heen geslagen. 'Jongen,' riep hij. 'Uitscheiden.'

'Lul,' zei de man met de pet. Hij rolde op zijn zij en voelde aan zijn mond.

Pa riep tegen iedereen: 'Alsjeblieft, ga op zoek naar Ethan.' Toen hij mij van de man af had getrokken boog hij zich over hem heen en zei: 'En nou opgesodemieterd, voor ik in de verleiding kom je zelf een pak slaag te geven.'

De man stond op, klopte het stof van zich af en wilde weglopen, maar eerst keek hij me aan en zei: 'Pas maar op, Harwood. Ze krijgen je wel te pakken.'

Ik draaide me om, mijn gezicht gloeiend heet. Pa kwam naast me staan. 'Alles goed?'

Ik knikte. 'We moeten verder zoeken.'

Pa en ik gingen toch in de achtertuin en de garage kijken, al had ma gezegd dat zij dat al gedaan had. De boogjes van het croquetspel waren op willekeurige plekken in het gras gezet en de gestreepte houten ballen lagen her en der. Er lag een hamer op het gras. Ik liep ernaartoe en pakte hem op alsof het ding me iets zou kunnen vertellen, en liet hem toen weer vallen.

'Ethan!' riep ik. Het begon al te schemeren. 'Ethan!'

Links om de hoek aan het eind van de straat van mijn ouders was een 7-Eleven. Zou het kunnen dat Ethan daar in zijn eentje naartoe was gelopen om een pakje van zijn favoriete cakejes te kopen? Had hij überhaupt geld op zak?

Ik begon te rennen. Pa riep: 'Waar ga je naartoe?'

'Ik ben zo terug.'

Rennend was ik binnen een minuut bij de winkel. Ik stormde zo hard naar binnen dat de jongen achter de toonbank gedacht moest hebben dat het een overval was.

Buiten adem vroeg ik of er het afgelopen uur nog een jongetje in de winkel was geweest, helemaal alleen, om een pakje cakejes te kopen. De man schudde zijn hoofd. Hij zei: 'Er is wel een vrouw geweest die cakejes heeft gekocht, maar geen kind.'

Ik rende terug naar het huis van mijn ouders. Ze stonden allebei buiten voor de voordeur.

'Nieuws?' vroeg ik.

Ze schudden beiden hun hoofd.

'Waar kan hij naartoe zijn?' vroeg pa. 'Waar kan hij volgens jou naartoe zijn?'

'Zou hij naar jullie huis zijn gegaan?' vroeg ma.

Ik keek haar aan. 'Shit!'zei ik. 'Geweldig! Hij vroeg me steeds of hij naar huis mocht. Misschien heeft hij gewoon besloten ernaartoe te lopen.' Ik herinnerde me nog dat hij de deur uit was gestormd en gedreigd had dat te doen.

Hoewel hij nog maar vier was, had Ethan al blijk gegeven van een goed richtinggevoel. Elke keer als ik niet de snelste weg naar het huis van mijn ouders had genomen, had hij me vanuit zijn stoeltje achterin terechtgewezen. Hij was waarschijnlijk wel in staat de weg naar ons huis te vinden, al was het een paar kilometer verderop. En de gedachte dat hij al die straten in zijn eentje overstak…

'We moeten de hele weg natrekken,' zei ik.

'We hebben hem niet gezien toen we hiernaartoe reden,' zei pa.

'Maar toen letten we er ook niet op,' zei ik. 'We hadden zo'n haast om hier te komen dat we hem misschien niet gezien hebben.'

Ik had de sleutels van de auto van mijn vader al in mijn hand en liep ernaartoe, toen een burgerpolitieauto de straat in kwam rijden.

'Mooi,' zei ik. 'Daar hebben we de politie.'

De auto stopte bij de stoeprand, voor de oprit van mijn ouders, en Barry Duckworth stapte uit, zijn ogen strak op mij gevestigd.

'Hebben ze ú gestuurd?' zei ik tegen hem. 'Ik zou toch denken dat ze een gewone politieauto zouden sturen, met geüniformeerde agenten. Maar goed, wat maakt mij het uit.'

'Wat?' zei hij.

'Bent u hier niet voor Ethan?'

'Wat is er met Ethan?' vroeg hij.

De moed zonk me in de schoenen. Dit waren dus toch niet de hulptroepen. 'Hij is weg,' zei ik.

'Sinds wanneer?'

'Een uurtje of zo.'

'Hebt u het gemeld?'

'Mijn vader heeft gebeld. Hoor eens, u moet uw auto even wegzetten. Misschien is hij wel naar ons eigen huis gegaan.'

Duckworth maakte geen aanstalten zijn auto te verplaatsen. 'We moeten praten,' zei hij.

'Wat?' Ik dacht dat hij nieuws had over Jan. Of misschien zelfs over Ethan. 'Wat is er? Wat is er gebeurd?'

'Niets, maar u moet met me meekomen. Ik wil nog het een en ander met u bespreken.' Hij zweeg even. 'Misschien wilt u uw advocaat er wel bij hebben.'

Mijn mond viel open. 'Luistert u wel? Mijn zoontje is weg! Ik ga hem zoeken. Ik ga Ethan zoeken.'

'Nee,' zei Duckworth. 'Dat gaat niet gebeuren.'

50

Mijn eerste aandrang was te gaan schreeuwen, maar ik wist dat als ik te heftig reageerde, Barry Duckworth me binnen een paar seconden tegen de grond zou hebben gewerkt en me in de boeien zou hebben geslagen. Dus probeerde ik mijn stem rustig te laten klinken.

'Meneer Duckworth, ik vrees dat u het niet begrijpt,' zei ik. 'Ethan loopt misschien ergens in zijn eentje rond, hij probeert van de ene kant van de stad naar de andere te komen, hij steekt straten over terwijl hij daar nog niet oud genoeg voor is. Hij is verdomme vier!'

Duckworth knikte, waardoor ik hoop kreeg dat hij het werkelijk begreep. 'Hebt u het huis al doorzocht, de achtertuin...?'

'We hebben overal gezocht. De buren zijn nu bij hen thuis aan het kijken. Maar misschien is hij wel op weg naar ons huis, dat moet ik controleren.'

'Als mijn collega's hier zijn, dan kunnen ze een systematische zoektocht beginnen,' zei Duckworth. 'Ze geven het door aan patrouillewagens, iedereen zal naar uw zoontje uitkijken. Mijn collega's zijn hier heel goed in.'

'Ongetwijfeld. Maar het is mijn kind en als u nou die kloteauto van u wegzet, dan ga ik hem zelf zoeken.'

Duckworth klemde zijn kaken op elkaar. 'Ik moet u meenemen naar het bureau, meneer Harwood.'

De lucht om ons heen was geladen, alsof het elk moment kon gaan onweren. 'Het komt me nu niet uit,' zei ik.

'Dat begrijp ik,' zei de politieman. 'Maar dit is mijn opdracht.'

'Arresteert u me?' vroeg ik.

'Ik heb opdracht gekregen u mee te nemen naar het bureau om u verder te ondervragen. Ik stel voor dat u Natalie Bondurant belt. Die kan dan ook naar het bureau komen.'

'Ik ga niet,' zei ik.

'U hebt geen keus,' zei Duckworth vastberaden.

'Kom op, zeg,' zei pa. Ma en hij stonden vlak achter me. 'Waar bent u mee bezig? Laat hem Ethan gaan zoeken.'

'Het spijt me, meneer, dit zijn uw zaken niet,' zei Duckworth.

'Gaat het mij niet aan?' zei pa, de woede zwol aan in zijn stem. 'We hebben het hier wel over mijn kleinzoon, hoor. Durft u mij te vertellen dat mij dat niet aangaat?'

Duckworth knipperde met zijn ogen. Het eerste teken dat het tot hem doordrong dat dit allemaal niet zo gladjes zou verlopen.

'Zoals ik net al zei, meneer, kunnen mijn collega's hem zoeken als ze hier zijn.'

Pa hief zijn armen in machteloze woede omhoog. 'Ziet u ze hier, dan? Hoe lang moeten we nog wachten? Wat als Ethan op dit moment in de problemen zit? Moet mijn zoon uw stomme vragen gaan zitten beantwoorden terwijl zijn kind in de problemen zit? Wat is er in godsnaam zo belangrijk dat u dat nu, op dit moment, met hem moet bespreken?'

Duckworth slikte. Hij keek pa niet aan maar richtte zich tot mij. 'Meneer Harwood, er zijn ontwikkelingen rond de verdwijning van uw vrouw en die moet ik met u doornemen.'

'Wat voor ontwikkelingen?'

'Daar kunnen we het op het bureau over hebben.'

Ik was geen moment van plan om mee te gaan naar het bureau. Ik had het gevoel dat als Duckworth me daar eenmaal had, het nog wel een hele tijd zou duren voor ik er weer weg kwam.

'Hé!' riep iemand aan de overkant van de straat.

We keken allemaal op. Het was de vent met de pet, die ik op zijn bek had geslagen. Er zat nog bloed op zijn kin.

'Hé!' riep hij nog een keer, en hij keek in Duckworths richting. 'Bent u van de politie?'

'Ja,' zei de politieman.

'Die klootzak heeft me aangevallen,' zei hij, en hij wees op mij.

Duckworth keek me met zijn hoofd schuin aan.

'Dat klopt,' zei ik. 'We vroegen alle buren om ons te helpen zoeken naar Ethan en hij... hij beschuldigde me ervan dat ik mijn zoon vermoord had. En mijn vrouw ook. Toen sloegen de stoppen door.'

Duckworth draaide zich weer om en zei tegen de man: 'Straks is er hier wel een agent die uw verklaring zal opnemen.'

'Krijg de klere,' riep de man. Hij stak de straat over. 'U moet hem meteen in de boeien slaan. Ik heb getuigen, hoor!'

Zelfs terwijl Duckworth erbij stond, was de jongen bereid weer opnieuw met mij te beginnen. Hij kwam met een wijzende vinger op me af, hij was nu zo dichtbij dat hij me in mijn schouder kon prikken. Ik had het daarnet niet opgemerkt, maar nu rook ik een dranklucht.

Duckworth trok de arm van de man snel naar beneden en zei met stemverheffing: 'Meneer, gaat u daar maar rustig staan en wacht op mijn collega's. Die zullen graag uw verklaring willen opnemen.'

'Ik heb die vent op het nieuws gezien,' zei hij. 'Hij heeft zijn vrouw vermoord. Waarom zit hij niet opgesloten? Hè? Als jullie je werk goed zouden doen, dan zou die vent niet vrij rondlopen en mensen als ik aanvallen.'

Duckworth had geen andere keus dan zich om te draaien en zich met de man bezig te houden. 'Hoe heet u?'

'Axel. Axel Smight.'

'En hoeveel hebt u vandaag gedronken, meneer Smight?'

'Huh?' Hij keek beledigd.

'Hoeveel hebt u gedronken?'

'Een paar glaasjes. Waar slaat dat trouwens op? Als ik een beetje gedronken heb, heb ik dan geen recht op politiebescherming?'

'Meneer Smight, ik zeg dit nog één keer. Gaat u daar maar staan en wacht u op mijn collega's.'

'Gaat u hem niet arresteren? Waar wacht u nog op? Ik zeg u, die vent heeft me aangevallen.' Hij raakte zijn bebloede kin aan. 'Wat denkt u dat dit is?' Hij schreeuwde nu. 'Aardbeienmilkshake? Dic klootzak heeft me op m'n mond geslagen.'

Duckworth duwde zijn jasje opzij zodat een stel handboeien aan zijn riem zichtbaar werd.

'Aha!' zei Axel Smight. 'Dat lijkt er meer op. Sla hem in de boeien!'

Duckworth greep met meer behendigheid en snelheid dan je van zo'n dikke man zou verwachten Smight beet, draaide hem om en duwde hem op de motorkap van de politieauto. Hij draaide Smights linkerarm achter zijn rug, klapte een handboei om zijn pols en greep toen zijn rechterhand om daar hetzelfde mee te doen.

Ik bleef niet staan kijken hoe het afliep. Ik rende naar pa's auto, stak het sleuteltje in het contact en zette de motor aan. Als ik over het gras reed, was er waarschijnlijk net genoeg ruimte om langs Duckworths auto te komen.

'Meneer Harwood!' riep Duckworth terwijl hij de tegenspartelende Axel Smight op de motorkap gedrukt probeerde te houden. 'Stop!'

Ik zette de auto in zijn achteruit, trapte het gaspedaal in, en raakte bij het achteruitrijden de voorbumper van Duckworths auto. Ik hoorde hem langs de hele zijkant van pa's auto schrapen.

'Jij stomme klootzak!' riep Duckworth.

Ik wist niet wat hij daarmee bedoelde, maar ik was niet van plan langer te blijven om het hem te vragen. Ik reed achteruit de straat op, stopte met piepende remmen, zette de auto in de versnelling en racete weg.

Normaal gesproken zou je geneigd zijn hard te blijven rijden als je van een dergelijke toestand wegvlucht, maar ik minderde vaart zodra ik de hoek om was en keek steeds naar links en naar rechts, op zoek naar een spoor van Ethan.

'Kom op,' fluisterde ik zachtjes. 'Waar zit je?'

Het was lastig om beide stoepen en het verkeer vóór me tegelijk in de gaten te houden en ik moest een paar keer stevig op de rem trappen om niet tegen de auto voor me te botsen. Ik sloeg net mijn straat in, toen mijn mobieltje overging. Ik zette de auto langs de stoeprand en stapte uit terwijl ik de telefoon tegen mijn oor drukte.

'Ja?'

'Dave, met Sam.'

'Hoi,' zei ik.

'Waar zit je? Je klinkt nogal buiten adem.'

'Ik heb het druk, Sam.'

'Je moet naar de krant komen,' zei ze.

'Dat kan niet,' zei ik. Ik liep langs ons huis. Ethan had geen sleutel. Niet voor zover ik wist, maar hij had natuurlijk onze reservesleutel kunnen pakken die bij mijn ouders aan een spijker hing.

'Het is echt belangrijk,' drong Samantha Henry aan.

Ik stond in de achtertuin en schreeuwde: 'Ethan!'

'Shit,' zei Sam. 'Dat was mijn trommelvlies.'

Ik deed met mijn sleutel de achterdeur open en hoewel ik niet verwachtte dat Ethan in huis zou zijn, riep ik toch zijn naam.

Het bleef stil in huis.

'Dave?' vroeg Sam. 'Dave, luister je wel?'

'Ja,' zei ik.

'Je moet naar de krant komen.'

'Dit is het verkeerde moment, Sam. Waar gaat het over?'

'Elmont Sebastian,' zei ze. 'Hij is hier. Hij wil je spreken.'

Ik voelde een koude rilling over mijn rug lopen. Ik moest denken aan het verhaal over het gevangen lid van de Arische Broederschap wiens geni-taliën hij met een stroomstok bewerkt had. De man die Buddy werd ge-noemd. De man die Sebastian aan het huilen had gemaakt toen hij door liet schemeren dat zijn zesjarige zoontje wel eens wat kon overkomen als hij het spel niet volgens Sebastians regels speelde.

DEEL VI

51

Het werd al donker toen ik de parkeerplaats van de *Standard* van Promise Falls op reed. Ik zag de limousine van Elmont Sebastian aan de andere kant van de parkeerplaats staan, bij de deuren naar de productiehal van de krant, de drukkerij waar de persen stonden. Er was niemand te zien.

Ik parkeerde een eindje van de limousine af en stapte uit. Terwijl ik dat deed stapte Welland ook uit en wenkte me om achterin in te stappen.

'Nee, dank je wel,' zei ik. Hij deed toch het portier open. Ik verwachtte Sebastian te zien, en die was er ook, maar naast hem zat Samantha Henry. Zo te zien had ze gehuild.

Ze schoof opzij, stapte uit de auto en zei tegen mij: 'Het spijt me heel erg.'

'Wat spijt je?'

'Ik... ik heb het voor m'n kind gedaan.'

'Waar heb je het over?'

'Moet ik je nog vertellen dat het moeilijke tijden zijn? De rekeningen moeten betaald worden. Ik moet een kind onderhouden. Ik weet dat het verkeerd was, David, maar wat had ik anders moeten doen? Vertel me dat eens! En de journalistiek is sowieso waardeloos. Er zit geen toekomst in. Nog even en dan zitten we allemaal zonder werk. Ik zorg voor mezelf en mijn kind, zolang dat nog kan. Meneer Sebastian heeft me een baan aangeboden bij Star Spangled Corrections.'

'Moet je persberichten schrijven, of word je cipier?' vroeg ik. Van mijn bron had ik begrepen dat het voor vrouwen niet prettig werken was bij Sebastians imperium.

'Assistent-pr-medewerker,' zei ze, en ze probeerde, zonder succes overigens, haar hoofd hoog te houden.

'Jij was het dus,' zei ik. 'Jij hebt die e-mail gezien voor ik hem gewist had.' Zij had de gelegenheid gehad. Toen die anonieme e-mail binnenkwam was ik koffie gaan drinken voor ik besloot hem te wissen. 'Jij bent achter mijn computer gekropen en je hebt alles aan Sebastian verteld.'

'Ik zei toch dat het me speet,' zei ze. 'En ik heb hem ook verteld dat jij op zoek bent naar ene Constance Tattinger. Dat zij waarschijnlijk degene is die jou dat lijstje heeft gestuurd. Daar wil hij met je over praten.' Ze draaide zich om, liep naar haar auto, stapte in en reed weg.

Mijn gezicht voelde warm aan.

'Stap in,' zei Sebastian. Hij klopte op de leren bank. 'Als je me hiermee helpt, dan heb ik misschien ook nog wel een plekje voor jou. Wellicht niet bij Publiciteit. Dat heb ik al aan mevrouw Henry beloofd, en ik ben een man van mijn woord. Maar je zou uitstekend geschikt zijn om onze businessplans op schrift te stellen. Je voert een heel aardige pen.'

'Hebt u mijn zoon?' vroeg ik.

Een spiertje bij Sebastians oog trilde. 'Wat zeg je?'

'Als u hem hebt, zeg me dat dan. Als u iets in ruil wilt, zeg dat dan. U hebt alle troeven in handen, ik zal u alles vertellen wat ik weet.' Ik ging in de auto zitten, maar ik hield het portier open en zette één voet op het asfalt van de parkeerplaats.

'Vooruit dan maar,' zei hij. 'Vertel me over Constance Tattinger. Je hebt mevrouw Henry gevraagd die naam na te trekken. Is dat je bron? Ik begrijp er niets van, want ik heb nog nooit van haar gehoord. Er werkt niemand voor mij of in het stadhuis van Promise Falls die zo heet.'

'Ze is geen bron,' zei ik. 'Constance Tattinger is, voor zover ik weet, mijn vrouw.'

Sebastian kneep zijn ogen samen. 'Ik snap er niets van. Hoe komt je vrouw nou aan een lijstje namen van mensen...'

'Dat had ze ook helemaal niet. Ik had Sam over twee verschillende dingen gebeld. Ik neem aan dat zij dacht dat ze iets met elkaar te maken hadden.'

Sebastian leunde op de leren bank naar achteren en zuchtte. 'Ik moet toegeven dat ik er weinig van begrijp. Ik dacht dat je vrouw Jan heette.'

'Ze gebruikte de naam Jan Richler toen ik haar leerde kennen. Maar ik denk dat ze als Constance Tattinger geboren is. Ik probeer zo veel mogelijk te weten te komen over die persoon, omdat ik hoop dat ik haar op die manier weer kan vinden. Ik ben er tamelijk zeker van dat zij die afspraak bij Lake George geregeld heeft. Het was een val.'

Elmont Sebastian keek alsof hij zware hoofdpijn kreeg. 'Dus je vrouw is niet de bron, maar je denkt dat zij degene is die die e-mail heeft gestuurd waarin ze zegt dat ze een hele hoop informatie over mijn bedrijf heeft?'

'Ja.'

'Maar waarom zou ze dat in godsnaam doen?' vroeg Sebastian.

'Dat doet er niet toe,' zei ik. 'Dat heeft verder niets met u te maken. Ze weet helemaal niets over uw bedrijf of uw poging om de raadsleden om te kopen. Maar nu, hoe zit het met mijn zoon?'

'Ik weet helemaal niets van dat kind van je,' zei Sebastian. 'En het kan me niet schelen ook.'

De moed zakte me in de schoenen. Het zou weliswaar erg angstig voor Ethan zijn geweest om door dit stel gepakt te zijn, maar ik had toch gehoopt dat ze hem hadden en tegen iets wilden ruilen.

'Dus jullie hebben Ethan niet,' zei ik.

Hij schudde zogenaamd meelevend zijn hoofd. 'In al die jaren dat ik mijn gevangenisbedrijf heb, heb ik nog nooit een gevangene gezien die zo in de shit zat als jij.'

Ik dacht even na. 'Als u niets van mijn zoon weet, dan zijn we hier verder klaar,' zei ik. Ik zwaaide mijn andere been weer uit de auto.

'Ik dacht het niet,' zei Sebastian. 'Het doet er niet toe wie je vrouw is, er is jou sowieso iets toegestuurd. Iets wat jij helemaal niet hoort te hebben.'

Die lijst in mijn zak. Waar ik stom genoeg Sam over verteld had.

'Volgens mij vergist u zich,' zei ik. Ik stond nu helemaal buiten de auto.

Ik had hem natuurlijk die envelop kunnen geven. Dat was handig geweest en god wist dat ik wel wat anders aan mijn hoofd had op dat moment. Ik kon Sebastian geven wat hij wilde en weglopen. Maar ik wist ook dat er een – weliswaar kleine – kans bestond dat ik weer uit de hel zou kunnen klimmen die ik nu doormaakte, en dat ik gewoon weer aan het werk zou kunnen gaan als journalist. Als dat niet bij de *Standard* was, dan bij een andere krant. En ik wilde Elmont Sebastians ondergang bewerkstelligen.

En ik had geen kans dat te doen als ik hem gaf wat er in mijn jasje zat.

'Echt, David, je moet je knopen tellen,' zei Sebastian.

Welland liep om de auto heen. Toen hij bij mijn portier was aangekomen, wisselden hij en Sebastian een blik. Sebastian zei: 'Als jij het niet aan me geeft, ben ik gedwongen Welland te vragen het voor me te pakken.'

Ik nam de benen.

Wellands rechterarm schoot naar voren. Hij greep me bij mijn pols, maar ik bewoog zo snel dat mijn hand uit zijn greep glipte. Ik rende weg en zocht ondertussen in mijn zak naar mijn sleuteltjes. Ik was zo naïef om te denken dat ik misschien al achter het stuur kon zitten voor Welland me te pakken kreeg.

Toen ik voelde dat hij me inhaalde, liet ik de gedachte om er in mijn auto vandoor te gaan varen en rende in plaats daarvan over de parkeerplaats naar het gebouw van de *Standard*. Welland snoof als een kwaaie stier in de achtervolging. Hoewel hij mijn meerdere was wat spieren en gewicht aangaat, kon hij het rennen niet zo lang volhouden, en ik merkte dat ik mijn voorsprong op hem vergrootte.

Ik rende de vijf treden op naar de achterdeur en had die open voor Welland er was, maar ik had niet de tijd om hem nog dicht te trekken. Ik werd overweldigd door het geluid van de draaiende persen – een zwaar, zoemend geluid dat direct doordrong tot de kern van mijn hersens. Om deze tijd 's avonds draaide er maar een van de drie persen. Een van de weekendbijlagen lag erop. De twee andere persen zouden pas over een paar uur aangezet worden, als de redactie klaar was met de krant voor morgen.

Ik rende als een gek tussen de apparatuur door. Rechts voor me bevond zich een steile metalen trap die naar boven voerde, naar de brug tussen de persen door.

Ik greep de buisvormige leuning beet en haastte me de trap op. Boven de herrie uit kon ik de drukkers horen roepen dat ik naar beneden moest komen. Dit was hun domein en ze waren niet op indringers gesteld. Ze tolereerden Madeline hier dan nog net, maar ik was gewoon een stomme verslaggever.

Toen ik boven was, strekte de loopbrug zich ongeveer vijftien meter voor me uit. Ik keek achterom, in de verwachting Welland of een drukker achter me te zien opduiken, maar er kwam niemand.

Er werd nog steeds geroepen daar beneden.

Ik bleef even staan, vroeg me af of het mogelijk was dat ik Welland had afgeschud. Ik overwoog om terug te gaan, maar besloot dat het verstandiger was om door te lopen, naar de andere trap aan de overkant.

Aan mijn linkerhand draaide de pers op volle kracht, eindeloze linten krantenpapier trokken met verblindende snelheid aan me voorbij, omhoog en omlaag door het massieve apparaat. Elke halve meter was er een zijpad tussen de cilinders door. Ik begon weer te lopen, mijn handen gleden over de bovenkant van de railing, en daar was hij: aan de andere kant van de loopbrug kwam Welland bij de andere trap naar boven.

'Shit!' zei ik, hoewel ik mezelf nauwelijks kon verstaan door het gedreun van de pers.

Ik draaide me om, ik was van plan om terug te gaan, maar waar ik zonet nog gestaan had, stond nu Elmont Sebastian. Hij was de jongste niet meer, maar hij was razendsnel die trap op geklommen. Hij keek neer op zijn hand, die onder de inkt zat van de railing. Hij keek bezorgd naar zijn pak, hij vroeg zich waarschijnlijk af hoe vuil dat al geworden was.

Ik dacht dat ik meer kans had om langs hem weg te komen dan langs Welland.

Ik begon naar Sebastian toe te rennen. Hij ging wijdbeens staan, maar ik minderde geen vaart. Ik dreunde tegen hem aan, maar in plaats van dat hij alleen viel, greep hij me bij mijn nek en vielen we samen.

'Klootzak!' schreeuwde hij. 'Geef het aan me!'

We rolden over de loopbrug. Ik bracht mijn knie omhoog en probeerde hem in zijn kruis of maag te stoten. Ik had kennelijk iets geraakt, wan hij liet me zo lang los dat ik weer overeind kon krabbelen.

Maar Sebastian was bijna net zo snel weer op de been en sprong op mijn rug. Ik werd opzij geworpen en kwam op een van de looppaden tussen de cilinders terecht. Krantenpapier vloog aan beide kanten langs ons heen, de woorden en foto's een vage veeg.

Terwijl ik naar de ene kant wankelde, kwam Sebastian tegen de railing terecht. Met zijn gezicht ernaartoe. De bovenste helft van zijn lijf boog eroverheen. Hij stak zijn armen uit om zich tegen te houden, maar daar was niets om zich aan vast te grijpen.

Er was wel iets wat hem vastgreep.

Het gebeurde zo ongelofelijk snel dat als je het op video had opgenomen en het langzaam nogmaals afspeelde, je waarschijnlijk nog steeds niet zou zien wat er nu precies gebeurde.

Maar het kwam erop neer dat Sebastians rechterhand tegen het langsrazende krantenpapier terechtkwam, waardoor zijn arm omhoog werd bewogen, de rotatiepers in. Het gebeurde zo snel dat Sebastian niet de kans had te reageren.

Zijn arm werd binnen een seconde afgescheurd. En hij verdween.

Elmont Sebastian schreeuwde het uit en klapte op de loopbrug in elkaar. Hij tastte met zijn linkerarm naar waar zijn rechterarm gezeten had.

Ik keek naar beneden, met afschuw vervuld, en moest tot mijn schande aan Ethans grapje denken.

Zwart en wit en helemaal rood.

Welland kwam bij me staan, hij zag zijn baas en zei: 'Jezus!'

Sebastian bewoog nog even, maar toen lag hij stil. Zijn ogen waren open, hij staarde, maar ik was er niet zeker van dat hij dood was. Nog niet.

Ik zei tegen Welland: 'We moeten een ambulance bellen.'

Ik wilde weglopen, omdat ik wist dat niemand me zou kunnen verstaan boven de herrie van de pers uit, die nog steeds draaide.

Welland greep mijn arm vast. Niet zoals hij dat eerder had gedaan. Niet op een dreigende manier. Hij hield me gewoon vast.

'Nee,' zei hij.

'Hij heeft niet lang meer,' riep ik.

'Laten we nog even wachten,' zei hij.

'Waar ben je in godsnaam mee bezig?'

Beneden stonden de drukkers te wijzen en te roepen. Vanaf hun gezichtspunt konden ze waarschijnlijk niet zien wat er met Sebastian was gebeurd.

'We moeten hem laten gaan,' zei Welland.

'Wat?'

'Die klootzak had van m'n ballen af moeten blijven. Hij had m'n zoontje niet moeten bedreigen.'

Ik staarde hem sprakeloos aan.

Welland voegde eraan toe: 'We hebben je jongen niet gepakt. Dat had ik nooit toegestaan.'

52

Iemand had de pers stilgezet. Hij draaide steeds langzamer, de herrie werd minder.

Welland – of Buddy, die hij nu bleek te zijn – wrong zich op de loopbrug langs me heen.

'Ik ga ervandoor,' zei hij.

Er klonk nu een alarm en de drukkers kwamen aan beide kanten de brug op geklommen.

'Waar ga je heen?' vroeg ik aan Welland. Ik vroeg me ondanks alle stress af hoe ik zou moeten uitleggen dat Elmont Sebastian, de directeur van Star Spangled Corrections, uiteengereten was in de drukkerij van de *Standard* van Promise Falls.

'Ik heb vrienden die me kunnen helpen verdwijnen,' zei hij. 'Jij kunt alles vertellen wat je maar wilt.' Hij keek omhoog en wees. 'Dat lijken me camera's. Het staat er waarschijnlijk allemaal op. Jij gaat vrijuit. Tegen de tijd dat ze mij gaan zoeken ben ik allang weg.'

Hij verspilde verder geen woorden aan me. Het was een grote, intimiderende man en de drukkers legden hem geen strobreed in de weg toen hij naar de trap liep en er zich als een zeeman van af liet glijden. Ik keek hoe hij naar de deur rende en toen was hij weg.

Een van de drukkers, die me herkende, zei: 'Wat is er gebeurd?' Toen zag hij Sebastian en hij keek bijna net zo snel weer weg. 'O, jezus.'

'Bel een ambulance,' zei ik. 'Ik denk niet dat het nog zin heeft, maar...'

'Ik heb wel eens gezien dat iemand een paar vingers kwijtraakte, maar god nog aan toe, zoiets nog nooit.' Hij riep naar iemand beneden om 911 te bellen.

Ik wilde niet blijven om te vertellen wat er gebeurd was. Ik liep naar de trap en ging naar beneden, en ik wilde net naar de deur naar de parkeerplaats lopen, toen ik Madeline Plimpton met grote passen op me af zag komen. Ze keek langs me heen en blafte een drukker toe: 'Vertel.'

'Vraag het aan hem,' zei hij.

Madeline richtte haar blik op mij. 'Ik dacht dat jij vakantiedagen had opgenomen.'

'Elmont Sebastian ligt daar boven,' zei ik, en ik wees naar de cilinders. 'Als hij nu nog niet dood is, dan zal hij dat wel snel zijn. Ik hoop dat je niet al je hoop om de krant te redden gevestigd had op die verkoop van dat stuk grond van je.'

'Mijn god,' zei ze. 'Hoe…?'

'Misschien staat het op video,' zei ik. 'Ik hoop van harte dat het zo is.' Ik wilde om haar heen lopen, naar de deur. 'Ik moet je mijn verontschuldigingen aanbieden. Sam Henry was degene die mijn e-mails las. Ze heeft jou en mij en alle anderen hier bij de krant verraden. Zolang de krant nog bestaat, zou zij er niet meer voor mogen werken.'

'David, vertel het nou van voren af aan.'

Ik schudde mijn hoofd. 'Ethan wordt vermist. Ik moet weg.'

'Ethan…? Jezus, David, wat is er allemaal aan de hand?' zei Madeline. 'Kom terug en vertel…'

Ik hoorde de rest niet meer omdat de deur achter me dichtviel. De limousine van Sebastian was weg. Welland zou zich er waarschijnlijk zo snel mogelijk van ontdoen, omdat hij wist dat de politie achter hem aan zou gaan. Nadat ik in mijn auto was gestapt en het sleuteltje had omgedraaid, moest ik me even bezinnen over waar ik nu naartoe moest. Ik was volkomen van slag door de gebeurtenissen van zonet en ik voelde me gedesoriënteerd.

Samantha Henry's telefoontje had me naar de *Standard* gelokt en verhinderd dat ik het huis doorzocht naar Ethan. Ik had de deur opengemaakt, zijn naam geroepen, maar ik had niet het hele huis kamer voor kamer doorlopen.

Ik had niet echt gedacht dat hij binnen zou zijn. De deur was op slot en Ethan had geen sleutel, tenzij hij de extra sleutel bij mijn ouders had gepakt.

Maar ik kon me niet herinneren of ik het huis had afgesloten na het telefoontje van Sam. Het was mogelijk dat ook al had Ethan geen sleutel en was hij eerder niet in huis geweest, hij er nu wel was.

Het leek verstandig om mijn ouders te bellen om te vragen of er iets gebeurd was sinds ik zo overhaast vertrokken was. Ik pakte mijn telefoon en zag dat ik een voicemailbericht had. Ik had de telefoon niet horen overgaan door de herrie van de pers.

Ik luisterde het bericht af.

'Meneer Harwood, met Duckworth. Hoor eens, ik ben bereid dat wat er gebeurd is door de vingers te zien, maar ik sta hier niet voor de lol. U moet naar het bureau komen. Ik ga uw advocaat bellen en haar zeggen dat ze u mee moet nemen naar het bureau. Ik ben niet van plan om u erbij te lappen, meneer Harwood. Er zitten aspecten aan deze zaak die niet kloppen, dingen die ten gunste van u spreken. Maar we moeten dat op een rijtje zetten en dat moeten we nu doen, als...'

Ik had het bericht nog niet gewist, of de telefoon ging in mijn hand over.

'Ja?'

'Zeg me dat je niet gedaan hebt wat de politie beweert dat je gedaan hebt,' zei Natalie Bondurant.

'Tenzij je nieuws over mijn zoon hebt,' zei ik, 'heb ik geen tijd om met je te praten.'

'Luister nou eens,' zei ze. 'Je maakt het allemaal veel erger voor jezelf door...'

Ik beëindigde het gesprek en drukte de sneltoets voor mijn ouders in. Ma nam bij de eerste keer overgaan op.

'Is Ethan terecht?' vroeg ik.

'Nee,' fluisterde ma. Ze klonk alsof ze had gehuild toen de telefoon overging en zich nu probeerde te vermannen. 'Waar ben je? Die politieman, hij is weggegaan maar nu is hij er weer. Ik denk dat hij naar jouw huis is gegaan en is teruggekomen toen hij je daar niet kon vinden. Ik denk dat hij je gaat arresteren als je hier komt.'

'Ik moet gewoon blijven zoeken,' zei ik. 'En als je iets hoort, wat dan ook, laat het me weten.'

'Doe ik,' zei ze.

Ik stopte de telefoon in mijn jaszak en reed de parkeerplaats af, op weg naar huis.

Ik was bang dat Duckworth of andere leden van de politie van Promise Falls mijn huis in de gaten hielden, dus parkeerde ik om de hoek en liep het laatste stukje. Ik zag geen verdachte auto's in de straat. Na een tijdje ken je de auto's van je buren en hun vrienden wel. Mij viel niets ongewoons op.

Ik liep langs het huis en ging door de achterdeur naar binnen. Zoals ik al gedacht had, had ik die niet afgesloten.

Ik ging de keuken in. Het was donker in huis en ik wilde het licht niet aanknippen, voor het geval er toch iemand van de politie buiten had gestaan die ik niet opgemerkt had. Ik moest mijn ogen aan het donker laten wennen om te zien waar ik mijn voeten neerzette. Ik wist de weg blindelings, maar er ontbraken nog her en der vloerplanken. Het huis zat vol boobytraps, en opeens was ik bang dat als Ethan thuisgekomen was, hij in een van die gaten was getrapt.

'Ethan!' riep ik. 'Ik ben het, papa. Het is oké. Kom maar tevoorschijn.'

Toen luisterde ik. Ik stond daar bij de keukendeur en hield mijn adem in, in de hoop een geluidje in het huis op te vangen.

'Ethan?' riep ik weer.

Teleurgesteld liet ik mijn adem ontsnappen. Toen dacht ik dat ik een vloerplank hoorde kraken. Boven mijn hoofd, in de buurt van Ethans kamer.

Ik liep voorzichtig door de keuken. Pa had alle planken die ik losgewrikt had aan één kant gelegd en de spijkers eruit gehaald, maar de lange, smalle gaten die ik gemaakt had waren nog niet gerepareerd.

Ik liep door de huiskamer naar de trap en klom in het donker langzaam omhoog. 'Ethan?' zei ik.

Ethan zou toch niet in het pikkedonker door het huis lopen? Hij was een klein jongetje, en zoals de meeste kinderen was hij bang in het donker, zelfs in zijn eigen huis.

'Ben je boven?' vroeg ik.

De deur van Ethans kamer stond op een kier. Ik stapte over een paar gaten in de vloer van de overloop heen en duwde de deur verder open.

Het schijnsel van een straatlantaarn viel door Ethans raam.

Er was een donkere schaduw aan het voeteneind van zijn bed. Daar stond iemand. Iemand die veel te lang was voor Ethan.

Ik tastte naar het lichtknopje en deed het licht aan.

Het was Jan.

De schok om haar daar te zien staan maakte plaats voor de schok om de revolver in haar hand te zien, een revolver die ze op mij richtte.

'Waar is Ethan?' zei ze. 'Ik kom Ethan halen.'

53

De laden van Ethans kast waren open en zijn kleren lagen op het bed, naast een reistas die we in zijn kast bewaarden.

Ik kon me niet heugen dat Jan er ooit zo verschrikkelijk had uitgezien. Haar haren piekten alle kanten op, haar ogen waren bloeddoorlopen. Ik had haar nog maar twee dagen geleden voor het laatst gezien, maar ze zag eruit alsof ze vijf kilo was afgevallen en tien jaar ouder was geworden. De revolver in haar hand trilde.

'Leg dat ding neer, Jan,' zei ik. 'Misschien heb je liever dat ik je Constance noem, maar voor mij ben je nog steeds Jan.'

Ze knipperde met haar ogen. De revolver bleef op mij gericht.

'Of misschien heb ik het bij het verkeerde eind, en is Constance ook niet je echte naam.'

'Nee,' fluisterde ze. 'Dat is mijn echte naam.'

'Ik begrijp nu wel waarom je me nooit aan je ouders hebt willen voorstellen,' zei ik. 'Het ene stel waren je ouders niet, en het andere stel was dood.'

Haar ogen gingen wijd open. 'Wat?'

'Martin en Thelma? Je echte ouders?' Iets in haar ogen leek ja te zeggen. 'Wist je dat niet? Ze zijn een paar jaar geleden vermoord. Hun keel is doorgesneden.'

Als dit nieuws haar iets deed, liet ze dat niet blijken. 'Waar is Ethan?' vroeg ze.

Ik zei: 'Hij is hier niet.'

'Is hij bij Don en Arlene?'

'Nee,' zei ik.

'Waar dan?' zei ze.

Ik deed een stap in haar richting. 'Leg die revolver neer, Jan.'

Ze schudde haar hoofd. 'Nee, hij moet hier zijn,' zei ze dromerig. 'Ik kom hem halen. We gaan weg.'

'Zelfs als hij hier was,' zei ik, 'dan zou ik hem nooit door jou laten meenemen. Geef mij dat ding.' Ik deed voorzichtig nog een stap in haar richting.

'We moeten hem halen,' zei Jan.

'Weet ik,' zei ik. 'Maar je moet niet naar hem gaan zoeken met een revolver in je hand.'

'Je begrijpt het niet,' zei ze. 'Ik heb die revolver nodig.'

'Als je bij mij bent heb je hem niet nodig,' zei ik, en ik deed weer een stap naar haar toe. 'Wat dacht je dat ik zou doen? Ik ben je man.'

Jan onderdrukte een lachje. 'Ik denk dat je me wel van alles aan zou willen doen. Maar jij bent niet degene om wie ik me zorgen maak.'

'Waar heb je het over?'

Ze negeerde mijn vraag. 'Dus mijn ouders zijn dood,' zei ze. Ze keek me aan met een lichtelijk krankzinnige blik. 'Hij moet gedacht hebben dat ze iets wisten. Hij moet gedacht hebben dat zij wisten waar ik was. Hij moet ze vermoord hebben toen ze niets wisten.'

'Heb je het over degene die je ouders vermoord heeft? Is hij degene voor wie je bang bent?'

'Ik heb iets heel slechts gedaan,' zei Jan. 'Ik heb iets gedaan...'

'Wat heb je gedaan? Waar gaat dit allemaal om?' Ik stond nu ongeveer een halve meter van haar af.

'Alles is helemaal voor niets geweest,' zei ze. 'De diamanten waren niet echt.'

'Diamanten?' zei ik. 'Welke diamanten?'

'Ze waren waardeloos. Compleet waardeloos.' Weer een onderdrukt lachje. 'Net een heel grote grap.'

Ik greep haar pols beet.

Ik dacht dat ze misschien zou toelaten dat ik haar de revolver afpakte, maar zodra ik hem uit haar hand probeerde te draaien reageerde ze door haar arm weg te trekken. Ik hield hem stevig vast. Ze haalde naar me uit met haar linkerhand, raakte me op de zijkant van mijn gezicht. Ik zwaaide mijn rechterarm omhoog en sloeg haar hand weg terwijl ik haar rechterhand bleef vasthouden. Toen klauwde ze met haar vrije hand naar me, haar nagels groeven zich in mijn wangen, maar in plaats van die hand af te weren draaide ik me naar haar toe en greep nu haar pols met beide handen beet. Ik verdubbelde de druk om haar te dwingen het wapen te laten vallen.

Terwijl ik me omdraaide zette ik mijn hele gewicht erachter. Ik drukte Jan hard tegen de muur, zodat het haar even de adem benam. Hoewel het haar weerstand verzwakte, haalde ze daardoor ook de trekker over.

Het schot klonk als een kanonschot in het slaapkamertje van Ethan, maar de kogel sloeg in de vloer. Ik schrok, maar ik verslapte mijn greep niet. Ik sloeg haar pols tegen de muur. Een keer, twee keer. Bij de derde keer viel de revolver uit haar hand en kletterde op de vloer. Ik was doodsbang dat hij nogmaals af zou gaan, maar hij stuiterde zonder verder kwaad aan te richten tegen de plint.

Ik liet Jans hand los en dook naar de revolver om hem te pakken, maar op het moment dat ik haar losliet en me omdraaide, sprong ze op mijn rug.

'Nee!' gilde ze.

Ik rolde me om en drukte haar tegen het metalen frame van Ethans bed. De stang langs zijn bed drukte in haar rug en ze gilde het uit van de pijn. Ik krabbelde als een krab naar voren om de revolver te pakken en toen dat gelukt was rolde ik me om en richtte het ding op haar.

'Schiet me maar dood, David,' zei ze buiten adem. Ze kwam op handen en knieën overeind. 'Schiet me maar een kogel door m'n hoofd, dat is wel het makkelijkste.'

'Wie ben je?' schreeuwde ik met mijn beide handen om de revolver geslagen. 'Wie ben je, verdomme?'

Ze kwam overeind, ging op de rand van het bed zitten en verborg haar gezicht in haar handen. Even later keek ze op, de tranen stroomden over haar wangen. 'Ik ben Connie Tattinger,' zei ze. 'Maar... ik ben ook Jan Harwood. En wie ik verder ook ben, ik ben Ethans moeder.' Ze zweeg even. 'En ik was je vrouw. Een tijdje.'

'Wat was het dan?' vroeg ik aan haar. 'De afgelopen vijf jaar? Een of andere zieke grap?'

Ze schudde haar hoofd. 'Geen grap... nee, geen grap. Ik... ik wachtte. Ik moest me verbergen.'

'Waar wachtte je op? Voor wie moest je je verbergen?'

Jan haalde een paar keer diep adem, veegde met haar vinger haar natte neus af en zei: 'We hadden een diamanttransport overvallen.'

'Wat? Wie is "we"?'

Jan wuifde de vragen weg. 'Zes jaar geleden. En toen is mijn partner voor iets anders de bak in gedraaid. De diamanten waren veilig opgeborgen, maar het zou wel een paar jaar duren voor we ze konden ophalen. De man van wie we ze gestolen hebben... die is al die tijd naar ons, of liever naar mij, op zoek geweest.'

Ik probeerde er iets van te begrijpen. Die paar korte zinnen waarin jaren bedrog werden verteld. Ik greep terug op iets wat Jan al gezegd had. 'Maar je zei dat ze waardeloos waren. Waarom zou die man ze dan terug willen hebben?'

Ze verzamelde kracht om door te gaan. 'Om wat ik hem heb aangedaan.'

Ik wachtte.

'Ik heb zijn hand afgezaagd,' zei ze. 'Om het koffertje te krijgen dat met een handboei aan hem vastzat.' Ze snufte even. 'Hij heeft het overleefd.'

Ik was zo geschokt dat ik de revolver liet zakken Ik legde hem op de vloer naast me, binnen handbereik. 'Ik weet niet wie jij bent,' zei ik.

Ze knikte. 'Nee, dat weet je inderdaad niet. Heb je ook nooit geweten.'

'Waar is dit allemaal gebeurd?' vroeg ik.

'In Boston,' zei ze.

'Dus daarna moest je je schuilhouden,' zei ik. 'En toen kwam je naar Promise Falls.'

Ze knikte, haar ogen vochtig.

'En ben je met mij getrouwd. Waarom? Waarom heb je dat gedaan?'

Ze kon de woorden niet vinden. Ik probeerde haar te helpen. 'Het was een soort camouflage. Je dacht dat je dan niet zou opvallen. Wie zou er ooit op het idee komen dat dat brave huisvrouwtje iets te maken had met een diamantroof?'

Ze knikte weer.

'Maar moest je nou echt een kind krijgen om het plaatje compleet te maken?' vroeg ik. 'Was Ethan dat voor jou? Onderdeel van je dekking?'

'Nee,' fluisterde ze.

Ik schudde mijn hoofd. Ik had nog meer vragen voor haar. 'Laat me even denken. Toen je partner uit de gevangenis kwam, hebben jullie de diamanten opgehaald.'

'Ja,' zei ze. 'We dachten dat we er een hoop geld voor zouden krijgen.'

'Genoeg om te verdwijnen en nog lang en gelukkig te leven,' zei ik.

Ze sloot haar ogen en knikte weer.

'En ik maar denken dat je al gelukkig was,' zei ik. 'God, wat ben ik stom geweest.'

Jan slikte, veegde een traan weg en zei: 'Maar ze waren niets waard. De man wiens hand ik afgezaagd had – Oscar Fine, heet hij – had iedereen ingelicht. Toen we bij die vent kwamen, ging Dwayne…'

'Dwayne?'

'Dat was de jongen met wie ik ze gestolen heb,' zei ze. 'Dwayne kende een man die ons geld voor de diamanten zou geven. Maar die moet Fine gebeld hebben. Toen we terugkwamen voor het geld, was Fine er. Hij zal Dwayne wel gedood hebben. En hij heeft geprobeerd mij te doden voor ik ontsnapte.'

Ik liet mijn hoofd tegen de deur van Ethans kast rusten.

Jan zei tegen me: 'Wat is er in godsnaam met de vloer gebeurd? Al die planken zijn weggetrokken.'

'Ik heb het geboortebewijs gevonden, dat van Jan Richler,' zei ik. 'Achter de plint in de linnenkast.'

'Dat kan niet,' zei ze. 'Ik heb het meegenomen.'

'Al een hele tijd geleden, maar ik heb het toen teruggestopt. Nadat je verdwenen was, vroeg ik me af of je nog meer verborgen had. Ik heb het andere geboortebewijs ook gevonden, het echte. Waarom heb je dat niet ook meegenomen?'

'Ik moest die ene envelop hebben vanwege de sleutel die erin zat,' zei ze. 'Ik heb er helemaal niet aan gedacht om de andere mee te nemen. Dus… dus je wist van de Richlers?'

'Ja, ik wist van hun bestaan, maar ik ben ze pas gaan opzoeken na jouw verdwijning. Ik heb toen gehoord wat er met hun dochtertje gebeurd is.'

Jan keek weg.

'Ik neem aan dat het makkelijk was om op die manier aan een nieuwe identiteit te komen,' zei ik. Ik kon het sarcasme in mijn stem niet onderdrukken. 'Als je iemand die als kind gestorven is persoonlijk kent. Dus heb je een kopie van het geboortebewijs aangevraagd en…'

'Nee,' zei ze.

'Wat? Maar ik heb toch…'

Dat was het origineel. Ik heb geprobeerd een kopie te krijgen, maar ik had niet genoeg gegevens om mijn aanvraag te staven. Dus heb ik de Richlers een paar dagen in de gaten gehouden, om te zien wanneer ze hun boodschappen deden en wanneer ze weggingen. Mensen bewaren dat soort papieren meestal op eenzelfde soort plek. Een la in de keuken, of in de slaapkamer. Binnen een uur had ik het gevonden. Daarna was al het andere – rijbewijs, persoonsnummer – een makkie.'

Ik was werkelijk onder de indruk, maar dat duurde maar even. 'Heb je enig idee wat je die mensen hebt aangedaan? Wat er gebeurd is toen je nog klein was, was al erg genoeg.'

Jan wierp me een blik toe, ze probeerde er duidelijk achter te komen of ik wist dat ze het andere meisje voor de auto had geduwd.

'Maar dat je de naam van hun dochter nu gebruikt, na al die jaren…'

'Oké, ik deug niet,' zei ze. 'Ik ben gif. Iedereen die met mij in contact komt, diens leven gaat uiteindelijk kapot. Jan Richler, haar ouders, mijn ouders, Dwayne.'

'Ik,' zei ik. 'Ethan.'

Jans ogen ontmoetten de mijne, toen keek ze weer weg.

'Dat gedoe met die depressie van je, dat heb je meesterlijk gedaan,' zei ik.

'Mijn moeder,' fluisterde Jan. 'Mijn moeder is het grootste deel van haar leven zo depressief als wat geweest. Ik kan haar dat amper kwalijk nemen, gezien die klootzak met wie ze getrouwd was. Ik heb haar gewoon nagedaan, maar dan zonder de drank.'

'Nou, je hebt me er schitterend in laten lopen. Ik was het volmaakte slachtoffer, hè. Jouw enige publiek. Dus toen jij verdween, leek het erop dat ik loog. Alsof ik de politie probeerde te doen denken dat je zelfmoord had gepleegd, en zij dan zouden denken dat ik jou vermoord had. Dat tochtje naar Lake George, die flauwekul die je tegenover die man in de winkel hebt opgehangen. Alles wees in mijn richting. Jij hebt die e-mail verstuurd.'

Ze knikte nauwelijks merkbaar. 'Je had al contact gehad met die vrouw, ik wist dat je voor die e-mail zou vallen.'

'En de kaartjes die je online besteld had. Hoe ben je het park binnen gekomen?'

'Ik heb contant betaald,' fluisterde ze.

'Was Dwayne de man die er met Ethan vandoor is gegaan? Zodat ik zo'n idioot verhaal had om tegen de politie op te hangen en jij tijd had om weg te komen?'

'Het spijt me,' fluisterde ze.

'Schei uit, zeg,' zei ik. 'Maar hoe heb je dat voor elkaar gekregen?'

'Ik had andere kleren en een pruik in m'n rugtas. Die pruik heb ik opgezet toen ik het park binnen ging. En terwijl jij op zoek ging naar Ethan ben ik naar de wc's gegaan, heb me omgekleed en vervolgens ben ik Five Mountains uit gewandeld.'

Ik legde mijn hand even op de revolver op de vloer.

'Er is meer,' zei ze zachtjes. 'Websites die jij zogenaamd bezocht hebt op de laptop, bloed in de kofferbak, een bonnetje voor duct…'

'Ja,' zei ik. 'Dat weet ik. En je hebt me ook overgehaald een levensverzekering op jou af te sluiten. Hoe zat het met dat bloed? Had je echt in je pols gesneden?'

'Nee, ik heb een klein sneetje in mijn enkel gemaakt voor wat bloedsporen in de kofferbak.'

'Je bent ongelofelijk,' zei ik. 'Maar wat ik niet begrijp, wat ik waarschijnlijk nooit zal begrijpen: waarom?'

Jan haalde weer haar vinger langs haar neus. 'Ze zouden me niet gaan zoeken als ik dood was,' zei ze. 'Zelfs als ze nooit een lijk zouden vinden, dan zouden ze toch denken dat jij me vermoord had...'

'Dat bedoel ik niet,' zei ik. 'Ik vraag je: waarom?'

Ze leek de vraag niet te begrijpen.

'Waarom heb je mij dit aangedaan?' zei ik. 'Hoe kon je? Hoe kon je mij dit aandoen? Hoe kon je Ethan dit aandoen?'

Haar ogen vlogen even opzij, alsof ze op zoek was naar een antwoord. Toen keek ze rechtuit, alsof het antwoord daar voor haar stond.

Ze zei: 'Ik wilde dat geld.'

54

'Wat dacht je dat er zou gebeuren?' vroeg ik. 'Nadat ik in de gevangenis terecht was gekomen omdat ik jou vermoord had?'

'Ik dacht dat omdat er geen lijk was, je uiteindelijk misschien wel niet veroordeeld zou worden,' zei ze. 'Maar ze zouden blijven denken dat je me vermoord had, dus zouden ze niet meer naar mij zoeken.'

'En als ze me wel veroordeeld hadden?'

'Je ouders zouden voor Ethan zorgen,' zei ze. 'Ze houden van hem. Hij zou veilig zijn bij hen.'

'Maar je wist toch ook,' zei ik, 'dat als ik vrij zou komen, ik niet zou rusten voor ik je gevonden had?'

'Er was al iemand die naar me zocht,' zei Jan. 'En hij had me, tot nu toe dan, ook niet gevonden. Ik dacht dat ik dat wel kon regelen zodra we het geld voor de diamanten hadden.'

Het woord 'we' maakte iets bij me los. 'Die Dwayne,' zei ik. 'Hield je van hem?'

Ze hoefde daar geen moment over na te denken. 'Nee,' zei ze. 'Maar ik kon hem goed gebruiken.'

Ik knikte. 'Zoals je mij kon gebruiken.' Ik kon niet nalaten te vragen: 'En ik dan? Heb je ooit van mij gehouden?'

'Als ik ja zei, zou je me dan geloven?' zei ze.

'Nee,' zei ik. 'En Leanne. Waarom is zij vermoord?'

Jan schudde vermoeid haar hoofd. 'Dat was niet de bedoeling. Maar Dwayne en ik kwamen haar tegen, even buiten Albany. Ze zag me in de pick-up, ze kwam op me af lopen, ze vroeg zich af wat ik daar deed met die pruik op, en wie Dwayne was. Dwayne heeft gedaan wat hij moest doen. We hebben haar auto gedumpt en haar in de pick-up onder het dekkleed naar Lake George gebracht.'

'Dat betekende een heel eind terugrijden.'

'Ik had het idee,' zei ze terwijl ze haar ogen neersloeg, 'dat als we haar lichaam daar achterlieten, dat … dat de zaak tegen jou daar veel sterker door werd.'

Ik liet mijn vingers weer over de revolver glijden, nam hem langzaam in mijn hand.

'Ik heb je nooit gekend,' zei ik.

Ze keek me aan. 'Nee.'

'Waarom heb je hem gekregen?' vroeg ik.

'Wat?'

'Waarom heb je Ethan gekregen? Toen je zwanger werd, waarom heb je dat doorgezet? Waarom heb je niet voor een abortus gekozen?'

Ze beet op haar lip. 'Dat wilde ik ook,' zei ze. 'Het paste niet in mijn plan om een kind te krijgen. Ik kon het gewoon niet geloven toen ik zwanger was… ik dacht dat ik zo goed had opgepast, maar… Ik heb nachten wakker gelegen, ervan overtuigd dat ik er iets aan ging doen. Ik heb gebeld, ik ben naar een kliniek in Albany geweest. Ik had al een afspraak.' Ze veegde de tranen uit haar ogen. 'Maar ik kon het niet. Ik wilde hem hebben. Ik wilde een kind.'

Nu schudde ik mijn hoofd. 'Jij bent onvoorstelbaar. Weet je wat jij bent?'

Ze wachtte.

'Een monster. Een psychopaat. Een duivel. Ik hield van je. Ik hield echt van je. Maar het was allemaal toneelspel van je. Niets was echt. Geen minuutje ben je echt geweest.'

Jan zocht met moeite naar de woorden die ze wilde zeggen. 'Ik ben uit liefde teruggekomen,' zei ze toen.

'Helemaal niet.'

'Ik ben teruggekomen voor Ethan,' zei ze. 'Jij, jij zou het hoe dan ook wel redden. Maar met die Oscar Fine, op zoek naar mij, op zoek naar manieren om mij te treffen, wist ik dat ik terug moest komen voor Ethan. Om hem te beschermen. Hij is mijn zoon. Hij is van mij. Ik ben verdomme zijn moeder…'

Ik had er genoeg van. Ik pakte de revolver op, richtte hem en haalde de trekker over. Ik voelde het wapen terugslaan in mijn hand.

Jan gilde het uit toen het schot de kamer vulde.

De kogel boorde zich in de muur boven het hoofdeinde van Ethans bed. Ruim dertig centimeter links van Jan. Ze keek om en zag het gat in de muur.

'Zo denk ik over jouw moederschap,' zei ik.

Trillend zei Jan: 'Maar het is echt zo. Ik ben hier voor hem gekomen. Ik ben eerst langs het huis van je ouders gereden, maar daar zag ik hem niet, en toen ben ik hiernaartoe gegaan. Het was donker, dus ben ik naar binnen gegaan. Ik wilde zijn spulletjes inpakken en als jullie thuiskwamen dan was ik van plan om met hem te vertrekken.'

'Jezus, Jan. Hoe ging je dat aanpakken? Hem ontvoeren terwijl je hem onder schot hield? Met die revolver naar mij zwaaien terwijl je hem meesleurde? Was je dat nou echt van plan?'

Ze schudde haar hoofd. 'Ik weet het niet.'

'Jan, het is voorbij. Alles is voorbij. Je moet jezelf aangeven. Je moet de politie vertellen wat je gedaan hebt, hoe je mij als zondebok hebt gebruikt. Als je van Ethan houdt kun je dat op dit moment alleen maar bewijzen door ervoor te zorgen dat ik hem kan opvoeden. Jij gaat naar de gevangenis. Daar is geen ontkomen aan. Waarschijnlijk voor lange tijd. Maar als het waar is wat je zegt, als je van onze zoon houdt, dan moet je ervoor zorgen dat hij zijn vader heeft.'

Een rust leek op haar neer te dalen. 'Oké,' zei ze zachtjes. 'Oké.'

'Maar het eerste wat we moeten doen,' zei ik, 'is hem vinden.'

Het was alsof ik een plens koud water in haar gezicht had gegooid. Ze werd opeens weer heel alert. 'Hem vinden? Weet je niet waar hij is? Is hij weg?'

'Sinds vanmiddag. Hij speelde in de achtertuin met een croquetspel en opeens hoorde ma...'

'Wanneer?' vroeg Jan dringend. 'Wanneer merkte ze dat hij verdwenen was?'

'Laat in de middag. Om een uur of vijf, zes.'

Jan leek iets in haar hoofd uit te rekenen. 'Hij kan het gehaald hebben,' zei ze.

'Zeg op,' zei ik. 'Heb je het over die Oscar?'

Ze knikte. 'Ik denk dat hij weet waar ik gewoond heb, wie ik de afgelopen zes jaar ben geweest. Of van het nieuws, of van Dwayne, voor hij hem doodde. Fine heeft tijd genoeg gehad om hier te komen. Hij reed in een Audi, daar kun je flink in opschieten. Het kan best dat hij Promise Falls voor mij bereikt heeft. Ik heb de auto een tijdje neergezet, ik moest tot mezelf komen.'

'Jezus christus, Jan, hoe kan hij nou weten waar hij Ethan kan vinden?'

'Denk je dat hij achterlijk is? Hij hoeft alleen maar jouw naam na te trekken. Dan vindt hij dit adres, het adres van je ouders, en bovendien...'

'Bovendien wat?'

Jans gezicht leek te verkreukelen, als papier. 'Hij heeft misschien zelfs een foto van Ethan.'

Het was allemaal zo verwarrend. Eindelijk stond ik oog in oog met Jan, ik hoorde over haar verleden, het begon bij me te dagen dat Ethan misschien niet alleen maar gewoon weg was, maar echt in gevaar. Toen ik op wilde staan, raakte mijn hand de ruwe kant van een los stuk vloerplank, in de vorm van een onregelmatige ijspegel.

'Shit,' zei ik. Ik vertrouwde Jan nog steeds niet, dus ik stak de revolver onder mijn bil voor ik de splinter er met mijn duim en wijsvinger uit drukte. Bloed bubbelde uit het wondje.

Jan deed geen poging het wapen te pakken en ik greep het weer beet toen ik opstond.

'Die man,' zei ik, 'van wie je de hand hebt afgehakt, wat zou hij met Ethan doen als hij hem meegenomen heeft?'

Jan huiverde. 'Ik denk dat hij tot alles in staat is,' zei ze. 'Ik denk dat hij al het mogelijke zou doen om het mij betaald te zetten.'

De woorden 'oog om oog' drongen zich bij me op. Maar ik dacht niet aan ogen. Ik dacht aan hoe het voelde als Ethan zijn handje in mijn hand legde.

'Weet je hoe je deze man kunt bereiken?' zei ik in paniek. 'Kun je hem vinden? Zodat we met hem kunnen onderhandelen? Een deal maken?'

Jan zei: 'Misschien wil hij Ethan wel tegen mij inruilen.'

Dat leek me een goed plan, ik vond er niets verontrustends aan, op dat moment in elk geval niet. Maar ik dacht niet dat het onze enige optie was.

'Ik bel Duckworth,' zei ik.

'Wie?'

'De politieman die geprobeerd heeft jou te vinden, en die mij de moord op jou in de schoenen wilde schuiven. Hij kan een opsporingsbericht doen uitgaan. Iedereen laten zoeken naar Oscar Fine. Jij kunt een signalement van hem geven, zeggen in wat voor soort auto hij rijdt. Als de politie hem vindt, dan vinden ze Ethan ook. Ik denk niet dat hij hem iets aan gaat doen voor hij jou gevonden heeft. Hij denkt waarschijnlijk dat hij zolang hij Ethan levend bij zich heeft druk op jou kan uitoefenen.'

Jan dacht na en knikte toen. 'Je hebt gelijk. Je hebt helemaal gelijk. Bel hem maar. Bel die politieman. Vertel hem alles wat hij moet weten om Ethan te vinden. Ik zal hem alles vertellen wat hij moet weten als dat helpt om Oscar Fine te vinden, en als dat ons op het spoor van Ethan zet.'

Ik pakte mijn telefoon.

Jan legde even haar hand op mijn arm. 'Ik verwacht niet van je dat je me zult vergeven,' zei ze.

Ik trok mijn arm weg. 'Echt niet?' zei ik.

Ik klapte mijn mobieltje open, begon in de lijst van binnengekomen gesprekken te zoeken naar het nummer van Barry Duckworth en ik drukte net op 'bellen', toen een stem zei: 'Stop.'

Ik keek op. Er stond iemand in de deuropening van Ethans kamertje.

Een man met één hand.

55

'Laat die revolver vallen, en je telefoon ook,' zei Oscar Fine tegen me. Hij had zijn eigen pistool op mij gericht. Het ding had een lange loop, die aan het eind een beetje verbreed was. Ik nam aan dat dat een geluiddemper was. Er waren al twee niet-gedempte schoten in deze kamer afgevuurd. Als we geluk hadden, hadden de buren ze gehoord en 911 gebeld.

Mijn revolver was op de vloer gericht en ik was er vrij zeker van dat ik dood zou zijn voor ik de gelegenheid had gehad om mijn arm op te heffen en te schieten. Dus liet ik het wapen langs mijn been op de grond vallen en gooide de telefoon, die nog opengeklapt was, op het bed.

'Schop hem hiernaartoe,' zei Oscar Fine. 'Voorzichtig.'

Ik schoof de rand van mijn schoen tegen de revolver en liet hem zachtjes naar hem toe glijden. Hij kwam bijna in een van de gaten in de vloer terecht. Oscar Fine hield zijn blik op ons gevestigd en knielde ondertussen neer. Hij gebruikte zijn stomp en het wapen in zijn ene hand als een setje eetstokjes en pakte daarmee de revolver op en liet hem in zijn zak glijden.

Jans gezicht was spierwit geworden. Ik had haar nog nooit zo bang en nog nooit zo kwetsbaar gezien. Als er een spiegel was geweest, had ik misschien datzelfde van mezelf gevonden. *Het is zover*, zei haar gezichtsuitdrukking. *Het is voorbij.*

'Waar is mijn zoon?' vroeg ik.

Oscar Fine keek niet naar mij. Zijn ogen waren op Jan gevestigd. 'Dat is lang geleden,' zei hij.

'Alsjeblieft,' zei Jan. 'Je hebt de verkeerde voor je.'

Hij glimlachte wrang. 'O ja? Ik hoop dat jij je wat waardiger zult gedragen dan je vriendje op het laatst. Weet je wat hij deed? Hij heeft in z'n broek gepist. Die treurige klootzak heeft in z'n broek gezeken. Ik denk dat jij van sterkere makelij bent. Jij was tenslotte degene die in staat was mijn hand af te zagen. Hij zat voorin, meer niet. Heeft hij het toen ook in z'n broek gedaan?'

Jan likte haar lippen af. Ik nam aan dat haar mond net zo droog was als de mijne. Ze zei: 'Je had een sleuteltje bij je moeten hebben. Als jij een sleuteltje had gehad, dan hadden we het koffertje mee kunnen nemen zonder je iets te doen.'

Oscar Fine keek even heel ernstig. 'Daar heb je natuurlijk gelijk in. Maar je weet wel wat ze zeggen over achterafgepraat.' Hij glimlachte en zei toen zonder een zweem van ironie: 'Je moet de hand spelen die je bedeeld is.'

Jan zei tegen hem terwijl ze naar mij knikte: 'Alsjeblieft, laat hem gaan. Vertel hem waar onze zoon is, dan kan hij hem halen. Het is nog maar een kind. Laat hem alsjeblieft niet boeten voor wat ik jou heb aangedaan. Ik smeek je. Is Ethan buiten? Is hij in jouw auto?'

Oscar Fines tong bewoog in zijn mond, alsof hij ergens over nadacht.

En toen, in een flits, ging zijn arm omhoog en ging het pistool in zijn hand heel zachtjes af.

Ik riep: 'Nee! God, nee! Jan!'

Jan werd tegen de muur aan gesmeten. Haar mond ging open, maar ze maakte geen geluid. Ze keek neer op de rode bloem boven haar rechterborst, legde haar rechterhand erop en raakte de plek aan.

Ik vloog naar Jan toe, probeerde haar vast te houden terwijl ze langs de muur in elkaar zakte. Ik liet haar voorzichtig zakken, probeerde niet te kijken naar het bloedspoor op de muur. Haar ogen stonden al glazig.

'Het komt allemaal goed,' zei ik.

De voorkant van haar blouse was al doorweekt met bloed. Haar ademhaling was oppervlakkig en klonk schor.

'Ethan,' fluisterde ze tegen me.

'Ik weet het,' zei ik. 'Ik weet het.'

Ik keek naar Oscar Fine, die niet had bewogen sinds hij het schot had gelost. Het viel me in dat hij er vredig uitzag.

'Ik moet een ambulance bellen,' zei ik. 'Mijn vrouw… ze verliest heel veel bloed.'

'Nee,' zei hij.

'Ze is stervende,' zei ik.

'Dat is de bedoeling,' zei Oscar Fine.

Jan hief met moeite haar hoofd op. Ze keek hem aan en zei hortend: 'Ethan. Waar is Ethan?'

Oscar Fine schudde zijn hoofd. 'Geen idee,' zei hij. 'Maar als je dat wilt, dan zoek ik hem graag. En als ik hem vind, waar moet ik zijn handjes naartoe sturen?' Hij glimlachte droevig naar mij. 'Naar haar zal niet meer gaan.'

'Je hebt hem niet,' zei ik.

'Helaas niet,' zei hij.

Jans oogleden vielen dicht. Ik sloeg mijn arm om haar heen en trok haar tegen me aan. Ik kon niet uitmaken of ze nog ademde.

In de verte hoorden we een sirene.

'Shit,' zei Oscar Fine. Hij keek naar de open telefoon op het bed, schudde vol walging zijn hoofd, pakte het ding en klapte het dicht. Hij zuchtte toen de sirene – het klonk alsof het er maar één was – luider werd. Na een paar seconden hoorde ik voetstappen op onze veranda.

'De plannen worden gewijzigd,' zei Oscar Fine. Hij richtte de loop van zijn pistool op mij. 'Kom mee.'

Ik liet Jan los en liep de kamer door, langs Oscar Fine, door de deur naar de overloop. Hij liep vlak achter me aan. Ik kon de loop van zijn pistool in mijn rug voelen.

'Hier blijven,' zei hij.

Van beneden hoorde ik Barry Duckworth roepen: 'Meneer Harwood?'

'Boven,' zei ik. Ik schreeuwde niet, maar ik zei het hard genoeg om gehoord te worden.

'Alles goed me u?' Beneden floepten de lichten aan.

'Nee. En mijn vrouw is neergeschoten.'

'Ik heb al een ambulance gebeld.' Duckworth stond nu onder aan de trap. Oscar Fine en ik stonden achter de balustrade van de overloop boven, op het punt om ons om te draaien en de trap af te lopen.

Duckworth, met getrokken wapen, keek omhoog. Ik kon de verbazing op zijn gezicht lezen. Hij vroeg zich af wie de man achter mij was.

Oscar Fine zei: 'Ik schiet meneer Harwood dood als u mij niet met hem laat vertrekken.'

Duckworth, met zijn pistool naar boven gericht, overdacht de situatie even. 'Over twee minuten zullen hier een stuk of tien politiemensen zijn.'

'Dan moeten we opschieten,' zei Oscar. Hij liep tree voor tree met me naar beneden. 'Laat uw wapen zakken, ander schiet ik meneer Harwood direct dood.'

Duckworth, die het pistool in mijn rug zag, liet het zijne onmiddellijk zakken, maar hij bleef het vasthouden. 'Je moet je overgeven,' zei hij.

'Nee,' zei Fine. We waren inmiddels halverwege de trap. 'Alstublieft, naar achteren.'

Duckworth deed een paar stappen naar achteren in de richting van de voordeur.

We kwamen op de begane grond. Oscar Fine hield mij als een schild voor zich en begon voorzichtig in de richting van de keuken te schuiven. Hij was van plan om via de achterdeur te vertrekken. Misschien stond zijn auto in de straat achter de onze en wilde hij door de achtertuin tussen de huizen door om hem te bereiken.

Duckworth keek machteloos toe. Zijn ogen ontmoetten de mijne.

We stonden onder de balustrade toen ik zag dat Duckworth omhoogkeek.

Oscar Fine en ik legden allebei tegelijk ook ons hoofd in onze nek.

Het was Jan. Ze stond bij de balustrade, ze leunde er met haar middel overheen. Een druppel bloed viel als warme regen op mijn voorhoofd.

Ze zei: 'Jij zult mijn zoon nooit kwaad kunnen doen.'

En toen dook haar lichaam naar voren. Ze leunde niet tegen de balustrade, ze wierp zich eroverheen.

Toen ze naar beneden viel zag ik wat ze in haar beide handen geklemd hield: het dertig centimeter lange stuk hout van de vloerplank waaraan ik zonet nog mijn hand had bezeerd.

Ze dook naar beneden, met die plank als een dolk voor zich uit.

Oscar Fine had geen tijd meer om te reageren. Het scherpe uiteinde raakte hem tussen zijn nek en schouders. De kracht van Jans val dreef de plank diep in zijn bovenlijf en dat, gecombineerd met het gewicht van Jan, deed hem op de grond vallen.

Geen van beiden bewoog daarna nog.

56

Bij Jan en Oscar Fine werd de dood vastgesteld. Toen de eerste paniek voorbij was kon ik mezelf er niet toe brengen om nog naar de hal te lopen en te kijken naar die in elkaar verwikkelde resten van mijn vrouw en haar moordenaar.

Ik praatte meer dan een half uur met Barry Duckworth, vertelde alles zo goed als ik kon. De meeste dingen alleen in grote lijnen. Een heleboel details wist ik niet, en ik dacht niet dat ik ze ooit zou weten.

Ik had de indruk dat hij me geloofde.

Maar voor we zover waren, had ik iets veel dringenders met hem te bespreken.

'Ethan is nog steeds weg,' zei ik. 'Jan was ervan overtuigd dat Oscar Fine hem meegenomen had, maar zonet boven, voor alles gebeurde, zei hij dat hij er niets van wist.'

'Loog hij, denkt u?' vroeg Duckworth.

'Ik denk het niet,' zei ik. 'Als hij Ethan had gehad, dan had hij het heerlijk gevonden ons daarmee te treiteren.'

We waren er helemaal zeker van toen we een zwarte Audi – op naam van Oscar Fine – een straat achter de onze vonden. We keken achterin en in de kofferbak: niets.

'Al onze mensen werken aan deze zaak,' verzekerde Duckworth me terwijl we samen aan de keukentafel zaten. 'Iedere beschikbare agent zoekt naar uw jongen. We hebben verloven ingetrokken. We zoeken alle straten af.'

'Maar als Ethans verdwijning hier nu niets mee te maken heeft?' zei ik. 'Stel dat hij gewoon verdwaald is? Of dat een of andere zieke klootzak toevallig door onze buurt reed en...'

'Dat maakt niet uit,' zei Duckworth. 'We doen er alles aan, we sluiten niets uit. We ondervragen iedereen in de straat van uw ouders en in uw straat. Daar zijn we nu mee bezig.'

Ik voelde me er geen haar beter door.

'Ze heeft het voor Ethan gedaan,' zei ik. 'En voor mij.'

Wat heeft ze gedaan?' vroeg Duckworth.

'Ze heeft het lang genoeg volgehouden om die man te kunnen doden, zodat ik er voor Ethan zou zijn.'

'Ja, dat is zo,' zei Duckworth.

'Ze zei dat ze niet verwachtte dat ik haar zou vergeven,' zei ik.

'Maar als ze het nu aan u zou vragen…'

Ik zei niets en keek neer op de tafel.

Kort daarna kwamen mijn vader en moeder. We omhelsden elkaar huilend en ik probeerde hun te vertellen wat ik van de gebeurtenissen van de afgelopen drie dagen wist, net zoals ik dat aan Duckworth had gedaan.

En van de afgelopen zes jaar. En zelfs nog van de tijd daarvoor.

'Waar kan Ethan zijn?' vroeg ma. 'Waar kan hij toch naartoe zijn?'

Duckworth liep weg om toezicht te houden bij de plaats delict en wij drieën bleven om de tafel zitten. We wisten niet wat we moesten doen.

We waren moe, somber en getraumatiseerd.

Een deel van me treurde.

Ergens rond middernacht ging de telefoon over. Ik nam op.

'Hallo?'

'Meneer Harwood?'

'Ja?'

'Ik heb iets verschrikkelijks gedaan.'

Ik was er om drie uur 's nachts.

Barry Duckworth had eerst bezwaren gemaakt. Hij wilde ten eerste niet dat ik wegging van de plaats delict. En ten tweede, als ik wist wie mijn zoon had meegenomen, wie hem ontvoerd had, dan moest Duckworth de politie sturen.

'Maar ik geloof niet dat het een echte ontvoering is,' zei ik. 'Nu in elk geval niet meer. Het ligt nogal ingewikkeld. Laat mij gewoon gaan om mijn jochie te halen. Ik weet waar hij is. Laat mij hem thuisbrengen.'

Hij dacht even na en zei uiteindelijk: 'Ga maar.' Hij zei dat hij zou proberen bij de verkeerspolitie te regelen dat ze me niet van de weg zouden halen als ik de snelheidslimiet overtrad.

Toen ik voor het huis van de Richlers aan Lincoln Avenue in Rochester stopte, waren de lichten in de huiskamer aan. Ik hoefde niet aan te kloppen. Gretchen Richler stond me bij de deur op te wachten en deed hem open toen ik de treden van de veranda beklom.

'Waar is hij?' zei ik.

Ze knikte en ging me voor de trap op. Ze duwde de deur open die naar ik aannam toegang gaf tot de slaapkamer van haar en haar man, die er niet was. Ethan lag onder de dekens, zijn hoofd op het kussen, vast in slaap.

'Ik laat hem nog even slapen,' zei ik.

'Ik heb koffiegezet,' zei Gretchen. 'Wilt u een kopje?'

'Ja,' zei ik. Ik liep achter haar aan de trap af. 'Is uw man…?'

'Nog in het ziekenhuis,' zei ze. 'Op de psychiatrische afdeling, zo noemen ze het, geloof ik. Ze houden hem onder observatie.'

'Wat denken ze, komt het weer goed?'

'Het is een beetje afwachten,' zei ze. 'Met een beetje geluk is hij over een paar dagen weer thuis. Maar ik weet niet hoe hij zich in z'n eentje zal redden.'

Ze schonk twee koppen koffie in en zette ze op de keukentafel. 'Wilt u een koekje?' vroeg ze.

Ik schudde mijn hoofd. 'Koffie is genoeg.'

Gretchen Richler ging tegenover me zitten. 'Ik weet dat het verkeerd is, wat ik gedaan heb,' zei ze.

Ik blies op de koffie en nam een slok. 'Vertel me wat er gebeurd is.'

'Nou, het begon ermee dat we die foto bekeken die u bij ons had achtergelaten, de foto van uw vrouw. Het kwam door het kettinkje dat ze droeg. Met dat cakeje.'

'Ja?'

'Het was van onze dochter geweest. Ze was het vlak voor ze stierf kwijtgeraakt. Ze had Constance ervan beschuldigd het gestolen te hebben. Toen ik de foto van uw vrouw zag, viel alles op zijn plaats. Toen wist ik het.'

'Voor zover ik het me kan herinneren was het de enige keer dat ze hem droeg,' zei ik. 'Het kettinkje lag in haar sieradenkistje, maar ze droeg het nooit. Vlak voor dat uitje had Ethan het gevonden. Hij is gek op cupcakejes, en hij wilde erg graag dat ze het omdeed.'

'Die keer dat u belde, net nadat Horace had geprobeerd zich van het leven te beroven, toen u zei dat uw vrouw nog leefde en dat u dacht dat u haar misschien wel zou vinden, toen… toen werd ik gek.'

'Ga door.'

'Ik was zo kwaad. Hier had je die vrouw, die niet één keer, maar twee keer het leven van mijn dochter had genomen. Ik kon het maar niet van me afzetten wat zij ons had aangedaan. Ik wilde dat ze wist hoe dat voelde.'

Ik knikte en nam nog een slok van de hete koffie.

'Ik dacht... ik dacht gewoon dat ze het verdiende. Dat als zij onze dochter kon afnemen, en daarna ook nog haar identiteit, dat er iets ergs moest gebeuren zodat ze het zou begrijpen. Dus toen Horace in het ziekenhuis lag, ben ik naar Promise Falls gereden. Ik ben naar het huis gereden van uw ouders en ik zag uw zoontje in de achtertuin spelen. Ik heb tegen hem gezegd dat ik zijn tante Gretchen was en dat het eindelijk tijd was dat hij naar huis kwam.'

'En toen is hij met u meegegaan.'

'Inderdaad. Hij was zo blij dat hij naar huis ging, dat hij geen moment dacht dat het niet zou kloppen.'

'Vond hij het niet gek dat hij een tante had van wie hij nog nooit gehoord had?'

Gretchen schudde haar hoofd. 'Hij vond het doodgewoon.'

'Dus hij stapte bij u in de auto,' zei ik.

Ze knikte. 'Ik had voor ik naar het huis van uw ouders ging om de hoek nog iets lekkers voor hem gekocht. Toen begon ik aan de rit terug, en hij zei meteen dat ik de verkeerde weg nam. Ik moest hem uitleggen dat hij voor ik hem naar huis kon brengen een tijdje bij mij moest blijven.'

'En hoe reageerde hij daarop?'

Gretchen had een brok in haar keel. Een traan vormde zich in haar ooghoek. 'Hij begon te huilen. Ik zei dat hij dat niet moest doen, dat het allemaal goed zou komen. Dat hij helemaal niet zo lang bij me hoefde te blijven.'

'Wat was u van plan?' vroeg ik.

Gretchen keek me recht aan. 'Dat weet ik niet.'

'U moet toch enig idee hebben.'

'Onderweg naar Promise Falls had ik een besluit genomen. Ik wilde... ik wilde...'

'U zou hem nooit kwaad gedaan hebben.'

Ze kon me niet meer aankijken. 'Ik hoop het niet. Maar ik was een tijdje, ja, het leek wel of ik bezeten was of zo. Ik was mezelf niet meer. Ik wilde het haar betaald zetten, ik wilde dat we quitte stonden. Maar toen ik hem zag, en terwijl hij bij me in de auto zat...'

'Toen kon u het niet doen,' zei ik.

'Het is zo'n schattig jongetje,' zei ze terwijl ze me weer aankeek. 'Echt waar. U bent vast heel erg trots op hem.'

'Dat klopt,' zei ik.

'Maar nadat ik hem meegenomen had, wist ik niet wat ik moest doen.'

'Dus u bent teruggereden naar Rochester.'

Ze knikte treurig. 'Ik schaam me heel erg voor mezelf. Echt.'

'U hebt geen idee wat u ons hebt aangedaan,' zei ik.

'Ik weet het.'

'Mijn moeder. Ik weet niet of ze het zichzelf ooit zal vergeven dat ze Ethan uit het oog is verloren.'

'Ik zal zelf tegen haar zeggen hoezeer het me spijt. Echt. Krijg je niet de kans om een soort verklaring af te leggen als je veroordeeld wordt? Je mag toch iets zeggen tegen de familie?'

Ik voelde me heel erg moe.

'Ik denk niet dat dat nodig zal zijn,' zei ik.

Gretchen keek verward. 'Ik begrijp het niet. Ik heb uw zoontje ontvoerd. Daar moet ik voor gestraft worden.'

Ik legde over de tafel heen mijn hand op de hare. 'Ik denk dat u genoeg gestraft bent. U en uw man. Door mijn vrouw.'

'Ook al wilt u misschien niet dat ik gearresteerd word, zij wil het waarschijnlijk wel,' zei Gretchen.

'Nee,' zei ik. 'Ze is dood.'

Gretchen snakte naar adem. 'Wat? Wanneer?'

'Ongeveer vier uur geleden,' zei ik. 'Ze is ingehaald door haar verleden, door een van haar verledens. Dus er is niemand meer met wie u quitte moet spelen. Ze is er niet meer. En eerlijk gezegd hebt u misschien wel Ethan gered door hem mee te nemen.'

'Dat is geen excuus voor wat ik gedaan heb,' zei ze.

'Het enige wat mij op dit ogenblik kan schelen is dat het goed is met mijn zoon en dat hij veilig is. Ik zal alles doen wat in mijn vermogen ligt om de politie over te halen u niet in staat van beschuldiging te stellen. Ik zal niet meewerken als ze willen dat ik getuig.'

'Ik heb een hapje te eten voor hem gemaakt,' zei Gretchen. Ze had helemaal niet gehoord wat ik zei. 'Na een tijdje voelde hij zich best thuis en toen heb ik een macaronischoteltje met kaas voor hem gemaakt.'

'Daar is hij dol op.'

'Ik wist dat ik u moest bellen. Ik was van plan het morgenochtend te doen. Maar ik wist dat u niet zou kunnen slapen als u niet wist waar hij was, dus ik besloot u meteen te bellen.'

'Daar ben ik blij om.' Ik liet haar hand los. 'Ik wil nu graag mijn zoon halen.'

'U mag best weer op de bank blijven slapen, dan rijdt u morgen terug.'

'Dank u wel,' zei ik. 'Maar nee.'

Gretchen ging me weer voor naar boven. Ik ging op de rand van het bed zitten. Ethan bewoog en rolde zich om.

'Ethan,' fluisterde ik terwijl ik zachtjes mijn hand op zijn schouder legde. 'Ethan.'

Hij deed langzaam zijn ogen open, knipperde er een paar keer mee om aan het licht te wennen dat vanuit de hal naar binnen scheen.

'Hoi, pap,' zei hij.

'Tijd om op te stappen,' zei ik.

'Terug naar ons eigen huis?' zei hij hoopvol.

'Nog niet,' zei ik. Misschien wel nooit meer. 'We gaan naar opa en oma. Maar ik blijf bij je.'

Ik sloeg de dekens terug. Hij had zijn kleren nog aan, zijn schoentjes stonden op de vloer naast het bed.

'Ik had geen pyjama voor hem,' zei Gretchen verontschuldigend.

Ik knikte. Terwijl ik Ethan hielp rechtop te gaan zitten, gaf Gretchen me zijn schoenen aan. Terwijl ik ze aan zijn voeten deed en het klittenband dichtdrukte, zei hij: 'Dat is tante Gretchen.'

'Klopt,' zei ik.

'Ze is me bij oma komen halen.'

'Ik heb gehoord dat ze macaroni met kaas voor je heeft gemaakt.'

'Yep.'

Toen hij zijn schoenen aanhad, tilde ik hem op, liet zijn hoofdje op mijn schouder rusten en liep met hem de trap af.

'Ik hoop dat het weer goed komt met uw man,' zei ik toen Gretchen de deur voor me openhield.

'Dank u wel,' zei ze. 'Maar bekommert u zich nou maar om uw zoontje.' Ze klopte Ethan zachtjes op zijn hoofd. 'Dag dag.'

'Dag, tante Gretchen,' zei hij terwijl hij in zijn ogen wreef.

Ik droeg hem naar de auto van mijn vader en zette hem vast in het autostoeltje achterin. Ik wilde net het sleuteltje in het contact omdraaien, toen Ethan vroeg: 'Heb je mama gevonden?'

'Ja,' zei ik.

'Is ze thuis?' vroeg hij.

Ik liet het sleuteltje los, stapte uit en ging achterin zitten. Ik sloeg het portier achter me dicht en kroop tegen Ethan aan, nam zijn handjes in de mijne.

'Nee,' zei ik. 'Ze is weggegaan. En ze komt niet meer bij ons terug. Maar je moet weten dat ze meer van je houdt dan van het leven zelf.'

'Is ze boos op mij?' vroeg hij.

'Nee, natuurlijk niet,' zei ik. 'Ze is nooit boos op jou geweest.' Ik zweeg even en vond toen de woorden die ik zocht. 'Het laatste wat ze gedaan heeft, heeft ze voor jou gedaan.'

Ethan knikte moe, huilde even, gaapte toen en viel weer in slaap. Ik bleef hem vasthouden. We zaten daar nog steeds zo toen de zon al opkwam.

Dankbetuiging

Laten we beginnen met de boekhandelaren. U zou dit boek niet in handen hebben – of op uw eReader – als zij er niet waren. Ik ben bijzonder dankbaar voor het enthousiasme van de mensen die van hun liefde voor boeken een levensvervulling hebben gemaakt. Het maakt niet uit hoeveel advertenties u ziet, hoeveel recensies u leest, een boek wordt het beste verkocht door een boekhandelaar die het u in handen geeft en zegt: 'Lees dit eens.'

Dank jullie wel.

Zonder mijn goede vriendin en agent, Helen Heller, was ik nergens. Ze weet wat een goed verhaal is en ze weet wat een slecht verhaal is, en ze is niet bang om tegen mij te zeggen in welke categorie het verhaal valt waar ik mee bezig ben. Haar intuïtie en goede raad zijn van onschatbare waarde.

Ik ben Gina Centrello, Nita Taublib, Danielle Perez, en alle andere mensen bij Bantam bijzonder veel dank verschuldigd voor hun toewijding en steun.

Keith Williams, van Williams Distinctive Gems, heeft me verteld hoe het zit met diamanten. En bij het Vaughan Press Centre, waar de *Toronto Star* – zevenentwintig jaar een fantastische werkgever voor me geweest! – gedrukt wordt, waren Sarkis Harmandayan en Terry Vine zo vriendelijk om me een opfriscursus over de drukpersen te geven.

En nu ik het toch over kranten heb, die wil ik ook bedanken. Het meeste wat ik weet, weet ik omdat ik kranten lees en ervoor werk. Ze hebben het vandaag de dag moeilijk. Als ze uiteindelijk alleen nog maar online zullen verschijnen dan moet dat maar, maar we moeten ervoor betalen, anders worden de verhalen die verteld moeten worden niet langer verteld.

En zoals altijd zou dit er allemaal helemaal niets toe doen als Neetha, Spencer en Paige er niet waren.